Содержание

Кто такой Бенджамин Спок

Доктор Бенджамин Спок окончил Йельский университет и медицинский колледж федерального округа Колумбия. С 1929 по 1947 год он работал в Нью-Йорке детским врачом. Был сотрудником Корнеллского медицинского колледжа, нью-йоркской больницы и Городского отдела здравоохранения Нью-Йорка.

Накопив огромный опыт врача-педиатра (а также будучи отцом двоих детей), доктор Спок написал эту книгу, которая уже многие годы возглавляет списки бестселлеров.

В 1947 году доктор Спок перешел на работу в Институт здоровья ребенка в Рочестере, штат Миннесота, и клинику Майо, а также стал помощником профессора психиатрии в университете Миннесоты. С 1951 года он был профессором кафедры развития ребенка на медицинском факультете Питтсбургского университета, где разрабатывал курс детской психиатрии и развития ребенка. С 1955 года и до своего ухода на пенсию в 1967 году доктор Спок был профессором кафедры развития ребенка Университета западного резерва в Кливленде.

Несколько слов читателям

Почти у всех есть свой доктор, к которому можно при необходимости обратиться за помощью. Он хорошо знает вашего ребенка, поэтому всегда даст разумный совет, что вы должны делать. Ему достаточно бегло осмотреть малыша или задать вам несколько вопросов по телефону, чтобы решить проблему, осветить которую в книге очень трудно. Поэтому не пытайтесь искать в этой книге ответы на вопросы, как ставить диагноз и как лечить ребенка; вы лишь научитесь лучше понимать детей, познакомитесь с их нуждами и проблемами. Правда, в некоторых разделах мы даем рекомендации о том, как поступать в экстренных случаях, если невозможно связаться с врачом. Мы считаем, что это все же лучше, чем оставить родителей один на один с их бедой. Тем не менее никакая книга не заменит практической помощи профессионального медика.

Я хочу принести свои извинения родителям девочек: в своей книге, когда речь идет о малютке, я использую местоимения мужского рода. Изложение получится очень громоздким и неудобным, если все время уточнять: «его или ее», а кроме того, местоимения женского рода я употребляю по отношению к мамам.

Прежде всего упомяну о главном: не старайтесь слишком буквально воспринимать все, о чем здесь прочитаете. Дети, как и их родители, существа во многом неповторимые, одна болезнь в разных случаях протекает по-разному, да и поступки детей в одинаковых ситуациях тоже отличаются. Я лишь описываю наиболее общие подходы к решению проблемы. Учтите, что я не знаком с вашим ребенком, а вы хорошо его знаете.

Естественно, что за многие годы после выхода первого издания в тексте книги появились сотни небольших изменений и поправок. Некоторые из них вызваны новыми достижениями науки, такими как появление вакцин против кори и полиомиелита, применение ингаляций при простудах и крупе. Кроме того, возникли новые идеи, успешно прошедшие проверку временем: это и кормление смесями комнатной температуры и даже охлажденными — прямо из холодильника; и стерилизованные смеси в одноразовой посуде; и способ измерения температуры.

Значительно расширен раздел, посвященный подростковому возрасту. Не вдаваясь в детали, мы все же затронули главные темы, которые волнуют родителей: желание детей получить больше свободы, требование предоставить им различные привилегии, дух противоречия по отношению к взрослым, пренебрежение гигиеной, распорядок дня, непослушание и открытый вызов. Здесь я излагаю свои представления о том, как бороться с отрицательными сторонами поведения, а также кратко рассматриваю проблемы правонарушений и наркомании среди подростков.

Произошла и принципиальная переоценка моего взгляда на воспитание детей. Я осознал, что главная проблема нынешних родителей — восприятие ребенка как центра мироздания. Я не имею в виду тех немногих пап и мам, которые готовы поклоняться своему малолетнему «тирану», и ту, сбитую с толку многочисленными советами детских психологов и психиатров, врачей и педагогов, массу родителей, которые из боязни ошибиться не решаются применить твердость в общении со своими чадами, хотя те как раз больше всего в этой твердости нуждаются. Я говорю о важной тенденции, проявляющейся в среде вполне здравомыслящих отцов и матерей. Они полностью концентрируются на своем ребенке, озабоченные лишь его потребностями. При этом они не заботятся о том, что может и должен дать сам ребенок миру, своему ближайшему окружению, семье, и об ответственности, которая ляжет на его плечи, когда он вырастет. Первые же публикации, освещающие новый подход к воспитанию, вызвали среди американцев некоторый шок.

Я полагаю, что наше воспитание не готовит подрастающее поколение к решению проблем, возникающих в мире, лишает их настоящего счастья, ощущения полноты жизни. Человек может быть по-настоящему счастлив, лишь осознавая себя частью общества, чувствуя себя необходимым другим людям и стараясь оправдать ожидания, которые с ним связывают.

Почему родители и воспитатели-профессионалы не в состоянии показать детям их настоящее место в мире? Потому что для самих взрослых не совсем ясны их положение во Вселенной, смысл их жизни. Во всяком случае, мы много потеряли в этом отношении по сравнению с предыдущими поколениями.

Я постарался дать ответы в главе «Чего вы хотите добиться воспитанием» (см. пункты 10–14).

Не могу не упомянуть и о той признательности, которую я выражаю врачам и другим специалистам, а также ко многим матерям, чьими советами я пользовался, работая над рукописями всех изданий моей книги.

Проявив бесконечное терпение и вложив огромный труд в создание книги, Джейн Чени Спок не только высказала множество полезных замечаний, но и сама привела в надлежащий вид большинство практических советов. Но основная ее помощь заключалась в том, что в течение многих лет она самоотверженно вечер за вечером проводила в одиночестве, пока я писал, исправлял и переписывал мой труд.

Что значит быть родителями

Доверяйте своим чувствам

1. Вы гораздо лучше подготовлены, чем думаете. Скоро у вас появится малыш. Может быть, вы уже стали родителями. Вы счастливы, взволнованы, но ощущаете недостаток опыта и не уверены, что должным образом справитесь с новыми обязанностями. Последнее время вы внимательно прислушивались к советам родственников и знакомых по поводу воспитания детей, начали знакомиться со статьями специалистов в газетах и журналах. Когда ребенок родится, у вас появятся новые советчики — врачи и медсестры. Подчас вам будет казаться, что выполнить все эти советы чрезвычайно трудно. Вам предстоит выяснить, какие ребенку требуются витамины и какие ему нужно сделать прививки. Какая-нибудь мамаша будет вам рекомендовать пораньше начать кормить малыша яйцами, потому что в них много железа. Другая, напротив, отсоветует это из-за возможной аллергии. Вам будут говорить, что постоянно держа ребенка на руках, вы избалуете его. Одновременно вы услышите, что ребенок нуждается в ваших объятиях, как ни в чем другом. Одни вам станут объяснять, что сказки возбуждают детей, а другие — что сказки лучше всего их успокаивают.

Не относитесь слишком серьезно к тому, что говорят ваши близкие. Пусть вас не приводят в трепет и советы специалистов. Главное, не бойтесь доверять собственному здравому смыслу. Воспитание — не такое уж мудреное занятие, относитесь к нему легко, доверьтесь своим инстинктам и указаниям доктора. Опыт показывает, что ласковое обращение с ребенком значит в сотни раз больше, чем умение пеленать его

14

или готовить питательную или лекарственную смесь. Каждый раз, когда вы берете ребенка на руки — пусть даже на первых порах это у вас получается неловко, каждый раз, когда вы меняете ему пеленки, купаете его, кормите, улыбаетесь ему, он чувствует, что принадлежит вам, а вы принадлежите ему. Никто, даже самый опытный в мире специалист, не сможет дать ему этого.

Поверьте, чем больше ученые изучают проблемы воспитания детей, тем сильнее они убеждаются, что приемы, которыми пользуются хорошие матери и отцы и которые им подсказывает природный инстинкт, самые правильные. Скажу больше: лучше всего дела идут у родителей, когда они доверяют своим чувствам. Лучше сделать ошибку под воздействием бессознательного импульса, чем все делать по писаному, но с холодным сердцем.

Общество Красного Креста и отделы здравоохранения организуют повсеместно обучение будущих пап и мам. Там вы можете получить ответы на волнующие вас вопросы по поводу беременности, родов и ухода за ребенком.

Радуйтесь своему малышу

2. Не бойтесь своего ребенка. Не верьте, если вам скажут, что внимание, которого требует к себе ребенок, заложено в его природе, и он появляется на свет, чтобы любыми правдами и неправдами привязать вас к себе, заставить плясать под его дудку. Ребенок рождается, чтобы в будущем стать добрым и разумным взрослым человеком.

Не бойтесь кормить малыша, когда вам кажется, что он голоден. В противном случае он просто не будет есть.

Не бойтесь проявлять свою любовь к нему и радость, которую он вам доставляет. Любое дитя нуждается, чтобы ему улыбались, разговаривали с ним, играли, нежность и любовь нужны ему не меньше, чем калории и витамины. Все это сделает его потом личностью, способной любить окружающих и радоваться жизни. Ребенок, которому в младенчестве не досталось любви, вырастет черствым и холодным человеком.

Не бойтесь потакать желаниям малыша, если, конечно, они не выходят за рамки здравого смысла и не превратят вас в его раба. Плач ребенка в первые недели жизни вызван чувством какого-то дискомфорта — может быть, это голод или нарушение работы желудка, усталость или напряжение. Беспокойство, которое охватывает вас, когда вы слышите плач младенца, желание любым способом успокоить его вполне естественны. Возможно, будет достаточно взять его на руки, покачать или походить немного с ним на руках.

Не переходя разумных пределов, можно и побаловать ребенка — этим вы его не испортите. Один раз ничего не изменит. Настоящая избалованность приходит постепенно, если мать не знает чувства меры или сама хочет оказаться у ребенка под каблуком и всячески поощряет подобные его наклонности.

Каждый родитель хочет, чтобы его ребенок приобрел здоровые привычки, которые в будущем помогут ему в жизни. Но и малыш хочет питаться в определенные часы, и со временем он будет готов усвоить хорошие манеры поведения за столом. Его кишечник и мочевой пузырь работают (если нет отклонений от нормы) по своему собственному расписанию, подчас не совпадающему с вашими ожиданиями. Став более взрослым, ребенок от вас узнает, где надо удовлетворять свои естественные потребности. Таким же образом малыш захочет изменить расписание своего сна в соответствии с собственными нуждами. Раньше или позже, он станет учитывать не только сигналы своего организма, но и образ жизни семьи — от вас ему необходима будет лишь минимальная помощь.

3. Принимайте ребенка таким, какой он есть, и радуйтесь этому — тогда он станет хорошим взрослым. Среди множества детских лиц вы не найдете двух одинаковых. Развитие каждого ребенка также протекает по-своему. Один быстрее своих сверстников развивается физически, у него раньше появляется координация движений, он начинает садиться, вставать, ходить — этакий атлетический тип младенца. Но он же иногда отстает в умении делать четкие, осмысленные движения пальцами, запаздывает в развитии речи. У малыша, физически активного, могут поздно резаться зубы, и наоборот. Ребенок, который в свое время будет удивлять своей сообразительностью школьных учителей, часто долго не начинает говорить, и его родители даже некоторое время опасаются, что он всю

16

жизнь будет тупицей; а другой школьник, не проявляющий никаких выдающихся способностей, оказывается, заговорил очень рано.

Я намеренно привожу такие разные примеры развития навыков у детей, чтобы вы поняли, какой огромный комплекс качеств присущ каждой личности и как много есть путей их развития и реализации.

Один ребенок рождается, чтобы вырасти в крепкого, ширококостного парня; другой навсегда останется нежным и хрупким. В одном с рождения заложена предрасположенность к полноте. Если он заболеет и потеряет вес, то быстро наберет его по выздоровлении. Никакие мировые проблемы не лишат его аппетита. Ребенок с противоположным типом личности остается худым, даже если кормить его как на убой.

Любите свое дитя таким, какое оно есть. Радуйтесь тому, как выглядит ваш малыш и что он делает, не задумывайтесь о качествах, ему не присущих. Я даю этот совет, руководствуясь не только сентиментальными соображениями. В нем есть и чисто практический смысл. Ребенок, в котором ценят все, даже самые заурядные качества, вырастет уверенным в себе и счастливым. Он приобретет ту силу духа, которая поможет ему проявить все свои способности, не упустить ни одной появившейся перед ним возможности. Он легко преодолеет любую преграду. Если же ребенок поймет, что не оправдывает надежд родителей, если почувствует, что от него все время ждут большего, то всю оставшуюся жизнь он будет страдать от своей неуверенности. Он не сможет по-настоящему воспользоваться своим умом, знаниями и умениями, своей физической привлекательностью. Если в младенчестве он почувствует себя физически или умственно неполноценным, то с возрастом сознание своего порока станет больше в десятки раз.

4. Он вовсе не такой хрупкий. «Боюсь, что сделаю ему больно, если неправильно возьму его», — жалуется мать, говоря о своем первенце. На самом деле ее опасения вряд ли оправданы — младенец обладает довольно крепким телом, и держать его можно по-всякому. Если он случайно ударяется головкой, это не причиняет ему сильной боли. Родничок на черепе затянут плотной перепонкой, которую не так легко повредить. Система терморегуляции тела у новорожденного начинает

17

нормально функционировать, когда его вес достигает чуть более 3 кг, и он не будет страдать от холода или жары, если, конечно, не укрыт с головой. Организм ребенка обладает иммунитетом против большинства микробов. Если в семье возникла «эпидемия» простудных заболеваний, младенец перенесет недуг легче, чем все остальные. Если малыш запутается в чем-либо, сработает инстинкт, и он попытается освободиться. В случае неудачи он оповестит всех громким криком. Таким же образом ребенок доложит вам, что голоден. При слишком ярком свете он будет моргать и вести себя беспокойно. (Не бойтесь фотографировать кроху со вспышкой, даже если он при этом подпрыгнет от неожиданности.) Малыш знает, сколько ему спать, и не проснется даже при сильном шуме. Иными словами, существо, которое не умеет говорить и практически ничего не знает об окружающем мире, может вполне постоять за себя.

5. Внешность новорожденного иногда расстраивает родителей. Его кожа покрыта белой защитной пленкой, и если не стереть ее, то, постепенно исчезая, она снизит риск получить кожные заболевания в родильном доме. Сама кожа имеет красный оттенок, личико одутловато. Могут остаться и синяки от акушерских щипцов. Головка подчас деформирована — с низким лобиком, удлиненная в задней части и несколько скособоченная. Кроме того, возможны гематомы — подкожные кровоизлияния на черепе, имеющие вид шишек или опухолей и исчезающие в течение нескольких недель. Через два-три дня у новорожденных иногда проявляется физиологическая желтуха, следы которой должны исчезнуть в течение недели. (Если желтый оттенок кожи наблюдается в первые сутки после рождения или не проходит дольше недели, то об этом необходимо сообщить врачу.)

Все тельце бывает покрыто пушком, выпадающим примерно за неделю. Пару недель на разных участках кожи наблюдается шелушение, которое также прекращается со временем. Голова некоторых детей покрыта черными волосами, иногда захватывающими и лоб. Эти первые волосы, какого бы цвета и какой бы толщины они ни были, скоро выпадут, а на их месте вырастут новые, во многих случаях совсем не похожие.

Запрещать или разрешать

6. Вот дилемма, которая встает перед большинством молодых родителей. Постепенно многие из них учатся ее разрешать. Но некоторых, даже опытных, матерей и отцов эта проблема продолжает мучить.

Если вам важно мое мнение, то скажу сразу: однозначного ответа на этот вопрос нет. Удача сопутствует людям добрым, которые, однако, не боятся при необходимости проявить твердость. При этом не важно, последует ли за этим запрет или разрешение. Зато запреты со стороны излишне суровых родителей или потакание из-за их неуверенности и нерешительности могут принести лишь вред. Значит, дело лишь в вашем характере и в той реакции, которую вызовут ваши действия у ребенка.

7. Переломный момент. Трудно говорить о перспективах, не изучив, как решалась проблема в прошлом. В различные периоды истории существовали разные подходы в соотношениях запрета и поощрения детских поступков. Так, викторианская эпоха была примером строгости в воспитании, уделяя особое внимание благопристойности поведения. После Первой мировой войны ситуация кардинально изменилась. Родоначальники педагогической науки в Америке Джон Дьюи и Уильям Килпатрик доказали, что дети быстрее и лучше усваивают знания, если используемый метод обучения способствует их готовности двигаться вперед и стимулирует их желание изучать понравившиеся им предметы. З. Фрейд и его последователи установили, что основанное на страхе воспитание пуританского отношения к сексу может деформировать личность и впоследствии привести к неврозам. Исследования криминологов выявили, что большинство преступников и правонарушителей в детстве страдали от дефицита любви и ласки, а вовсе не от безнаказанности. Все это привело к либерализации воспитания, к смягчению дисциплины, к попыткам дать детям все то, что, по мнению взрослых, необходимо для развития их индивидуальности. Некоторые ведущие педиатры Америки применяли аналогичные идеи в воспитании детей. Но до сороковых годов врачи продолжали придерживаться жестких установок в вопросах кормления малышей. Считалось, что нерегулярные промежутки времени между приемом пищи и разное количество пищи могут привести к расстройствам желудочно-кишечного тракта и к тяжелым, даже смертельным, болезням. Только опубликованные в 1942 году результаты экспериментов доктора Престона Маклендона и миссис Френсис П. Симсариан, посвященных так называемому кормлению по требованию, убедили их коллег, что большинство детей сами могут определять перерывы между кормлениями и объемы разового приема пищи и при этом оставаться здоровыми и бодрыми. Лишь после этого в медицинской практике быстро и повсеместно произошли существенные изменения. В настоящее время для основной массы американских детей устанавливают с самого начала более или менее гибкий режим кормления.

Врачи, которые прежде с жаром убеждали молодых родителей, чтобы те своим мягким отношением не испортили ребенка, теперь призывают их исполнять желание малышей не только в вопросах кормления, но и вообще давать им как можно больше любви и ласки.

Научные открытия и последовавшие за ними изменения в воспитании младенцев принесли пользу и детям, и их родителям. Среди тех и других стало меньше неудовлетворенных жизнью и гораздо больше счастливых.

Подобное поистине революционное для нашей цивилизации изменение взглядов не могло не вызвать смущения и изрядной путаницы в умах многих родителей. Людям свойственно использовать в воспитании методы, которые они познали, сами будучи детьми. Не составляет проблемы воспринять новые идеи, касающиеся витаминов или лекарств. Но если вас воспитывали в строгости, ограничивали ваше поведение, манеры, одежду и пр. многочисленными запретами, то крайне трудно преодолеть себя и создать для своего ребенка совершенно иную атмосферу. Даже если вы верите в справедливость новых теорий, когда ваш ребенок совершит поступок, за который вас в детстве сурово наказывали, вы рассердитесь сильнее, чем могли бы от себя ожидать. Но этого не стоит стыдиться. В вас просто говорит природа. Именно такой консерватизм в воспитании позволяет разным цивилизациям на Земле оставаться стабильными из поколения в поколение.

Тем не менее большинство родителей прекрасно справляются с воспитанием детей в наше переломное время. Объяснить это легко: их самих растили в атмосфере благожелательности, старались, чтобы они стали счастливыми. Воспитывая новое поколение, эти люди не считают необходимым следовать новым теориям буквально. Прежде врачи настаивали на жестком режиме питания; умные родители выполняют рекомендации профессионалов лишь в общем (и дети в большинстве случаев легко приспосабливаются к регулярным приемам пищи). Такие родители не боятся иногда поменять время кормления и не будут заставлять малыша терзаться муками голода — всем своим существом они чувствуют, что правы в своем отступлении от рекомендаций.

Позже врачи начали пропагандировать гибкость режима, однако заботливые родители также не стали бездумно придерживаться этого принципа. Они не разрешат ребенку продолжать играть, если пришло время ложиться спать, потому что прекрасно знают (еще со времен своего детства), что время сна — это святое, и никакие теории не имеют к этому никакого отношения.

8. Родители, которых новая теория может сбить с толку, делятся на две группы. Первая группа родителей уверена, что их самих воспитывали неверно. Если ты не доверяешь себе, волей-неволей приходится слушать чьи-то посторонние советы. Ко второй группе относятся родители, которые считают, что их собственное воспитание было слишком суровым. У них навечно осталось чувство обиды на своих родителей, и им невыносима мысль, что в глазах своих детей они могут выглядеть такими же деспотами. Но здесь их поджидает опасность: если вы хотите вырастить малыша по своему подобию, вам не нужно ничего придумывать — модель воспитания уже заложена в вас. Вы знаете, каким послушным, каким вежливым вы хотите его видеть. Вам нет нужды специально задумываться об этом. Но если вы хотите, чтобы ребенок вырос непохожим на вас, если стремитесь воспитывать его иначе — более снисходительно, например, то ваш собственный опыт не подскажет, как это сделать. В тех случаях, когда ситуация выйдет из-под вашего контроля, в частности ребенок станет злоупотреблять вашим всепрощенчеством, будет очень трудно вернуться на верный путь. Поведение ребенка приведет вас в бешенство. Но чем больше вы будете раздражаться, тем сильнее вас будет охватывать страх, что вы начнете следовать модели воспитания, которой хотели избежать.

Разумеется, я специально утрирую ситуацию. Став родителями, мы лишь частично принимаем на вооружение одни методы, которыми нас воспитывали, а от других отказываемся. Здесь все определяет чувство меры, и большинство из вас наверняка сумеет найти нужный компромисс. Мои же рассуждения имели целью наглядно показать трудности, с которыми вы можете столкнуться.

9. Не ломайте свои привычки. Мне думается, что разумные родители, которые по природе имеют склонность к спартанскому воспитанию, не должны переделывать свой характер. Вы можете проявлять некоторую строгость, например, требовать от ребенка хороших манер, послушания, аккуратности, — это не пойдет ему во вред. Критерием здесь должны быть душевная теплота взрослых и отсутствие озлобленности в ребенке. Строгость становится настоящей помехой, когда она перехлестывает через край, когда ребенок вообще не чувствует одобрения своих поступков, когда ему не разрешают совершать поступки, естественные для его возраста и личных склонностей. В результате появляются робкие, безынициативные или неприветливые со своими товарищами дети.

Большего успеха добьются родители, которые исповедуют другой, более дружелюбный, тип общения с ребенком, проявляют известный либерализм к его недостаткам, например, к отсутствию опрятности. Однако и здесь в своей снисходительности нельзя выходить за рамки, нельзя бояться проявлять твердость в важных с точки зрения родителей ситуациях.

Неудачи в воспитании добром происходят не потому, что от ребенка слишком мало требуют, хотя и это тоже имеет значение. Главная причина заключается в воспитателе: он сам в душе не уверен в справедливости своих замечаний либо бессознательно подчиняет себя ребенку.

Чего вы хотите добиться воспитанием

В последние десятилетия проблемы воспитания все больше волнуют умы американцев. Уходят в прошлое привычные идеалы, на которых раньше воспитывалась молодежь. Не стало даже четкого представления о смысле нашей жизни. Взамен довлеющее значение стали приобретать психологические концепции. Они действительно способны разрешить многие частные проблемы, но бессильны ответить на главные вопросы.

Возможно, вас эти изменения не коснулись, потому что вы либо еще ничего о них не знаете, либо выросли в стабильной и прочной семье.

10. Другие времена, другие страны. В прошлом во многих странах основным предназначением человека — более высоким, чем продление рода — считалось служение Богу в соответствии с религиозными постулатами. Видимо, поэтому в средние века самыми красивыми зданиями были церкви. То же наблюдалось и в Америке в период колонизации. Люди тогда и предположить не могли, что жизнь принадлежит им самим, их постоянно призывали бороться со своей человеческой природой, чтобы стать угодными Богу.

Среди других народов в недавнем прошлом распространялась мысль, что человек должен положить жизнь на алтарь государства. Такое мировоззрение было характерно для Франции времен Наполеона, для Британской и Германской империй и для некоторых современных государств, причем не только коммунистических, но и демократических. Родители и учителя выступают солидарно с политическими лидерами этих стран и прививают детям чувства коллективизма, трудолюбия, верности принципам, исповедуемым нацией. Поскольку в подобных обществах все расписано свыше, у родителей не возникает сомнений, что они могут ошибаться в вопросах воспитания.

В ряде стран до сих пор господствует принцип, согласно которому главным для детей становится благо семьи. Социологи называют такие общества клановыми. В детстве и юности члены кланов готовят себя к труду в той области, которая будет полезна их родовой общине. С самого раннего детства они обязаны чтить старших и во всем им подчиняться. Даже при заключении брака они не имеют права слушаться зова своего сердца и сами выбирать себе пару — этим занимаются родители, для которых меньше всего значат желания детей и которые преследуют единственную цель: повышение благосостояния семьи.

11. Педоцентричная Америка. В Соединенных Штатах лишь немногие дети воспитываются в духе преданности семье, государству или Богу. Господствует другой принцип: предоставить человеку, в частности ребенку, свободу выбирать цель в жизни и род занятий в соответствии с его наклонностями. В большинстве случаев такая цель имеет чисто материальное выражение.

В американской семье сложилась тенденция относиться к ребенку как к равноправному члену; считается, что в будущем он должен занять более высокое место в обществе, чем его родители. Один английский антрополог высказал мысль, что если в других странах детей учат смотреть на взрослых как на высшие существа, независимо от их истинного положения в обществе, то для Америки характерно такое обращение отца к сыну: «Если ты не сможешь сделать этого лучше, чем я, то ты для меня не будешь значить ровно ничего». С точки зрения других народов это «уважение наоборот». И именно поэтому Америку часто называют педоцентричной страной, т.е. страной, где господствует культ ребенка.

В иных регионах родители черпают свой опыт воспитания в семейных традициях, специально держат возле себя бабушек и дедушек, чтобы те в трудном случае помогли советом. В Америке такого обычно не бывает. Наши предки специально покинули отчий дом, потому что им не нравилась спокойная, устоявшаяся жизнь, им хотелось попробовать чего-то нового. Их потомки сохранили в себе охоту к перемене мест: они кочуют в поисках удачи и лучшей доли, зачастую увозя с собой и детей. В отсутствие других советчиков в деле воспитания американцам приходится больше иметь дело с профессиональными педагогами или с книгами.

Я бы хотел привести здесь пару примеров, как педоцентричный, психологический подход к педагогическим проблемам может поставить родителей в сложное положение, если они не будут руководствоваться нормами морали. Вызванные ревностью ссоры между братьями и сестрами сегодня случаются гораздо чаще, чем среди представителей прошлых поколений. С позиции детской психологии ревность естественна; если ее жестоко подавлять, вызывая у ребенка чувство вины, это приведет к неправильному формированию личности. Родители не должны одергивать ребенка по малейшему поводу, справедливо указывают психологи. Но нельзя следовать этому правилу буквально, не учитывая прав остальных членов семьи, нравственных норм общества, иначе ревнивый ребенок станет помыкать младшим, втянет семью в раздоры, и все равно его будут мучить угрызения совести из-за проявленной им жестокости.

Девятнадцатилетний студент проявил грубость и несдержанность к матери. Та, будучи человеком мягким и совестливым, начала укорять себя — совершенно, кстати, несправедливо, — что, возможно, чем-то обидела сына, и сочла за благо не отвечать на его упреки. Он же, понимая, что напрасно оскорбил мать, которая не была причиной его дурного настроения, бессознательно вел себя все хуже и хуже, ожидая, что та наконец оборвет его.

Решение вопросов с позиции чистой психологии не приведет к успеху, если не принимать в расчет, что́ есть хорошо и что́ плохо с точки зрения морали. Такой однобокий подход лишь усложнит положение родителей и приведет к новым проблемам.

Я не думаю, что американцы хотели бы, чтобы амбиции их детей превалировали над интересами семьи или государства. Тем не менее многие мои сограждане были бы более счастливы, если бы с детства вынесли убеждение, что главное для любой личности — служить благу человечества, и жили бы в согласии со своими идеалами. (Это вовсе не противоречит желанию много зарабатывать или добиться иного успеха в жизни.) Вот почему именно во время войны, когда люди объединены общей целью, они становятся чище, духовно здоровее. Статистика показывает, что во время финансовых потрясений в государстве становится меньше преступлений и самоубийств — в такие периоды весь народ старается противостоять общим трудностям. То же относится и к родительской доле: если взрослые сами были воспитаны на твердых моральных принципах, то им легче найти выход из ежедневно возникающих конфликтных ситуаций с детьми, идет ли речь об их школьных успехах, выполнении домашних обязанностей, послушании, первых свиданиях и т.д. Ответы на самые каверзные вопросы придут сами собой.

12. Нам не хватает иллюзий. Счастливы родители, твердо верующие в Бога. Что бы они ни делали, вера поддержит их, направит их поступки в русло духовных убеждений. Как правило, они передают свою веру детям.

Безбожники ныне дважды обездолены, поскольку в обществе исчезла и вера в людей. Мы живем в мире, лишенном иллюзий и в отношении вещей, и в отношении людей.

Все более отчетливые тенденции в литературе, театре, кино подтверждают эту мысль: за последние пятьдесят лет все реже на страницах книг, на экранах кинотеатров появляются добрые, сильные духом герои, все больше авторы концентрируются на жестокости, на тех сторонах сущности человека, которые ставят его в один ряд с животными. Люди становятся все более черствыми, в первую очередь это касается женщин. Чем, как не издевкой, можно считать ставший повсеместным факт, когда больным или престарелым родственникам вместо нескольких теплых человеческих слов присылают поздравительные открытки со стандартным, напечатанным в типографии текстом? Искусство показывает человека нарочито непривлекательным. Среди молодых людей стала модной небрежность, неряшливость во внешнем виде, как будто им стыдно быть людьми, некоторые молодые люди вообще порывают с обществом.

Потеря веры во многом объясняется быстрым развитием наук — биологии, психологии, социологии. Достижения в этих областях парадоксальным образом сближают человека с животными, выявляют жестокость основных человеческих инстинктов и определяемые ими модели поведения. Характерной чертой последнего времени стало снижение авторитета церкви и рост авторитета ученых в сознании большей части общества. В связи с этим человек потерял ощущение своей особенности как существа, созданного Богом по своему подобию.

Осознание того, что описанный в Библии процесс сотворения мира нельзя трактовать буквально, породило в людях сомнение в прочности основы всей религиозной концепции человеческого бытия.

Мне думается, что потеря иллюзий идет от непонимания человеком своей природы. Нельзя, разумеется, отрицать, что человек прошел все ступени эволюции наравне с другими животными. Но из всего живого лишь человек обладает духовностью. И именно дух определяет его отношения с внешним миром. Его способность к абстрактному мышлению позволила ему познать многое в сущности Вселенной. Он изобрел машины, создал прекрасные произведения искусства. Все это стало возможным благодаря чувствам, уходящим корнями в детскую любовь к своим родителям. Даже если человек не исповедует никакой религии, он верит в силу любви, в способность к добру.

13. Как человек становится человеком. В возрасте от 3 до 6 лет в основе духовного развития ребенка лежит его любовь к родителям. У него возникает особый, возвышенный, образ родителей, в его глазах они выглядят совсем не так, как, например, в глазах соседей. Их ум, сила, привлекательность кажутся ему безмерными. Мальчик хочет во всем походить на своего идеализированного отца и целый день готов копировать его поступки и манеры. В то же время он испытывает сильную, окрашенную романтизмом любовь к матери, создает из нее идеал женственности. Этот образ в будущем может во многом повлиять на выбор молодым человеком своей супруги.

Ощущения девочки несколько иные. Ей хочется стать такой, как ее мать: заниматься, как она, домашними делами, иметь своих детей. По отношению к отцу ею владеет глубокое чувство с романтическим оттенком.

В этом возрасте дети отлично осознают, насколько важна для них любовь их родителей, и сами уже способны отвечать столь же страстной любовью им и остальным людям. Из этой первой любви позже разовьются любовь к собственным детям и доброе отношение ко всему человечеству.

В том же возрасте развитие ребенка идет и по другим направлениям. И мальчиков, и девочек увлекает мысль о женитьбе и рождении своих детей. В это время трудно убедить мальчиков, что им не дано природой выносить в себе ребенка. Они воспринимают это как жестокое поражение в соперничестве с девочками, и необходимость компенсировать его, как полагают, становится мощным источником творческого потенциала мужчин. Этим и объясняется их «засилье» в науке и искусстве.

Развитие ребенка идет по схеме, заложенной природой. Сильная привязанность к обоим родителям как один из ее этапов способствует формированию в нем первых идеалов. Но в возрасте между 6 и 12 годами духовный мир ребенка становится более независимым от влияния родителей, более ориентированным на окружающих его людей, на понимание связей в обществе. Места на пьедестале для двух родителей не остается.

Процесс переоценки своего отношения к каждому из них проходит довольно драматично.

Влечение к родителю противоположного пола, имеющее оттенок сексуальности, сопровождается у ребенка растущим чувством соперничества в отношении родителя одного с ним пола. Когда ребенку исполняется шесть или семь лет, он вынужден, испытывая чувство вины, подавлять желание обладать первым родителем и отказаться от мечты о браке с ним и общих детях. Ребенок переносит (сублимирует) свои скрытые сексуальные желания к одному из родителей на стремление к учебе, занятия наукой, изучение природы. Он перестает обожествлять родителей и выбирает другой объект поклонения: Бога, руководителей государства, исторических персонажей, а также героев художественных произведений.

Поразительно, но самое существенное отличие человека от других живых существ заключается именно в том изменении духовности ребенка, которое происходит по достижении им пяти лет: подавление и сублимация своих половых инстинктов, интерес к абстрактным понятиям, способность создавать духовные идеалы. Эти самые человеческие черты обязаны своим появлением той особой любви, которую ребенок поначалу испытывает к своим родителям, и отказу от любовной привязанности к одному из родителей из страха соперничества с другим.

Во время резкой перестройки организма в период полового созревания отроческий идеализм разрушается. Сексуальность подростка в этом возрасте, его романтические влечения требуют иной формы выражения, и прежние идолы постепенно теряют для ребенка свою притягательность. Все же какая-то часть восхищения светлым образом остается и становится основой романтизма взрослого человека в той степени, в какой это чувство несут его родители. Влечение мальчика к матери, долгое время подавляемое и скрываемое, теперь наполняет просыпающееся в юношах чувство к девушкам платонизмом, рыцарством. Ему хочется защищать предмет своего интереса, восхищаться им, создавать из него идеал.

Идеализация женщины сочетается в мужчине с порывами к творчеству (см. пункт 513). Женщина чаще всего вдохновляет мужчин на созидание, будь то архитектура, наука, литература, музыка, изобразительное искусство. Классическим примером может служить «Божественная комедия» Данте, которая была создана под влиянием образа Беатриче — девушки, которую поэт лишь созерцал, но с которой даже не был знаком. Получается любопытная связь: будучи взрослым, мужчина создает вполне осязаемые вещи из иллюзий отрочества — своей любви, доверия к своим родителям, наделения их идеальными чертами.

Творческий потенциал развит в мужчинах неодинаково. У очень немногих он чрезвычайно высок, у большинства — едва заметен, а у некоторых почти отсутствует. Зато он есть в каждом ребенке, и от родителей в решающей степени зависит, как их малыш сможет в будущем реализовать свои таланты. В трех-четырехлетнем возрасте он преклоняется перед родителями. Если эти люди духовны, с уважением относятся к себе и к другим, ребенок и в будущем будет находиться под влиянием доброго примера отца и матери, даже если его отношение к ним будет с возрастом меняться. Если же взрослым не интересен окружающий мир, если они погрязли в обыденности, то и у ребенка исчезнут высокие цели и всякое желание что-либо изменить в этом мире.

14. Зачем нашим детям нужны идеалы. Если вы внушите ребенку стремление к высоким идеалам, то в зрелом возрасте, у него всегда будет возможность попытаться воплотить их в жизнь. Мир, в котором мы живем, раздираем множеством проблем. Наша чрезмерная склонность к материальному позволила создать немало технических чудес. Но по мере удовлетворения физических потребностей человека стало абсолютно очевидным, что мы не достигли прогресса в отношениях между людьми, не нашли ясных духовных целей, не смогли обеспечить мир и безопасность. Число разводов, самоубийств, преступлений в нашем государстве растет и уже достигло рекордных величин. Расовые проблемы мы продолжаем решать на пещерном уровне — позор для страны, декларирующей веру в Бога, свободу и равенство. Не уничтожена нищета — ни материальная, ни духовная, хотя, прояви мы чувство ответственности, эту проблему можно было бы решить в течение года. Миллионы долларов тратятся только на то, чтобы убедить нас покупать автомобили, в каждом из которых в пять раз больше лошадиных сил, чем нам необходимо. Столько же уходит на рекламу сигарет, способствующих росту раковых заболеваний.

Мы научились делать дешевые продукты питания, но снижаем их производство в то время, как голодающих на Земле стало больше, чем когда-либо.

Мы накопили огромное количество самого мощного оружия. И тем не менее нас терзает страх перед всеобщим уничтожением, и в обозримом будущем вряд ли к нам вернется ощущение безопасности. Мы используем наше могущество, чтобы вмешиваться в дела других народов, и тем самым вызываем ненависть к себе. Миллиарды долларов ежегодно уходят на путешествия к Луне.

Единственная надежда исправить положение — воспитать в наших детях веру, что они попали в этот мир не для того, чтобы удовлетворять только собственные желания, но и чтобы помогать людям. Малыши испытывают радость, когда чувствуют, что могут быть полезны, и всегда откликнутся на просьбу о помощи. Воспитывать и развивать эту черту следует с самого раннего возраста. Уже девятимесячный ребенок способен понять, что нельзя дергать мать за волосы или бить ее по щекам, а следует добиваться ее расположения. Между годом и двумя надо убедить малыша не ломать свои вещи и не разбрасывать их. К двум годам можно добиться, чтобы он помогал маме, собирая игрушки. В три года у малыша уже должны быть обязанности по дому — ему следует разрешить накрывать на стол или выбрасывать мусор, пусть даже это и не сэкономит маме много времени. К 7–8 годам ребенок может ежедневно выполнять по-настоящему полезную работу.

Не надо при детях избегать разговоров о проблемах общества, государства, мира. Ребенок должен видеть, что родители вносят конкретный вклад в улучшение жизни окружающих через участие в работе церковной общины или благотворительных комитетов.

В школе дети должны узнавать не только о достижениях своего народа, но и об исторических ошибках. Желательно, чтобы вместе с вашим ребенком учились дети других рас и социальных слоев. Это необходимо не только из уважения прав меньшинств, но для того, чтобы дети научились ценить друг друга, легко общаться между собой. Надо поощрять желание студентов колледжей и университетов разобраться с проблемами — не только техническими, но и гуманитарными, — которые существуют в выбранном ими виде деятельности. Я полагаю, что было бы очень полезно, если бы подростки, еще учась в школе, добровольно или за вознаграждение работали внеурочно, помогая нуждающимся, а потом в классе обсуждали бы эти проблемы. Тогда в наших детях не появятся высокомерие или недоброжелательность к людям другого круга.

Родители тоже люди

15. У взрослых есть свои нужды. В книгах по воспитанию детей, подобных этой, обычно много говорится о том, в чем нуждаются наши дети: о любви, понимании, терпении, настойчивости, твердости характера, защите, товарищеском отношении, о калориях и витаминах. Чтобы только прочитать весь этот материал, требуется немало труда. Бедные родители бывают буквально подавлены количеством свалившихся на них обязанностей. У них возникает ощущение, будто автор забывает, что взрослые тоже живые люди и у них есть свои потребности. Зачастую кажется, что автор горой стоит за ребенка, а виноватыми в любом случае оказываются отец и мать.

Справедливости ради следует посвятить в этой книге определенное число страниц нуждам родителей. Нельзя не упомянуть о том, какие проблемы ждут их на каждом шагу в воспитании детей, как они устают, насколько больше заботы могли бы получить их дети, если бы сами были более покладистыми. Надо ясно понимать, что воспитание — процесс сложный и долгий, а родители, как и дети, — живые люди, и ничто человеческое им не чуждо.

16. Некоторые дети требуют к себе больше внимания. Совершенно очевидно, что каждому ребенку с рождения присущ свой темперамент. Родители не могут по своему желанию заказать характер ребенка — приходится довольствоваться тем, что дала природа. Но родители тоже не глина, из которой можно лепить что угодно. Супружеская пара, в которой муж и жена обладают мягким нравом, идеально подходит для воспитания девочки с легкой покладистой натурой. Они не сковывали бы ее, дали бы ей необходимую свободу, чтобы она выросла независимой, уверенной в себе женщиной. Но им пришлось бы туго, родись у них энергичный, целеустремленный сын. Их постоянно раздражал бы его напор, они чувствовали бы себя с ним неловко, хотя от души любили бы его. Другая пара не увидела бы в таком мальчишке ничего дурного, прекрасно ладила с ним, ласково называя сорванцом. А вот с тихим и спокойным ребенком им было бы неуютно. Во всех случаях родители должны в своем воспитании учитывать натуру ребенка.

17. Как бы ни было хорошо, все равно будет трудно. Воспитание детей даже в самом идеальном случае — тяжелый труд. Надо готовить для них особое питание, стирать пеленки и одежду, убирать грязь, после того как они поедят, и разбирать завалы игрушек. Неизбежно придется прекращать ссоры и вытирать слезы, слушать рассказы, которые невозможно понять, и участвовать в странных играх. Надо быть готовым с удовольствием читать вслух книги, которые вам неинтересны, и посещать зоопарки, музеи и разные увеселительные мероприятия, помогать делать уроки и выполнять двойную работу, если малыш пожелает оказать вам помощь в делах по дому или в мастерской. Не удастся избежать участи посещать родительские собрания, невзирая на любую усталость.

На ребенка будет уходить значительная часть бюджета, начиная с возросших расходов на более просторную квартиру и кончая покупкой ботинок, которые снашиваются с молниеносной быстротой.

Из-за детей вы перестанете ходить в гости, в театры, на выставки и встречаться с друзьями. Ребенок доставит вам бесконечную радость, и вы ни за что не поменяетесь местами с бездетной парой, но все равно будете скучать по своей свободе.

Разумеется, детей заводят не для того, чтобы стать мучениками. Детей рожают, потому что любят их, хотят их иметь. Родители любят детей так же, как их самих любили в детстве. Заботиться о детях, наблюдать, как они растут и превращаются в замечательных взрослых людей — это ни с чем не сравнимое счастье, пусть оно даже далось тяжелым трудом. Это ваше творение, это ваше бессмертие. Даже всемирная известность — ничто по сравнению с радостью материнства или отцовства.

18. Никто не требует от вас самопожертвования. Некоторые излишне добросовестные молодые родители, оказавшись лицом к лицу со своими новыми обязанностями, воспринимают их не как чисто бытовые трудности, а как свой жизненный крест. Даже если им выпадает счастливый шанс на время отвлечься от всей этой суеты, они подспудно чувствуют вину и не могут получить свою толику радости. Такое настроение отчасти объяснимо в первые недели после появления ребенка, когда все внове, когда заботы захватывают вас целиком. Но жертвенность как жизненный принцип не принесет пользы ни родителям, ни ребенку. Отец и мать так сосредоточиваются на уходе за малышом, что не замечают ничего вокруг и становятся неинтересны не только для окружающих, но и друг для друга. Они чувствуют себя заключенными, забыв, что по своей воле взвалили на плечи такую обузу. Непроизвольно виноватым в их глазах становится ребенок, который вовсе не ждет от родителей столь полного самоотречения, и требования к малышу необоснованно завышаются. Получается замкнутый круг. Чтобы достичь равновесия, следует уделять ребенку столько внимания, сколько необходимо для удовлетворения его самых насущных нужд, и не ограничивать в удовольствиях себя, если только это не идет во вред малышу. Таким образом вы сохраните больше сил и нервов для малыша, будете сильнее его любить и более эмоционально демонстрировать свою любовь.

19. Родители вправе ожидать от ребенка ответных чувств. Отдавая малышу много сил и времени, что вполне естественно для нормальных родителей, вы вправе ожидать от ребенка определенной реакции. Конечно, речь не идет о каком-то выражении благодарности за то, что его родили, ухаживают за ним — это нереально и выходит за рамки здравого смысла. Но в ответ на заботы ребенок должен послушно и искренне принимать образ жизни и идеалы родителей. Это нужно не только и не столько родителям, сколько самому малышу, чтобы вырасти общительным и дружелюбным по отношению к окружающим.

Если взрослые сомневаются в своем праве требовать хорошего, по их мнению, поведения малыша — возможно, сбитые с толку теориями самовыражения ребенка или имея склонность к самоотречению, а может быть, просто опасаясь вызвать своими замечаниями его неприязнь, он станет все чаще и чаще совершать дурные поступки. Не зная, как их предотвратить, родители начинают раздражаться и сердиться. Не понимая, чем вызван гнев взрослых, ребенок сам начинает нервничать. В нем будут бороться чувства вины и страха, и в результате он будет еще сильнее капризничать. Если, например, ребенок, заигравшись вечером, не хочет отправляться в постель, а мать своей настойчивостью боится огорчить его, через несколько месяцев малыш станет настоящим деспотом, заставляя ее проводить с ним долгие вечерние часы. Ничего, кроме раздражения, подобная прихоть в ней вызвать не может. Если бы она понимала, что иногда нужно быть твердой, то сама удивилась бы, с каким желанием ребенок стал бы выполнять ее просьбы, и атмосфера в семье снова стала бы безоблачной.

Другими словами, родители не почувствуют удовлетворения, пока не заставят своих отпрысков слушаться, и те не будут счастливы, пока не научатся вести себя примерно.

20. Дети доставляют не только радость. Многие молодые люди, готовясь стать родителями, самонадеянно думают, что обладают неиссякаемым терпением и всегда будут преисполнены любовью к своему чаду. Однако это вряд ли под силу реальному человеку. Если ваш ребенок в течение нескольких часов капризничает и все ваши усилия успокоить его тщетны, не думаю, что ваше сочувствие будет направлено на него, а не на вас самих. Перед вами будет злое, упрямое существо, которое может вызывать лишь гнев.

Или, например, ваш старший ребенок делал то, чего, он прекрасно знает, делать не должен: возможно, сломал вашу любимую вещь, хотя ему многократно было сказано к ней не прикасаться; возможно, бросился через запруженную машинами дорогу, увидев на противоположной стороне своих приятелей; а может быть, разозлился на отказ выполнить какую-либо его просьбу или на проявление вами внимания к младшему брату или сестре — во всех случаях его плохое поведение вызвано просто дурным настроением или капризом. Но когда ребенок не выполняет элементарных правил, вы вряд ли останетесь невозмутимым, словно статуя правосудия. Любой родитель обостренно чувствует разницу между плохим и хорошим в поведении своего ребенка. Вас этому хорошо научили в детстве. Как же смеет ваша плоть и кровь нарушать установленные вами правила, посягать на вашу собственность?! Как может ребенок, в воспитание которого вы вложили всю душу, вести себя неподобающим образом?! Разумеется, вы не останетесь равнодушным. Для ребенка ваш гнев не будет неожиданным, и если он справедлив, то ребенок не почувствует себя оскорбленным.

Чтобы вывести вас из себя, иногда нужно немало времени. Шалунишка может довольно долго пытаться разозлить вас с самого утра, например, выражая недовольство предложенной ему едой, полунепроизвольно постукивая по стакану с молоком, катая комочки из хлеба или задирая младших. Вы все это вытерпите, прилагая огромные усилия, чтобы держать себя в руках. Но какой-то, скорее всего пустячный, проступок переполнит чашу вашего терпения, и последует скандал. Позже, анализируя случившееся, вы поймете, что должны были сразу поставить ребенка на место, и ваша твердость заглушила бы конфликт в зародыше. А ваше желание не разжигать страсти лишь провоцировало его продолжать проказы и смотреть, как вы будете реагировать.

В отношениях с детьми мы не всегда можем оставаться спокойными еще и потому, что за стенами дома наша нервная система подвергается многочисленным испытаниям. Характерна, например, такая полуанекдотичная, но довольно распространенная ситуация: усталый и раздраженный отец приходит с работы и начинает делать замечания матери, та, в свою очередь, по какой-то мелочи придирается к старшему сыну, а уж он вымещает раздражение на младшей сестре.

21. Не копите в себе переживания. Итак, мы выяснили, что родительское терпение не безгранично и что это вполне естественно. Но тогда встает законный вопрос: как справляться с раздражением? Не привыкшие к самоанализу родители обычно не боятся признаться, что сердятся на своих детей. Мать может искренне пожаловаться подруге на надоевшие шалости сына: «Я и минуты не выдержу с ним» или «Он меня так достал, что я готова убить его». Конечно, она не собирается выполнять свои угрозы, но в то же время не стыдится своих мыслей перед сочувствующим ей слушателем. Выговорившись, женщина возвращает себе душевное равновесие. Кроме того, так ей легче понять, какой поступок ребенка вывел ее из себя, и в следующий раз проявить твердость, чтобы не допускать непослушания.

Есть и другие родители, которые предъявляют к себе излишне высокие требования. Они тоже время от времени сердятся на своих детей, но считают это недопустимым. Когда их охватывают гнев и раздражение, они либо чувствуют себя виноватыми, либо всеми силами пытаются подавить в себе злость. Однако если отрицательные эмоции не выплеснуть наружу, то вы почувствуете ухудшение самочувствия — головную боль, усталость, напряжение. Другим следствием переоценки родителями своих возможностей становится чрезмерное желание защитить ребенка. Мать, которая не в силах сознаться себе, что испытывает неприязнь к своему чаду, воображает, что ему со всех сторон угрожают опасности. Ее постоянно терзают мысли о зловредных микробах и носящихся с кошмарной скоростью автомобилях. В своих заботах она не задумывается, что ее сверхбдительность лишает малыша всякой самостоятельности, делает его полностью зависимым.

Я не буду подробно останавливаться на проблемах, вызываемых излишней мнительностью родителей. В общем, то, что мешает взрослым, еще больше мешает детям. Если взрослому его недружелюбное отношение к ребенку внушает ужас, то и младший член семьи начинает бояться всего и всех. В клиниках мы наблюдали детей, подверженных всем мыслимым страхам, как истинным, так и воображаемым, — они боятся насекомых, боятся ходить в школу, боятся остаться одни. Исследования показывают, что подобные страхи — всего лишь маскируемая неприязнь к родителям, в которой дети не решаются признаться.

Напротив, ребенок чувствует себя комфортнее среди взрослых, не старающихся скрыть своего гнева, потому что и сам он тогда открыто выражает свои эмоции. Ведь справедливый грозный окрик может разрядить атмосферу, после чего все почувствуют себя спокойнее. Я имею в виду не грубость по отношению к детям, а всего лишь искреннее выражение чувств. Кроме того, не всякое недовольство ребенком справедливо. Некоторые отцы день напролет отчитывают своего отпрыска, не чувствуя ни стыда, ни раскаяния. Здесь речь идет лишь о родителях, чья закомплексованность мешает наладить контакт с ребенком.

Любящие отец и мать, которые почти все время сердиты (не важно, открыто они выражают свое недовольство или пытаются его скрыть), очевидно, страдают от нервного перенапряжения и нуждаются в помощи врача (см. пункт 577). Надо учитывать, что причина их гнева может быть вовсе не в ребенке:

22. Дети предпочитают доброе отношение. Возможно, я излишне подробно остановился на негативных эмоциях. На самом деле родители в нормальных семьях испытывают раздражение и негодование лишь изредка, в моменты кризиса. В остальное время — сознаем мы это или нет — нам удается побороть себя и заставить ребенка слушаться, если мы спокойно, но твердо пресекаем первые проявления плохого поведения. Подобная твердость должна быть альфой и омегой родительской любви. Если своей твердостью мы удержим малыша на правильной дороге, то сохраним и упрочим его любовь к нам. Ведь дети любят тех, кто спасает их из беды.

Сомневаться — это естественно

23. Неоднозначное отношение к беременности. Существует расхожее представление, что женщина испытывает ни с чем не сравнимую радость, готовясь стать матерью. Весь срок беременности она только и думает, что о будущем ребенке. Когда он появляется на свет, она легко и непринужденно входит в роль матери. Все это соответствует действительности лишь в той или иной степени. Это только одна сторона медали. Медицинские исследования показали (а многие мудрые женщины знали это и раньше), что беременность, особенно первая, даже при нормальном течении вызывает ряд неприятных ощущений у женщины.

Можно сказать, что первая беременность кладет конец беззаботной юности. Уходит в прошлое стройная фигура, а с ней и веселый нрав. Все это еще вернется, но пока остается лишь с грустью вспоминать, какой хорошенькой ты была совсем недавно. Женщина также понимает, что родив, она вынуждена будет ограничить свой мир практически рамками своей семьи. Многие привычные радости будут ей теперь недоступны. Не сможет она, повинуясь мгновенному импульсу, прыгнуть в машину и отправиться куда глаза глядят. Не сможет проводить долгие часы в компании друзей, не сможет заполночь возвращаться домой. Похудеет семейный бюджет, и внимание мужа, ранее принадлежавшее ей одной, теперь будет делиться на двоих.

24. Каждая беременность протекает по-разному. Перемены, которые вас ждут с появлением ребенка, воспринимаются не так драматично, если у вас уже есть двое или трое малышей. Но опыт врачей говорит, что различные недомогания, которые портят настроение женщины, могут возникнуть во время любой по счету беременности. Влияют на самочувствие будущей матери разные причины: например, беременность стала для нее неожиданной; муж не уделяет ей должного внимания из-за своей загруженности на работе; не дай Бог, если кто-то из членов семьи серьезно заболел или исчезла гармония в отношениях с самым близким ей человеком. Не исключено, что женщина сама не способна объяснить колебания в своем настроении.

Один из моих знакомых акушеров рассказывал мне о кризисах в семьях перед рождением второго или третьего ребенка, хотя по всем признакам супруги могли бы быть вполне счастливы, имея пять или шесть детей. Женщина, искренне желающая увеличить потомство, тем не менее во время очередной беременности мучится сомнениями — хватит ли ей времени, физических сил и способностей любить еще одного члена семейства. Нецелесообразность беременности жены может выразить и муж, недовольный, что его супруга за заботами о детях почти совсем перестала уделять ему внимание. Но кто бы из двоих не начал нервничать, его настроение быстро передается второму супругу. Другими словами, в нашем мире срабатывает принцип бумеранга: что-то дав другому, ты должен быть готов получить это обратно.

Мне не хотелось бы, чтобы мои примеры были восприняты как нечто неизбежное. Такое случается даже в самых благополучных семьях, и в большинстве случаев недоразумения быстро разрешаются. Рождение ребенка не так раздражает родителей, как мысли о нежелательности этого события. Возможно, это происходит потому, что они уже смиряются с неизбежным.

25. Любовь к ребенку приходит постепенно. Многим женщинам, для которых беременность была желанной, не всегда легко заставить себя полюбить ребенка до его появления на свет. Но стоит ему зашевелиться в ее чреве, как женщина осознает, что это живое существо; с течением времени ее мысли о будущем ребенке приобретают конкретность, и она уже думает, как будет растить и воспитывать его.

В подавляющем большинстве случаев женщины (даже самые добрые и спокойные), впервые узнав о своей беременности, ощущают лишь замешательство и тревогу. Но чем ближе к родам, тем спокойнее они относятся к своему положению, тем больше чувствуют любовь к будущему ребенку.

Первенец, особенно у молодой матери, как правило, поначалу вызывает разочарование. Ей кажется, что он уже родной для нее, он ее плоть и кровь, и она готова ответить ему взрывом материнских чувств, которые в этот миг ее буквально переполняют. Но в первый день, а иногда всю первую неделю после родов этого обычно не случается. Приятие ребенка происходит постепенно, и по-настоящему матерью женщина начинает осознавать себя уже дома, когда некоторое время проведет с ним наедине.

Нас зачастую специально предупреждают, что ребенок не виноват, если не оправдает наши ожидания относительно своего пола. Я считаю это излишним. Чтобы полюбить будущего ребенка, еще до его рождения мы в своем воображении рисуем его облик, представляем себе его мальчиком или девочкой. И это естественно. Каждая семья хотела бы иметь ребенка определенного пола. Но, не получив желаемого, мы готовы всем сердцем полюбить того, кто появился у нас. Так что радуйтесь, предвкушая пополнение в своем доме, и не чувствуйте себя виноватыми, если получится не так, как вам хотелось бы.

26. Нужно ли всех детей любить одинаково? Этот вопрос волнует большинство совестливых родителей. Им почему-то кажется, что разница в отношениях к тому или иному отпрыску недопустима. Их терзания по этому поводу мне кажутся надуманными. Добрые родители до конца преданны всем своим детям без остатка, они желают им всем счастья и готовы многим пожертвовать, чтобы достичь этого. Но поскольку одинаковых детей не бывает, то ни один родитель не может относиться к ним **совершенно** одинаково. Он всегда будет радоваться смышлености одного и ловкости другого; он будет недоволен неаккуратностью старшего и рассеянностью младшего.

Больше всего беспокоит родителей, если один из детей вызывает у них особое раздражение, тем более, что для этого нет очевидных причин. Характерно такое замечание мамы: «Этот сорванец постоянно выводит меня из себя. Но я стараюсь быт с ним помягче, заставляю себя не обращать слишком пристального внимания на его шалости».

27. Причины недовольства. Основания для предубежденности против одного из детей могут быть самыми разными, и отнюдь не всегда они лежат на поверхности. В пункте 24 мы уже упомянули о двух возможных факторах: для родителей беременность оказалась неожиданной и нежеланной или в ее процессе в семье происходили серьезные кризисы. Негативное отношение родителей может корениться и в самом ребенке, если он в чем-то не оправдал ожиданий, которые те на него возлагали. Например, родился мальчик, а не девочка, как надеялись отец и мать. Или, может быть, ребенок оказался не таким талантливым, как они на то рассчитывали. Возможно, он растет слабым и болезненным по сравнению со своими братьями и сестрами, настоящими крепышами. Его могут долгое время мучить колики, и он будет неделями исходить плачем, не реагируя на все попытки родителей успокоить его. Отец наверняка будет разочарован, если сын не достигает блестящих показателей в спорте, а мать расстроится, если он не сможет поступить в университет. При этом родители остаются вполне здравомыслящими людьми, которые понимают, что нельзя получить ребенка по заказу. Но их чисто человеческие слабости не позволяют отказаться от иллюзий.

Когда ребенок подрастет, он своим поведением или чертами характера иногда напоминает нам, сам того не подозревая, наших брата, сестру или родителей, которые в свое время сильно отравляли нам жизнь. Мать вдруг увидит в сыне своего младшего брата, который в детстве не давал ей покоя, причем она даже не будет сознавать, что именно это сходство ей неприятно.

Отца порой раздражают некоторые черты характера сына, например застенчивость. Но ему и в голову не придет, что сам он в детстве имел кучу неприятностей из-за своей чрезмерной робости. Резонно считать, что человек, сам страдавший, будет относиться к своим детям с большим пониманием и сочувствием. Однако обычно это не так.

28. Воспитателю нужно быть и добрым, и суровым. Людям свойственно остро реагировать на поступки своих детей. Как правило, это нам помогает: мы стараемся привить им те же положительные черты, которые воспитывали в нас наши родители. Это происходит бессознательно, настолько крепко засели в нас заложенные с младых ногтей идеалы.

Вполне закономерно соответствует природе человека, что мы неодинаково относимся к нашим детям; а то, что раздражает нас в одном ребенке, в другом вызывает чувство гордости. Подобные смешанные чувства суть не что иное, как проявление нашей ответственности и желания, чтобы дети выросли достойными людьми.

Если у родителей один из детей постоянно вызывает отрицательные эмоции, то по отношению к нему взрослые начинают испытывать чувство вины. А это уже дурной знак. Чувство вины гораздо хуже действует на малыша, чем любая, даже излишняя, суровость. Мы обсудим это в пункте 480.

29. Огорчения. Вначале, после рождения ребенка, вы часто будете расстраиваться, чувствовать свое бессилие и неуверенность. Это вполне нормально, особенно с первенцем — очень трудно бывает точно определить, как поступить в том или другом случае. Из-за этого глаза у вас постоянно будут на мокром месте. Огорчить вас может все что угодно. Одна женщина, услышав плач своего малыша, сразу думает о самых страшных болезнях, поразивших его. Другой кажется, что муж стал невнимательным, отдалился от нее. Третья уверена, что после родов потеряла свою привлекательность.

Чувство безысходности часть охватывает молодую мать и сразу после родов, и спустя несколько недель. Обычно самое трудное время начинается с ее возвращения под родной кров из родильного дома. Там за ней ухаживали, помогали, она все время находилась под присмотром. Теперь на нее одну свалилась масса обязанностей по уходу за ребенком и по ведению хозяйства. Но угнетает не только обилие работы — ведь у нее может быть и помощница по хозяйству. Невыносимым становится прежде не испытанное колоссальное чувство ответственности за здоровье и безопасность малыша. Немалую роль играют и физиологические изменения в женском организме, вызванные беременностью и родами.

Все же большинство матерей не считают свое подавленное настроение настоящей депрессией, не преувеличивают возможные опасности, не концентрируются на неприятностях, которые, возможно, никогда и не произойдут. Неприятные ощущения объясняются недооценкой женщинами своих возможностей. Матери часто говорили мне: «Я бы не чувствовала себя так плохо, если бы знала, что подобные огорчения свойственны всем остальным». Вы легче перенесете трудности, если будете помнить, что через них проходят многие женщины и что все неприятное когда-нибудь закончится.

Если вам все же не удается избавиться от тяжелого чувства в первые месяц или два после родов, постарайтесь время от времени отвлекаться от постоянных забот о ребенке. Сходите в кино, посетите салон красоты, пополните свой гардероб новыми вещами. Иногда полезно сходить в гости. Если ребенка не с кем оставить, не стесняйтесь брать его с собой. Вы можете пригласить к себе подругу. Любое из предлагаемых развлечений поднимет вам настроение. Даже если вы будете чувствовать себя неспособной на такие «подвиги», пересильте себя, и вам наверняка станет легче. Кстати, этим вы принесете пользу не только себе, но также мужу и ребенку. Если наши советы не помогут и вы будете чувствовать себя хуже, попробуйте связаться через своего врача с психиатром или психотерапевтом. Наверняка он восстановит ваше душевное равновесие.

Когда женщина находится в угнетенном состоянии, ей кажется, что муж не понимает, как ей плохо, относится к ней с подчеркнутым равнодушием. Здесь надо учитывать два момента. Во-первых, любой ипохондрик страдает излишней мнительностью в отношении окружающих, а во-вторых, отец без сомнения чувствует себя брошенным в доме, где все целиком и полностью заняты только младенцем. Таким образом, образуется порочный круг. Поэтому молодая мать не должна забывать оказывать мужу некоторые знаки внимания (словно у нее и нет других дел). Ей следует предоставлять новоявленному папе любую возможность разделить с ней заботы о малыше.

30. Иные ощущения. Многие женщины, оказавшись дома, становятся необычайно беспокойными. Их тревожит плач ребенка — за обычными его капризами им мерещится что-то чрезвычайно серьезное. Они впадают чуть ли не в панику, стоит ему чихнуть или если у него появится пятнышко на коже. С замирающим от страха сердцем они на цыпочках входят в детскую проверить, дышит ли еще малыш. Возможно, здесь срабатывает вечный материнский инстинкт. Я думаю, сама природа велит всем молодым матерям, среди которых много беспечных по натуре, крайне серьезно относиться к своим новым обязанностям. Для легкомысленных особ это может быть даже полезным. Но для самых совестливых мнительность оказывается неподъемным грузом. К счастью, период неоправданных волнений короток.

Случаются перепады в настроении и иного рода. Первое время, находясь в родильном доме, молодая мать чувствует себя очень зависимой от врачей и сестер и испытывает к ним искреннюю признательность. Но очень скоро к ней приходит уверенность, что сама она лучше бы заботилась о своем малыше и втайне уже не одобряет действия медицинского персонала, который ограничивает ее самостоятельность. Если домой к ней постоянно приходит патронажная сестра, то ей снова приходится пережить обе описанные стадии. Для матери вполне естественно желание самой ухаживать за своим младенцем. Страх перед самостоятельными действиями в первые дни рожден уговорами окружающих, будто бы по неопытности можно все испортить. И чем сильнее ее неуверенность вначале, тем труднее ей впоследствии будет поверить в свои потаенные силы.

Отцовский долг

31. Беременность жены вызывает в будущем отце самые противоречивые чувства. Здесь и желание оградить жену от неприятностей, и радость от того, что в свое время он решил жениться, и гордость от сознания своей способности к продолжению рода (сомнения в этом в известной степени присущи многим мужчинам), и радостное ожидание прибавления в семействе. Но в глубине души муж иногда ощущает себя брошенным (маленькие сыновья тоже чувствуют себя покинутыми, обнаруживая, что мать беременна) и выражает свое недовольство многочисленными придирками, демонстративно частыми встречами с друзьями, заигрыванием с другими женщинами. Такое поведение, разумеется, не идет на пользу жене, которая в своем нынешнем, прежде неведомом ей состоянии, как никогда нуждается в поддержке.

Сильнее всего свое одиночество муж переживает, когда жена с малышом находятся в роддоме. Он помогает ей добраться до лечебного учреждения и, передав ее под опеку врачей и сестер, остается один, совершенно не зная, чем заняться в свободные от работы часы. Вот он и сидит подолгу в приемном покое, листая старые журналы, либо отправляется в пустой дом и там изводит себя волнениями по поводу родов. Неудивительно, что многие мужчины ищут выход в рюмке спиртного, выпитого с друзьями или в ближайшем баре. Конечно, новый статус дает молодому отцу право на дополнительное внимание со стороны сослуживцев, но, как правило, это внимание выражается градом шуток и дружеских насмешек. Наконец, он приходит в роддом впервые повидать ребенка, и здесь его постигает новое разочарование: к нему здесь относятся не как к главе семьи, а как к очередному докучливому посетителю. Когда приходит время забирать жену и новорожденного домой, бабушки и иные помощники все целиком сосредоточены на младенце, а отцу остается роль швейцара или портье. Я, разумеется, не считаю, что отец должен оказаться в центре всеобщего внимания, но чувствовать себя всеми забытым, конечно, обидно.

32. Первые недели очень важны. Отец не должен удивляться, что во время беременности жены он переживал одни чувства и совсем другие обуревали его, когда она находилась в роддоме. Теперь вся численно выросшая семья собралась вместе, и голову родителя занимают совсем иные мысли. Он должен понимать, что его озабоченность не идет ни в какое сравнение с переживаниями жены. Она перенесла нечто, сопоставимое по эмоциональному напряжению с хирургической операцией. В ее организме произошли глубокие изменения. Теперь на ее попечении оказалось маленькое беспомощное существо, и она не может постоянно не думать о нем. На первых этапах малыш потребует от женщины напряжения всех ее физических и душевных сил. Кроме того, чувства женщины острее, и она не умеет скрывать их так, как мужчина. Поэтому сейчас она нуждается в поддержке и внимании со стороны мужа. Чтобы больше дать малышу, она должна больше получить от своих близких, и в первую очередь от отца своего ребенка. Отчасти его помощь должна быть чисто практической — и в уходе за маленьким, и в выполнении различных дел по дому. Еще важнее моральная поддержка: сочувствие ее переживаниям, терпение, тепло. Положение отца осложняется и тем, что уставшая физически жена, которая к тому же израсходовала на ребенка весь запас эмоций, не в силах оставаться, как прежде, обаятельной и должным образом оценить старания мужа. Вместо этого он будет вынужден выслушивать ее бесконечные жалобы. Но если мужчина понимает, что несмотря ни на что его жена нуждается в нем, в его помощи, то он справится.

33. Отец и малыш. Многие мужчины воспитаны в убеждении, что забота о детях и уход за ними лежат исключительно на женских плечах. И в то же время такие мужья могут быть добрыми и любящими отцами.

Твердо установлено, что близкие отношения ребенка с отцом, дружелюбие взрослого имеют огромное влияние на формирование маленького человечка, на становление лучших черт его характера и остаются в его памяти на всю жизнь. Поэтому общаться с малышом нужно с первого дня, и тогда в дальнейшем многое упростится. Отец и мать должны вместе постигать искусство воспитания. В больших городах существуют даже специальные курсы, где будущие папы могут научиться выполнять отцовские обязанности. Если хотя бы на пару лет отец доверит жене воспитание малыша, то уже не сможет изменить ее решающую роль как специалиста и наставника во всем, что касается его ребенка.

Конечно, я не предлагаю отцу поровну разделить с женой кормление малыша из бутылочки или замену испачканных пеленок, но иногда и это делать не мешает. Например, он мог бы готовить еду для малыша по воскресеньям, когда не занят на работе. В первые недели, учитывая, что мать еще не совсем оправилась после родов, отец вполне способен давать ребенку бутылочку во время ночного кормления. Неплохо бы папе носить младенца на плановые осмотры к врачу. Это позволит задать доктору вопросы, которые его волнуют и к которым, как он считает, жена относится недостаточно серьезно. Разумеется, существуют в природе отцы, у которых одна лишь мысль помочь жене в уходе за младенцем вызывает дрожь. Таких бесполезно переубеждать, они готовы общаться с малышом, но лишь потом, «когда он будет больше похож на человека». Большинство же родителей, хотя и стесняются выглядеть няньками, охотно меняют свое мнение после небольших уговоров. О роли отцов вы можете также прочесть ниже, в пунктах 467–470, 483 и 514–516.

Отношения с бабушками и дедушками

34. Бабушки и дедушки оказывают неоценимую помощь молодым родителям. Контакты с малышом доставляют пожилым людям огромную радость. Они даже сами удивляются своим метаморфозам: «Знаете, почему нам так хорошо с внуками, как никогда не было с детьми? Наверное, потому, что над нами не довлеет огромная ответственность».

Во многих странах бабушек считают самыми опытными специалистами в области воспитания детей и ухода за ними. Любая молодая мать стремится получить совет или помощь от своей матери. У нас, в Америке, молодые женщины скорее обратятся к врачу, и многим даже в голову не приходит консультироваться со своими родителями. Отчасти это объясняется нашим особым доверием мнению специалистов — врачей, психологов, консультантов. Кроме того, наука сейчас идет вперед семимильными шагами, и то, что двадцать лет назад считалось приемлемым и вполне разумным, сейчас безнадежно устарело. Но главным все же остается боязнь новоиспеченных родителей показаться незрелыми: они хотят доказать всему миру и себе в том числе, что могут жить так, как сами хотят, и любые трудности им нипочем. Они опасаются, что родители начнут учить их, как маленьких, и тем самым снова поставят их в зависимость, от которой они не так давно избавились.

35. Трения — это нормально. В некоторых семьях отношения между поколениями взрослых можно описать всего лишь одним словом: идиллия. В других — таких не очень много — атмосфера постоянно заряжена электричеством, и в ней происходят мощные разряды. В остальных случаях наблюдаются незначительные трения, когда в семье растет первый ребенок, но со временем все успешно притираются друг к другу.

Молодая женщина, достаточно уверенная в себе, при необходимости не считает унизительным обратиться за помощью к своей матери. Бабушка часто и сама проявляет инициативу, и если ее советы не вызывают у молодой матери протеста, то они будут приняты; в противном случае мать тактично промолчит и сделает все по-своему.

К сожалению, большинство родителей поначалу слишком нервничают. Как все люди, только приступившие к новому занятию, они боятся проявить свою несостоятельность и очень болезненно воспринимают вмешательство в свои дела и критику своих действий.

Большинству бабушек такая ситуация памятна еще со времен их молодости, и они стараются лишний раз не обострять обстановку. С другой стороны, у них за спиной богатый опыт и устоявшиеся взгляды, они всем сердцем любят своих внуков и не в силах удержаться, чтобы не поделиться советом. Они с сомнением относятся к многочисленным переменам в уходе за маленькими детьми — гибкому расписанию кормления, раннему прикармливанию твердой пищей и позднему приучению к горшку — и с трудом воспринимают подобные новшества. Даже смирившись с новыми методиками, они не могут успокоиться, потому что считают, что молодежь слишком бездумно следует новым методикам. (Когда у вас самих появятся внуки, вам будет легче понять, что я имею в виду.)

Если молодые родители не страдают от комплексов, они грамотно построят взаимоотношения со старшими, позволяя тем свободно высказывать свое мнение и даже поощряя их на это. Свободное обсуждение создает более благоприятную атмосферу, нежели туманные намеки или тягостное молчание. Молодая мать, уверенная, что правильно ухаживает за ребенком, не побоится спорить со своей матерью: «Я знаю, тебе не нравятся мои методы. Ну что ж, я готова еще раз обсудить их с доктором и уточнить, все ли правильно я делаю». Это не значит, что она признала свое поражение. В конце концов решение она оставляет за собой. Просто ей понятно, что бабушкой движут благие намерения и что она не меньше матери озабочена здоровьем и благополучием малыша. Умная мама готова обсудить со своими родителями не только текущие проблемы, но и вообще поговорить с ними на темы воспитания.

Бабушка способна по-настоящему помочь дочери, если будет чаще хвалить ее и всем своим видом показывать, что та действует правильно, пусть даже что-то ее и не устраивает. Это заставит молодую мать чаще обращаться за советами к старшим.

Если бабушке и дедушке доверяют малыша на полдня или две недели, между взрослыми на основе разумных компромиссов должно быть заключено взаимное соглашение. Родители должны быть уверены, что ребенка не станут воспитывать вопреки их принципам (например, не заставят есть то, что ему не нравится, не начнут ругать, если он вовремя не попросился на горшок, или пугать полицией). С другой стороны, нереально требовать от пожилых людей, чтобы они до мелочей следовали указаниям молодых родителей. Ребенок не испортится, если проявит уважение к бабушке с дедушкой, ему не повредит незначительное изменение расписания кормления и рациона, не страшно, если он будет чуть грязнее или, наоборот, чище, чем привык быть дома. Если родители не уверены в способности бабушки и дедушки придерживаться необходимой тактики в воспитании малыша, то, разумеется, им не следует доверять это дело.

36. Болезненное отношение к чужим советам. Как правило, трения возникают между взрослыми детьми и их родителями, когда у первых остались неприятные воспоминания о собственном детстве. Тогда у матери неизбежно возникают неуверенность в себе, резкое неприятие критики своих действий и желание подчеркнуть свою независимость. Она безоглядно следует всем новым теориям в воспитании, буквально выполняя указания из разных наставлений, напрочь отрицает все, к чему была приучена сызмальства. Ей доставляет удовольствие показать своим родителям их отсталость, и при возможности она не упустит случая уколоть их. Бывает по-настоящему забавно следить за спором по какому-либо вопросу, когда оппоненты не желают прислушиваться друг к другу. Беда лишь в том, что жертвами в этой перепалке становятся дети. Мне остается только посоветовать родителям, которые не могут найти с бабушкой и дедушкой общего языка, попросить старших слепо выполнять просьбы и рекомендации, не вдумываясь в их смысл.

37. Деспотичные бабушки. Некоторые бабушки постоянно учат и поправляют своих дочерей, ставших матерями, словно те все еще несмышленыши. Положение таких молодых мам незавидное. Им претят советы, они злятся, но не находят в себе сил противостоять диктату. Если мать последует совету бабушки, она будет чувствовать себя зависимой, если проигнорирует его, будет мучиться чувством вины. Как же в такой ситуации защитить себя? Ответ может быть один: успех зависит только от нее самой. Но сразу ничего не получится — потребуются долгие усилия. В первую очередь женщина должна постоянно напоминать себе, что она мать и своего ребенка она сможет воспитать лучше, чем кто-либо. Ей следует в моменты сомнений обращаться за советами к врачу или патронажной сестре. Нужно искать опору и в поддержке мужа, тем более если посягательства на ее самостоятельность следуют со стороны свекрови. Если муж считает, что его мать права, он может сказать жене об этом наедине, но в присутствии бабушки должен держать сторону жены.

Молодой женщине нужно также научиться не избегать своей матери и спокойно выслушивать ее. В противном случае она обнаружит свою слабость и неспособность противостоять внешнему влиянию. Несмотря на трудности, нужно научиться не терять от гнева рассудок и не выходить из себя. Вы можете сказать, что у женщины есть все основания сердиться на мать. Пусть так. Но и сдерживаемый гнев, и открытое раздражение доказывают лишь, что женщина слишком долго находилась в подчиненном положении, и причина этого — страх разозлить мать. Деспотичная бабушка отлично чувствует тщательно скрываемые признаки слабости дочери и при случае не преминет этим воспользоваться. Молодая мать не должна чувствовать вину, если ее слова разозлят или расстроят бабушку. Причем совсем необязательно прибегать к повышенному тону — во всяком случае нельзя часто ругаться с ней. Лучше потренироваться наедине с собой и, когда нужно — **до того** как потерять над собой контроль, — произнести спокойным уверенным голосом: «Знаешь ли, доктор советовал мне именно так кормить малыша», «Я не собираюсь его излишне кутать» или «Я не допущу, чтобы он так долго плакал». Именно спокойствие молодой матери может убедить бабушку, что спорить бесполезно.

Если конфликты между представителями разных поколений не прекращаются, бывает полезно, как для молодых родителей, так и для бабушки с дедушкой, обратиться к специалисту — домашнему доктору, психологу, работнику социальной поддержки — и побеседовать с ним наедине, изложив свой взгляд на спорную проблему, а потом собраться вместе и прийти к окончательному решению. Но в любом случае все члены семьи должны принять как постулат, что основная ответственность лежит на родителях ребенка и им же принадлежит последнее слово.

Гости пришли...

38. В первое время визиты следует ограничить. Рождение ребенка становится для многочисленных родственников и знакомых поводом навестить счастливых родителей и поздравить их со столь знаменательным событием. Конечно, это приятно, но слишком большое количество гостей утомляет молодую мать. Сколько же может быть посетителей? Однозначного ответа на этот вопрос нет. Большинство матерей несколько недель после возвращения из роддома очень быстро устают — ведь сами по себе роды отняли у них много сил, да и организм их не успел перестроиться после прошедшей беременности. Еще больше на состояние женщины влияют перемены в эмоциональной сфере, о которых мы говорили в пункте 29.

Для некоторых людей принять гостей — настоящее удовольствие. Хозяева имеют возможность расслабиться, отвлечься от докучающих забот. Однако многие плохо переносят большие компании и отдыхают лишь с несколькими самыми близкими друзьями. Другие визитеры, хотя мы скучали по ним и рады были бы их видеть, в той или иной мере утомляют, особенно если наше самочувствие оставляет желать лучшего. Молодая мать, утомленная непрошеным визитом, может совершить серьезную ошибку в этот столь важный момент ее жизни, что, конечно, никому не принесет добра. Я думаю, молодой маме следует с самого начала строго ограничить посещения, а позже, ориентируясь на свое состояние, постепенно увеличивать число гостей. Критерием должно быть условие, что после ухода последнего посетителя мать не чувствует себя обессиленной. Лучше, если мать объяснит свой отказ от встреч мнением врача. Тогда она не будет выглядеть негостеприимной — ведь она всего лишь выполняет требования доктора. Я бы на настойчивые просьбы отвечал так: «Доктор разрешил мне с завтрашнего дня принимать по одному человеку в день, и не более пятнадцати минут. Не могла бы ты прийти ко мне в четверг, скажем, часам к четырем». Есть много и других отговорок, чтобы отложить или перенести визит: проведенная накануне бессонная ночь, кормление грудью, медленное восстановление сил.

Гостей, которые являются без предварительной договоренности, можно встретить вежливо, но в то же время заставить их почувствовать себя виноватыми: «Доктор разрешил мне принимать посетителей со следующей недели, но раз уж ты пришла, можешь зайти на минутку».

Одна мать во избежание утомительных визитов просто прикрепила ко входной двери записку, что ей не требуется страховать ребенка и фотографировать его, что она не нуждается в предметах по уходу за ребенком и в книгах, поэтому на звонки она не будет отвечать.

39. Общение гостей с малышом. Многие гости при виде младенца приходят в восторг и умиление. Их так и тянет взять его на руки, потормошить его. Они делают ему «козу», строят забавные рожицы, сюсюкают. Некоторые дети воспринимают подобное обращение спокойно, другие не выдерживают его, хотя реакция большинства находится где-то посередине. Мать сама должна решить, насколько позволять гостям забавляться, и при чрезмерном их увлечении малышом проявить необходимую твердость. Конечно, это нелегко, потому что внимание посторонних к ребенку доставляет родителям огромную радость. Кроме того, дети быстро утомляются в незнакомых местах, новые события часто их пугают. Это надо учитывать, например, при посещении детской поликлиники.

Как помочь маме

40. В первое время помощь необходима. Если вы знаете, как найти помощника по уходу за ребенком в первые недели, не мешкайте. Пытаясь все делать самой, вы быстро растратите последние силы, и вам все равно придется обратиться за помощью и пользоваться ею гораздо дольше, чем хотелось бы. Кроме того, усталость приводит к подавленному состоянию, в котором легко совершить неверный шаг и нанести вред малышу.

Идеальным помощником могла бы стать ваша мама. Но если вы чувствуете, что, привыкнув командовать, она все еще обращается с вами, как с маленькой девочкой, лучше на данном этапе отказаться от ее содействия. Вам наверняка захочется ощутить себя полноценной матерью для своего малыша, способной позаботиться о нем как надо. Лучше иметь под рукой человека с опытом ухода за новорожденными, но такого, чье общество вам не досаждает.

Прекрасным вариантом было бы нанять домработницу или медсестру. Разочаровавшись в ее способностях или прилежании, вы сможете легко с ней расстаться. С родственниками подобный шаг дастся вам много тяжелее. Для вас удобнее домработница — тогда вы целиком могли бы сосредоточиться на ребенке и не передавать его в чужие руки, но ее труднее найти. Полезна и помощь медсестры. Она возьмет на себя часть домашних дел, постарается приспособиться к вашему стилю воспитания малыша и не даст повода ревновать ее к ребенку. Если же вы почувствуете, что ваша помощница относится к ребенку как к своему собственному, если она начнет критиковать любые ваши действия, то для общего блага постарайтесь побыстрее избавиться от нее и найти другую, более покладистую.

На какой срок можно взять помощницу? Это зависит и от ваших финансовых возможностей, и от вашего желания самостоятельности, и, конечно, от вашего физического состояния. С каждым днем, по мере восстановления сил, берите на себя все больше и больше работы. Если через две недели вы все еще будете чувствовать слабость и быстро уставать, постарайтесь еще на некоторое время задержать помощницу несмотря на расходы. К сожалению, в такой ситуации это не роскошь, а необходимость. Если вы откажетесь от ее услуг, еще не полностью восстановив свои силы, то в конечном итоге потеряете больше, и не только в денежном выражении. Так что уговорите помощницу поработать еще пару недель.

Большинство будущих матерей с тревогой воспринимают перспективу остаться один на один со слабым и беспомощным существом. Это, однако, не значит, что все они не справятся со свалившимися на них обязанностями и будут **вынуждены** искать помощь на стороне. Но если вы ощущаете **настоящий** ужас от своей неопытности и неловкости, то быстрее освоитесь в компании медсестры или родственницы, если сможете уговорить ее помочь вам на первых порах.

Возможно, вы в состоянии обойтись без постоянной помощницы. Тогда можно пригласить женщину, чтобы она приходила раз или два в неделю сделать уборку, выполнить еще кое-какие дела по дому и посидеть с малюткой, если у вас есть важные дела вне дома.

Будете ли вы брать помощницу или нет, ни в коем случае не отказывайтесь от визитов патронажной сестры. О ее функциях рассказывается в пункте 74.

41. Содействие в практических делах. Если вы собираетесь самостоятельно стирать детские пеленки, то обязательно постарайтесь приобрести автоматическую стиральную машину с сушкой. Так вы сэкономите многие часы и, главное, силы. Экономия времени будет еще больше, если вы воспользуетесь прачечной.

Вы можете облегчить себе и уборку вашего дома — уберите ненужную мебель и другие вещи в кладовку. Они могут храниться там и пару месяцев, и пару лет.

42. Няня станет подспорьем для родителей и поможет малышу стать более самостоятельным. Вы должны хорошо знать няню, и малыш должен к ней привыкнуть. Няня, приглашенная для наблюдения за ребенком, который ночью не просыпается, должна обладать всего двумя качествами: чуткостью и высоким чувством ответственности. Но ребенок, который часто просыпается, или ребенок старше года должен легко узнавать няню, чтобы он не перепугался, если вдруг проснется ночью. Если вы берете няню, чтобы она ухаживала за ребенком или только укладывала его спать, непременно посмотрите ее в работе и убедитесь, что она любит детей и умеет с ними обращаться, что она добра, но в то же время может проявить твердость. Поэтому пригласите ее сначала для выполнения разовых поручений. Постепенно и малыш привяжется к ней до того, как она начнет постоянно общаться с ним. Ребенок привыкнет к новому человеку, и няня сможет делать все больше и больше для него.

Часто менять няню не стоит. Чтобы не получить кота в мешке, наймите ее сами или через агентство, но по рекомендации знакомых, которым можно доверять.

Должна ли няня быть молодой или лучше иметь дело с пожилой женщиной? На самом деле возраст не играет роли. Главное, она должна иметь добрый нрав и уметь ладить с детьми. Меня как-то познакомили с четырнадцатилетней девочкой, которая в совершенстве выполняла все обязанности няни, хотя странно ожидать подобных способностей от большинства девочек ее возраста. В то же время и на многих взрослых женщин нельзя положиться: среди них встречаются и грубые, и невнимательные. Следует иметь в виду, что ту или иную кандидатуру нельзя считать подходящей, если она с трудом привыкает к малышу или отличается излишней возбудимостью, — такая не даст покоя ни ребенку, ни родителям.

Очень полезно ознакомить новую няню с записями в специальном блокноте, где перечислены распорядок дня ребенка, вещи, которые он может попросить у няни, телефоны врача и соседей, которым в случае непредвиденных ситуаций следует звонить, если вы сами случайно находитесь вне досягаемости. Там же надо описать, где и что лежит на кухне, где вы храните полотенца и постельное белье, как включать и выключать отопление и т.п.

Кое-что еще о лицах, которые на время заменяют маму, вы прочтете в пункте 778.

Одежда ребенка и предметы ухода за ним

Необходимые приспособления

43. Приобретите нужные вещи заранее. Некоторые женщины не хотят задумываться о приданом, пока малыш не появится на свет. Заблаговременно купив все необходимое, вы освободитесь отчасти, когда наступит самое напряженное время. Ведь большинство женщин не в состоянии думать о чем-либо постороннем, когда на их плечи полностью ложится забота о ребенке. В таком состоянии элементарная покупка нескольких сосок превращается для них в колоссальную проблему. Прошедшие через подобные испытания мамы признавались мне потом: «В следующий раз я куплю заранее все, что мне сможет понадобиться. Каждая булавка, каждая пеленка должна быть под рукой».

Так что же необходимо приобрести перед тем как в вашем доме появится новорожденный? Не давая исчерпывающего ответа, позволим привести некоторые рекомендации.

44. Колыбель. Возможно, вы захотите, чтобы младенец почивал в шикарной колыбели на шелковых простынях. Учтите, однако, что он не оценит вашего порыва. На самом деле ему нужна кроватка со стенками по бокам, с которой ребенок не свалится, и матрас, мягкий сверху, но жесткий в основании. На первых порах в качестве колыбели подойдет, например, корзинка из супермаркета или ящик письменного стола. Волосяной матрас или матрас из резиновой губки были бы лучшим выходом, но они очень дороги. (Иногда волосяная набивка, особенно свиная щетина, вызывает аллергию у предрасположенных к ней детей. Чтобы избежать неприятностей, застелите матрас воздухонепроницаемой пленкой.) Матрас можно сделать, простегав какое-нибудь старое одеяло. Не используйте для матраса мягкую подушку: уткнувшись в нее носом, ребенок может задохнуться. Края боковых стенок лучше обшить мягким материалом, чтобы младенец не поранил руки. Подушка под голову малышу не нужна.

45. Ванночка и стол для пеленания. Малыша можно купать в кухонной раковине, пластмассовом тазу (края стенок у таза должны быть широкими и закругленными, чтобы в них удобно было упираться руками), лохани. Купают и одевают ребенка, сидя возле невысокого столика, на котором стоит ванночка (для этого подойдет, например, карточный столик на прочных ножках), или стоя, поставив ванночку на обычный стол. Если вы моете ребенка в раковине, то можете сидеть рядом на высоком стуле.

Очень удобны разборные ванночки с тканевым покрытием, но они довольно дороги и занимают много места. На жестком каркасе такой ванночки закреплена водонепроницаемая ткань. Сама ванночка установлена на высоких ножках, так что вы можете купать младенца стоя, не сильно сгибаясь. Когда купание закончено, на верхнюю часть каркаса натягивается материя, и ванночка становится подобием стола, на котором можно вытереть, одеть и перепеленать малыша.

46. Другие предметы ухода.
Пипетки со стеклянным кончиком. С их помощью удаляют из носа слизистые выделения при простуде.
Медицинский термометр для измерения температуры тела.
Марля. Из кусочков стерильной марли или бинта, скатав их смоченными водой пальцами, делают маленькие тампоны или жгутики, с помощью которых прочищают нос и уши малыша.
Растворы витаминов. В готовые растворы, которые малышу закапывают в рот, обычно входят витамины A, C и D. Прежде чем приобрести тот или иной раствор, посоветуйтесь с врачом.
Мыло. Годится любое не слишком щелочное мыло. Мыло с добавками гексахлорофена имеет бактерицидные свойства.

Бак для пеленок. Бак объемом 12 л должен быть изготовлен из не подверженного коррозии материала, например, пластмассы, и иметь крышку. Некоторые матери запасаются двумя емкостями — в одну складывают мокрые пеленки, а в другой, в мыльном растворе, замачивают запачканные.

Прогулочное кресло. С его помощью вы можете носить ребенка у себя на груди или на спине, освободив руки, и не думать о его безопасности. Кресло удобно еще и потому, что не сковывает движений малыша и позволяет видеть все окружающее.

Одежда малыша

47. Трикотажные кофты. Это очень удобная одежда — в ней ребенок может находиться и в период бодрствования, и даже на улице.

Рукава бывают зашитыми на концах, чтобы малыш не поцарапался, или открытыми. Длинную кофту малышу труднее скинуть с себя, но в жарком климате предпочтительнее короткие кофточки. Купите сразу три или четыре кофты. Если у вас нет стиральной машины с сушкой, то возьмите еще две-три про запас.

48. Рубашки бывают двух видов: в виде пуловера и с застежкой. Последние легче надеть на маленькое, податливое тельце. Легкие рубашки с короткими рукавами не годятся для холодных помещений. У некоторых фасонов рубашек имеется язычок, к которому булавкой пристегивается пеленка, — это особенно удобно для неопытных мам, которые еще не научились заворачивать пеленки так, чтобы они не спадали. Покупайте рубашки сразу в расчете на годовалый возраст или, если вы боитесь, что рубашка будет велика, на шестимесячный. Купите сразу три или четыре рубашечки. Если у вас нет стиральной машины с сушкой, то возьмите еще две-три про запас.

49. Костюмы из нейлона, часто в смеси с хлопком, очень удобно носить днем. Но в них можно одевать ребенка и на ночь. Костюмы застегиваются от шеи до ног.

50. Короткие и длинные платья и кимоно. Их шьют из хлопчатобумажной фланели. Они не имеют застежки, и надевают их поверх рубашек или ночных кофт. Практического значения они почти не имеют и служат лишь для красоты.

51. Свитера нужно надевать на ребенка в холодном помещении или во время прогулок в ненастное время года. Когда ребенок не спит, свитер можно надевать и на голое тельце, и поверх другой одежды. На ночь его надо надевать под другие вещи. Следите, чтобы ворот был мягким и не мешал двигаться шее.

52. Верхняя одежда для прогулок на свежем воздухе.
Конверт, застегивающийся на молнию, укрывает лежащего в коляске малыша до плеч.

Комбинезон тоже надевают на ребенка во время прогулок в коляске. Застегивается на молнию или на пуговицы от шеи до ног.

Изготовляют конверты и комбинезоны стегаными на вате или на акриле. Для более старших детей их делают из шерсти.

53. Слюнявчики предохраняют одежду от жидкости, текущей у младенца изо рта. Во время еды на ребенка надевают пластиковый или махровый слюнявчик. Вдоль его нижнего края пришит карман, куда собираются остатки пищи. Клеенчатые слюнявчики легче отмыть, но взрослых они не всегда устраивают по эстетическим соображениям. Матерчатым слюнявчиком можно также вытирать рот, если вы найдете на нем сухой краешек.

54. Пеленки. Легкие пеленки обычно делают из тонкой хлопчатобумажной ткани, а теплые — из фланели или байки. Тонкие пеленки легче сушить, но когда ребенок подрастет, они не в состоянии впитать выделяемое количество мочи. Если вы их стираете каждый день, то обойдетесь дюжиной. В любом случае более полусотни вам не понадобится. Покупайте пеленки больших размеров.

55. Салфетки (необязательно). Бумажные салфетки подкладывают в пеленки днем, когда у ребенка ожидается стул.

Выпускают салфетки и из специально обработанного нейлона. При их использовании кожа малыша не так мокнет.

56. Непромокаемые штанишки, надеваемые поверх пеленок, позволят вам выходить с малышом на улицу. Дома их также можно надевать, но при этом следите за состоянием кожи у ребенка. Дело в том, что из мокрых пеленок жидкость впитывается в верхнюю одежду и оттуда постепенно испаряется. Штанишки удерживают жидкость внутри, отчего пеленки сохраняют в себе влагу и тепло. Это способствует возникновению опрелости и раздражения кожи. В любом случае необходимо ежедневно мыть штанишки. Штанишки выпускают двух фасонов: в виде обычных трусиков и с застежкой. Шелковые и нейлоновые штанишки дольше остаются мягкими, чем пластиковые. Чтобы края штанишек из пластика не натирали кожу, их можно обшить мягкой тканью.

57. Спальные мешки и комбинезоны. В полугодовалом возрасте ребенок начинает ворочаться в колыбельке, и большинство матерей предпочитают укладывать малыша спать в специальных мешках или комбинезонах, а не укрывать одеялом. (Дети зачастую просто скидывают с себя покрывало.) Мешок имеет рукава, а комбинезон — еще и зашитые снизу штанины. (На низ штанин нашивают подошвы из плотного нескользящего материала.) Мешки и комбинезоны шьют из самых разных материалов в расчете на различную температуру помещения: из плиса, фланели, акрила и т.д. Длину многих комбинезонов и мешков можно изменять, выпуская в нижней части и в плечах, по мере того как ребенок растет.

Если малыша кладут спать в теплой комнате, где мама не мерзнет в легком халатике и спит под хлопчатобумажным покрывалом, то и мешок или комбинезон не должны быть теплее. В холодной комнате, где родителям на ночь нужно плотное шерстяное одеяло, ребенка лучше класть в акриловом мешке.

Ребенок не нуждается в более теплой одежде, чем взрослые, скорее, даже наоборот.

Наиболее удобны комбинезоны с застежкой «молния» от шеи до ног.

58. Другие виды одежды. Шерстяные вязаные чепчики предназначены для прогулок в холодную погоду, когда взрослые вынуждены надевать теплые пальто. Такие же чепчики закрывают голову малыша, если он спит в холодном помещении. Если температура воздуха выше, чепчик вовсе не нужен, тем более что детям в них вообще неудобно. Пока ребенок не начнет садиться и играть, чулки и пинетки вам не понадобятся. Позже их надо надевать только при низкой температуре в помещении. Малыш хорошо смотрится в платьице, но чувствует себя в нем неудобно, да и маме оно доставляет много хлопот.

Постельное белье

59. Одеяла. Если вы обычно кладете ребенка спать в мешке или комбинезоне, то одеяло вам может понадобиться только от случая к случаю или когда в комнате очень холодно. Вместо простого одеяла в любом случае лучше пользоваться вязаной шалью, потому что малыша проще в нее завернуть, и в постели она с него не сползет. Очень удобны одеяла и шали из акрила, потому что они не только теплые, но и легко стираются. Одеяло должно быть достаточно большим, чтобы можно было подоткнуть его под матрас.

Легкие хлопчатобумажные покрывала выполняют вспомогательную роль. Они не дают тепла, но в них можно заворачивать детей, которые беспокойно ведут себя во сне, и пеленать грудных младенцев, чтобы они не могли двигаться (см. пункт 290).

60. Клеенки бывают резиновыми и пластиковыми. Особенно удобны клеенки, покрытые с обеих сторон фланелью. Такая клеенка и сама не скользит по матрасу, и не дает скользить простыне. Кроме того, при контакте клеенки с тельцем ребенка у него не возникнет неприятных ощущений. Наконец, между телом ребенка и клеенкой с фланелевым покрытием не нарушается циркуляция воздуха, следовательно, отпадает необходимость дополнительных прокладок и мама освобождается от лишней стирки. Тем не менее в жаркую погоду подстелить стеганый тюфячок не помешает. Фланелевое покрытие необходимо отстирывать (это можно делать в машине), поэтому нужно иметь одну клеенку про запас.

Клеенка должна быть достаточно большой, чтобы ее можно было подоткнуть под матрас, иначе края матраса будут подмокать. Сегодня выпускают матрасы, уже обтянутые пластиковой пленкой, но она недолго прослужит, если вы больше ничего не подстелите под простыню: пленка скоро порвется, и сквозь отверстия будет просачиваться моча.

Пара кусков клеенки с покрытием сэкономят вам время на стирку. Один из них положите на простыню под бедра ребенка — тогда, если малыш не шевелится во сне, простыня останется сухой. Другой кусок мама может класть себе на колени во время кормления малыша.

61. Тюфячки. Если вы пользуетесь простой клеенкой (без фланелевого покрытия), сверху на нее обязательно нужно класть стеганый тюфячок. Он не только будет впитывать лишнюю влагу, но и обеспечит циркуляцию воздуха под телом малыша. В противном случае кожа младенца будет постоянно мокнуть и перегреваться. Количество тюфячков зависит от того, насколько часто вы их будете стирать и насколько часто мочится ребенок. Минимально нужно три тюфячка, а еще лучше — шесть.

62. Простыни. Вам понадобится от трех до шести простыней. Если первое время ребенок спит в маленькой колыбельке, вместо простынь можно стелить пеленки. Лучшими считаются простыни из хлопчатобумажного трикотажа: их легко стирать и сушить, не надо гладить, мокрые, они не прилипают к телу. Покупать нужно простыни, которые по размеру соответствуют матрасу.

Предметы, без которых можно обойтись

63. Весы. Когда ребенок нормально развивается и находится под постоянным наблюдением врача, то для дома весы покупать нет необходимости. Если доктор сочтет целесообразным взвешивать ребенка дома, вы можете взять весы напрокат на складе оборудования детской поликлиники.

64. Коляска. В колясках детей вывозят на прогулку или укладывают спать на свежем воздухе. Родителям, как правило, хочется иметь шикарную коляску со всевозможными техническими усовершенствованиями. На большей территории Америки колясками не пользуются, поскольку специально с малышами на воздухе никто не гуляет. Матери выходят из дома разве что за покупками и берут с собой малышей, усаживая их в легкие прогулочные коляски. Те, кто привык пользоваться автомобилем, предпочитают транспортировать детей в ручных корзинках, которые прикрепляются к сиденьям машины. Их конструкция разработана так, чтобы максимально обезопасить ребенка на случай дорожного происшествия.

Существуют также многочисленные варианты прогулочных кресел (см. пункт 46), среди которых многие просто удивляют изобретательностью своих создателей.

65. Нагреватель бутылочек с детским питанием. Без такого приспособления легко обойтись уже хотя бы потому, что наметилась тенденция кормить детей продуктами без предварительного подогрева. Но если вы придерживаетесь традиционных взглядов на питание, то можете воспользоваться различными приборами, самым удобным из которых признан электрический нагреватель, и вы не будете зависеть от перебоев с горячей водой. Существуют даже нагреватели, работающие от автомобильного аккумулятора.

66. Термометр для ванны. Необходимую температуру воды для купания легко установить, пользуясь собственными пальцами. Но неопытным матерям на первых порах термометр может пригодиться.

67. Туалетные принадлежности.
Детский лосьон. Детям с нормальной кожей специальный лосьон не нужен. Однако многим мамам он нравится, тем более что вреда от него нет. Лосьоны с антисептиками предотвращают кожные инфекции.

Детским маслом пользуются для ухода за сухой кожей и для снятия раздражения от мокрых пеленок. Его изготовляют из минеральных масел, и оно само может вызывать легкое раздражение кожи. Поэтому им не следует чрезмерно увлекаться, и уж во всяком случае сначала лучше на личном опыте убедиться, что масло приносит пользу, а не вред.

Детская пудра. Помогает при раздражении кожи, но чаще ее применение ничем не оправдано. (Пудра с добавлением соединений цинка вообще считается вредной для детей — при попадании в легкие она раздражает дыхательные пути.) Обращаться с пудрой надо очень осторожно: сначала насыпьте немного пудры на ладонь (чтобы не поднимать вокруг целое облако), а потом нанесите ее на кожу ребенка.

Цинковая мазь. Мазь продается в тюбиках и пузырьках. Применяется при опрелостях и раздражении кожи.

Приспособления для приготовления детского питания

68. Бутылочки. Если вы заранее знаете, когда закончите кормить малыша грудью, обязательно купите не менее девяти бутылочек объемом по 0,25 л. В день у вас будет уходить на питание от шести до восьми бутылок, да наверняка несколько вы разобьете. Если вы продолжаете кормление грудью, вам все равно понадобится не менее трех бутылочек на случай непредвиденного кормления или для соков.

Соску закрепляют на горлышке винтовой крышкой. У крышки в центре есть отверстие, соответствующее размеру соски. Все время, за исключением времени кормления, соска должна быть заправлена внутрь бутылки, а сверху ее надо прикрыть пластмассовым диском.

Бутылочки из жаропрочного стекла не лопаются при резком нагревании. И хотя они дороже обыкновенных, на весь период кормления получится экономия.

Пластиковая бутылка не разобьется, если ребенок или взрослый случайно ее уронит.

Воду и соки тоже можно давать ребенку из бутылочек по 0,25 л, хотя они для этого и велики. Многие мамы предпочитают иметь для этого бутылочки по 0,125 л. Двух или трех таких бутылочек вполне вам хватит.

Очень удобны одноразовые пластиковые бутылочки. Они выпускаются разных размеров и в продажу поступают уже стерилизованными.

69. Соски. Если вы кормите ребенка грудью, вам нужно пять сосок, а если отняли его от груди, то не меньше десятка. Держите еще несколько про запас на случай, если уроните одну на пол или разорвете, стараясь увеличить отверстие в соске.

Дорогие силиконовые соски не портятся от кипячения и от содержащегося в молоке жира.

Многие мамы предпочитают соски с несколькими отверстиями на кончике. Если соски часто засоряются, купите особый вид сосок, у которых есть отверстия сбоку, или сами проделайте такие отверстия (см. пункт 190).

70. Кастрюля с крышкой. Эта посуда, диаметром около 25 см и высотой 20 см, предназначена для стерилизации бутылок; желательно, чтобы туда помещалось восемь бутылочек, установленных вертикально в проволочном держателе. В продаже бывают электрические стерилизаторы, но их высокая цена себя не оправдывает.

71. Емкость для приготовления питательных смесей. Для этого вполне подходят мерный стакан или кружка объемом около 1 л. Если вы не хотите специально покупать посуду, можно пользоваться любой мерной емкостью для ингредиентов, а смесь готовить в обычной кастрюле или миске. В крайнем случае можно взять и бутылочку с делениями, но смешивать в ней продукты очень неудобно.

72. Воронка будет вам нужна для разливания смеси по бутылочкам. Аккуратно налить смесь в бутылочку можно и по тонкому стержню.

73. Остальной инвентарь не нужно специально покупать.

Ложка с длинной ручкой. Ею удобно размешивать смесь.

Набор мерных ложек для дозировки сахара или сиропа.

Нож с плоским лезвием для выравнивания горки сахарного песка в ложке.

Консервный нож для открывания банок со сгущенным молоком.

Щипцы с концами, покрытыми резиной. Ими удобно захватывать за горлышко горячие бутылки. Однако если вы предпочтете методику, о которой рассказывается в пункте 183, щипцы вам не понадобятся, потому что согласно нашим рекомендациям бутылки со смесью нагревать не надо.

Патронаж
и медицинская помощь

Патронажная медсестра

74. Независимо от того, есть ли у вас дома помощница, необходимо, чтобы один или два раза в неделю вас посещала патронажная сестра. Она научит вас готовить питательные смеси, покажет, как купать ребенка, объяснит, как выполнять рекомендации врача. Если впоследствии у вас будут возникать проблемы, вы сможете вызвать ее по телефону.

Патронажная служба работает во всех крупных городах и в большинстве сельских районов. Номер телефона местной патронажной службы вы можете узнать в роддоме или в детской поликлинике.

Детский врач

75. Регулярные визиты. Чтобы у вас не было причин сомневаться, все ли хорошо с вашим малышом, его необходимо регулярно показывать врачу. В течение первого года надо посещать врача не реже одного раза в месяц; на втором году — не реже одного раза в три месяца. Доктор взвесит и измерит ребенка, посмотрит, как тот растет и развивается, сделает необходимые прививки. Наверняка у матери будут к доктору вопросы, особенно если у нее первенец. Лучше записывать их сразу, по мере возникновения, в особый блокнот, чтобы не забыть, о чем вы хотели спросить. Там же надо указывать все заметные события, например, появление зубов или сыпи на теле, — тогда в разговоре с врачом вы сможете сразу назвать дату.

Многие семьи живут далеко от медицинского учреждения, и совершать ежемесячные визиты им трудно. В этой ситуации, если у ребенка нет ничего серьезного, можно консультироваться с врачом по телефону, ведь болезнь приходит вовсе не потому, что малыша вовремя не показали доктору. Тем не менее визиты к врачу обязательны для детей, чье развитие не укладывается в рамки нормы. Для остальных это тоже не принесет вреда.

76. Как выбрать врача? Во многих случаях семейный доктор, который помогал при родах, и в дальнейшем следит за здоровьем и развитием малыша. Домашний врач с опытом ухода за детьми справится с этим делом не хуже специалиста, если только не случится что-либо экстраординарное. В больших городах специалисты прекращают наблюдать женщину после выхода из родильного дома. Поэтому родителям надо найти врача по детским болезням, или педиатра. Одной матери достаточно разовых консультаций, другой хотелось бы, чтобы ребенок был под постоянным контролем и врач подробно указывал ей, что и как делать. Некоторые матери предпочли бы опытного, пожилого врача, у многих, напротив, вызывают большее доверие молодые педиатры, приверженцы новых теорий воспитания детей и ухода за ними. Наконец, кое-кому приятнее общаться с женщиной-доктором.

77. Медосмотры. Если родители живут в городе, но не имеют возможности иметь личного врача, они должны посещать с ребенком специальные поликлиники, где его тщательно осмотрят. Подобные учреждения есть и в сельской местности — вам надо лишь обратиться с письменной просьбой в отдел здравоохранения, где вам сообщат адрес ближайшей к вам детской поликлиники. В городе это, конечно, сделать проще: надо лишь позвонить по телефону. Наблюдает за ребенком бригада, в которую входят врач и медсестра. Доктор периодически осматривает младенца, делает необходимые прививки и дает матери необходимые советы; сестра объясняет, как выполнять те или иные указания врача и консультирует молодую мать по многим практическим вопросам. Медсестра навещает ребенка на дому, если у матери появились проблемы, не позволяющие ждать планового осмотра.

78. Как строить отношения с врачом? Обычно, узнав друг друга получше, врач и родители устанавливают хороший контакт на основе взаимного уважения и доверия. Но все мы люди, в наших отношениях возможны трения и конфликты. В большинстве случаев их легко преодолеть, если обе стороны искренне обеспокоены здоровьем и судьбой малыша.

При первом же знакомстве с доктором мы советуем вам урегулировать финансовые вопросы. Может быть, вы будете чувствовать себя неудобно, но помните, что это самое обычное дело. Кстати, многие врачи наверняка снизят оплату, если заранее узнают, что имеют дело с не очень обеспеченными людьми.

Из-за боязни показаться профанами многие молодые родители поначалу стесняются спрашивать доктора о проблемах ухода за своим ребенком. Это в корне ошибочная точка зрения. Каким бы элементарным ни казался вопрос, врач на то и существует, чтобы подробно рассказать вам обо всем, что вызывает ваш интерес. Да он и сам будет рад оказать вам подобную услугу, и чем проще вопрос, с тем большим удовольствием он поговорит на предложенную тему.

Пусть вас не смущает, что ваше неумеренное любопытство досаждает доктору. Если для вас это важно — спрашивайте. В конце концов, здоровье ребенка дороже настроения врача или вашей излишней деликатности.

Часто, начав что-либо объяснять, доктор отвлекается или уходит в сторону от вопроса, и многое для вас остается невыясненным. Если мать не найдет в себе смелости направить ход мыслей врача в нужном ей направлении, то уйдет с приема с чувством неудовлетворенности. Проявите настойчивость и добейтесь своего. Если квалификация врача не позволит ему дать вам всесторонние объяснения, он направит вас к специалисту нужного профиля.

79. Визиты к врачу с больным ребенком. Взрослые помнят, что стоило им в детстве захворать, как родители вызывали доктора. Поэтому им подчас кажется неразумным везти заболевшего малыша на прием к врачу. Конечно, вечно занятому доктору проще посмотреть больного у себя в кабинете, но он не должен настаивать, если до конца не уверен, что поездка в душном автомобиле не ухудшит состояние больного. При различных инфекционных заболеваниях горла доктор возьмет мазок на наличие стрептококков. Если результат окажется положительным, то стоит применить лечение антибиотиками; в противном случае лучше обойтись без них. Если доктор испытывает трудности с диагнозом, он обычно назначает анализы крови и мочи, а при травмах не обойтись без рентгеновского исследования. Все эти процедуры удобнее осуществить в поликлинике или больнице.

80. Необходимость консультации. Если ребенок заболел или его самочувствие внушает опасение и вам хотелось бы получить дополнительное заключение, у вас есть право обратиться за консультацией. Родителям может показаться, что таким шагом они будто бы проявят недоверие к лечащему врачу. На самом деле все совсем не так — в медицинской практике консилиумы устраивают довольно часто, и ваш врач воспримет это как должное. Разумеется, доктору по-человечески неприятно вмешательство со стороны, но как профессионалу ему приходится смириться. Дополнительная консультация прояснит ситуацию и для врача, и для родителей.

81. Не надо ничего скрывать. Я убежден, что если вы недовольны советами или действиями вашего врача, вы должны честно и открыто сказать ему об этом. Лучше обменяться мнениями как можно раньше, не накапливая в себе отрицательные эмоции.

К сожалению, даже спокойное обсуждение возникших проблем часто не приводит к договоренности. В таком случае лучше расстаться. Любой врач, даже самый популярный, признает, что не может угодить всем и воспринимает это философски.

82. Когда лучше звонить врачу? Договоритесь со своим врачом, когда удобнее позвонить ему, особенно если ребенок заболеет и возникнет необходимость его визита на дом. В большинстве случаев симптомы заболевания проявляются после полудня, поэтому врачи предпочитают узнавать о заболевании своих пациентов как можно раньше. Разумеется, если вы заметили неладное довольно поздно, не откладывайте звонок до следующего дня.

83. Когда нужно вызывать врача? С рождением второго ребенка вам станет ясно, появление каких симптомов требует срочного звонка доктору, а какие симптомы позволяют не беспокоить врача до завтра или до следующего планового визита. Неопытные родители обычно просят перечислить симптомы, требующие срочного вмешательства врача. Даже если они этого не сделают, им спокойнее было бы, имей они такой список.

Разумеется, всего перечислить невозможно — ведь существуют многие сотни различных заболеваний. Вам все равно придется довериться своему здравому смыслу и интуиции. Приведенные ниже сведения нужно считать самым общим руководством.

Основным критерием, требующим совета врача, на мой взгляд, должны стать **необычное поведение** ребенка или его **необычный внешний вид**, например, излишняя бледность, вялость, сонливость или, напротив, возбуждение и капризы.

О температуре говорится подробнее в пункте 618. Повышение температуры не так существенно, как другие внешние признаки заболевания. Дело в том, что высокая температура, вызванная инфекцией, характерна для детей старше одного-двух лет. В раннем возрасте ребенок болеет с незначительным повышением температуры или температура может быть нормальной. Я предлагаю сразу связаться с врачом, если у ребенка температура поднялась за 38° С. Однако не тревожьте доктора среди ночи при небольшой простуде и если ребенок не выказывает сильного беспокойства; вызвать врача можно и утром. При более серьезных симптомах звоните, не стесняйтесь.

Простуда. Срочно вызывать врача нужно при сильной простуде или если заболевание быстро прогрессирует, а самочувствие ребенка заметно ухудшается. Все, что связано с простудами, описывается в пунктах 642–644, про кашель вы прочтете в пункте 650, а о боли в ушах — в пункте 649.

О хрипоте и затруднении дыхания (пункты 652–654, 663, 664) нужно сообщить врачу незамедлительно.

Боль имеет различные причины, и при ее появлении впервые надо позвонить доктору. У детей часто по вечерам возникают **колики** — естественно, что при каждом случае сообщать о них нет необходимости. О заболеваниях, сопровождающихся **болью в ушах**, вы узнаете из пункта 649, о **зубной боли** — из пунктов 705, 706, о **боли при мочеиспускании** — из пунктов 699–702; также следует обратиться за помощью при **головной боли** у маленьких детей.

Внезапная потеря аппетита тоже может быть признаком болезни. Вас это не должно сильно встревожить, если потом аппетит снова появится и в поведении ребенка не будет заметных изменений. Если же ребенок ведет себя не так, как всегда, свяжитесь с врачом.

Рвота должна насторожить вас, если ребенок выглядит больным или просто не таким, как всегда; в этом случае позвоните врачу. Мы не имеем в виду срыгивание после еды, которое не является чем-либо экстраординарным у грудных детей первых недель жизни (пункты 315, 306, 705, 706).

Сильный понос в грудном возрасте требует немедленного обращения к врачу. При небольшом расстройстве стула можете подождать сообщать доктору несколько часов (см. пункт 315). О поносе у более взрослых детей, о котором мы рассказываем в пункте 705, звоните сразу.

О крови в каловых (пункты 315, 705, 270) и *рвотных массах* лучше сообщить не мешкая.

Воспаление или травмы глаз будут веским поводом для обращения за помощью (пункт 711).

На *травму головы* следует обратить серьезное внимание, если через 15 минут после нее ребенок не придет в свое обычное состояние.

О *повышенной плаксивости* стоит сообщить доктору.

Травмы рук и ног должны обеспокоить вас и заставить связаться с врачом, если ребенок не может пользоваться поврежденной конечностью или это доставляет ему боль (пункты 728, 729).

При ожогах с появлением волдырей звоните врачу (пункт 725).

Отравления. Если ваш малыш съел что-то недоброкачественное, он может оказаться в опасности (пункты 736–738). Тут же нужно связаться с врачом или службой «скорой помощи».

О порезах говорится в пунктах 719–723.

О кровотечении из носа говорится в пункте 724.

Сыпи. На первом году жизни основной причиной сыпи на теле являются мокрые пеленки (см. пункт 319). Сыпь может появиться и на лице в виде мелких розовых пятен (см. пункт 320). Ни та, ни другая не опасна. Инфекционным заболеваниям, которые сопровождаются сыпью (корь, скарлатина, краснуха), дети в первые полгода не подвержены, если мать переболела ими в свое время. Исключение составляет сифилис. Часто появляется неопасная сыпь на волосистой части головы (см. пункт 322). Иногда возникает экзема (см. пункт 666), о которой стоит сообщить в течение одного-двух дней. Импетиго (пункт 672) можно заразиться в роддоме, но после это заболевание маловероятно. Тем не менее сообщить об импетиго необходимо. Позвонить врачу нужно и в том случае, если сыпь сопровождается болезненным состоянием малыша или высыпания очень интенсивны.

84. Как найти доктора в незнакомом городе? Если вы оказались в чужом городе, а вам неожиданно понадобился детский врач, прежде всего постарайтесь узнать название лучшей местной больницы. Позвоните туда и свяжитесь со штатным педиатром или другим лицом, осуществляющим уход за детьми. Если вам это не удастся, поговорите с главным врачом. Он, правда, может не оказаться специалистом по детским болезням, но сообщит вам координаты одного-двух подходящих докторов.

85. Что должно находиться в домашней аптечке? Упаковка стерильной марли или квадратных марлевых салфеток со сторонами длиной 7,5 см (каждая салфетка должна находиться в отдельном герметичном пакете). Два куска стерильного бинта шириной 5 см и один кусок шириной 3 см. Рулончик стерильной хлопчатобумажной ткани для промокания. Моток лейкопластыря шириной 2 см. Из него можно делать более узкие полоски, разрезая от конца ножницами и затем отрывая кусок нужной длины. Коробка с подготовленными кусками бинта. Пинцет с узкими кончиками.

Вам нужны будут и антисептические средства, но прежде чем приобретать их, посоветуйтесь с врачом; пачка питьевой соды; вазелин или другой состав, который доктор порекомендует вам для обработки обожженных мест; аспирин в таблетках по 0,075 г. Если вы живете далеко от медицинского учреждения, спросите врача, не стоит ли вам иметь бутылочку сиропа из рвотного корня, чтобы спровоцировать рвоту при отравлении.

Обязательно приобретите медицинский термометр, бутылку для горячей воды, пипетку для закапывания в нос и отсоса слизи при простуде и насморке.

Больница и родильный дом

86. Общие впечатления. Сегодня большинство детей появляются на свет в клиниках и родильных домах. Там роженица все время находится под наблюдением докторов или их помощников и сестер. Ей будут предоставлены необходимое оборудование и консультации. Благодаря всему этому роженица чувствует себя в безопасности под постоянным надзором. Но больница или родильный дом имеют свои недостатки, которые являются продолжением их достоинств. Новорожденные большую часть времени находятся в детской палате, вдали от матери — там за ними обеспечен должный уход со стороны персонала, и они не нарушают покой мамы. Однако сегодня роженицы уже не желают разлучаться с младенцами даже на несколько дней. Им кажется, что таким образом их игнорируют, подчеркивают их бесполезность. Мать, за спиной которой уже не одни роды, могла бы с полным основанием возразить таким «энтузиасткам»: «Это же **замечательно** — получить такой долгий отдых и не беспокоиться о малыше». Правда, это понимание приходит лишь с опытом: формируется уверенность в своих силах, и пребывание в больнице переносится легче.

Если ребенок появился на свет в родильном доме, мужчина тоже не сразу начинает чувствовать себя настоящим отцом. Мать хотя бы чувствует себя там в центре внимания, а бедный папа всеми брошен. Чтобы хотя бы взглянуть на своего отпрыска, он вынужден часами простаивать под окнами палаты, делая умоляющие знаки медсестре. Даже в лучшем случае взгляд на малыша не сможет заменить ощущения, которые отец испытал бы, приняв крохотное тельце в свои руки. Разумеется, работники роддома в первую очередь озабочены тем, как оградить новорожденного от инфекции, но отец все равно чувствует себя никому не нужным.

Другое ошибочное впечатление создается у обоих родителей, когда их в присутствии младенца заставляют надевать марлевые повязки; им кажется, что от них исходит угроза малышу — ведь дома они не носят эти неудобные маски. Причина же состоит только в том, что в клинике большое количество детей и взрослых сосредоточено буквально на одном пятачке. Инфекция, занесенная всего лишь одним лицом, может легко распространиться и принести вред многим. В семье же риск заразиться гораздо ниже, разве что кто-то из взрослых подхватит грипп или простуду.

87. Все вместе. Чтобы преодолеть неприятные впечатления от обстановки родильного дома, врачи и медсестры в экспериментальном порядке вводят режим, называемый «все вместе». Колыбель младенца вместо детской ставят в палату матери рядом с ее кроватью. Под руководством сестер она с первого же момента начинает ухаживать за новорожденным: брать его на руки, кормить, пеленать, купать. У нее появляется возможность попрактиковаться в присутствии опытных людей, которые тут же готовы прийти ей на помощь. Она узнает, как ее малыш спит, ест, испражняется; оказавшись с ним дома один на один, она не почувствует себя беспомощной. Для неопытных мам такой подход дает огромные преимущества: ребенка можно кормить не по жесткому расписанию, а по его потребности, при этом у матерей реже пропадает молоко. Отец, которому разрешают визиты, сразу начинает чувствовать себя настоящим главой семьи, он может подержать ребенка на руках и даже поучиться самостоятельно ухаживать за ним.

Подобный метод практикуется в ряде стран, и хотя он был изобретен в США много лет назад, сейчас он принят лишь в ограниченном числе клиник. Тем не менее он вполне оправдывает себя. Мамы, рожавшие первый раз, получают мощный заряд положительных эмоций и готовы родить следующего ребенка только по принципу «все вместе». А вот многодетные мамы, у которых в роддоме только и появляется возможность передохнуть от забот, предпочитают традиционный метод.

Перестроить работу родильных домов на метод «все вместе» непросто. Это требует значительных изменений в организации существующей системы. Для начала нужны крупные финансовые затраты, потом следует долгий период адаптации и проверок. Если ваши надежды рожать по-новому не оправдались, не надо разочаровываться — у вас будет достаточно возможностей все компенсировать дома. Тем более что срок пребывания в роддоме в настоящее время исчисляется днями.

Кормление детей грудного возраста

Врожденные инстинкты

88. Рекомендации о питательных смесях, которые вы получите в роддоме, напоминают действия средневековых алхимиков: взять по столько-то граммов молока и воды, смешать их так, приготовить этак, потом разлить по 100 г в шесть бутылочек и скармливать в 6 и в 10 часов утра, в 2 часа пополудни, в 6 и в 10 часов вечера, а затем в 2 часа ночи. За этими подробностями ускользает главное: речь идет о пище для человеческого существа, у которого прекрасно развиты инстинкты, и **ребенок прекрасно знает, как и когда питаться.** Конечно, относиться к приготовлению смесей нужно со всей ответственностью; количественные соотношения ингредиентов тщательно рассчитывались специалистами на основе веса ребенка и его аппетита в роддоме. Но организм малыша сам способен определить свою потребность в калориях и наполненность желудка. Если ему недостаточно предлагаемой вами порции, он криком возвестит об этом. Если в бутылочке окажется больше, чем ребенку необходимо, прекратите кормить, когда он начнет отказываться.

В первый год жизни воспринимайте поведение ребенка так: он просыпается и кричит, потому что голоден. Малыш охвачен жаждой насытиться и вздрагивает всем телом, когда сосок матери оказывается у него во рту. Сосет он с такой страстью, что от усердия иногда даже потеет. Попробуйте прервать кормление в середине, и малыш разразится яростным криком. Зато стоит ему насытиться, как он становится безразличным ко всему и удовлетворенно засыпает. И даже во сне, похоже, ему снится кормежка — ротик делает сосательные движения, а весь облик выражает состояние полного блаженства. Похоже, что кормление — главная радость в жизни ребенка. Первое, с чем он знакомится в жизни, — это пища. Первый, с кем он знакомится в жизни, — человек, который его кормит.

Если мать постоянно старается дать малышу больше, чем ему хочется, он постепенно становится равнодушным к пище. Во время кормления ребенок будет засыпать все раньше, начнет протестовать против еды, станет толстым и неуклюжим. Снизится его активность, пропадет настоящий «вкус к жизни». Поведение ребенка словно говорит: «Жизнь — это борьба. Эти люди постоянно надоедают мне, и я сделаю все, чтобы защититься от них».

Следовательно, не надо излишне настаивать, когда ребенок почувствует себя сытым. Дайте ему наслаждаться пищей, чтобы он относился к вам, как к самому близкому другу. Таков главный принцип, следуя которому вы позволите малышу самоутвердиться и полюбить людей, дадите ему возможность почувствовать себя счастливым в этом мире.

89. Для чего ребенку сосательный инстинкт? Ребенок сосет грудь по двум независимым причинам. Во-первых, потому что он голоден, а во-вторых, потому что получает наслаждение от самого процесса. Если вы обильно кормите его, но не даете возможности пососать всласть, его инстинкт остается неудовлетворенным, и он будет сосать разные предметы — палец, кулачок, одежду. Очень важно, чтобы и число кормлений, и их продолжительность соответствовали потребностям ребенка. Обо всем этом, и в частности о сосании пальца, подробно рассказано ниже, в пунктах 338–349. В первые же недели нужно следить за тем, чтобы ребенок не сосал палец и не делал похожих на это попыток.

90. В первые дни после родов ребенок теряет в весе. Через два-три дня, если ребенка не ограничивать в пище, вес начнет восстанавливаться. У недоношенных и ослабленных детей период, за который они набирают первоначальный вес, обычно затягивается до нескольких недель, потому что младенцу поначалу недостает сил досыта питаться. Такая задержка не сказывается на последующем развитии. Есть и другое наблюдение:

у детей, которых кормят грудью, вес восстанавливается медленнее, чем у находящихся на искусственном вскармливании, — дело в том, что материнский организм в первую неделю еще не в состоянии вырабатывать достаточно молока, да и идет оно не так легко, как из бутылочки.

Некоторых родителей беспокоит первоначальная потеря веса, она кажется им противоестественной. К тому же есть мнение, что резкая потеря веса может вызвать лихорадочное состояние на почве обезвоживания. Чтобы не допустить столь нежелательных последствий, в некоторых роддомах детей, которым не дают питательных смесей и у матерей которых не появилось молоко, обильно поят водой. Это снижает риск лихорадки и позволяет ее легко лечить — стоит только дать малышу достаточно жидкости.

Необоснованное беспокойство матери по поводу потери новорожденным веса плохо сказывается на ее настроении и может побудить ее перейти на искусственное вскармливание, не дождавшись завершения естественной адаптации организма. В некоторых роддомах идут на хитрость, не сообщая матери истинных результатов ежедневного взвешивания или искажая их. К сожалению, такой прием не всегда срабатывает. Обеспокоенной роженице все представляется в черном цвете. Всегда лучше объяснить, что ничего страшного не происходит.

Расписание кормлений

Врач обязательно побеседует с вами о расписании кормлений малыша. Его советы будут зависеть от того, насколько крупным родился ребенок, как быстро к нему приходит чувство голода, как он бодрствует и от других наблюдений. И все же позднее у вас возникнет множество вопросов о питании вашего грудничка.

91. Соблюдать регулярность кормлений или нет? До 50-х годов нашего столетия в Америке считалось неписаным законом, что кормить младенцев следует строго по расписанию. Новорожденного весом 3–3,5 кг нужно было кормить ровно в 6 часов утра, потом в 10 и в 14 часов, в 18 и в 22 часа и наконец в 2 часа ночи — ни раньше, ни позже. И не обращать внимания на то, что ребенок, возможно, еще не хочет есть или, наоборот, давно заходится плачем от голода. При этом врачи не переставали удивляться, почему десятки тысяч детей ежегодно страдают кишечными инфекциями. Считалось, что заболевания вызваны плохим качеством молока (из-за грязи в молочных кухнях, из-за приготовления молочных смесей в неприспособленных условиях дома, из-за несоблюдения условий хранения их в холодильниках), а также неправильными пропорциями ингредиентов и **нерегулярным** кормлением.

Врачи и медсестры сами твердо верили в идею расписания и убеждали родителей, что нерегулярное питание ведет к избалованности детей, портит их характер. Убежденные в правильности метода, матери не обращали внимания на поведение младенцев, кроме как во время кормления. Возбранялось даже лишний раз поцеловать малыша.

Большинство детей систему кормления по жесткому расписанию воспринимали неплохо. Получая достаточно грудного молока или смеси из бутылки, ребенок **примерно** четыре часа может обходиться без пищи, поскольку именно таков цикл работы его пищеварительного тракта. У любого человека, независимо от возраста, быстро развивается условный рефлекс, и при постоянном кормлении в твердо установленное время он вскоре как раз к нужному моменту будет ощущать острый голод.

Но в общем правиле есть исключения. Это дети, которым трудно привыкнуть к регулярному питанию за один-два месяца либо потому, что их желудочек не вмещает молока на четыре часа последующего поста, либо они засыпают во время кормления, либо это беспокойные малыши, у которых энергия быстрее расходуется, либо, наконец, они страдают от колик. Такие дети жалобно плачут, но матери и врачи не решаются их покормить и даже взять на руки, пока не наступил долгожданный момент. Трудно и малышу, и матери. Она слышит плач и в отчаянии кусает ногти, хочет успокоить и не решается. И лишь гибкое расписание кормления избавило всех от этих мук.

Кстати, постепенно число кишечных заболеваний у ребятишек грудного возраста снизилось. Главным фактором, конечно, стало то, что молоко в коммерческих молочных кухнях начали пастеризовать, улучшилась также технология смешивания и хранения продуктов в холодильнике. Тем не менее прошло много лет, прежде чем врачи решились на эксперимент по гибкому режиму кормления. Первые же результаты показали, что питание по гибкому графику вовсе не вызывает несварения желудка и не делает ребенка излишне балованным.

Первыми начали работать в этой области доктор Престон Маклендон и миссис Френсис П. Симсариан, психолог и сама молодая мать. Именно ее ребенок участвовал в эксперименте. Ученые попытались определить, как будет складываться график кормлений, если давать ребенку грудь, как только он обнаружит признаки голода. В первые дни малыш просыпался на кормление нечасто. Когда же отделение молока у матери улучшилось — это произошло через три-четыре дня после начала кормления, — он стал просыпаться через очень короткие интервалы, буквально до десяти раз в сутки. В возрасте двух недель малыш требовал пищи шесть-семь раз в сутки, а к десяти неделям перешел на привычный нам четырехчасовой ритм. Свой эксперимент ученые назвали «кормлением по требованию», и этот термин уже стал устоявшимся. (Мне такое название кажется не подходящим, потому что создает образ младенца, который что-то гневно требует. Разумеется, смысл и результат изысканий врачей ничего общего с подобным представлением не имеют.)

92. Недоразумения по поводу режима «кормления по требованию». Как обычно, несмотря на ясность вопроса, не удалось обойтись без перегибов. Некоторые молодые родители, стараясь находиться на острие прогресса, совсем порвали с жестким расписанием. Они кормят детей в **любое** время, стоит тем проснуться, и **никогда** не будят их, чтобы покормить. Соблюдение определенных интервалов, по их мнению, только вредит детскому организму.

Возможно, если бы все дети обладали спокойным нравом и хорошим пищеварением, а мамам не приходилось часто вставать ночью, если их малыш вдруг проснулся, ничего страшного в экстремизме таких родителей не было бы. Но среди грудничков немало беспокойных и капризных малышей, они просыпаются через каждые несколько минут — представьте, какая жизнь ждет их родителей в течение многих месяцев! Наблюдались случаи, когда дети просыпались ночью для кормления до годовалого возраста.

Пример таких горе-новаторов заставляет вполне здравомыслящих родителей бежать от методики «по требованию», как от чумы. Мне пришлось быть свидетелем диалога двух молодых мам. «Я кормлю ребенка по требованию», — гордо заявила одна. «А я своему **никогда** этого не позволю!» — резко возразила ей другая. Если родители относятся к системам кормления со слепой верой, словно это религиозные догмы, толку не будет.

Соблюдая жесткое либо гибкое расписание, следует в первую очередь заботиться об интересах ребенка. Но при этом надо по возможности сохранить свои физические и душевные силы. Следовательно, число суточных кормлений должно быть разумным, однако, происходить они должны в определенные часы; кормить ночью можно, если ребенок проснулся действительно от голода, а не по какой-то иной причине. Иначе все иные аспекты ухода за младенцем отойдут на второй план. Помните: что хорошо для вас, хорошо и для малыша, и наоборот.

Не стремитесь беспрекословно соблюдать график кормлений, внимательнее относитесь к нуждам малыша, но постепенно вырабатывайте у него привычки, чтобы не ломать нормальный образ жизни остальных членов семьи.

Если мама предпочитает кормить ребенка «по требованию», это не скажется ни на его упитанности, ни на ее собственном душевном состоянии. Но педантичная во всем натура может потерять душевное равновесие, если подумает, что, потакая желаниям ребенка, она сделает ему только лучше, или будет стараться доказать себе, что станет хорошей матерью, если подавит в себе внутреннюю склонность к дисциплине. Все это в перспективе может привести к серьезным проблемам.

93. Общее напутствие: соблюдайте расписание кормлений ребенка. Для него главное — не страдать от голода. Если его разбудят, чтобы покормить, после трех-четырех часов сна, он не будет возражать.

Любой ребенок легко приобретает привычку питаться в определенные моменты времени. Матери остается лишь не мешать ему в этом.

Кроме того, чем крупнее становится малыш, тем больше времени ему нужно, чтобы проголодаться. Грудничков весом от 2 до 3 кг нужно кормить через каждые 3 часа; достигнув веса

3,5–4 кг, ребенок будет вполне удовлетворен, если ему будут давать поесть в среднем через 4 часа. Дети быстро перестают требовать кормить их среди ночи и уже к двухмесячному возрасту позволяют маме выспаться. Между четвертым и восьмым месяцем ребенок легко выдерживает пятичасовые интервалы между приемами пищи и от ночных кормлений вообще отказываются.

Поощрять ли склонность малыша к регулярному нечастому питанию, препятствовать ли ей — зависит от матери. Если она будит его, когда наступает время кормления, а именно после четырех часов сна, то воспитывает в нем привычку испытывать чувство голода и питаться регулярно. Когда ребенок начинает ворочаться и хныкать уже спустя два часа после кормления, следует подождать несколько минут, дать ему возможность снова заснуть; если он не успокаивается, можно взять его на руки и побаюкать, попоить водой, стараясь не перебивать аппетит. Если же мать берет ребенка на руки, стоит тому лишь пошевелиться в колыбели, и кормит его, хотя он спал всего пару часов, то у малыша выработается привычка есть часто и понемногу.

Каждому ребенку нужно разное время, чтобы приучиться питаться регулярно. Подавляющее большинство новорожденных любят поесть, но переходят на регулярное кормление с четырехчасовыми перерывами, пропуская поздний ужин в 2 часа ночи, уже ко второму месяцу. Однако есть любители засыпать у груди, еще не насытившись до конца. Есть дети беспокойные, они просыпаются до срока (об этом будет сказано в пунктах 139, 193–195, 290–292). Наконец, у матери может оказаться мало молока. Во всех этих случаях период привыкания к регулярному питанию затягивается. И все же матери легче каждый день решать дилемму, кормить ли малыша сразу при пробуждении либо чуть подождать, если она взяла «генеральный курс» на соблюдение расписания с четырехчасовыми перерывами.

94. Как выработать у ребенка привычку есть по расписанию? Спокойный ребенок, который весил при рождении 3,5–4 кг, с самого начала способен, насытившись, выдерживать перерывы по 3,5–4 часа и питаться шесть или семь раз в сутки. Родителям следует ориентироваться на примерный график (6 и 10 часов утра, 14 часов, 18 и 22 часа и 2 часа ночи), но не бояться нарушить его, когда малыш действительно проголодался. Покормите его раньше на 1 час, если он находится на искусственном вскармливании и перед этим достаточно поел, или даже на 2 часа, если он питается грудным молоком, а у матери его недостаточно.

Как быть, если пришло время кормления, а малыш не просыпается? Попробуйте нежно его разбудить. Наверняка через минуту-другую он почувствует голод и проснется. Теперь представим обратную ситуацию: ребенок проснулся за час до срока. Не пытайтесь тут же вложить ему в рот соску или предложить грудь. Возможно, его разбудил не голод, а иная причина. Но не заставляйте малыша плакать больше 10–15 минут, несмотря на расписание. Не исключено, что ребенок вернется к графику уже в следующее кормление, а может быть, ему понадобится на это полдня или обычный интервал восстановится в течение ночи. Причиной постоянного сокращения сна между кормлениями иногда становится просто недостаток пищи. При грудном кормлении попытайтесь давать ему грудь чаще, например через 2 часа, — это может стимулировать секрецию молока уже через несколько дней. Скорее всего, тогда перерывы между кормлениями увеличатся «по инициативе» самого младенца. Если малыш находится на искусственном вскармливании и, полностью опустошая свою бутылочку, все равно просыпается до срока, посоветуйтесь с врачом по поводу состава и количества молочной смеси.

95. Каков минимальный перерыв между кормлениями? Я уже говорил, что допустимо сокращать перерыв с 4 до 3–3,5 часа. Но иногда уже через час после кормления малыш начинает ворочаться и открывает глазки. Если перед тем он получил положенную порцию молока или смеси, вряд ли его разбудил голод. Скорее, причиной стало несварение желудка или колики. Дайте ему срыгнуть, попробуйте напоить водой или предложите пустышку. Если это не поможет, все же не спешите его кормить. Увидев, как малыш тянет в рот свой кулачок или жадно хватается за бутылочку, не следует принимать это за попытку удовлетворить голод: при коликах такие симптомы довольно часты. Ребенок просто не умеет различать чувство голода и боль, вызванную коликами. Об этом речь пойдет в пункте 292.

В заключение хочется еще раз сказать: не стоит кормить ребенка **всегда**, когда он просыпается. Если он начинает плакать в неурочное время, попробуйте разобраться с причинами, а еще лучше — посоветуйтесь с врачом.

96. Другие сроки кормления. Стоит ли выбирать другое время для кормлений, соблюдая при этом установленные четырехчасовые интервалы? Если это прихоть ребенка, то пожалуйста. Часто применяют такой график: 7 и 11 часов утра, 15 часов, 19 и 23 часа (и при необходимости около 3 часов ночи). Правда, надо иметь в виду, что в самом раннем возрасте ребенок предпочитает начинать бодрствовать между 5 и 6 часами утра независимо от времени ночного кормления. Попадаются ребятишки, которые придерживаются обычного графика, но к радости мамы готовы утром потерпеть до 7 часов, дав ей как следует выспаться.

97. Расписание с трехчасовыми перерывами. Если малыш получает полноценное питание, но днем просыпается через три часа, целесообразно на время перейти на расписание с трехчасовыми перерывами.

Скорее всего, это подошло бы детям, которые весят меньше 3,5 кг. Однако не воспринимайте наши рекомендации как абсолют. Даже трехкилограммовые крошки могут легко переносить интервалы в 4 часа, а четырехкилограммовые бутузы не могут ждать и трех часов, особенно в первые недели.

Многие малыши, которых днем требуется кормить через три часа, ночью спокойно выдерживают четырехчасовые перерывы, но если они весят не меньше 2,5 кг. Для них можно установить график: в 6 и 9 часов утра, в полдень, в 15 часов, в 18 и 22 часа и в 2 часа ночи.

98. Ночное кормление. При ночном кормлении придерживайтесь такого принципа: пусть ребенок разбудит вас, а не вы ребенка. Малыш, которому требуется ночная порция, сам просыпается около 2 часов ночи. Однажды в возрасте двух — шести недель он вдруг может проспать до трех или до половины четвертого. Покормите его как бы в счет двухчасового кормления и следующее кормление перенесите соответственно. Возможно, утром он проснется где-то между 6 и 7 часами, и тогда начинайте новый цикл. В следующую ночь ребенок может запросить есть между половиной пятого и пятью. Это кормление следует считать первым утренним и надеяться, что далее он проспит до 10 часов. Когда малыш будет готов отказаться от ночного кормления, ему потребуется две или три ночи для перехода на новое расписание. После этого делите суточное количество молочной смеси на пять бутылочек вместо шести.

99. Отказ от ночного кормления. Если ребенок к месячному возрасту поправился до 4—4,5 кг и все еще просыпается в 2 часа ночи, то пришло время отучать его от этого. Не спешите к колыбельке, как только малыш зашевелится, дайте ему повозиться минут 20—30, может быть, ему надоест, и он заснет. Если он не успокаивается, предложите ему четверть стакана теплой воды. При продолжении плача все-таки дайте ему поесть, но не сдавайтесь в последующие ночи. Ребенок уже достаточно развит и не нуждается в ночном кормлении.

100. Вечернее кормление в 22 часа проще всего немного отложить, чтобы мать получила возможность для полноценного отдыха. Еще до достижения месячного возраста большинство детей готовы ждать приема пищи до 23 часов и даже до полуночи. Если вы привыкли ложиться рано, разбудите малыша в 22 часа и покормите его. Если вы относитесь к «совам», то дожидайтесь его пробуждения.

В тех случаях, когда ребенок просыпается ночью, из двух зол нужно выбирать меньшее: лучше отказаться от ночного кормления, а не от вечернего. Будите его между 22 и 23 часами и кормите. Так, по крайней мере, вы завершите нормально дневной цикл, малыш не проснется ночью (от часа до четырех) и привыкнет питаться утром между пятью и шестью.

Отказ от вечернего кормления рассмотрен в пункте 223.

Процесс кормления

Подробности кормления грудью изложены в пунктах 114—127. Некоторые проблемы, связанные с детьми, которые плохо сосут и с трудом привыкают к расписанию, описаны в пункте 139.

Как кормить из бутылочки, вы узнаете из пунктов 187—195.

101. Ребенок прекращает сосать. Между четырьмя и семью месяцами дети странным образом меняют свое отношение к процессу кормления. Они жадно сосут грудь или соску, но продолжается это всего несколько минут. Затем малыш начинает яростно проявлять недовольство, выпускает изо рта соску и плачет, словно ему больно. Видно, что он еще не удовлетворил аппетит, но стоит ребенку возобновить попытки сосать, как он опять ощущает неудобство. Зато твердую пищу он поглощает с удовольствием. По-видимому, это начинают резаться зубы. Когда ребенок производит сосательное движение, во рту создается разрежение, и к набухшим деснам дополнительно приливает кровь, вызывая нестерпимую жгучую боль. Поскольку боль появляется не сразу, а спустя несколько сосательных движений, лучше разбить процесс кормления молоком на несколько этапов, а в промежутках давать твердую пищу. Если вы кормите малыша из бутылочки, в некоторых сосках увеличьте размеры отверстия, чтобы за более короткое время ребенок получал больший объем смеси. (Такие «легкие» соски используйте только на период недомогания, поскольку иначе ребенок не сможет удовлетворить свой сосательный инстинкт.) Если малышу тем не менее сосать невмоготу, вообще на время откажитесь от бутылочки. Давайте ему молоко из чашки, если он уже в состоянии пить из нее, поите его с ложечки или добавляйте больше молока в кашу и другую твердую пищу. Не волнуйтесь, если ребенок не получит своего обычного объема молока.

Иногда простуда осложняется воспалением среднего уха, которое сопровождается сильной болью в области соединения челюстей. Эта боль также мешает сосать, хотя твердую пищу ребенок ест спокойно.

Некоторые дети отказываются от груди во время менструации у их матерей. В эти дни лучше давать им молочные смеси. При этом женщина должна сцеживать молоко, чтобы его секреция не прекращалась. По окончании менструации ребенок снова готов брать грудь и восстановит секрецию молока в полном объеме, если мать не будет подкармливать его из бутылочки.

102. Заглатывание воздуха. Вместе с молоком дети проглатывают некоторое количество воздуха. В виде пузыря он скапливается у них в желудке, создавая ощущение сытости. У большинства это не вызывает последствий, но некоторые могут прекратить сосать, не получив и половины полагающейся порции. Как правило, у детей, сосущих грудь, воздушный пузырь не образуется. Есть два основных способа изгнать воздух из желудка. Посадите малыша к себе на колено, выпрямите спинку и аккуратно трите ему животик. Можно положить его животом к себе на плечо и похлопать по спинке. Не забудьте накрыть плечо клеенкой, потому что малыш может немного срыгнуть. У одних детей воздух из желудка выходит на удивление легко, а у других может застрять. В последнем случае полезно на секунду положить малыша, а потом снова водрузить к себе на плечо.

Изгонять воздух лучше по окончании приема пищи, но если его скопилось так много, что голодный еще ребенок кончает сосать, сделать это можно и в середине кормления. От лишнего воздуха у малыша могут начаться колики. С другой стороны, если пузырь воздуха в животе его не беспокоит и он ведет себя после срыгивания так же, как и до него, то не стоит лишний раз мучить ребенка, повторяя раз за разом неудачные попытки.

Здесь как раз подходящее время упомянуть еще об одном аспекте кормления. Когда малыш наестся, его живот выпячивается настолько, что многие матери с непривычки пугаются. Причина заключается в том, что необходимое малышу количество молока занимает в желудке сравнительно больше места, чем у взрослого человека. Например, если вы весите 60 кг, то почувствуете насыщение, выпив всего один литр молока за один раз.

Хватит ли ребенку питания

103. Ребенок сам знает, сколько съесть. Если малышу уже требуется больше смеси, чем было рассчитано ранее, или у матери стало меньше молока, например, от усталости или нервного напряжения, то он станет раньше просыпаться перед очередным кормлением и криком будет возвещать о том, что голоден. Он опустошит бутылочку до последней капли и будет оглядываться в поисках добавки. Не получив желаемого, он начнет сосать кулачки. Взвешивая его, вы обнаружите, что он прибавил меньше, чем в предыдущий период. У малыша, которому дают недостаточно еды, может возникнуть запор. Последним сигналом будет его крик даже после кормления.

Если вы кормите ребенка смесями, то, заметив описанные выше признаки, свяжитесь с вашим врачом и посоветуйтесь относительно увеличения суточного объема смеси. Если до врача вам не добраться, а смеси вы готовите по нашей книжке, переходите к более сытным рецептам. На самом деле вам не нужно дожидаться, пока появятся все или большинство указанных признаков. Менять смесь можно уже тогда, когда ребенок постоянно выпивает всю бутылочку без остатка. Хочу сделать одно предупреждение: если вы увеличите количество смеси, заметив лишь начальные признаки недоедания, то, возможно, малыш сразу не сможет выпивать все. Не спешите и не заставляйте малыша есть насильно.

Ребенок, находящийся на грудном вскармливании, при недостаточном питании будет раньше просыпаться. Давайте ему поесть, пусть даже число кормлений при этом увеличится. Чем чаще малыш будет есть, тем более сытым он будет и тем лучше ваш организм начнет вырабатывать молоко (если у него еще есть резервы). Если вы обычно даете в кормление ему одну грудь, то начинайте прикладывать тут же и ко второй.

104. Как быстро должен прибавлять в весе ваш ребенок? Мы не погрешим против истины, если скажем, что ребенок растет так быстро, как он сам желает. Дети в большинстве своем действительно сами регулируют свой рацион. Если вы предложите им слишком большую порцию, они откажутся доедать излишки. Если им не будет хватать еды, они ясно покажут вам, что голодны, — будут быстро просыпаться после кормления и начнут сосать свой кулачок.

Ниже приводятся цифры, характеризующие развитие среднего ребенка, но для каждого конкретного малыша эти величины будут отличаться. Когда доктора говорят о средней прибавке в весе, то они учитывают и тех, кто растет быстро, и тех, кто задерживается в росте, и тех, кто развивается нормально. Значит, показатели вашего малыша наверняка должны отличаться в ту или в другую сторону.

Если ребенок растет медленно, это еще не значит, что так заложено в нем природой. Например, замечая у него постоянно признаки голода, вы с уверенностью можете заключить, что он может и должен быстрее прибавлять в весе. Другой причиной задержки роста является болезнь. Ослабленных детей следует регулярно показывать врачу, чтобы он убедился, что их медленное развитие не вызвано каким-либо заболеванием. Иногда встречаются удивительно «деликатные» дети, которые, развиваясь слишком медленно, тем не менее никак не показывают, что голодны. Попробуйте дать такому чуть большую порцию, он обязательно примет ее, и прибавки в весе возрастут.

В среднем вес ребенка при рождении составляет 3,2 кг, а в возрасте пяти месяцев малыш весит 6,5 кг. Однако часто дети, которые при рождении имели низкий вес, дальше растут быстрее сверстников, словно стараясь догнать их, а крупные новорожденные почти никогда не удваивают свой вес к пяти месяцам.

В первые три месяца жизни средний ребенок прибавляет чуть меньше килограмма в месяц (от 180 до 240 г в неделю). Конечно, могут быть отклонения как в ту, так и в другую сторону. В дальнейшем темп роста снижается. **К шести месяцам ежемесячная прибавка падает до 0,5 кг** (120 г в неделю). В дальнейшем прибавки веса еще снижаются, но не так резко. В последние три месяца первого года жизни малыш прибавляет в среднем по 300 г (60—90 г в неделю), а в течение второго года — по 200–250 г в месяц.

Чем старше становится ребенок, тем медленнее он растет. Кроме того, прибавление в весе становится неравномерным. Например, при появлении первых зубов у малыша на несколько недель пропадает аппетит, и в это время прибавка в весе может даже замедлиться. Когда неприятные ощущения пройдут и аппетит восстановится, ребенок опять начнет резко прибавлять в весе.

На самом деле результаты еженедельного взвешивания вам мало что скажут. Ведь они зависят от того, как давно перед взвешиванием малыш поел и когда перед этим у него был стул. Например, обнаружив, что за очередную неделю он прибавил всего 120 г, тогда как предыдущее взвешивание показало недельную прибавку 200 г, не впадайте в отчаяние при мысли, что бедняжка голодает или с ним случилось что-нибудь более страшное. Если он выглядит довольным и счастливым, просто подождите неделю до следующего взвешивания. Почти наверняка за это время он компенсирует спад. Но всегда помните, что со временем прибавление веса замедляется.

105. Как часто нужно взвешивать ребенка? Далеко не у всех дома есть весы, и большинство ребятишек взвешивают во время посещения поликлиники, а это происходит довольно часто. Если ребенок не проявляет признаков недовольства, если он весел и всем доволен, то более частое, чем раз в месяц, взвешивание ничего, кроме удовлетворения любопытства, вам не даст. Если у вас дома есть весы, взвешивайте малыша один раз в неделю — не чаще, а лучше даже один раз в две недели. Если вы пытаетесь следить за его весом каждый день, то неосознанно привязываете себя к цифрам и перестаете обращать внимание на все остальное. С другой стороны, если малыш часто плачет, если у него нарушен стул, часто бывает рвота, то взвешивания помогут вам с доктором определить причину недомогания. Например, если он часто плачет, но при этом нормально прибавляет в весе, то его, скорее всего, беспокоят колики, а не голод.

Грудное вскармливание

Почему это важно для ребенка

106. Возможность вскармливать дитя грудью предоставила нам природа. Если вы не уверены полностью, что не нашли лучшего, надо пользоваться тем, что дает природа. Нам известны многие достоинства грудного вскармливания, но, возможно, есть и такие, о которых еще предстоит узнать. Грудное вскармливание благотворно сказывается на физическом состоянии женского организма. Например, когда ребенок сосет грудь, у матери наблюдается резкое сокращение стенок матки: матка быстрее возвращается к состоянию, которое было до беременности и родов.

Вероятно, вы слышали, что молозиво (особый секрет, выделяемый молочной железой перед появлением самого молока) содержит вещества, защищающие ребенка от различных заболеваний. Не будем с этим спорить, хотя надежного научного подтверждения сей факт не получил. Однако совершенно точно известно, что дети выкармливаемые грудью, намного реже страдают расстройствами желудочно-кишечного тракта, чем «искусственники». Через материнское молоко в организм младенца не попадают болезнетворные микробы. С чисто практической точки зрения грудное кормление экономит матери много времени: не надо ежедневно перемывать и стерилизовать бутылочки, готовить смеси, не надо беспокоиться о состоянии холодильника, подогревать бутылочки со смесью перед каждым кормлением. Особенно вы почувствуете разницу, если окажетесь с голодным малышом вне дома, например, в дороге. Есть и еще одно достоинство, о котором мало говорят: ребенок, которого кормят грудью, лучше удовлетворяет врожденный сосательный инстинкт. Оттого, может быть, среди истинных грудничков реже наблюдается такой дефект развития, как сосание пальца.

Самыми убедительными доказательствами пользы кормления грудью могли бы стать свидетельства самих матерей о том удовольствии, которое они испытывают от сознания, что дают своим детям то, чего никто на свете дать не может, от созерцания счастья и покоя на личике малыша, когда он приникает к груди, от ощущения, что они сливаются воедино. Слишком редко мы напоминаем, что кормление грудью уже через пару недель начинает приносить женщине чисто физическое наслаждение — да и не может быть иначе! Женщина не ощутит себя матерью, не почувствует настоящей материнской любви к своему дитя только потому, что родила ребенка. С появлением первенца она становится настоящей матерью, когда начинает ухаживать и заботиться о нем. Чем успешнее пойдет дело с самого начала, чем более зримо проявится радость малыша от ее забот, тем быстрее она освоится со своей новой ролью и тем больше удовольствия будет в этой роли находить. Среди прочих факторов кормление грудью встанет на первое место. Мама и дитя получают удовольствие от взаимного общения, их любовь растет с каждым днем.

Несмотря на все вышесказанное, с сожалением нужно признать, что в последнее время, особенно в городах, все меньше детей вырастает на материнском молоке. Главная причина — молоко и молочные смеси в бутылочках стали по-настоящему безопасны для младенцев, и купить их можно на каждом шагу. Дело еще и в стремлении подражать. Некоторые матери рассуждают так: если все вокруг пользуются искусственными молочными смесями, значит, это нормально, и ничего зазорного, если я поступлю также.

Несколько вопросов о кормлении грудью

107. Проблемы женской фигуры. Многие матери отказываются кормить малыша грудью из боязни испортить свою фигуру. Но чтобы у женщины было достаточно молока, совсем не обязательно много есть и накапливать жир. Нужно лишь немного увеличить рацион, чтобы поддерживать нормальный вес и не подвергать организм истощению. Можно выкормить ребенка, ни на грамм не увеличив своего обычного веса.

А сказывается ли кормление на размере и форме груди? Ответ таков: во время беременности и кормления грудь увеличивается, а затем восстанавливает первоначальный размер. Нет однозначного ответа на вопрос, не становятся ли груди после выкармливания нескольких детей плоскими или отвисшими. Разумеется, можно встретить женщин, у которых после рождения детей груди стали плоскими. Но такая же форма наблюдается у женщин, не выкормивших и одного ребенка. По моим личным наблюдениям, есть много женщин, фигуру которых не испортили даже многочисленные роды и выкармливание грудничков. У некоторых фигуры даже стали более привлекательными.

Чтобы впоследствии не испытывать разочарования, нужно стараться выполнять два условия. Во-первых, еще во время беременности, когда грудь увеличивается в объеме, надо носить удобный бюстгальтер, не снимая его даже ночью. Этим вы предотвратите вытягивание кожи и подлежащих тканей от возросшего веса груди. Многим женщинам можно порекомендовать перейти на больший размер бюстгальтера на седьмом месяце беременности. Очень полезно купить специальный лифчик для кормящих — в его в чашечках предусмотрены сменные прокладки, которые можно легко стирать. В эти прокладки впитываются излишки молока, выделяемые между кормлениями (конечно, вместо специальных прокладок можно использовать салфетки из хлопчатобумажной ткани). Кроме того, такой лифчик имеет застежку спереди, позволяющую дать грудь малышу. (Постарайтесь приобрести бюстгальтер с простой застежкой, с которой можно справиться одной рукой.)

Во-вторых, во время беременности и кормления следите, чтобы не набрать лишнего веса. В конце концов, грудь иногда теряет форму не от самого факта кормления, а от излишней полноты женщины, никак не связанной с выполнением ею материнских функций.

108. Размер груди не имеет значения. Женщины с небольшой грудью почему-то считают, что их организм не в состоянии вырабатывать молоко в достаточном количестве. Для таких опасений нет оснований. Пока женщина не носит в себе ребенка, ткань молочной железы находится в состоянии покоя и занимает в груди совсем немного места. Остальное состоит из жира, который и придает форму женской груди. Следовательно, чем пышнее грудь, тем больше в ней жира, и наоборот. Во время беременности под действием гормонов ткань железы начинает расти и развиваться. Расширяются и кровеносные сосуды, которые там проходят, — иногда вены даже становятся видны сквозь кожу. Молоко, которое начинает выделяться вскоре после родов, еще больше способствует увеличению груди. Врачи-акушеры единогласно свидетельствуют, что у женщин даже с очень маленькой грудью бывает достаточно молока, чтобы полноценно кормить малыша.

109. Устает ли мать в процессе кормления? Иногда приходится слышать, будто кормление ребенка «вытягивает из женщины все соки». Действительно, в первые недели практически все кормящие матери чувствуют себя крайне изможденными. Но этого не могут избежать и женщины, кормящие детей из бутылочки. Просто много сил ушло на роды, и теперь надо по возможности их восстанавливать. Устают женщины и от нервной нагрузки, свалившейся на них с новыми заботами. Но в чем-то приведенные в начале пункта слова справедливы: работа молочных желез требует дополнительных калорий и, следовательно, усиленного питания матери. В дальнейшем у матери будет не больше оснований считать себя усталой от кормления малыша, чем после плавания в бассейне или прогулки по парку во время отпуска. Организм человека прекрасно приспосабливается к росту или снижению энергетических затрат — об этом мы можем судить по нашему аппетиту: чем больше мы тратим калорий, тем больше едим, и в результате вес нашего тела остается неизменным. Если кормящая мать чувствует себя здоровой, то ее аппетит соответствует тем дополнительным затратам энергии, которая пошла на выработку пищи для ее ребенка. Некоторые мамы весело удивляются тому количеству пищи, которое они могут поглотить, не полнея при этом ни на грамм. Но иногда аппетит становится чрезмерным, и женщине приходится прилагать всю силу воли, а то и прибегать к помощи врачей и диетологов, чтобы избавиться от излишнего веса.

Встречаются женщины, которых кормление и в самом деле истощает. Это, как правило, нервные особы, у которых беспокойство о ребенке занимает все внимание, и они теряют аппетит. То же происходит с чересчур мнительными дамами — от малейшего дополнительного напряжения они начинают чувствовать себя разбитыми, хотя их организм вполне готов и к более сильным нагрузкам. В некоторых случаях причиной действительно является слабое здоровье. Безусловно, кормящая мать, почувствовав недомогание или потеряв в весе, немедленно должна обратиться к врачу.

Приходится иметь дело и с женщинами, которые в силу неправильного воспитания сам процесс вскармливания грудью ребенка считают чем-то неприличным. Если сила отвращения к кормлению велика, то такой матери не стоит и пытаться начинать, хотя бы она желала для своего ребенка только лучшего.

Некоторые отцы — даже очень заботливые — возражают против того, чтобы жена кормила ребенка грудью. В основе этого чувства — обычная ревность. Решать, как поступать, должна сама мать.

110. Работающая мать. Что делать женщине, которая после родов собирается вернуться на работу? Стоит ли ей взваливать на себя еще и вскармливание ребенка? Ответ зависит от рабочего графика и от сроков возвращения на работу. Если мама будет отсутствовать не более 8 часов, то она вполне может заниматься кормлением, пропуская лишь одно из расписания. Даже если у женщины потом не окажется сил или возможности кормить, пусть она делает это хотя бы месяц или два, которые проведет дома после родов.

111. Есть и другие способы выразить свою любовь. Предположим, вашему желанию вскормить грудью ребенка не суждено осуществиться. Пострадает ли от этого ребенок физически или психологически? Видимо, нет. Если вы будете серьезно и ответственно подходить к приготовлению молочных смесей, если вы будете постоянно находиться в контакте с врачом, у вашего малыша есть все шансы вырасти вполне здоровым. Не забывайте, давая ему бутылочку, нежно прижимать ребенка к себе, чтобы он еще получил огромный заряд любви, словно припадал не к соске, а к материнской груди. Некоторые женщины увлекаются чтением трудов психологов и психиатров о важности кормления грудью с точки зрения эмоционального развития младенца. Потом им будет мерещиться, что ребенок, вскормленный через соску, будет чувствовать себя ущербным по сравнению с малышом, которому давали грудь. На самом деле никому и никогда этого доказать не удавалось.

Другими словами, есть сотни способов выразить свою любовь к малышу и тем самым заработать его любовь и доверие. Кормление грудью — один из них, и очень хороший. Но, конечно, одного этого мало. Мужчина тоже может выразить свою любовь, даря жене цветы. Но ни одна нормальная жена, которой муж многократно доказывал свою любовь другими способами, не придет в отчаяние, не увидев на столе букета. Я привел это сравнение для тех многих женщин, которые все свои надежды связали с грудным вскармливанием. Когда же их в этом постигла неудача, им начало казаться, что они лишатся права называться матерью, проявят свою неполноценность как женщины. Подобное преувеличение роли грудного вскармливания опровергается многими фактами, а неадекватная реакция матерей, у которых нет молока, принесет вред не только им, но и малышу. На самом деле веселая и радостная мать нужна ему больше, чем молоко.

Важно помнить, что появление молока у женщины зависит от секреции желез и от условий в роддоме; ни то ни другое не зависит от желаний молодой матери и не поддается ее усилиям. Таким образом, отсутствие молока не может быть поводом для самоуничижения женщины.

Не принимайте вскармливание грудью за испытание силы ваших материнских чувств (известно много примеров, когда никчемные матери кормили грудью своих нелюбимых детей) или испытание вашей женской сути (что вообще бессмысленно). Считайте чудесным подарком природы, если вам довелось получить наслаждение, держа ребенка у своей груди, но не терзайте себя, если не получилось.

Большинство женщин, кормивших грудью, говорят, что с каждым следующим ребенком кормление грудью у них получалось все лучше и лучше. Возможно, причина в большем опыте и в уверенности в себе.

112. Кормящая мать может вести нормальную жизнь. Многие женщины боятся начинать кормить, потому что слышали от кого-то, что тогда им придется забыть о многих привычках, прежде скрашивавших их жизнь. Вообще-то говоря, это не так. Нет никаких доказательств, что мать, которая пьет чай и кофе, курит и даже в умеренных количествах употребляет спиртные напитки, наносит тем самым вред своему ребенку. Не повредит малышу, если мать занимается спортом. Кормящая мать может придерживаться и своей обычной диеты. Нет никаких оснований полагать, что если в ее рацион входит чернослив, то у ребенка будет жидкий стул. Так же несостоятельны утверждения, что употребление матерью жареной пищи ведет к расстройству желудка у малыша. Бывает, правда, что после некоторых блюд, которые съедает мать, у ребенка случаются недомогания. Если она замечает некоторую закономерность, то ей лучше отказаться от определенных продуктов. В молоко попадают и лекарства, но, как правило, в незначительных количествах, не влияющих на здоровье малыша. Так, без опасения за ребенка мать может принимать магнезию, аспирин, барбитураты, кодеин, морфий, сульфаниламиды и антибиотики. Однако не следует прибегать к лечению бромидами, атропином, слабительным и препаратами спорыньи.

Нервозность матери, ее угнетенное состояние иногда вызывают уменьшение лактации. Это также может вывести малыша из душевного равновесия. Во время менструаций у матери ребенок часто выглядит не совсем здоровым или вовсе отказывается от груди. Здесь надо сказать, что у одних женщин менструации отсутствуют в течение всего периода кормления, у других они могут проходить регулярно или с нарушениями цикла.

Нет причин отказываться от кормления малыша молочной смесью из бутылочки, если мать вынуждена надолго, больше чем на 4 часа, покинуть дом.

113. Диета кормящей матери. Во время кормления грудью женщина должна следить, чтобы в ее рационе в достаточном количестве присутствовали элементы, которые поступают с молоком в организм ребенка. Главным из них является кальций, который идет на укрепление и рост костей малыша. Если в диете матери имеется дефицит кальция, то организм будет покрывать его за счет некоторого количества кальция, содержащегося в костях матери. Существует мнение, что кальций может вымываться и из зубов, но надежного подтверждения этому не получено. Матери необходимо пить много молока — столько, сколько берет ребенок, плюс дополнительный объем на нужды собственного организма. Молоко следует употреблять во всех видах: в составе различных напитков, в кашах, супах, запеканках, в виде творога или сыра (см. пункт 438).

В ежедневный рацион кормящая мать должна включать (даже если она ограничивает количество пищи, чтобы сбросить вес) следующие продукты: **молоко** натуральное, снятое, приготовленное из сгущенного или сухого молока — не менее литра, а лучше порядка полутора литров. Как указывалось выше, молоко может входить в состав различных блюд. **Из фруктов и овощей** ежедневно надо готовить не менее шести разных блюд (это может показаться на первый взгляд чрезмерным, но сок двух апельсинов, салат, огурец, морковь, две картофелины уже дают в сумме шесть). Чтобы в рационе было достаточно витамина С, два блюда должны включать свежие плоды, а два других — апельсины, грейпфруты, помидоры, капусту или свежие ягоды. Витамин А должен поступать в пищу с листовыми овощами, например, шпинатом или с морковью. Ценность картофеля заключена в питательности. В пищу можно употреблять свежие, консервированные, замороженные или сушеные фрукты и овощи. В рацион также следует включать **мясо, рыбу и птицу** — одно, а лучше два полноценных блюда. Не забывайте и о печени, она очень полезна. Ежедневно употребляйте: **яйца** — одно; **крупы и хлеб** — три блюда, желательно из обогащенных витамином В продуктов; **сливочное масло или маргарин**, богатые витамином А (если вы озабочены своим весом, можете заменить масло листовыми овощами или корнеплодами); **препараты витамина D**, выписанные врачом, — с помощью этого витамина усваивается кальций, поступающий в организм с пищей.

Если женщина набрала лишний вес, то вместо цельного молока лучше употреблять снятое, уменьшить количество масла, употреблять хлеб с отрубями (богатый витамином В), отказаться от высококалорийных продуктов — конфет, пирожных, газированных напитков. (К несчастью, как раз эти продукты так любимы многими женщинами!) Но ни в коем случае нельзя исключать из рациона или снижать потребление молока, овощей, фруктов, мяса и витамина D.

Начинаем кормить грудью

114. Поза матери. Некоторые мамы даже в больничной палате предпочитают кормить сидя. Другие, находясь в постели, кормят лежа. В последнем случае надо лечь на бок, а ребенка положить рядом лицом к себе. Придвиньте ближе его головку, чтобы сосок груди был на уровне его губ. Возможно, для этого вам придется опереться на локоть. Почувствовав у рта сосок, малыш будет стараться ухватить его губами. Если он уткнется носом в вашу грудь, прижмите ее пальцем, чтобы он мог свободно дышать; обычно этого делать не приходится. Если вы коснетесь лица младенца пальцем, он станет охотиться за ним, приняв за сосок.

Когда вы позже, в палате или дома, начнете садиться, то, наверное, выберете более приемлемую для себя позу. Одним покажется удобнее сидеть прямо, другие предпочли бы прислониться к чему-нибудь спиной. Многим очень нравится кормить ребенка в кресле-качалке. Очень важна высота подлокотников кресла, на которые вы кладете руку. Удобно класть под руку подушечку. Старайтесь усесться так, чтобы можно было расслабить мышцы.

Когда кормление станет привычным делом, то в позе лежа мать может заснуть, не переставая кормить малыша; обычно это бывает в 2 часа ночи или в 6 часов утра, когда трудно окончательно проснуться. При этом случайно она может закрыть грудью или плечом дыхательные пути младенца. Я бы советовал в ночные часы кормить сидя, так же следует поступать и днем, если вас клонит в сон. Лежа можно кормить, только если вы находитесь под чьим-то присмотром.

Со временем вы заметите, что лактация очень сильно зависит от вашего настроения и душевного состояния. Тревога и напряжение уменьшают количество молока. Имея это в виду, за некоторое время до кормления постарайтесь отвлечься от неприятных мыслей. Примерно за 15 минут до наступления срока кормления прилягте, закройте газа, почитайте или послушайте радио.

После нескольких недель регулярного кормления вы заметите, что перед пробуждением ребенка ваши груди набухают, как бы наполняются молоком. Стоит вам услышать, как малыш зашевелился в свой колыбельке, как молоко начинает сочиться из грудей. (Для подобных случаев очень удобны бюстгальтеры со специальными прокладками в чашечках. Прокладки могут быть сменными и постоянными.) Это доказывает, какую огромную роль играют ваши эмоции в образовании и выделении молока.

115. Давайте ребенку захватить в рот околососковый кружок. При кормлении ребенок не просто берет в рот сосок и начинает совершать сосательные движения. Молоко образуется в особой железистой ткани, расположенной по всему объему груди. Далее оно по тонким протокам поступает к центру груди и скапливается в особых полостях. Эти полости находятся под околососковым кружком — темной области вокруг соска. Из полостей, где хранится молоко, идут короткие протоки, заканчивающиеся на поверхности соска отверстиями. Когда ребенок сосет правильно, у него во рту находится почти весь околососковый кружок, и своими деснами он должен сжимать полости с молоком. Молоко из них выдавливается в сосок и оттуда — в рот. Движения языком не играют роли в извлечении молока, а лишь помогают удерживать во рту околососковый кружок и проталкивать молоко в горло. Если во рту у ребенка находится только сосок, то он почти не получает молока. В попытках добиться большего он деснами начинает жевать сосок, причиняя боль матери. Если же малыш захватывает часть груди с околососковым кружком, то процесс будет безболезненным, и молока ему будет достаточно. Следите, чтобы малыш захватывал весь околососковый кружок, и при необходимости помогайте ему в этом, слегка сжимая конус груди большим и указательным пальцами. Если в рот ребенку попал только сосок, остановите его. Для этого засуньте кончик пальца в уголок его рта или разожмите десны. (Иначе придется буквально отрывать его от груди, что может оказаться болезненным.) Затем поместите малышу в рот сосок вместе с околососковым кружком. Если он и дальше продолжает жевать сосок, лучше прекратить кормление.

116. Дети по-разному берут грудь. Один врач после многолетних исследований детей, впервые бравших грудь, составил шутливую классификацию типов поведения малышей. **«Жади-**

ны» рывком захватывают в рот сосок вместе с околососковым кружком и яростно сосут, пока не насытятся. С ними возникает только одна проблема: если им разрешать, они слишком сильно сдавливают сосок, доставляя боль матери. «Торопыжки» бывают настолько возбуждены, что иногда выпускают сосок изо рта, и вместо того, чтобы поискать его и взять в рот, начинают отчаянно вопить. Таких нужно чуть-чуть успокоить, покачав на руках, и потом дать им возможность продолжать. Через несколько дней у них все налаживается. «Лентяи» в первые дни отказываются сосать — ждут, пока молоко не польется широкой струей. Заставлять их нельзя — это вызовет лишь протест. «Гурманы» поначалу дотрагиваются до соска, слизывают первую каплю молока и, лишь распробовав ее, начинают заниматься делом. Попытки заставить таких шевелиться быстрее, скорее всего, потерпят неудачу. «Зануда» начинает сосать, но через некоторое время бросает, а после минутного перерыва снова возобновляет свое занятие. И так несколько раз. Не надо его торопить — он высосет свою порцию, хотя на это уйдет больше времени.

117. Две причины, которые могут разозлить упрямых детей. Первая — держать их головку, пытаясь приблизить ее к груди. Маленький ребенок терпеть не может, когда его берут за головку, и всеми силами будет стараться освободиться. Вторая — сжать его щеки, чтобы открыть рот. У малыша есть сильный инстинкт поворачивать голову в сторону предмета, коснувшегося его щеки. Таким образом ему легче нащупать сосок. Когда вы дотрагиваетесь одновременно до обеих щек, то дезориентируете его и заставляете волноваться.

Если малыш упрямо отказывается брать грудь, мать, естественно, расстроится, почувствует досаду и раздражение. Не давайте этим чувствам взять над собой верх. Нужно терпеливо продолжать попытки, и успех со временем обязательно придет.

118. Самые первые кормления. В первый раз ребенку дают грудь примерно через 18 часов после рождения. В разных роддомах этот срок варьируется в широких пределах, но он мало что решает. Первые два-три дня грудные железы вместо молока выделяют в небольших количествах особую жидкость — молозиво. Но ребенок от отсутствия молока не страдает и все это время находится в сонном состоянии, никак не проявляя чувство голода. В первое и последующие прикладывания малыша к груди, пока у матери не появится молоко, его не держат более пяти минут. Таким образом, соски, постепенно грубея, излишне не травмируются. От кормления в 2 часа ночи пока следует отказаться и дать женщине как следует отдохнуть после родов.

Потом малышу дают грудь по расписанию или всякий раз, как он будет просыпаться от голода. Это зависит от того, находится ли он в палате для новорожденных и его приносят к матери лишь в оговоренные часы, или он сразу остается в палате матери, если в данном учреждении воплощен принцип «все вместе» и роженица может ухаживать за ним и кормить, когда ему это потребуется. Для кормления грудью более подходит гибкое расписание, которому можно следовать при реализации принципа «все вместе», так как в первое время молоко выделяется в малом количестве и малыш не в состоянии наесться надолго. Он чаще просыпается и чаще получает грудь, а именно такой режим и стимулирует молочные железы.

119. Как приходит молоко. Невозможно заранее точно сказать, когда и как у женщины появится молоко. В большинстве случаев это происходит на третий или четвертый день после родов. У матерей, уже имеющих детей, это бывает раньше, у родивших в первый раз — позже. Молоко может появиться вдруг, и женщина в состоянии даже указать час, когда это произошло. Чаще процесс идет постепенно, и молоко начинает выделяться в достаточных количествах к четвертому дню, когда новорожденный начинает явственно ощущать голод. Этот пример наглядно демонстрирует, насколько все предусмотрено мудрой природой. Наблюдения за детьми, которых кормили грудью «по требованию», показали, что на третий и четвертый день они просыпаются очень часто — до 10–12 раз в сутки. (В эти же дни у них может быть и частый стул.) Впечатлительные мамаши бывают обескуражены так часто возникающей потребностью малышей питаться и считают себя неспособными накормить ребенка досыта. Не следует замыкаться на грустных мыслях. Более разумно считать, что малыш приступил к серьезному делу — есть и расти — и начал тренировать материнскую грудь, чтобы она готова была удовлетворять его все возрастающие потребности. Дополнительным фактором, способствующим увеличению количества материнского молока, становится усиливающаяся во вторую половину недели секреция гормонов. Грудь у женщины в первые дни после родов сильно увеличивается в размерах, но как следует накормить малыша она пока все равно еще не в состоянии. Однако система работает эффективно, гораздо лучше, чем можно было бы предположить. Действие гормонов снижается к концу первой недели, и далее устанавливается равновесие: сколько младенцу нужно молока, столько его и образуется в груди у матери. Все же на переходный период (на второй неделе после родов) молочным железам еще требуется некоторая адаптация к растущим потребностям ребенка. Голод ребенка указывает молочным железам матери, сколько ему потребуется пищи не в нынешнюю или следующую неделю, а на несколько месяцев вперед. Другими словами, железы увеличат секрецию молока и через несколько месяцев, когда ребенок подрастет и ему нужно будет больше пищи.

120. Время кормления увеличивайте постепенно. Чтобы не повредить нежную кожу сосков, время, в течение которого ребенок находится у груди, надо увеличивать постепенно: первые три дня он должен сосать не более 5 минут за каждое кормление, на четвертый день время можно увеличить до 10 минут, на следующий день — до 15 минут, затем несколько дней можно позволять ему сосать по 20 минут. Если через десять дней десны малыша уже не причиняют боли, можно давать ему грудь, пока он не насытится. Для большинства детей достаточно 20–30 минут, а дольше 40 минут кормление продолжать нет смысла.

121. Расписание кормлений в роддоме. В тех роддомах, где реализован принцип «все вместе», ребенок ест, когда захочет. В традиционном роддоме дети находятся в особых палатах, и нормальных доношенных новорожденных приносят матерям, у которых появилось молоко, каждые четыре часа (шесть кормлений в сутки). К этому времени организм женщины уже немного оправился после родов, и небольшой перерыв в ночном сне не принесет большого вреда. С другой стороны, и ребенок не будет мучиться от голода, и молочные железы получат хорошую стимуляцию к увеличению лактации. Для ослабленн- и недоношенных детей временно устанавливают специальное

расписание (с трехчасовыми перерывами днем и четырехчасовыми перерывами ночью, всего семь кормлений в сутки).

До Второй мировой войны роженицы проводили в больницах около двух недель, и практически все новорожденные
находились в детских палатах. Их приносили матерям ровно
через четыре часа на кормление, зачастую и у женщин, и у малышей возникали проблемы. Молочные железы рожениц не
получали необходимой стимуляции, и количество молока уве-
личивалось очень медленно; в свою очередь, детям не хватало
молока, если только их мать, по счастью, не оказывалась равной по своим способностям корове-рекордистке. Ныне роженицы находятся в стационаре не более недели; мать, у которой
не хватает молока, чтобы насытить ребенка при расписании
с четырехчасовыми перерывами, сразу по возвращении домой
может перейти на гибкое расписание «по требованию», пока
еще не поздно частыми кормлениями натренировать молочные
железы вырабатывать больше молока.

122. Одна или обе груди? В слаборазвитых странах ребенок может выжить только благодаря материнскому молоку,
поэтому матери постоянно носят с собой младенцев, привязав
к своему телу, и понятия не имеют о расписании кормлений:
малыш просыпается и берет грудь довольно часто. Пососав
одну грудь, он снова засыпает, а проснувшись в следующий
раз, берет другую. В развитом обществе все делается по часам,
а младенец большую часть времени проводит в тихой комнате в своей колыбельке. В таких условиях кормления происходят реже, но продолжаются дольше. Если лактация у матери
обильна, то ребенок вполне насытится у одной груди. В следующее кормление мать дает ему другую грудь. Обе груди,
таким образом, получают необходимую стимуляцию через
каждые восемь часов. Но часто молока в одной груди ребенку не хватает, и в одно кормление ему дают сосать обе груди;
в одно кормление он начинает с левой, в другое — с правой.
Многие врачи вообще рекомендуют в каждое кормление давать ребенку обе груди, и матери с ними согласны. У одной
груди ребенка нужно держать примерно 12–15 минут — за это
время он наверняка опустошит ее. Далее ему надо дать вторую грудь, и пусть он сосет ее, пока не насытится окончательно. Хорошо сосущему ребенку достаточно 5–6 минут, чтобы

получить основную массу молока, а через 10–15 минут молока в груди почти не останется. (Секреция молока идет непрерывно, поэтому, сколько бы малыш ни сосал грудь, он все равно будет чувствовать знакомый вкус.) В любом случае отводить на кормление более 20–40 минут не стоит, а конкретное время зависит от желания, с которым ребенок сосет, и от перерыва между кормлениями. Даже если малыш продолжает активно сосать, через 30 минут отнимите его от груди.

О пустышках мы расскажем в пунктах 347–349.

123. Как узнать, что ребенок сыт. Этот вопрос очень занимает молодых неопытных мам. Время, которое малыш провел у груди, к сожалению, нельзя считать надежным критерием. Он будет продолжать сосать, даже если в груди практически не осталось молока, — и через 10 минут, и через полчаса после начала кормления. Возможно, он высасывает остатки, возможно, ему доставляет удовольствие сам процесс, а возможно, он рад, что бодрствует, и ему при этом хорошо. Даже взвешивание до и после кормления позволяет установить лишь количество высосанного молока, но не ощущения, которые испытывает малыш. Тщательные наблюдения показали, что одному и тому же ребенку один раз хватает 100 г молока, в другой раз он с удовольствием съест 300 г.

124. Форма и размер груди не скажут вам, сколько в ней молока. Большинство опытных женщин перед кормлением затрудняются определить по форме груди, сколько там собралось молока. В первые две недели после родов груди увеличиваются в размерах и становятся твердыми в результате гормональных изменений в организме. Позже они уменьшаются в размерах и становятся мягче, хотя секреция молока увеличивается. Малыш может высосать из груди до 180 г молока, а матери может казаться, что грудь не была заполнена. Ничего не скажет и цвет или консистенция молока — женское молоко всегда кажется более жидким и голубоватым по цвету в сравнении с коровьим.

125. Кричат не только голодные дети. Ребенок, который после кормления проявляет беспокойство, не обязательно голоден. В первые недели жизни капризные дети часто после кормления кричат не от голода, а по какой-то другой прихоти; малыши иногда могут страдать от колик и плачут даже будучи вполне сытыми.

126. Главное — прибавка в весе и настроение младенца. И мать, и доктор судят о состоянии младенца на основе поведения ребенка, увеличения роста, прибавок в весе. Ни один из этих показателей не даст вам возможности сделать всеобъемлющее заключение о здоровье малыша. Ребенок, который быстро растет и не капризничает, наверняка здоров и сыт. Если малыш нормально прибавляет в весе, но днем и вечером кричит, значит, его, по всей видимости, мучают колики. Ребенок, отстающий в весе, но не выказывающий недовольства кормлением, видимо, по своей природе развивается медленно. Однако есть дети, которые не протестуют, даже если не наедаются как следует, и медленно растут. И все же дети, которые не прибавляют в весе, чаще демонстрируют признаки голода, это и позволяет определить, что они недоедают.

Итак, пока сам ребенок или врач не убедят вас в обратном, считайте, что вашего молока малышу хватает. И если после кормления малыш выглядит довольным, у вас есть все причины почувствовать себя вполне счастливой.

127. Не теряйте уверенности. Молодой матери свойственно сомневаться в своих способностях как следует накормить своего малыша. Те же сомнения одолевают и опытных, но не уверенных в себе женщин. Когда женщины делятся своим беспокойством с доктором, тому становится ясно, что у матери недостает не молока, а веры в себя. Но учтите, что беспокойство и волнение могут действительно привести к ухудшению лактации.

Успокаивайте себя тем, что на большей части Земли матери растят детей, вообще не имея весов и возможности советоваться со специалистами. Им приходится ориентироваться лишь на поведение малышей, и тем не менее в девяти случаях из десяти этого бывает достаточно.

128. Уход за сосками. Чтобы соски немного огрубели, многие врачи рекомендуют массировать их в течение двух последних месяцев беременности. После того как ребенок родился и начал сосать, никакого особого ухода, притираний и прочего, уже не требуется. Разумеется, перед тем как массировать соски или проверить их состояние, женщина должна тщательно вымыть руки с мылом. Иначе легко занести инфекцию, которая поразит либо молочную железу, либо рот малыша. Но вымыть руки перед кормлением еще недостаточно.

Опытные матери убеждены, что после кормления не повредит подержать соски на воздухе 10–15 минут, и лишь потом надеть бюстгальтер, или вообще держать груди открытыми между кормлениями. Таким образом утихнет боль от десен малыша, а соски не будут мокнуть и будут дополнительно закаливаться.

129. Не отчаивайтесь и продолжайте попытки. Есть женщины, которые хотя и стремятся сами выкормить детей, но терпят неудачу. Обычно это списывают на издержки нашей высокоразвитой цивилизации и на ее напряженный ритм жизни, который сказывается на нервной системе женщины. Разумеется, в этом есть большая доля истины. Но я думаю, что среди женщин не так уж много неврастеничек. У большинства из них не получается кормить грудью только потому, что они не очень-то и пытаются.

Есть три условия, выполняя которые, вы сможете добиться успеха: откажитесь от искусственного вскармливания; не расстраивайтесь и не опускайте руки при первой неудаче; незамедлительно начинайте стимулировать грудь.

Если новорожденному в первые три-четыре дня жизни дать молочную смесь, шансы перевести его на грудное вскармливание сильно снижаются. Малыш, без труда получающий молоко через соску, не будет впоследствии напрягаться, чтобы добыть питание из материнской груди. (Младенцу иногда в это время дают пить воду, но она не заглушает, как молоко, чувство голода.) После появления у матери молока желательно избегать искусственного подкармливания, если малыш не выражает явного неудовольствия и не продолжает терять вес.

Иногда женщину подстерегает разочарование: как только у нее появляется молоко или через день-два после этого, ей кажется, что молока слишком мало и ребенку его не хватит. Но время отчаиваться еще не пришло. Она еще не использовала и половины предоставленных природой возможностей. По крайней мере, нет ничего страшного, если до пятого дня дебит молока не превышает 30 г на одно кормление. Если ребенок в это время с удовольствием сосет, то такая помощь и сотрудничество с его стороны оказывают матери огромную поддержку.

Очень важную роль играет ночное кормление, так как при этом не прерывается стимуляция груди. Даже если за три-четыре часа не выделяется достаточно молока, чтобы насытить малыша, все же он регулярно опустошает грудь (или обе за одно кормление), после чего секреция происходит гораздо интенсивнее. Это же способствует огрублению сосков, и они меньше болят. Происходит взаимная адаптация груди и младенца, как было во времена, когда о коровьем молоке и не помышляли. Само собой, малыша нельзя совсем лишать смеси, если ему хронически не хватает материнского молока и он продолжает терять вес. Из-за глупого упрямства у него может начаться лихорадка на почве недоедания. Частоту кормлений следует ограничить, ибо если соски не будут отдыхать, то кожа на них потрескается, и от кормления вообще придется отказаться. Да и матери нужно предоставить время для отдыха.

Если мать может поддерживать постоянный контакт с врачом, то ей проще получить квалифицированные советы о том, сколько дней малыш может без особого вреда недополучать грудного молока и в то же время обходиться без смеси; как часто можно давать ему грудь, чтобы не повредить кожу сосков; с какими перерывами проводить кормления. Разумеется, точка зрения доктора во многом определится настроением самой матери. Если он увидит, что та полна решимости добиться успеха, то и сам сделает все возможное для этого.

Если грудного молока не хватает

130. Самостоятельные попытки увеличить выделение молока дома. Если у вас нет возможности постоянно консультироваться у врача, придется действовать в одиночку. Представьте, что в родильном доме малышу давали грудь часто, как только было возможно, причем за кормление его прикладывали к обеим грудям. И все же ему этого было мало. Врач решил, что малыша нужно подкармливать некоторым количеством молочной смеси. Скажем, новорожденный получал в каждое кормление 60 г грудного молока и дополнительно 60 г из бутылочки. Посоветовавшись с врачом, вы решили, что по возвращении домой будете продолжать вскармливание грудью, рассчитывая, что вашего молока малышу будет хватать.

Зачастую, попав в привычную домашнюю атмосферу, женщина успокаивается, и через пару дней секреция молока значительно увеличивается без каких бы то ни было дополнительных усилий. Бутылочка со смесью оказывается не нужна, и мать прекращает давать ее малышу. Но бывает, ребенок так привязывается к бутылочке, что ради нее готов пожертвовать некоторым количеством грудного молока. В этой ситуации маме все же имеет смысл прекратить искусственное подкармливание в надежде, что голод заставит малыша довольствоваться грудным молоком и соответственно будет стимулировать выделение большего количества молока. Вам может пригодиться такая, например, методика. В первые день-два продолжайте, как и в роддоме, давать малышу бутылочку, но ни грамма лишнего — только по потребности. (Дело в том, что в самом начале количество молока несколько уменьшается — сказывается утомление матери первыми днями самостоятельного ухода за ребенком.) На третий день начинайте уменьшать количество смеси примерно на 8 г в сутки, пока не добьетесь полного отказа от искусственного кормления. Что же произойдет дальше? Не получая достаточно пищи, малыш будет раньше чувствовать голод. Давайте ему сосать, как только он об этом попросит, — через четыре, три и даже два часа. Это будет чрезвычайно утомительно, но поддерживайте себя мыслью, что такого рода временные трудности вскоре пройдут. Кроме того, вас не должна ни на минуту покидать надежда, что частое опорожнение груди стимулирует ее на более интенсивную работу. Как только это даст себя знать, малыш будет спать все дольше и дольше между кормлениями. Через неделю или две он, возможно, перейдет на четырехчасовое расписание. (В моей практике был случай, когда ребенок получал не более 30 г грудного молока в роддоме, а через две недели дома мать могла дать ему пю 150 г за раз. Конечно, такое происходит нечасто.) Если в течение пяти-шести дней попытки перейти только на грудное вскармливание не дали существенных результатов, ребенок остается голодным после кормления и не прибавляет в весе, нужно временно вернуться к дополнительному кормлению из бутылочки. Но даже тогда не давайте малышу более 50 г смеси после кормления одной грудью, и через несколько дней, если почувствуете, что восстановили физическую форму, опять попробуйте постепенно снижать объем искусственной смеси.

Как мы говорили, расписание кормлений можно варьировать в широких пределах, но чаще, чем через два часа, давать ребенку грудь нецелесообразно. Для этого есть, по крайней мере, два основания: мать все время будет чувствовать себя утомленной и раздраженной, да и соски грудей не выдержат такого напряжения.

Для увеличения секреции молока некоторые врачи рекомендуют после каждого кормления сцеживать из груди остатки молока (см. пункты 149, 150).

131. Перед кормлением нужно попить. Весь период, пока мать пытается увеличить количество грудного молока, она должна уделять максимум внимания своему самочувствию. Ни в коем случае нельзя утомляться, поэтому постарайтесь снять с себя некоторые домашние заботы, отмените все визиты, кроме одной-двух самых близких подруг, как следует питайтесь и пейте побольше жидкости. Пить лучше всего за 10–15 минут до предполагаемого срока кормления. Многие женщины предпочитают пиво, потому что оно способствует не только накоплению избытка жидкости в организме, но и действует успокаивающе.

Здесь хорошо знать меру. С одной стороны, излишек жидкости вызывает неприятные последствия в виде частых позывов к мочеиспусканию. С другой — мать в горячке забот иногда забывает вовремя попить, и к моменту кормления у нее недостаточно молока.

132. Не слушайте неквалифицированных советов. Следует заметить, что в наши дни кормление грудью стало скорее исключением, чем правилом. Поэтому мать, которая поставила себе цель самостоятельно выкормить малыша, может подвергнуться атаке скептически настроенных подруг и родственниц. Со стороны это выглядит как забота о здоровье женщины, сочувствие к ней. От подобных доброхотов сплошь и рядом услышишь такое: «И не думай выкармливать малыша грудью», «Почти никому нынче не удается довести дело до конца», «Зачем даже пытаться?», «С такой грудью, как у тебя, ничего не получится», «Твой малыш постоянно хочет есть. Ты заморишь его голодом в попытках что-то себе доказать». Имейте в виду, что за всеми этими советами стоит плохо скрываемая зависть. Позже, если вы задумаетесь, нужно ли продолжать выкармливание грудью малыша, многие постараются вас убедить бросить это дело.

133. Со временем молока может стать меньше. Довольно многие женщины, желающие кормить грудью, успешно преодолевают проблемы нехватки молока в роддоме и позже, в первые недели после возвращения домой (трудными бывают только первые день-два пребывания дома, когда секреция молока временно снижается). Но со временем многие из них теряют уверенность и отказываются от дальнейших попыток. В свое оправдание они выдвигают такие аргументы: «У меня не хватает молока», «Малышу мое молоко не нравится», «Он подрос, и я не в состоянии уже накормить его досыта».

Почему-то практически везде в мире женщины месяцами способны поддерживать грудным молоком растущий организм, и лишь у нас, где широко распространено кормление из бутылочки, у женщин не хватает своего молока. Не думаю, что у всех американских матерей такая никудышная нервная система. Они вовсе не слабее всех прочих. Причина в другом. Кормление грудью, которое всюду воспринимается как самая простая, самая естественная вещь, и сомнения в успехе которого никому даже в голову не приходят, среди наших матерей считается необычным и трудным делом. Только женщины, бесконечно уверенные в себе, не пытаются видеть в каждом событии грозные сигналы. Если малыш в какой-то день плачет чуть больше обычного, первой мыслью будет: он голоден. Если у ребенка расстроился желудок или появились колики, значит, причина в ее молоке. Выходом из положения видится только бутылочка с молочной смесью. Беда в том, что эта бутылочка более чем доступна. Может быть, идею об искусственном вскармливании матери подхватывают еще в роддоме («Знаете ли, так, на всякий случай»), а может быть, посоветовал врач или служащий отдела здравоохранения. Надо сказать, что ребенок, находящийся на грудном вскармливании, как только начинает сосать из бутылочки, сразу теряет интерес к материнскому молоку — ведь получить жидкость через соску гораздо легче, чем из груди. Зная, что не останется голодным, малыш не старается высосать все молоко, и оставшаяся часть как бы командует молочной железе: не работай так напряженно, получаются излишки.

Короче говоря, недостаточная уверенность матери в своих силах и легкодоступность молочных смесей — вот, что более всего дискредитирует идею грудного вскармливания.

Следовательно, сделайте для себя вывод: чтобы добиться успеха, надо в первую очередь убрать с глаз долой все бутылочки (хотя, пожалуй, одну можно оставить на всякий пожарный случай). Читайте также пункты 135, 136.

В обычных условиях молоко прибывает в разных количествах. Молочные железы постепенно то увеличивают, то снижают выделение молока. Это зависит то того, больше или меньше высасывает ребенок. Чем старше становится малыш, тем больше его аппетит, тем чаще и тщательнее он опустошает материнскую грудь. Это стимулирует железы на выделение дополнительных порций.

134. Дети плачут не только от голода. Настроение матери часто портится, когда ее малыш плачет сразу после кормления или в перерыве между кормлениями. Женщина сразу начинает подозревать, что у нее не хватает молока. Но такой сугубо односторонний ход мыслей во многих случаях не имеет под собой оснований. Суть же в том, что у многих детей, особенно первенцев, к вечеру просто портится настроение, и они начинают капризничать. Это случается как с грудничками, так и с «искусственниками». Количество выпитого молока на поведение не влияет — кричат и сытые, и не наевшиеся как следует дети. В пункте 292 мы расскажем о детях, страдающих от колик, а в пункте 290 — о просто капризных ребятишках. Если мать знает о том, что голод — не единственный повод для крика малыша, она, разумеется не будет сразу винить во всем плохую работу молочных желез.

Когда малыш плачет во внеурочное время, нельзя, разумеется, исключать и то, что у него полупустой желудок. Тем не менее голодный плач, скорее, раздастся раньше срока, но не сразу после кормления или где-то в середине времени сна. Но даже если худшие опасения подтверждаются, не надо впадать в отчаяние. Во-первых, вы здесь можете быть совсем не при чем — просто у малыша почему-то разыгрался повышенный аппетит. Во-вторых, количество молока немного снизилось в связи с усталостью или нервным напряжением, и вскоре все вернется в норму. В обоих случаях примите его крик как должное: он проснулся и попросил есть, значит, надо его накормить и делать это почаще в ближайшие дни, пока молочные железы не адаптируются к новым условиям. Затем постепенно можно вернуться к привычному расписанию.

Если же причина не в голоде, то и тогда внеочередное кормление не повредит.

Способ покончить с капризами малыша может быть только один: по крайней мере, неделю или две не надо даже вспоминать о бутылочке со смесью. Кормите ребенка, если потребуется, с интервалами в 2 часа и держите его у груди от 20 до 40 минут. Если за это время он нормально прибавит в весе, мысль о бутылочке еще на пару недель отправьте в дальний угол вашей памяти. Во время плача дайте малышу пустышку или напоите простой либо подслащенной водой (см. пункты 201, 202). Матери может показаться, что двухчасовые перерывы слишком велики, раз малыш просыпается раньше и начинает плакать. Более частые кормления ему, конечно, не повредят, но нужно же подумать и о себе. Вряд ли вы придете в умиротворенное состояние, если фактически целый день будете держать малыша у груди. О какой же прибавке молока может идти речь? За десять кормлений в сутки молочные железы получат полноценную стимуляцию, а вы обязательно должны выкроить время для отдыха.

135. Бутылочка «про запас» не повредит. Значит ли все вышесказанное, что нужно вообще отказаться от бутылочки со смесью, как бы ни складывались обстоятельства? Отнюдь нет. Женщины, кормящие грудью, ежедневно дают ребенку смесь и не замечают, чтобы это как-то повлияло на секрецию молока, если, конечно, процесс уже налажен и в день малыш получает не больше одной бутылочки. И уж, разумеется, не возбраняется изредка подкармливать ребенка. Разве можно поступить иначе, если время кормления застало вас вне дома или вы неважно себя чувствуете? В конце концов, ребенок иногда проявляет неожиданно большой аппетит, и порции грудного молока ему недостаточно. Одна-единственная бутылочка со смесью в таких случаях ни на что не повлияет. Я выступаю против того, чтобы **каждое** кормление вы **дополняли** молочной смесью. Все вышесказанное касается лишь женщин, которые не собираются отказываться от грудного вскармливания.

136. Когда давать смесь из бутылочки? Лучшим временем для ежедневного подкармливания можно считать 10 часов утра, 2 часа дня или 18 часов. Если для вас ночное двухчасовое кормление уже осталось в прошлом, то в 22 часа и в 6 часов утра не стоит прибегать к бутылочке, ибо в противном случае между вечерним и утренним кормлениями получится слишком большой перерыв. Грудь будет переполняться молоком, а это отрицательно повлияет на его секрецию.

Некоторые матери отнимают от груди ребенка в возрасте от 2 до 6 месяцев. Немного загодя хорошо бы давать ему дважды в неделю сосать бутылочку, продолжая тем временем кормить и грудью. Дело в том, что у детей к этому времени уже складываются определенные привычки, и они могут отказаться брать бутылочку, если их заранее к ней не приучить. С ребенком до 2 месяцев подобных конфликтов обычно не случается, а после полугода малыша уже можно начинать поить из чашки.

Есть мнение, что любого ребенка следует время от времени кормить из бутылочки, даже если мать не собирается отнимать его от груди, пока он не будет готов брать в руки чашку. Определенный смысл в этом имеется — ведь женщина может внезапно прекратить кормление грудью даже по не зависящим от нее причинам. Вам предстоит самой найти разумный компромисс: не слишком приучать малыша к бутылочке и стараться, чтобы он внезапно вовсе не остался без груди.

Доктор поможет вам подобрать рецептуру смеси для бутылочки, которую вы будете готовить на всякий случай. Если же вам не с кем посоветоваться, попробуйте составить смесь следующим образом: возьмите 120 г цельного молока (если оно не гомогенизированное, встряхните бутылку перед употреблением), добавьте 60 г воды и 2 чайные ложки (без горки) сахарного песка. Все смешайте, перелейте в бутылочку, неплотно закройте ее и подержите 25 минут в кипящей воде.

Этого объема смеси вам должно хватить. Пусть ребенок сосет, сколько хочет. Малыш наверняка даже что-то оставит.

Такого количества достаточно ребенку, достигшему веса 5 кг. Если ребенок более крупный и ему не хватит прикорма, сделайте смесь из 180 г молока и 2 чайных ложек сахара, воды не добавляйте.

Дома для приготовления одной бутылки молочной смеси удобнее брать пастеризованное молоко, а не сгущенное — таким образом вы сэкономите посуду. Если пастеризованного молока нет или вы можете сразу же пустить в дело остатки сгущенного, пользуйтесь им. Тогда для 180 г смеси нужно взять 60 г сгущенного молока, 120 г воды и 2 чайные ложки сахарного песка. После этого смесь стерилизуют, как было описано выше. Смесь получится более питательной, если на 90 г сгущенного молока взять такое же количество воды и 2 чайные ложки песка.

137. Грудное молоко и смесь. Если у матери не хватает грудного молока, чтобы как следует накормить ребенка, нет причин отказываться от добавки в его рацион молочной смеси. Все же надо иметь в виду, что постепенно секреция грудного молока может уменьшиться. Да и малыш, возможно, предпочтет сосать из бутылочки и будет отказываться от груди.

Многие женщины упорно сопротивляются совмещению грудного и искусственного вскармливания. Их можно понять, ведь все заботы по приготовлению смесей усугубляются необходимостью соблюдать расписание кормлений. Однако не бойтесь трудностей, и если вашего молока хватает, чтобы удовлетворить хотя бы половину потребностей малыша, попытайтесь на первых порах кормить ребенка грудью и подкармливать из бутылочки (см. пункт 130). Если секреция молока не увеличится, тогда с сознанием полностью выполненного долга отнимайте ребенка от груди и переводите на искусственное вскармливание.

138. Как компенсировать недостаток грудного молока. Об этом лучше посоветоваться с врачом, но если у вас нет такой возможности, попробуйте воспользоваться нашими рекомендациями. Положим, вы очень хотели бы кормить ребенка грудью, но вашего молока не хватает. Вам приходится подкармливать малыша, но вы не оставляете надежды на увеличение секреции и хотите избежать негативных последствий искусственного кормления. Ниже мы расскажем, как это сделать, а пока договоримся о терминах: словом «дополнительная» мы будем обозначать бутылочку со смесью, которую вы даете сразу **после** кормления грудью, а бутылочку, которая используется **вместо** грудного молока, будем называть «заменяющей». Вообще говоря, гораздо проще совсем отказаться от некоторых ежедневных кормлений грудью и пользоваться заменяющими бутылочками. Но, с другой стороны, чтобы сохранить шансы на увеличение секреции молока, лучше давать грудь ребенку чаще, во время каждого кормления, и восполнять нехватку грудного молока дополнительной бутылочкой.

Рассмотрим случай, когда вам хватает молока на все кормления, но одно из них получается неполноценным. Обычно меньше всего молока скапливается к вечернему кормлению в 18 часов, чуть больше бывает молока в 14 часов. Тогда вечером дайте ребенку дополнительную бутылочку. Или иначе: днем в 14 часов давайте заменяющую бутылочку, и тогда к 18 часам у вас будет достаточно молока, чтобы ребенок остался доволен полученной порцией.

Теперь рассмотрим ситуацию, когда молока мало и его не хватает на несколько ежедневных кормлений. Тогда можно давать дополнительные бутылочки во время кормлений в 10 часов утра, в 14 и в 18 часов. К 6 часам утра молока обычно бывает достаточно для полноценного кормления грудью, то же касается вечернего кормления в 22 часа. Есть другой вариант: в 6 часов утра, в 14 часов и в 22 часа кормите малыша только грудью, а 10 часов утра и в 18 часов давайте только бутылочку со смесью. (Если вам не удалось отучить ребенка сосать ночью, то в 14 часов тоже давайте ему бутылочку.)

Если вы ни разу в течение дня не можете как следует накормить ребенка грудью, то бутылочка понадобится во время каждого кормления, будете ли вы давать малышу при этом грудь или нет.

Сколько же смеси должно находиться в дополнительных и заменяющих бутылочках? Ответ на удивление прост: столько, сколько нужно малышу. Если он весит около 5 кг, в заменяющей бутылочке ему достаточно будет 180 г; если он легче, то и смеси ему понадобится меньше. В дополнительной бутылочке может быть от 60 до 100 г смеси. Малыш высосет, сколько захочет, оставив лишнее.

Не имея других рецептов, вы можете воспользоваться советами из нашей книги. Рекомендации, данные в пункте 136, рассчитаны на 180 г смеси. Этого хватит на заменяющую бутылочку или на две дополнительных. Для двух бутылочек по 180 г или трех бутылочек по 120 г удвойте количество ингредиентов. Соответственно на 90 г смеси возьмите половинные дозы. Не бойтесь приготовить чуть-чуть побольше смеси: если малыш не доест, излишки можно выбросить.

Дополнительные указания по приготовлению смесей вы найдете в пункте 177.

Еще о проблемах грудного вскармливания

139. Ленивые и капризные дети. В разном возрасте дети ведут себя во время кормления по-разному, в некоторых случаях они мешают матери и даже могут вывести ее из себя. К первому типу «неблагодарных» детей относятся младенцы, которые сосут вяло и через пять минут после начала кормления засыпают. Невозможно понять, наелся ребенок или нет (большинству грудничков достаточно этого времени, чтобы практически опустошить грудь). При этом он не в состоянии проспать положенные два или три часа. Но стоит такого лишь положить в кровать, как он спустя несколько минут просыпается и поднимает крик. К сожалению, нам неизвестны причины, которые заставляют малыша плохо сосать и быстро просыпаться. Возможно, нервная система ребенка и его пищеварение работают несогласованно. Может быть, удовольствие от теплых маминых рук столь велико, что он мгновенно успокаивается и засыпает. Когда ребенок чуть подрастет и начнет понимать что к чему, он не заснет, пока полностью не утолит голод. Малыш, которого кормят из бутылочки, рано засыпает, если отверстие в соске недостаточно велико и ему трудно сосать. И при грудном вскармливании некоторые дети быстро устают сосать и засыпают, хотя в материнской груди еще остается много молока.

Причиной, нарушающей нормальное кормление, может стать и самочувствие матери. Многие из них, услышав, что ребенок проснулся и начал кричать, чувствуют, как молоко буквально брызжет у них из груди. Зато беспокойство, внутреннее напряжение мешают истечению молока. (С подобной ситуацией встречаются и крестьяне, когда у «нервной» коровы пропадает молоко.)

Малыш, почувствовав, что его усилия добыть пищу не дают результата, засыпает. Когда же он оказывается в прохладной постельке, чувство голода возвращается и вновь будит его. Более целеустремленный или просто более голодный ребенок реагирует иначе: не получив своего, он отрывается от груди и начинает кричать, снова пытается сосать и снова при неудаче впадает в неистовство.

Мать при виде того, как ребенок плохо сосет, теряет благодушное состояние. От этого молока у нее вряд ли прибавится, и выйти из заколдованного круга будет совсем непросто. Следует четко представлять, что поведение и самочувствие матери и ребенка тесно связаны. Женщине нужно приложить все силы, чтобы научиться управлять своими эмоциями перед кормлением и во время него, успокаиваться и расслабляться. Каждая добивается этого по-своему. Одной поможет музыка, другую успокоит сигарета или стакан пива, третья забудет о своих тревогах, читая журнал или смотря телепередачу. Что бы это ни было, лишь бы вело к успеху.

Проснувшемуся от недоедания малышу можно предложить пососать вторую грудь — более обильный поток молока, возможно, вполне насытит его. Разумеется, желательно держать его у каждой груди не менее 15 минут, чтобы стимулировать молочные железы.

Если ребенок принадлежит к категории, которую мы в свое время назвали «занудами», то во время кормления он будет впадать в дремоту, а через минуту просыпаться и продолжать сосать. Однако если перерыв затянется, лучше прекратить кормление и не будить малыша. Иначе в будущем он потеряет вкус к еде, станет вялым и безразличным.

Как быть, если ребенок просыпается, стоит вам после кормления положить его в постель? Предположим, он перед этим сосал не меньше 5 минут. Тогда он получил достаточно молока, чтобы спокойно спать по крайней мере часа два. Следовательно, не пытайтесь его снова кормить. Пусть он покапризничает, пока у вас достанет сил терпеть. Попробуйте дать ему пустышку, если ваш доктор не возражает против нее. Может быть, его успокоит грелка с горячей водой (см. пункт 293).

Пусть малыш поскорее поймет, что для еды предусмотрены специальные часы и чем активнее он будет сосать, тем лучше будет себя чувствовать. Если кормить его часто, ребенок сообразит, что не он добивается пищи, а та сама спешит к нему. В конце концов, избежать нежеланного кормления он сможет, только заснув. Скорее всего, период капризов не продлится дольше нескольких недель, как бы вы себя при этом ни вели. Так что, услышав крик ребенка и не сумев его успокоить, покормите малыша, не обращая внимания на все наши теории — дайте ему еще один шанс. Но не больше. После этого не берите его на руки час или два.

140. Втянутые соски. У женщин с плоскими или втянутыми сосками при кормлении легковозбудимых детей могут возникнуть сложности. Малыш пытается найти сосок, но, не добившись успеха, начнет крутить головой и кричать. Попробуйте несколько хитростей. Дайте ему грудь сразу, как только он проснется и не успеет еще разозлиться. При неудавшейся первой попытке немного покачайте его на руках, чтобы успокоить, и попробуйте еще раз. Не торопитесь. Иногда помогает легкий массаж соска кончиками пальцев. Можно дать ребенку сосать через специальную накладку, надеваемую на грудь (см. пункт 152), — с ее помощью сосок несколько выдвигается; потом дайте малышу сосать саму грудь.

На самом деле размер соска в процессе кормления не играет существенной роли, как уже говорилось в пункте 115, он лишь направляет рот ребенка на околососковый кружок. Однако соединительная ткань груди, которая деформирует сосок и делает его втянутым, не позволяет соску и околососковому кружку принять форму, удобную для малыша. Поэтому мать должна помочь малышу: рукой выдавить немного жидкости из груди (пункт 149 и 150). Область вокруг соска станет мягче. После этого надо сжать околососковый кружок и вложить в рот ребенку.

141. Боль при кормлении. В течение первой недели после начала кормления вы может ощущать судороги внизу живота, когда ребенок берет грудь. Это нормальная реакция женского организма, которая выражается в сокращении мускулатуры матки. Более того, таким образом матка скорее примет свои обычные размеры. Неприятные ощущения скоро исчезнут.

Во время кормления обычны и приступы боли в сосках, которые длятся по нескольку секунд, когда малыш берет грудь. Через неделю или около того приступы прекратятся.

142. Травмы сосков. Боль, терзающая вас во время всего кормления, может указывать на трещины, появившиеся на сосках. Не следует ее терпеть — надо сразу обратиться к специалисту и начать лечение. Бывает, что некоторые матери (правда, их совсем немного) чувствуют боль и при совершенно здоровых сосках. При наличии трещин — обычно они появляются оттого, что младенец жует сосок, а не берет в рот околососковый кружок — необходимо на сутки или двое прекратить кормления грудью или, по крайней мере, сократить их число до трех в день и ограничить продолжительность 3 минутами. Некоторые врачи советуют смазывать больные соски. Другой способ лечения — это оставлять соски открытыми на 15 минут и лишь потом надевать лифчик. Одна мать нашла очень удобным закрывать соски чайным ситечком (отделив его от ручки), используя при этом лифчик большого размера.

Чтобы не прекращать стимуляцию молочных желез, нужно вручную сцеживать молоко два или три раза в день. Ребенок пока может сосать только здоровую грудь.

Если через двое суток вы почувствуете заметное облегчение, начинайте кормить малыша, но не более 3 минут на первый раз. Кормление должно быть совершенно безболезненным. Если все будет хорошо, далее в течение суток держите малыша у груди по 5 минут, за которые он высосет основную массу молока. На следующий день время кормления можно увеличить до 10 минут, а на третий — до 15. При повторном появлении трещин нужно снова дать отдых больной груди.

Другой способ защитить сосок — использование защитных накладок (см. пункт 152). Выздоровление, правда, наступит не так быстро — ведь сосок все же отдыхает.не полностью. Да и секреция уменьшится заметнее, чем при ручном сцеживании молока.

143. Уплотнение околососковых кружков. Уплотнение и набухание сосков и околососковых областей вызываются тремя основными причинами. Чаще всего эти места набухают и становятся твердыми из-за переполнения молоком полостей, или пазух, которыми заканчиваются млечные протоки желез. Мать при этом не испытывает никаких неудобств, но околососковый кружок уплотняется, и ребенок не может взять его в рот и сжимать деснами, выдавливая молоко. Ему доступен лишь сосок, малыш жует его и тем самым травмирует. Во избежание неприятностей надо вручную сцеживать излишки молока, после чего околососковая область становится податливой, и малыш может нормально сосать (см. пункты 149, 150).

Чтобы размягчить уплотненные области, не нужно сцеживать много молока. Достаточно поработать над каждой грудью от 2 до 5 минут. После этого надо сжать грудь пальцами и вложить в ротик ребенку, чтобы помочь ему начать сосать. Подобное набухание возникает в конце первой недели после родов, продолжается два или три дня и не повторяется на протяжении всего периода кормления.

144. Уплотнение молочной железы. Этот процесс охватывает не только околососковый кружок, но и всю грудь. Она становится твердой и доставляет женщине некоторое неудобство. Как правило, этим все и ограничивается, но в более тяжелых случаях грудь увеличивается в размерах и становится очень болезненной.

Обычно устранить недомогание несложно: надо просто дать малышу пососать грудь. Иногда дополнительно приходится сцеживать часть молока, чтобы грудь стала мягче и малыш смог бы без труда взять в рот околососковый кружок.

При болезненной груди требуются более сложные манипуляции. Если малыш не опустошает грудь полностью, ее надо массировать от периферии к соску. Во время массажа кожу груди можно смазать маслом какао или сливками. Не следует смазывать кожу в области соска и околососкового кружка, иначе потом, когда надо будет производить сцеживание, пальцы будут скользить. Массаж — процедура утомительная, и не надо делать его слишком долго: пусть грудь после него хотя бы немножко размягчится. Процедуру повторяйте несколько раз в день. Через двое или трое суток должно наступить облегчение. Перед массажем бывает полезно положить на грудь кусочек ткани, смоченной горячей водой. Если массаж производить некому, а сама мать не знает, как его делать, следует применить молокоотсос (см. пункт 151). Между кормлениями и лечебными процедурами грудь должна находиться в покое, поэтому во время болезни следует носить лифчик с плотными чашками и бретельками, не позволяющими ему скользить по телу. Можно подвязывать грудь широкой лентой — только нужно следить, чтобы она охватывала молочные железы снизу и с боков, но не спереди. Для облегчения боли на короткое время прикладывают к груди лед или грелку. Иногда врач прописывает различные лекарства. Набухание и уплотнение желез происходит в первую неделю кормления и практически не повторяется потом.

145. Воспаление молочной железы. При воспалении симптомы похожи на те, что описаны в предыдущем пункте: грудь набухает, становится твердой и болезненной за пределами околососкового кружка. Отличие состоит в том, что процесс захватывает не всю грудь целиком, а лишь ее сегмент. Заболевание обычно развивается после возвращения из роддома. Лечить его следует так же, как при уплотнении всей молочной железы: горячими компрессами и массажем уплотненной области, ношением поддерживающего лифчика, льдом или грелкой. И самое главное — не прекращать кормление ребенка.

Боль, сосредоточенная в глубине ткани железы, чаще всего обусловлена воспалением, вызванным болезнетворными микробами. Над воспалением, или абсцессом, кожа становится красной. При появлении этих симптомов измерьте температуру тела и обратитесь к врачу. При современных методах лечения инфекционных заболеваний вам не придется отлучать малыша от груди даже на короткое время.

146. Если мать заболела. В тех случаях, когда состояние матери позволяет ей оставаться дома, кормление прекращать не стоит. Разумеется, с молоком в организм малыша могут попасть микробы, но это отнюдь не единственная возможность заразиться. Кроме того, мать становится распространителем инфекции задолго до того, как у нее появятся симптомы болезни. Наконец, надо учитывать, что маленький ребенок легче переносит некоторые заболевания, например, простуду, чем старшие члены семьи.

147. Если ребенок кусается. Когда у ребенка появятся первые зубы, он во время кормления может ненароком укусить мать. Иногда он причиняет боль, сильно сжимая сосок деснами, — ведь накануне прорезывания зубов десны у малыша чешутся, что его очень беспокоит. Конечно, он не рассчитал свои силы и винить его за это нельзя — он просто не понимает, что причиняет боль. К сожалению, болезненные ощущения — не единственная неприятность после укуса. Из-за травмы соска кормление на некоторое время придется прекратить.

Ребенка легко отучить кусаться. Мгновенно засуньте ему между десен палец и громко скажите: «Нельзя». Обычно удивления, которое он испытает, бывает достаточно, чтобы подобное не повторялось. Но если он снова укусит вас за грудь, повторите то, что мы советуем, и тут же прекратите кормление. Обычно укусы следуют в конце приема пищи, так что большого вреда вы ему не нанесете.

Сцеживание вручную и с помощью молокоотсоса

148. Зачем это нужно? Если ребенок не может или не хочет сосать, а у матери много молока, его сцеживают вручную или молокоотсосом. У маленького недоношенного ребенка часто не хватает сил, чтобы добывать себе пищу из материнской груди; если его выхаживают в инкубаторе, то доставать его оттуда на кормление просто нецелесообразно. Кормят малыша материнским молоком через соску или из пипетки. Мать может заболеть и попасть в больницу, но даже если ее оставили дома, врачи, опасаясь заражения, иногда считают рискованным передавать ей ребенка. В этот период молоко матери собирают для кормления в бутылочку.

Чтобы молочные железы нормально функционировали и давали больше молока, грудь надо опустошать через равные интервалы времени. Когда приходит пора отнимать ребенка от груди, у матери скапливаются излишки молока, и от этого она испытывает боль, поможет ей также сцеживание.

Научиться сцеживать молоко вручную лучше всего у опытной сестры в родильном доме. Внимательно прислушивайтесь к ее советам, даже если и не предполагаете следовать им в будущем. Если в роддоме обучение не состоялось, необходимые приемы вам покажет дома патронажная сестра. В крайнем случае вы и сами освоите этот немудреный процесс, хотя потратите чуть больше времени. Поначалу у вас будет получаться неловко, но через несколько тренировок все наладится, так что не огорчайтесь при первых неудачах.

Молоко образуется в молочных железах и стекает по тонким протокам к центру груди, где скапливается в 15–20 полостях, или пазухах, расположенных за околососковым кружком. При сцеживании молоко выдавливают из пазух по каналам, открывающимся наружу в центре соска.

Если вы сцеживаете излишки молока, например, чтобы размягчить уплотнение в области околососкового кружка, возьмите любую подходящую чашку. Если сцеженным молоком будут кормить ребенка, чашку сначала надо тщательно вымыть с мылом и вытереть насухо чистым полотенцем. Молоко из чашки нужно перелить в бутылочку и надеть на ее горлышко соску. И бутылочка, и соска после последнего использования также должны быть тщательно вымыты и высушены. Если молоко не будет использовано тотчас же — например, вы собираете его и один раз в день передаете в роддом для кормления ребенка, находящегося на выхаживании в инкубаторе, — посуда должна быть предварительно стерилизована. Сцеживайте молоко в стерилизованную чашку и далее в стерилизованную бутылочку. Можно использовать просто чистую посуду и потом стерилизовать бутылочку с молоком, подержав ее около 5 минут в кипящей воде (см. пункт 183).

149. Сцеживание руками. Это самый распространенный способ сцеживания, при котором пазухи с молоком сжимаются большим и указательным пальцами. Сначала, конечно, руки надо тщательно вымыть. Чтобы сдавить пазухи, положите кончики пальцев на границу околососкового кружка сверху и снизу от соска. Затем вдавите пальцы в грудь, пока не почувствуете под ними ребра. В таком положении несколько раз соедините подушечки пальцев вместе. Правой рукой сцеживают молоко из левой груди, левой в это время держат чашку.

Самое главное — надо сжимать грудь по границе околососкового кружка, и по возможности глубоко. Сам сосок не сжимайте и вообще не дотрагивайтесь до него пальцами. Двигайте кончики пальцев навстречу друг другу, одновременно подтягивая ткани груди чуть вперед, к соску, чтобы молоко сцеживалось более эффективно.

После нескольких движений немного переместите пальцы вокруг соска по ходу часовой стрелки. Так повторите несколько раз, чтобы удалить молоко из всех пазух. Когда почувствуете, что пальцы устали — а поначалу это неизбежно, — потрясите ими, несколько раз согните и разогните их.

150. С помощью чашки. Это менее распространенный, но более эффективный способ. Здесь пазухи сжимаются между большим пальцем и краем чайной чашки с воронкообразными стенками (сцеживать молоко в чашку с прямыми стенками трудно и неудобно). Если вы собираетесь хранить молоко, чашка должна быть стерилизована.

Прежде всего вымойте с мылом руки. Глубоко вдавите край чашки в левую грудь у нижней границы околососкового кружка и, держа чашку левой рукой, наклоните ее, чтобы сосок смотрел в сторону дна. Положите подушечку большого пальца правой руки на верхнюю границу околососкового кружка. Теперь он сжат между пальцем и ободком чашки. Двигайте палец вниз (к ободку чашки) и вперед (к соску). Таким образом молоко будет выдавливаться из пазух и через каналы выливаться в чашку. При движении по направлению к соску палец не должен скользить по коже околососкового кружка и касаться соска.

После нескольких упражнений молоко будет течь в чашку тонкой струйкой. В первое время палец будет уставать и даже неметь, но очень скоро это пройдет. Опорожнить полностью грудь можно примерно за 20 минут (во время обучения времени, конечно, будет уходить больше). Если вы сцеживаете остатки молока после кормления, то все закончится быстрее. Из полной груди молоко льется струей, остатки же вытекают каплями. Когда молоко прекратит поступать в чашку, заканчивайте сцеживание. Разумеется, уже через 10 минут в груди снова появится какое-то количество молока, но так часто сцеживать его нет смысла.

151. Молокоотсосы. Самый простой и дешевый молокоотсос представляет собой стеклянную воронку с резиновой грушей. С ее помощью в воронке создается разрежение, и молоко высасывается из груди. Существуют также гораздо более эффективные электрические молокоотсосы. Они более дороги, но их можно взять напрокат в лечебных учреждениях.

152. Накладки. Их делают в виде стеклянной или резиновой воронки с прикрепленной к ней соской. Конус воронки по своей форме соответствует женской груди. Полностью резиновые накладки более эффективны. Конус плотно прикладывают к груди, и ребенок сосет соску, создавая под конусом воронки разрежение. Околососковый кружок сжимается, и из него вытекает молоко. Накладки применяют лишь изредка — если у женщины плоские или травмированные соски.

Отлучение ребенка от груди

Завершение вскармливания ребенка грудью — существенный этап в жизни не только малыша, но и его матери. Причем важен не только и не столько физиологический аспект этого периода, сколько эмоциональный. Женщина ощущает определенную подавленность — ведь она привыкла чувствовать себя предельно необходимой малышу, во время кормлений между ней и маленьким устанавливалась крепчайшая духовная связь. И вдруг все кончилось, малыш в ней больше не нуждается, она даже в некоторой мере теряет уважение к самой себе. Именно поэтому переход на обычную пищу должен происходить постепенно.

153. Как кормить ребенка из чашки при недостатке грудного молока. Если молока у матери мало, отнять ребенка от груди нетрудно. Женщине не приходится ни перетягивать грудь, ни ограничивать себя в жидкости. Нужно только однажды не дать малышу грудь и ждать, как пойдут дела. Если при наполнении груди молоком мать будет испытывать неудобство, следует прикладывать малыша к груди на 15–30 секунд. Таким образом вы снимете напряжение и не будете стимулировать молочную железу. Всякий раз, когда в груди будут возникать неприятные ощущения, давайте малышу немного пососать. Если секреция более активна, то отказ от кормления грудью должен происходить постепенно. О перевязывании груди или ограничении питья речи опять-таки нет. Попробуйте кормить малыша через раз. Если неприятных ощущений не возникнет, прекратите регулярные кормления, но давайте ребенку грудь на короткое время.

Если у вас нет возможности проконсультироваться с врачом, для искусственного кормления пользуйтесь смесью, рецепт которой дан в пункте 177.

154. Внезапный отказ от кормления грудью. В это время лучше постоянно держать контакт с врачом. Если это невозможно, воспользуйтесь нашими рекомендациями. Мать бывает вынуждена внезапно прекратить кормление, если, например, она попала в больницу или срочно и надолго должна покинуть дом. (При заболевании средней тяжести обычно нет необходимости бросать кормления, но в каждом случае решать это должен врач.) В первое время желательно пить меньше обычного, плотно перевязывать грудь, прикладывать к ней лед. Все это, конечно, не доставляет удовольствия, поэтому при возможности освобождайте грудь от излишков молока сцеживанием вручную или с помощью молокоотсоса. Ваш доктор, возможно, порекомендует несколько дней принимать специальные препараты, которые уменьшат секрецию.

Если у вас нет возможности проконсультироваться с врачом, для искусственного кормления пользуйтесь смесью, рецепт которой дан в пункте 177.

155. Постепенный переход к кормлению из чашки после полугода. Всегда возникает вопрос: если у матери достаточно молока, до какого возраста надо кормить ребенка грудью? В идеале это нужно продолжать до тех пор, пока ребенок сам не захочет есть из чашки. Выкармливаемые грудью дети обычно готовы отказаться от материнского молока между пятью месяцами и полугодом.

Очень хорошо давать малышам сделать глоток-другой из чашки по достижении ими пятимесячного возраста. Пусть они привыкнут к чашке до того времени, когда в их характере появится излишнее своенравие. К 6 месяцам дайте им возможность самим держать чашку (см. пункты 231–234). Если к полугоду время кормлений грудью уменьшается, можно смело делать вывод, что малыш готов постепенно отказаться от груди. Теперь предлагайте ему всю порцию питания в чашке и постепенно увеличивайте дозу по мере роста аппетита. И все же в конце кормления ненадолго давайте ему грудь. Потом в одно из дневных кормлений не давайте ему грудь вовсе. Выберите для этого момент, когда он менее всего голоден, — во время завтрака или ланча. Через неделю не давайте ребенку грудь во время еще одного из кормлений. Спустя неделю прекратите давать грудь в последнее из дневных кормлений. Процесс отлучения от груди не всегда идет равномерно. Бывают периоды — например, при прорезывании зубов или во время болезни, — когда малышу требуется ненадолго вернуться к материнскому молоку. В этом нет ничего страшного.

При плавном переходе к кормлению из чашки проблем с молочными железами у матери обычно не возникает. Если все же переполнение грудей вызывает неприятные ощущения, надо просто дать малышу пососать грудь примерно 15–30 секунд, чтобы снять напряжение. Но это, конечно, не должно длиться дольше нескольких минут, иначе молочная железа будет увеличиваться.

Многие матери говорят, что все еще не готовы к решительному шагу и переносят его с недели на неделю. Иногда это объясняют тем, что из чашки малыш не в состоянии выпить столько молока, сколько получает из груди. С такой отговоркой иногда откладывают отлучение от груди до бесконечности. Вполне можно прекратить вскармливание грудью, если ребенок выпивает за одно кормление примерно 100–120 г молока, что за сутки составит 350–500 г. Прекратив сосать грудь, он наверняка будет выпивать больше. Вместе с другими продуктами ему вполне хватит 0,5 л молока в сутки.

К шести-семимесячному возрасту ребенка следует совсем отлучить от груди. К этому времени потребность малыша в материнском молоке уменьшается, и если продолжать кормить его грудью, то это превратится в дурную привычку, которая сделает его излишне зависимым от матери.

Дополнительные сведения об отлучении ребенка от груди вы можете прочесть в пунктах 231–237.

156. Постепенный переход от грудного вскармливания к искусственному в возрасте до четырех месяцев. Многие матери не могут или не хотят кормить детей грудью до полугодовалого возраста, когда им настает время питаться из чашки. Предположим, что мать не способна дать малышу достаточно грудного молока. Такие дети часто кричат от голода, не могут как следует прибавлять в весе. Голодный ребенок, скорее всего, не будет противиться переходу на кормление из бутылочки. Переход может быть быстрым или медленным — это зависит от количества молока у матери.

Если секреция молока снижается быстро, ребенок страдает от недоедания, а доктора поблизости нет, приготовьте смесь по рецепту, приведенному в пунктах 177 или 178. После каждого кормления грудью давайте ему бутылочку, и пусть он сосет ее сколько ему заблагорассудится. Потом однажды во время вечернего кормления в 18 часов вместо груди дайте ему бутылочку. Через два дня поступите так же во время утреннего десятичасового кормления. Потом с интервалом в два-три дня отменяйте еще по одному кормлению грудью. Лучше это делать в таком порядке: 14 часов, 22 часа, 6 часов утра. (Если дефицит материнского молока невелик и ребенок после кормления грудью не страдает от голода, то не подкармливайте его каждый раз из бутылочки, а давайте ему бутылочки вместо груди, как сказано двумя абзацами ниже.)

Теперь представьте, что проблем с материнским молоком вовсе нет. Скажем, мать решила кормить младенца, пока грудное молоко ему необходимо, а когда потребность в нем станет меньше, перевести на искусственное вскармливание. Возникает вопрос: как долго малыш нуждается именно в материнском молоке? Быстрый и однозначный ответ дать трудно. С точки зрения физиологии материнское молоко обладает рядом преимуществ: оно абсолютно свежее, хорошо усваивается, содержит вещества, необходимые организму младенца. Но трудно указать возраст, в котором эти преимущества вдруг потеряют цену. Нельзя назвать и дату, когда перестанут сказываться и эмоциональные плюсы грудного вскармливания. Все же приблизительно определяется возраст — три месяца после рождения, когда без особого ущерба можно начать кормить ребенка из бутылочки. К этому времени пищеварение ребенка уже достаточно устойчиво, прошел период колик. Малыш окреп и быстро прибавляет в весе. Но если мать хочет еще раньше перестать давать грудь, например, в месячном или двухмесячном возрасте, это тоже допустимо. Единственное ограничение: нежелательно прерывать кормление грудью в самое жаркое время года.

Если вы планируете перейти на искусственное кормление пораньше, то уже с месячного возраста помогите малышу адаптироваться, регулярно давая ему бутылочку. Это можно делать два-три раза в неделю или даже ежедневно.

При нормальной секреции молока переход на искусственное питание желательно проводить постепенно. Сначала откажитесь от одного кормления грудью, скажем, в 18 часов, а вместо груди дайте малышу бутылочку. Пусть сосет, пока ему не надоест. После двух-трех дней ребенок привыкнет к новому режиму, тогда замените грудь бутылочкой со смесью во время утреннего десятичасового кормления. Еще через два-три дня сделайте то же при кормлении в 2 часа дня. Теперь малыш будет получать грудь только в 6 часов утра и в 22 часа. Пожалуй, стоит потерпеть еще три-четыре дня, после чего окончательно перейти на кормление из бутылочки. Если вы вдруг почувствуете, что грудь переполнена молоком, тут же дайте малышу пососать ее несколько секунд, даже если время кормления еще не настало. Можно сцедить молоко и вручную. Тогда не придется перевязывать грудь или ограничивать себя в потреблении жидкости.

157. Если ребенок отказывается от бутылочки. Ребенок старше двух месяцев, которому регулярно не давали сосать из бутылочки, иногда отказывается брать ее. Попробуйте давать ему бутылочку один или два раза в день перед кормлением грудью или приемом твердой пищи. Пусть пройдет неделя — не заставляйте малыша, не злите его. Если он протестует, откажитесь от попытки и дайте ему грудь. Через несколько дней он наверняка переменит решение.

Если ребенок проявляет настойчивость, отмените кормление грудью в 2 часа дня и посмотрите, не возьмет ли он бутылочку в следующее кормление в 18 часов вечера. В случае неудачи дайте ему грудь, потому что она и так будет переполнена. Но начиная со следующего дня с 14 часов не давайте ему грудь. Возможно, ваша настойчивость принесет успех, если не на следующий, то на третий день.

Следующий шаг — отказ давать ребенку грудь через каждое очередное кормление. Давайте ему в это время только твердую пищу или не давайте вообще ничего.

Последняя возможность сломить сопротивление малыша и заставить его капитулировать — совсем прекратить его кормить. Это крайняя мера, и дается она нелегко не только малышу, но и матери.

Если вы ощущаете дискомфорт от переполнения грудей, сцеживайте молоко вручную (см. пункты 149–151) или пользуйтесь молокоотсосом.

Искусственное вскармливание

Виды молочных продуктов для младенцев

158. Что такое смесь? В этом понятии нет ничего загадочного. В смесь входят коровье молоко, вода и сахар. (Зачастую врачи исключают из смеси сахар.) Воду и сахар добавляют, чтобы молочная смесь больше напоминала по содержанию компонентов материнское молоко. Используемое в смесях коровье молоко может быть цельным пастеризованным, сгущенным и сухим. У каждого из перечисленных видов есть свои преимущества. Еще более разнообразны виды сахара: чаще всего берут обычный сахарный песок, но употребляют также кукурузный сироп, коричневый сахар, смеси декстринов с молочным сахаром или лактозой.

Молочные смеси необходимо тщательно стерилизовать, ведь для различных микробов это продукт не менее полезный, чем для ребенка. Если, например, во вторник, когда вы готовили смесь, в нее попало несколько бактерий, то к среде, когда вы дадите малышу последнюю порцию этой смеси, они расплодятся там в великом множестве. Особенно хорошо размножаются бактерии в жидкости комнатной температуры, значит, чтобы защититься от микробов, лучше держать ее в холодильнике. Кроме того, нагретая до кипения, молочная смесь лучше усваивается.

Все дети разные, и каждому нужна смесь особого состава. Лучше всего в этом разберется врач. Он выпишет вам рецепт с учетом не только особенностей организма ребенка, но и ассортимента продуктов, распространенных в том районе, где вы проживаете. Приведем некоторые широко употребляемые виды молока.

159. Сгущенное молоко. Это консервированный продукт, который получают выпариванием из обычного молока чуть более половины содержащейся в нем воды. (Здесь имеется в виду сгущенное молоко без сахара, ибо сгущенное молоко с сахаром не годится для питания маленьких детей.) У сгущенного молока целый ряд достоинств. Во-первых, при консервировании оно пастеризуется, так что во вскрытой банке нет болезнетворных микробов. Во-вторых, практически повсеместно оно дешевле обычного молока. В-третьих, его можно держать в закрытых банках неограниченно долго даже вне холодильника. В-четвертых, его состав и вкус одинаковы, в каком бы районе страны вы его ни купили, следовательно, если вы вынуждены постоянно переезжать с малышом, ему не придется привыкать к новым сортам молока. Кроме того, оно легко усваивается и не вызывает диатеза. Наконец, некоторые сорта сгущенного молока обогащают витамином D.

Узнав об огромном количестве полезных свойств сгущенного молока, вы можете подумать, зачем люди пьют обычное свежее молоко? Все дело в привычке и вкусах. Некоторых взрослых и старших детей, постоянно употребляющих свежее молоко, сгущенное не привлекает. Но малыши его любят и легко переходят со свежего молока на сгущенное и обратно. Многие дети, повзрослев, все равно отдают предпочтение сгущенному молоку, и в этом нет ничего дурного (см. пункт 230).

В сгущенном молоке концентрация питательных веществ выше, поэтому перед употреблением его надо разбавить примерно в два раза.

Существует много сортов сгущенного молока, но они мало отличаются составом. Не задумывайтесь, выбирая тот или иной сорт, — вы не почувствуете разницы.

160. Разновидности сгущенного и сухого молока. Некоторые сорта сухого и сгущенного молока по составу близки к женскому молоку. Поэтому многие врачи именно эти сорта рекомендуют для приготовления смесей. В них содержится дополнительное количество сахара, и матерям не приходится самим добавлять его в смесь. Некоторые сорта имеют пониженное содержание белков. Покупайте модифицированное молоко только по совету врача и разбавляйте в соответствии с инструкциями на упаковке.

161. Готовые смеси. В консервных банках и одноразовых бутылках продают смеси, готовые к немедленному употреблению. Применять их, конечно, очень удобно, но денег потратить придется в несколько раз больше, чем если вы будете готовить смеси сами.

162. Пастеризованное молоко. Если вы предпочитаете готовить смесь из свежего, а не сгущенного молока, оно должно быть пастеризовано. При пастеризации молоко сначала нагревают, а потом разливают для продажи. Таким образом, все опасные для здоровья человека микробы уничтожаются.

163. Гомогенизированное молоко. Это пастеризованное молоко, в котором частицы жира размельчают, чтобы они не склеивались и не образовывали на поверхности слой сливок. Гомогенизированное молоко лучше усваивается организмом. Оно более полезно для младенцев, у которых пищеварительная система работает еще слабо. При кипячении на поверхности молока не образуется пенка, и вообще это самый лучший заменитель грудного молока.

164. Пастеризованное молоко с витамином D. Это обычное молоко, обогащенное витаминами.

165. Сырое молоко. Перед тем как давать детям, не только младенцам, но и более старшим, коровье молоко, которое еще не подвергалось обработке, его надо предварительно кипятить не менее 5 минут. Только после этого можно быть уверенным, что в нем не останется бактерий, вызывающих кишечные инфекционные заболевания, ангину, дифтерит, туберкулез и другие опасные заболевания. Коровы некоторых пород дают более жирное молоко, чем то, что продается в магазинах. Такое молоко иногда вызывает расстройство желудка. Если вы поехали за город и достали такое молоко, дайте ему отстояться и снимите слой сливок — после этого оно приобретет более привычный для вас состав.

166. Цельное молоко. Этот термин употребляют для молока нормальной жирности с равномерным распределением частичек жира по всему объему молока. Получить цельное молоко можно, если взболтать бутылку обычного пастеризованного молока. Гомогенизированное молоко остается все время цельным. Для смесей пригодно только цельное молоко. Если вы сливаете вместе с молоком сливки, собравшиеся в верхней части бутыли, в посуду для приготовления смеси, то смесь получится слишком жирной. В смеси, приготовленной из оставшейся части молока, будет ощущаться нехватка жира.

167. Снятое молоко. Часто такое молоко называют нежирным, потому что в нем содержится в два раза меньше жира, чем в обычном. Некоторые врачи советуют использовать нежирное молоко для питания недоношенных детей, пока их вес не превышает 2,4 кг. Объясняется это тем, что нежирное молоко легче усваивается. (Однако обезжиренное молоко содержит слишком мало калорий для питания ребенка.)

В магазинах и аптеках можно купить сухое нежирное молоко. Его надо разводить в следующей пропорции: 1 столовая ложка (без горки) на 60 г воды. О способе приготовления молока рассказывается в пункте 169.

В молочных магазинах продается пастеризованное снятое молоко. Вы также можете сами получить снятое молоко из цельного. Для этого дайте ему отстояться и ложечкой удалите половину сливок, скопившихся в верхней части посуды.

168. Обезжиренное молоко. Обезжиренное молоко или разведенное обезжиренное молоко рекомендуется давать детям при расстройстве стула. В нем вовсе отсутствует жир, и оно усваивается без нагрузки на пищеварительную систему. В магазинах чаще продается пастеризованное обезжиренное молоко.

В бакалейных отделах магазинов продается сухое обезжиренное молоко в банках. Перед употреблением его надо развести водой в соотношении: 1 столовая ложка (без горки) в 60 г воды, как написано в следующем пункте.

Если у вашего ребенка понос и вы хотите сделать разведенное обезжиренное молоко, то на 1 столовую ложку (без горки) нужно взять 120 г воды.

169. Сухое молоко. Сухое молоко удобно использовать в поездках. Запаситесь им, если собираетесь ехать в глухомань, где вы вряд ли сможете легко достать сгущенное или свежее молоко. Небольшой его запас не сделает ваш багаж тяжелее, но оно дороже сгущенного и цельного молока. Сухое молоко можно легко превратить в цельное: возьмите 1 столовую ложку (без горки) порошка и разведите его в 60 г воды. Если вашему ребенку рекомендована смесь из 30 г сгущенного молока, 60 г воды и 2 столовых ложек сахарного песка, то указанное количество сгущенного молока можно заменить 10 столовыми ложками сухого. Воды при этом надо брать 90 г.

Чтобы приготовить смесь, вскипятите воду и растворите в ней сахар. Когда вода остынет до температуры тела, насыпьте на ее поверхность порошок и взбивайте ее стерилизованной вилкой или венчиком для яиц.

После того как вы открыли упаковку сухого молока, храните ее в холодильнике.

Все вышесказанное относится только к цельному сухому молоку. Бывают сорта сухого молока с другим содержанием питательных элементов. Их можно употреблять только по совету врача и под его присмотром.

170. Простокваша. Простоквашу, или кислое молоко, можно сделать двумя способами. На заводах и в лабораториях ее получают, добавляя в пастеризованное молоко культуру молочнокислых бактерий. Бактерии вырабатывают кислоту, которая и сквашивает молоко.

Более простой способ получить простоквашу — добавить в молоко химический препарат молочной кислоты. Так делают простоквашу в домашних условиях.

Некоторые дети лучше усваивают кислое молокс, чем свежее цельное молоко. Его прописывают детям, у которых пищеварение сопровождается болями, срыгиванием, выделением большого количества газов. Многие врачи считают, что кислое молоко полезно для всех малышей, независимо от особенностей организма. Кроме того, молочная кислота угнетает рост болезнетворных микробов, поэтому простоквашу более безопасно пить там, где есть проблемы с холодильником. При использовании кислого молока в смесях пропорции молока, воды и сахара остаются без изменений.

Дома кислое молоко приготовить не так просто. Если вы все же решились, учтите три важных момента: молоко и воду следует хорошо охладить, процесс должен идти медленно, и готовый продукт нельзя сильно нагревать. Вскипятите в кастрюле молоко, остудите его и поставьте в холодильник. В другой кастрюле вскипятите сладкую воду и также остудите. Теперь в воду добавьте 1 чайную ложку препарата молочной кислоты — этого достаточно для приготовления 700–800 г смеси (если вам нужно меньше смеси, пересчитайте содержание ингредиентов). Теперь медленно и аккуратно влейте воду с растворенной кислотой в молоко, непрерывно помешивая. Если у вас есть помощник, пусть он льет воду, а вы мешайте раствор венчиком для взбивания яиц. Цель проста: равномерно распределить кислоту по всему объему, иначе в местах, где больше кислоты, образуются сгустки, которые потом закупорят отверстие в соске. Именно поэтому кислоту предварительно разводят в воде, чтобы в молоко попадал ее слабый раствор. Даже если вы готовите смесь без воды, все равно перед введением кислоты в молоко растворите ее в 30–50 г воды.

Перед кормлением бутылочку со смесью обычно подогревают. Если смесь приготовлена на кислом молоке, не нагревайте ее слишком сильно и слишком быстро. Используйте для этого миску с теплой водой. Если вы аккуратно сквасили молоко и не перегрели его, то сгустки получаются небольшими по размеру и не очень плотными. Они легко проходят через обычное отверстие в соске. При необходимости увеличьте отверстия в сосках.

В больших городах продается готовая простокваша из цельного молока. В аптеке можно достать простоквашу в сухом виде. Из нее готовят смесь так же, как из обычного сухого молока, добавляя воду и сахар.

171. Искусственное молоко. Для детей, склонных к аллергиям, выпускают особые составы из сахара и соевой муки, которые им дают вместо настоящего молока. Смеси из искусственного молока проходят только через крупные отверстия в сосках.

Сахар

Зная особенности организма вашего ребенка, доктор посоветует, какой сахар лучше добавлять в молочные смеси.

172. Обычный сахарный песок. Это самый распространенный продукт, применяемый для молочных смесей. Он дешев и доступен. Лишь у детей, предрасположенных к запорам, он крепит стул. В рассчитанной на сутки молочной смеси содержатся 2–3 столовые ложки сахарного песка.

173. Коричневый сахар имеет меньшую степень очистки и содержит немного патоки. Обычно его рекомендуют детям с крепким стулом. По пищевой ценности коричневый сахар ничем не отличается от белого.

174. Кукурузный сироп также часто присутствует в рецептах детского питания; он представляет собой смесь декстринов и сахара. Декстрин по химическому составу занимает промежуточное положение между сахаром и крахмалом. Попадая в кишечник, декстрин постепенно преобразуется в сахар, причем процесс идет медленно, что снижает выделение газов. Поэтому для маленьких детей, которые подвержены интенсивному выделению газов в кишечнике и склонны к поносам, декстрины полезнее, чем сахар. Не повредят декстрины и ребятишкам с нормальным пищеварением. Кукурузный сироп недорог, на приготовление молочных смесей его уходит столько же, сколько и обычного сахара. В рассчитанную на сутки молочную смесь добавляют 2–3 столовые ложки кукурузного сиропа. Светлый сироп обладает закрепляющим действием, и при уплотненном стуле лучше применять темный сироп.

175. Декстрин с мальтозой. Этот заменитель сахара очень похож на кукурузный сироп. Разница лишь в том, что декстрин с мальтозой дороже и выпускается в порошке. Да и по своей энергетической ценности он в два раза уступает сахарному песку. Если вы все же решите использовать этот продукт, кладите вместо 1 столовой ложки сахара 2 столовые ложки декстрина с мальтозой. В рассчитанную на сутки молочную смесь добавляют 4–6 столовых ложек заменителя.

176. Лактоза. Этот вид сахара содержится в материнском и коровьем молоке. Он очень хорош для смесей, хотя достаточно дорог. Для замены 1 столовой ложки обычного сахара берут $1\frac{1}{2}$ столовой ложки лактозы.

Рецепты для приготовления смесей

В этой главе приведены два рецепта смесей, которые могут приготовить сами родители, если у них нет возможности проконсультироваться с врачом. Частный доктор, специалисты в поликлиниках и детских консультациях, патронажные сестры помогут вам составить смесь, которая будет рассчитана в соответствии с возрастом, весом, работой системы пищеварения именно вашего ребенка. Это будет способствовать нормальному развитию вашего малыша. Если ваш ребенок здоров, а до врача добраться трудно, вы можете воспользоваться нашими рецептами, разумеется, не забывая о здравом смысле.

Следует упомянуть и о готовых к употреблению смесях (см. пункт 161), выпускаемых промышленностью, но они довольно дороги.

177. Жидкая смесь для новорожденных или детей со слабым аппетитом:

> *сгущенное молоко — 300 г,*
> *вода — 600 г,*
> *сахар — 2 ст. ложки.*

Получается почти литр смеси, что превышает суточную потребность ребенка весом до 5 кг.

Сколько смеси наливать в бутылочку? Малыш весом около 3 кг выпивает примерно 90 г смеси через три часа в дневное время (кормления в 6, 9, 12, 15 и 18 часов) и через четыре часа ночью (кормления в 22 и 2 часа). За сутки это составит примерно 650 г.

Ребенку весом 3,5–4 кг в среднем хватает 120 г смеси при кормлении с перерывами в четыре часа (в 6, 10, 14, 18, 22 и 2 часа). Через несколько недель после вечернего кормления в 22 или 23 часа он, возможно, не будет просыпаться на ночное (2 часа) кормление; тогда число бутылочек можно сократить, но в каждую наливать побольше смеси.

Не принимайте приведенные здесь рекомендации как догму. Разливайте смесь по бутылочкам в зависимости от того, сколько раз в сутки вам удобно кормить ребенка и сколько смеси он выпивает за раз.

В самые первые дни, например, для ребенка весом 3,5–4 кг, вы можете приготовить на сутки 900 г смеси и разлить в восемь бутылочек по 110 г. Если малыш вдруг окажется очень дисциплинированным и будет просыпаться для кормления только шесть раз за сутки, вы можете взять для утренних кормлений оставшиеся со вчерашнего дня две бутылочки и новую суточную смесь приготовить позже. Если вам удобнее готовить смесь в одно и то же время, не отказывайтесь от этой привычки, а неиспользованную смесь выливайте или используйте в блюдах для всей семьи.

Однако большинство малышей вначале просыпаются нерегулярно. Если доктор посоветовал вам придерживаться гибкого расписания, т. е. кормить ребенка, когда он проголодается и сам проснется хотя бы в дневное время, лучше держать две лишние бутылочки, особенно если малыш просыпается чаще шести раз в сутки. Что же касается суточного объема смеси, то вряд ли ребенку весом 3,5–4 кг понадобится больше 600–700 г — таким образом, можно предполагать, что часть бутылочек останется недопитой.

Ребенок в первое время иногда просыпается очень часто. Учитывая это, готовьте очередную порцию смеси заранее, чтобы не оказаться вдруг с пустыми руками. Если вам так удобнее, готовьте смесь дважды в день.

Становясь старше и крупнее, ребенок просыпается для кормления реже, а объем смеси в каждой бутылочке и суточное ее количество, конечно, будут увеличиваться. Заметив эти изменения, вы сами решите, когда увеличить наполняемость бутылочек и сократить их число. Суточный объем 900 г можно разлить в 8 бутылочек по 120 г, в 7 бутылочек по 130 г, в 6 бутылочек по 150 г или в 5 бутылочек по 180 г.

178. Смесь с высокими питательными свойствами. Если малыш не наедается жидкой смесью, хотя бы уже потому, что весит более 4,5 кг, можно начать готовить ему другую смесь:

сгущенное молоко — 400 г,
вода — 600 г,
сахар — 3 ст. ложки.

Смесь разливают в 6 бутылочек по 170 г, в 5 бутылочек по 200 г или в 4 бутылочки по 250 г.

179. Временное изменение состава смеси. Советы по изменению состава смеси дает только врач. Но если связаться с ним невозможно, воспользуйтесь нашими рекомендациями. В случае недомогания у ребенка — небольшого расстройства желудка, поноса или отсутствия аппетита (если он выпивает меньше положенной ему порции) — смесь лучше на время разбавлять.

Если смесь уже разлита по бутылочкам, отлейте из каждой половину ее содержимого и долейте кипяченой водой. Из оставшейся смеси сделайте одну или две дополнительные порции, разбавив водой в соответствующей пропорции. Если вы только собираетесь приготовить смесь, делайте ее как прежде, но наливайте в бутылочки по половине обычной дозы, доливая кипяченой водой. Число бутылочек увеличьте на одну или две.

Предлагаемый нами способ, может быть, и не лучший, поскольку часть продуктов пропадает, зато он прост и не требует сложных математических расчетов. Кроме того, у вас всегда будут в запасе несколько бутылочек со смесью. Это тем более удобно, потому что, питаясь разбавленной смесью, ребенок быстрее проголодается.

Приготовление смеси

Готовить смесь можно самыми разными способами. Для себя выберите самый простой и удобный, ориентируясь на советы вашего врача, учтите, какая посуда и инвентарь у вас имеются.

Мы предлагаем здесь способ с **заключительной стерилизацией**, при котором бутылочки стерилизуют с уже налитой в них смесью. Он прост и позволяет избежать проникновения инфекции. Правда, и он не свободен от недостатков, например, часто происходит закупорка отверстия в соске, поскольку после кипячения смесь уже нельзя профильтровать.

Необходимость стерилизации объясняется тем, что микробы, которые уже присутствуют в молоке, быстро размножаются, пока смесь готовится и стоит в ожидании кормления. К тому же не везде можно держать ее в холодильнике.

180. Обработка бутылок и сосок после их использования.
Когда бутылочка освободится, прополоскайте ее водой, продуйте соску или промойте ее сильной струей воды, чтобы удалить сгустки из отверстия. Тщательно вымойте бутылочку, крышку от нее и соску в холодной воде; при мытье пользуйтесь ершиком и моющими средствами. Потом все прополоскайте и оставьте сушиться.

Лучше мыть посуду сразу после кормления, пока остатки смеси не засохли на стенках. Но если вы предпочитаете мыть бутылочки и соски перед наполнением, то так и поступайте.

Если у вас трудности с чисткой отверстий в соске, воспользуйтесь для этого острым концом зубочистки. Читайте также пункт 190.

181. Посуда и приспособления для приготовления смесей (см. пункты 68–73). Держите их в чистоте, а стерилизовать их заранее нет необходимости. Вам потребуются:

1. **Бутылочки объемом по 0,25 л.** Вначале вам хватит 6–8 бутылочек для суточного количества смеси. Желательно иметь еще бутылочку для воды.

2. **Соски и винтовые крышки** с отверстием, куда будет выходить кончик соски, в том же количестве.

3. **Мерный стакан объемом до 1 л.**

4. **Столовая ложка** для размешивания.

5. **Набор мерных ложек.** Если вы используете для смесей сахарный песок, нужен еще нож с прямым лезвием для удаления излишков (горки).

6. **Консервный нож** для банок со сгущенным молоком.

7. **Емкость для стерилизации с крышкой** и **решетчатой подставкой** для бутылок.

182. Смешивание. Возьмем для примера смесь следующего состава:

> *сгущенное молоко — 300 г,*
> *вода — 600 г,*
> *сахар — 2 ст. ложки.*

Предположим, что вы собираетесь разлить ее в 7 бутылочек по 150 г в каждой.

Налейте в мерный стакан 600 мл горячей или холодной воды.

Положите две столовые ложки сахара (без горки) и размешивайте, пока весь сахар не растворится (сироп и сахарный песок в теплой воде растворяются быстрее).

Вымойте с мылом верхнюю часть консервной банки со сгущенным молоком. Вытрите и консервным ножом проколите в верхней крышке два отверстия друг против друга: через одно будет вытекать молоко, а через другое в банку будет входить воздух.

В мерный стакан налейте молока до отметки 300 мл.

Перемешайте все столовой ложкой и налейте в каждую бутылочку 150 г.

183. Стерилизация смеси. Вставьте внутрь крышек соски так, чтобы кончик соски выступал наружу. Наденьте крышку на горлышко бутылки, чтобы кончик соски был обращен вниз и чуть-чуть наверните, тогда воздух сможет выходить наружу при нагревании бутылки и попадать обратно при ее остывании.

Поставьте бутылочки на решетчатую подставку в емкость для стерилизации. На дно емкости налейте слой воды толщиной 3–5 см и поставьте на огонь. Когда вода закипит, держите емкость на огне не менее 25 минут.

Если вы будете остужать бутылочки со смесью медленно, не встряхивая при этом, отверстия в сосках почти наверняка не закупорятся. Поэтому после стерилизации выключите огонь и дайте емкости вместе со всем содержимым постоять час или два.

Когда бутылочки остынут, заверните крышки и поставьте их в холодильник.

Хранение смеси

184. Если в холодильнике не хватает места. Наверняка ваш холодильник забит продуктами и там не хватает места для пяти или шести бутылочек со смесью, приготовленной на следующий день. Нет причин для отчаяния — храните смесь в мерном стакане. Перед кормлением налейте требуемую порцию в бутылочку. Ее даже не надо будет стерилизовать, если, конечно, вы собираетесь тут же дать ее малышу. После нескольких часов в тепле смесь уже непригодна к использованию.

185. Не выбрасывайте неиспользованные продукты. Вылив из банки часть сгущенного молока, вы можете использовать остальное на следующий день. Закройте банку крышкой, чтобы в нее не попали бактерии или частицы пыли, поставьте в холодильник и используйте содержимое на следующий день.

186. Если негде держать смеси. Когда невозможно держать смесь в холодильнике — например, он неожиданно сломался, — можно выйти из положения, нагрев бутылочку перед тем, как дать ее малышу. Поместите ее в кипящую воду и держите там по крайней мере 25 минут, затем охладите до температуры тела и накормите малыша.

Как дать малышу бутылочку

187. В первые часы жизни. Первый раз бутылочку ребенку дают через двенадцать часов после рождения, однако если он проявляет признаки голода, это можно сделать и раньше. Вначале малыш ест понемногу. Если он высосет хотя бы 15 г смеси, не старайтесь влить в него больше. Только через три или четыре дня, а то и через неделю, он сможет съесть свою норму. Вас не должно беспокоить такое отсутствие аппетита — пищеварительная система новорожденного входит в нормальный рабочий ритм постепенно.

188. Подогревать или нет? Если вы готовили смесь на гомогенизированном молоке, то не надо встряхивать бутылочку, вынув ее из холодильника. В противном случае необходимо разболтать скопившиеся сверху сливки.

Последние исследования показали, что малышу безразлично, какую смесь он сосет — теплую, комнатной температуры или холодную, сразу из холодильника, — лишь бы раз от разу ее температура не менялась. Многие мамы предпочитают давать подогретую смесь, думая, что так жидкость из бутылочки будет больше напоминать малышу материнское молоко. Учитывая последние достижения науки, я бы посоветовал мамам кормить ребенка холодной смесью, не добавляя себе хлопот, которых и так хватает.

144

Если вы все же чувствуете в себе силы каждый раз перед кормлением подогревать бутылочку, делайте это в миске, неглубокой кастрюле, тазике с горячей водой или пользуйтесь специальным электрическим нагревателем бутылок. Нагревайте смесь до температуры тела. Чтобы узнать, готова ли смесь к употреблению, капните немного себе на внутреннюю сторону запястья — если руке будет горячо, то смесь надо немного охладить.

Кстати, перед тем как положить в смесь сахарный песок или лактозу, возьмите за правило пробовать их на язык — внешне эти продукты очень похожи на соль и питьевую соду, и вы можете легко перепутать. Можно также пробовать на вкус капельки смеси, которые вы выливаете для определения температуры.

При кормлении садитесь в удобное кресло и держите малыша на руках. Многие мамы любят сидеть в кресле с подлокотниками, подложив под руку подушку. Еще удобнее кресло-качалка — лучшего и не придумать.

Держите бутылочку под наклоном, чтобы в соску не попадал воздух. Большинство детей не выпускает соску изо рта, пока не выпьют свою норму. Но некоторые малыши при сосании часто заглатывают воздух, и воздушный пузырь в желудке создает ложное ощущение сытости. Дети прекращают сосать, не выпив и половины полагающейся порции. В этой ситуации прекратите кормить и помогите малышу отрыгнуть воздух (см. пункт 102). После этого можно продолжать кормление. В одних случаях приходится изгонять воздух по два и даже три раза за кормление, в других это вовсе не требуется.

Как только довольный и успокоенный малыш перестанет сосать, закончите кормление. Ребенок лучше, чем кто-либо, знает, сколько ему нужно пищи.

189. Можно ли оставлять малыша наедине с бутылочкой? Наилучшим вариантом мы считаем кормление с рук. Такое положение мамы и ребенка подсказано самой Природой. Они всем телом чувствуют друг друга, всматриваются друг другу в лицо. В этот период жизни кормление доставляет младенцу ни с чем не сравнимое удовольствие, и ему приятно разделить это удовольствие со своей мамой.

Но некоторые матери перегружены заботами о других детях и муже. Во время кормлений они вынуждены дать малышу соску и заняться другими делами. Матери близнецов также вынуждены одного кормить с рук, а другому дать бутылочку и позволить сосать самостоятельно. Во время следующего кормления роли малышей меняются. Занятые женщины считают, что лучше выбрать специально время, чтобы поговорить с малышом, побаюкать его, чем делать это во время кормления, когда и так нервы напряжены до предела. Действительно, есть сотни способов выразить материнскую любовь, и любой из них хорош. Не будет беды, если очень занятая мама время от времени оставляет ребенка наедине с бутылочкой — если она по-настоящему любящая и заботливая, то потом наверстает упущенное по части ласк. Но все же такое кормление должно стать редким исключением, а никак не правилом.

Обычно бутылочку, подкладывая младенцу, заворачивают в пеленку, но существуют специальные держатели, фиксирующие бутылочку в постоянном положении.

К шести-семимесячному возрасту малыши чувствуют себя такими взрослыми, что иногда отказываются принимать пищу в объятиях матери. Им уже хочется сидеть прямо и самим держать бутылочку. Не надо отказывать им в этом закономерном желании. Прочтите также пункт 197.

190. Размер отверстия в соске. Если отверстие в соске очень маленькое, малыш не наедается. Он начинает нервничать либо, устав, бросает сосать и засыпает. Не лучше обстоят дела, если отверстие слишком велико: ребенок может подавиться или получить расстройство желудка. Кроме того, он не получает достаточно удовольствия от самого процесса кормления и компенсирует это тем, что со временем начинает сосать палец. О детях, сосущих палец, вы можете прочитать в пункте 341. Есть простой способ определить нормально ли поступает смесь: малыш должен выпивать содержимое бутылочки примерно за 20 минут. Для новорожденных правильный размер отверстия в соске можно проверить так: из перевернутой бутылочки смесь сначала должна течь тонкой струйкой, а потом каплями. Если из соски все время течет струйка, значит, отверстие в ней слишком большое, если струйки вовсе нет и смесь вытекает каплями, отверстие хорошо бы увеличить.

На боковых стенках резиновых сосок делают дополнительные отверстия, чтобы через них внутрь бутылочки попадал воздух и там не создавалось разрежение, иначе стенки соски могут сомкнуться и перекрыть путь жидкости. (Через некоторое время малыши сами находят выход и выпускают изо рта кончик соски, чтобы туда попал воздух и она снова открылась.) Выход для воздуха можно регулировать — чем сильнее вы завинчиваете крышку на бутылке, тем меньше воздуха туда попадает, тем сильнее разрежение и тем с большей силой малыш должен сосать. Если крышка не завернута, воздух легче проникает в бутылочку, и время кормления уменьшается.

Есть несложный способ увеличить отверстие в соске. Возьмите тонкую иголку и тупым концом воткните ее в обычную пробку. Держа пробку в руках, нагрейте кончик иголки докрасна. Затем погрузите самый кончик иголки в отверстие соски. Не берите более толстую иголку и не втыкайте ее глубоко, пока не проверите, что первый опыт не дал нужных результатов. Ведь соску со слишком большим отверстием придется выбросить. Если у вас нет подходящей деревянной пробки, попробуйте держать иголку пинцетом. Сделать в соске отверстие нужного размера можно и специальным перфоратором.

191. Закупоривание отверстия. Если отверстие соски постоянно засоряется, вы можете купить особые ситечки, которые устанавливаются в основание сосок. Наденьте соску с ситечком на бутылку и уже потом стерилизуйте бутылочку. Если не удалось достать ситечко, возьмите кусок марли размером 5х5 см и закройте им горлышко перед тем, как завинчивать пробку. Наконец, можно ежедневно прочищать отверстие в соске острым концом зубочистки.

Есть и другой способ предотвратить засорение — это соска с крестообразным разрезом вместо отверстия. Пока края разреза сомкнуты, смесь из такой соски не будет выливаться, а когда ребенок начнет сосать, через соску пойдет жидкость. Вы можете сами сделать такой разрез. Для этого возьмите обычную соску у самого кончика и сожмите пальцами. Бритвой сделайте небольшой разрез. Поверните соску на 90° и сделайте еще один разрез.

192. Не кормите ребенка против его желания. Мама видит, сколько смеси остается в бутылочке, и иногда это доставляет ей огорчение. Некоторые дети всегда выпивают одинаковое количество молока, тогда как у других аппетит зависит от времени дня. Не стремитесь, чтобы малыш съедал заранее установленную вами норму. Пусть вас успокоит тот факт, что при грудном вскармливании ребенок может высосать 300 г молока в 6 часов утра и ограничиться 120 г в 6 часов вечера. При этом он великолепно себя чувствует. Равного доверия к себе заслуживает и ребенок, питающийся из бутылочки.

Об этом необходимо упомянуть из-за частого нарушения аппетита у детей на искусственном вскармливании. У них пропадает аппетит, и они совсем отказываются от пищи или капризничают, когда их пытаются кормить насильно. В девяти случаях из десяти это происходит потому, что мама с младенчества заставляет свое чадо есть больше, чем тому нужно. Когда вам удается заставить ребенка проглотить несколько лишних ложек, вам кажется, что это пойдет ему во благо. Глубокое заблуждение! Во время следующего кормления он недоберет то, что сейчас перебрал. Организм малыша прекрасно определяет не только нужное количество пищи, но и ее ценность для его организма. Перекармливание со временем ведет к уменьшению аппетита, и тогда организм перестает получать необходимое количество калорий или витаминов.

В перспективе перекармливание убьет у ребенка аппетит, и он будет расти худым и слабым. Более того, оно отнимет у малыша радостное отношение к миру. Первый год своей жизни проголодавшийся ребенок должен требовать пищи, добиваться ее, а получив, наслаждаться ею, получать удовлетворение от чувства сытости. И так день за днем, неделю за неделей. Этот постоянно повторяющийся цикл делает его уверенным в себе, воспитывает в нем дружелюбие, учит доверять матери. Но если ему **навязывают** еду, его самолюбие будет ущемлено, и он будет защищаться — станет капризным и раздражительным, начнет с подозрением относиться к людям.

Я не предлагаю отбирать у ребенка бутылочку, как только он на секунду выпустит изо рта соску. Многие дети любят делать небольшие перерывы во время кормления. Однако если он проявляет равнодушие, когда вы предлагаете соску (и это не следствие воздушного пузыря у него в желудке), значит, он сыт и доволен окружающим, а вы можете быть довольны им и собой. Конечно, вы можете сказать себе: «Пусть полежит с соской еще минут десять. Вдруг да высосет немного». Но лучше не делайте этого.

193. Если ребенок просыпается сразу после кормления. Отчего ребенок, получив 120–150 г смеси, вскоре просыпается и начинает громко плакать? Скорее всего, причина не в голоде, а в воздушном пузыре в животике, коликах или просто в плохом настроении. Малыш не заметит разницы, если не доест несколько десятков граммов, он будет спать до следующего кормления и проснется лишь **чуть** раньше положенного срока.

Не будет ничего страшного, если вы дадите ему бутылочку с оставшейся смесью. Но лучше сразу предположить, что сон был прерван не голодом. Дайте малышу возможность снова заснуть — с пустышкой либо без нее. В любом случае постарайтесь отложить кормление на 2–3 часа.

194. Ребенок съедает только половину порции. Иногда по возвращении из роддома мать обнаруживает, что ребенок выпивает всего половину положенной порции и тут же засыпает. А ведь в больнице ее убеждали, что аппетит у ее малыша отменный. Мама пытается заставить ребенка съесть еще хотя бы 20 г, но он сосет еле-еле, и кормление превращается в долгую, нудную, тяжелую работу. В чем же дело? Скорее всего, малыш еще «не проснулся». Некоторые дети в первые 2–3 недели выглядят вялыми, а потом к ним вдруг приходят активность и жизнерадостность.

В такой ситуации лучше оставить ребенка в покое и позволить ему есть столько, сколько он хочет. А вдруг он, почувствовав голод, проснется задолго до положенного срока? Ответим: может быть, проснется, а может быть, нет. «Но мне самой не придется спать, и я буду вынуждена только и делать, что кормить его», — скажет мама. Не волнуйтесь раньше времени — у страха глаза велики, а на деле все окажется не так плохо. Если ребенок уснет, не наевшись до конца, он почувствует голод к следующему кормлению и с аппетитом съест больше. И так от раза к разу. Соответственно будут увеличиваться и периоды сна. Помогите ему в этом, затягивая ненамного кормление, пока интервалы не станут равными двум, потом двум с половиной и наконец трем часам. Не выхватывайте малыша из колыбели, как только он заворочается, подождите немного. Пусть попытается снова заснуть. Если он не успокоится, дайте ему бутылочку.

Ваша излишняя настойчивость заставить ребенка сразу выпить всю бутылочку приведет к равнодушному отношению к еде.

Если через несколько дней аппетит не наладится, а поблизости не окажется доктора, который даст вам хороший совет, начните кормить малыша разбавленной смесью (см. пункт 179). Когда он начнет проявлять недовольство, переходите на обычную рецептуру.

195. Ребенок, получив бутылочку, нервничает или быстро засыпает. Причина, скорее всего, в том, что отверстие в соске засорилось или слишком мало. Переверните бутылочку и проверьте, вытекает ли смесь тонкой струйкой. При необходимости увеличьте размер отверстия, как говорилось в пункте 190.

Причины, по которым более старшие дети отказываются сосать, были рассмотрены в пункте 101.

196. Сколько времени можно использовать бутылочку со смесью, достав ее из холодильника? Как только вы достали бутылочку из холодильника и подогрели смесь до любой температуры, в молоке начинают быстро размножаться бактерии. Поэтому не стоит давать ребенку бутылочку, простоявшую несколько часов в доме или машине. И не важно, пил уже из нее малыш или она полная.

Собираясь вместе с малышом надолго покинуть дом, достаньте бутылочку из холодильника и сразу же положите ее в специальную сумку-термос или оберните ее в десять слоев бумаги, которая хорошо хранит тепло.

Если ваш малыш засыпает, не допив бутылочку, уберите ее в холодильник и дайте снова во время следующего кормления. После второго использования вылейте оставшуюся смесь — использовать ее в третий раз опасно.

197. Отучайте ребенка от бутылочки на втором году жизни. Одних родителей тревожит привычка ребенка на втором году жизни ложиться спать с бутылочкой, другие не обращают на это внимания. Если вы относите себя к первой категории, прислушайтесь к нашему совету. После пяти месяцев у малышей появляется желание сосать бутылочку самому, сидя в кроватке, а не на руках у матери. Они чувствуют себя достаточно взрослыми, чтобы освободить маму от кормления. Разумеется, мама с радостью оставляет бутылочку, и ребенок сосет ее, пока не засыпает. Это действительно удобно, но со временем входит в привычку, ребенок просто не может заснуть без бутылочки в руках (см. пункт 231). Когда мама пытается отнять бутылочку, то даже двухлетний ребенок, бывает, капризничает, кричит и подолгу не засыпает. Если вы собираетесь отлучить ребенка от соски до года, что весьма желательно, старайтесь кормить его, сажая к себе на колени.

Однако если вы считаете бутылочку хорошим успокаивающим средством для младенца и не испытываете беспокойства по поводу его привыкания к ней, можете поступать по-своему — вреда ребенку не будет.

Витамины и вода

Значение витаминов для новорожденных

198. Маленьким детям часто не хватает витаминов D и C. (Об этих витаминах подробно рассказано в пунктах 428 и 429.) В коровьем молоке и в твердой пище для детей раннего возраста витаминов недостаточно.

В грудном молоке витамина C больше, особенно если мать ест много овощей и фруктов, в частности цитрусовых (см. пункт 421), но витамина D все равно не хватает. Ребенок на искусственном вскармливании должен ежедневно получать дополнительно 25–50 мг витамина C в виде различных препаратов. Позже их можно заменить 50 г апельсинового сока. То же можно давать детям, которых кормят грудью, кроме пользы от этого ничего не будет.

По стандартам Соединенных Штатов, в одном литре пастеризованного молока содержится 400 единиц витамина D. Столько же витамина в разбавленном наполовину сгущенном молоке. Этого достаточно, чтобы ребенок не заболел рахитом. Груднички должны ежедневно получать в виде препаратов 500 единиц витамина D.

Обычной практикой стало давать как грудничкам, так и «искусственникам» препарат, содержащий три витамина: A, C и D. К бутылочке с микстурой прикладывается пипетка с делениями на 0,3 и 0,6 мл. В пипетку набирают прописанную врачом дозу и вливают в рот младенцу перед одним из дневных кормлений.

Если врач не прописал иначе, давайте ребенку круглый год по 0,3 мл микстуры ежедневно. Начинать можно с месячного возраста и даже раньше. Таким образом, ребенок будет получать 500 единиц витамина D, 2500 единиц витамина А и 25 мг витамина С. Некоторые врачи рекомендуют дозу 0,6 мл препарата, но больше давать не следует, потому что излишек витамина D может принести вред.

199. Мультивитамины. В таких препаратах, кроме указанных выше, содержатся витамины группы В. С молоком и кашами дети получают достаточно витамина В, поэтому постоянно принимать мультивитамины нет необходимости.

200. Апельсиновый сок. Когда малышу исполнится несколько месяцев, доктор, возможно, посоветует включить в его рацион апельсиновый сок. Вы можете выжать свежий сок из апельсина или купить замороженный, а также консервированный сок. Поначалу сок лучше разводить кипяченой водой, чтобы смягчить его вкус. Начинайте с одной чайной ложки сока и одной чайной ложки воды. На следующий день возьмите по две чайные ложки того и другого. На третий день — по три ложки. И так далее, пока порция не достигнет 60 г разбавленного сока. Потом начинайте постепенно уменьшать количество воды, заменяя ее соком, пока малыш не будет получать ежедневно по 60 г чистого сока. Прежде чем налить сок в бутылочку, надо профильтровать его, чтобы мякоть не закупорила отверстие соски. Из бутылочки ребенок сосет сок до 5–6 месяцев, после чего следует поить его из чашки. Апельсиновый сок дают обычно перед купанием, потому что ребенок не будет спать почти час перед следующим кормлением. Сок должен быть комнатной температуры или чуть подогретым. Не нагревайте сильно, так как при этом разрушается витамин С.

Большинство детей с удовольствием пьют сок, и это не вызывает проблем с пищеварением. Однако у некоторых детей возникают расстройства желудка или появляется сыпь. Лишь немногим малышам апельсиновый сок сразу придется не по вкусу или, начав пить его, они откажутся от него позднее. Подождите месяц или два, а пока попробуйте заменить апельсиновый сок томатным. К сожалению, ребенок, которому не нравится апельсиновый сок, вряд ли полюбит томатный. Если вам по какой-либо причине не удается заставить малыша принимать необходимое количество витамина С с соком, продолжайте давать ему витаминные препараты.

Питьевая вода

201. Одни дети с удовольствием пьют воду, другие от нее отказываются. Один-два раза в день предлагайте своему малышу попить водички. Делать это надо между кормлениями. Вообще говоря, пить воду малышу необязательно, поскольку с молочной смесью он получает достаточно жидкости, чтобы обеспечить все свои потребности. Необходимость в дополнительном питье возникает лишь в очень сильную жару или когда у ребенка высокая температура. Дети, обычно отказывающиеся от воды, в жару с удовольствием пьют ее.

Как правило, новорожденный ребенок не очень расположен пить воду до достижения им года. Он спокойно воспринимает воду в составе молочных смесей, но обижается, когда вы предлагаете чистую воду. Если ваш малыш не столь капризен, предлагайте ему попить в перерывах между кормлениями, но не перед самой едой. Давайте ему столько воды, сколько он хочет. Скорее всего, больше 60 г он за один раз не выпьет. Но не настаивайте, если ребенок отказывается. Он прекрасно знает свои потребности и ваш излишний пыл вызовет только его досаду.

Для питья ежедневно кипятите достаточное количество воды и держите ее в стерилизованной бутылке. Когда будете предлагать ее малышу, отлейте в бутылочку примерно 50 г.

Ребенок до года должен пить только кипяченую воду. Если вы не уверены, что у вас в колодце или в водопроводе абсолютно чистая вода, продолжайте и дальше поить малыша кипяченой водой.

Если вы берете воду из колодца или артезианской скважины, еще до рождения ребенка ее надо проверить в лаборатории на наличие бактерий и нитратов. Нитраты в питьевой воде вызывают у маленьких детей посинение губ и кожи.

202. Подслащенная вода. Не желая пить обычную воду, малыш, возможно, с удовольствием выпьет сладкую. Особенно полезно давать ему сладкую воду, когда вы пытаетесь отучить его есть по ночам или когда у малыша недостаточный аппетит, например, во время болезни или в жаркую погоду.

На 0,5 л воды положите 1 столовую ложку сахара или кукурузного сиропа и кипятите не менее 3 минут.

203. Не надо кипятить все подряд. Молочную смесь и бутылки для нее стерилизуют потому, что в молоке быстро размножаются бактерии. Питьевую воду надо кипятить, потому что и в ней могут оказаться микробы, попавшие в колодец или в водопровод. Чрезмерно заботливые мамы из страха перед заразой готовы стерилизовать все, что попадает в рот ребенка. На самом деле нет причин для столь сильного беспокойства по поводу других детских продуктов. Совершенно необязательно стерилизовать тарелки, чашки и ложки, которыми пользуется ребенок, — на чистой и сухой поверхности микробам не выжить. Конечно, следует вымыть снаружи апельсин, поскольку его, возможно, касались руки больного человека. Зато нож, которым вы его режете, достаточно просто помыть. В апельсиновом соке, приготовленном за 10 минут до употребления, бактерии не успеют развиться.

Кольца для десен, пустышки и игрушки, которые ребенок наверняка потянет в рот, надо предварительно вымыть с мылом. После этого они не опасны, пока не упадут на пол.

Изменения в рационе и расписании кормлений

Все изменения в рационе ребенка должны проводиться по рекомендациям врача, который наблюдает вашего ребенка и знает состояние его пищеварительной системы. Наши советы в этой главе предназначены в первую очередь тем, кому сложно часто обращаться к врачу.

Как включить в меню твердую пищу

204. Никто точно не знает, когда надо начинать кормить ребенка твердой пищей. Полвека назад считалось, что пюре или каши следует предлагать ребенку на втором году жизни. Шло время, врачи проводили все новые и новые эксперименты и убедились, что ребенок может есть твердую пищу гораздо раньше, получая при этом ощутимую пользу. Сейчас признано, что уже в первые полгода в рацион малыша можно включать твердые продукты. Замечено, например, что в этом возрасте ребенок легче воспринимает изменения в своем меню. Кроме того, из твердой пищи детский организм получает микроэлементы, например, железо, которых явно не хватает в молоке.

С точки зрения современной медицины, впервые твердую пищу можно дать ребенку между вторым и четвертым месяцем. Излишняя поспешность здесь не нужна. Первые три месяца ребенку вполне хватает калорий, получаемых из материнского молока, а его пищеварительная система еще не приспособлена перерабатывать крахмал — основу твердой пищи, и он будет выводиться из организма с калом.

Очень важно знать, были ли в семье случаи аллергии, тогда доктор, возможно, предложит отложить кормление твердой пищей. Ведь чем старше ребенок, тем меньше он подвержен различным аллергическим реакциям.

Решение доктора зависит также от состояния пищеварительных органов ребенка и количества молока у матери. Если восьминедельному малышу не хватает материнского молока, то врач вместо молочной смеси иногда советует включать в рацион твердую пищу. С другой стороны, детей с частыми расстройствами желудка и кишечника обычно стараются подольше подержать на материнском молоке и молочных смесях, чтобы не усугубить ситуацию. Зачастую сами матери спешат начать кормить ребенка твердой пищей, потому что слышали, что соседского младенца уже вовсю кормят кашами, и стараются не отставать. К сожалению, врачи часто отступают перед давлением родителей. На мой взгляд, следует дождаться, пока ребенку не исполнится 3 месяца.

205. До или после кормления молоком? Дети, которые еще не привыкли к твердой пище, ощущая голод, ждут появления на губах вкуса молока. Почувствовав во рту ложку с чем-то незнакомым, они начинают сердиться. Так что лучше сначала дать им пососать грудь или соску. Через один-два месяца, когда ребенок поймет, что твердая пища утоляет голод не хуже молока, попробуйте предложить твердую пищу в начале кормления или в середине. Со временем почти все дети предпочитают начинать с твердой пищи, оставляя вкусное молоко на десерт. Такой же порядок свойствен и нам, взрослым. Кратко об этом упомянуто в пункте 763.

206. Какая должна быть ложка? Для маленького ротика ребенка чайная ложка слишком широка и слишком глубока, поэтому он не может слизать с нее все содержимое. Намного удобнее маленькие кофейные ложечки. Некоторые мамы предпочитают пользоваться лопаточками для намазывания масла на бутерброды или деревянными лопаточками, с помощью которых врачи осматривают горло больных, — такие лопаточки вы можете купить в аптеке. Там же продаются и специальные ложки с резиновым покрытием — дети, у которых режутся зубы, с удовольствием чешут о них десны. Для малышей, которые пытаются есть самостоятельно, делают ложки с шарнирным креплением ручки.

207. Каши. Обычно первым блюдом малыша бывает каша. Единственным недостатком каш можно считать непривычный для ребенка вкус, поэтому вначале такая пища ему не нравится. Разные дети предпочитают ту или иную кашу, но хорошо, если они познакомятся со всем их разнообразием.

208. Дайте ребенку время привыкнуть к новой пище. Врачи обычно рекомендуют начинать с малых порций — примерно с одной чайной ложки. Если каша малышу понравится, потихоньку увеличивайте порцию до 2–3 столовых ложек. Постепенность нужна, во-первых, чтобы ребенок усвоил новый вкус и чтобы он ему понравился, а во-вторых, резкое увеличение количества твердой пищи может привести к расстройству желудка. Подождите, пока ребенок не станет проявлять признаков удовольствия, тогда можно предложить ему побольше.

Смотреть на малыша, когда он впервые пробует новую еду, и забавно, и трогательно. Он выглядит озадаченным и немного растерянным. Морщит носик и лобик. Кто же осмелится винить его за это? Все для него ново: и вкусовые ощущения, и необычная консистенция, и непонятный твердый предмет во рту. Когда ребенок сосал молоко через соску, оно само попадало, куда следовало, а как быть с комком пищи? Как захватить его языком и протолкнуть дальше? Малыш пытается прижать язык к небу, и большая часть пищи выдавливается обратно и течет по подбородку. Аккуратно снимите кашку ложечкой и влейте обратно в рот. Почти все снова окажется на подбородке, но кое-что все же отправится по назначению. Будьте терпеливы — скоро ребенок привыкнет, и кормление пойдет гораздо лучше.

Не так важно, в какое из кормлений давать кашу в первый раз. Но все же старайтесь сделать это, когда малыш сильно голоден. Лучше использовать для этого кормление в 10 часов утра или в 6 часов вечера.

Разбавьте кашу молочной смесью или молоком, и она станет более жидкой, чем советует надпись на коробке. Ребенок почувствует привычный вкус, и проглотить ее будет проще. Учтите также, что малышам не по вкусу липкая пища. Если ребенок находится на искусственном вскармливании, то для разведения каши используйте часть смеси, предназначенной для кормления. Тем не менее встречаются младенцы, которые замечают малейшее изменение в количестве молочной смеси, которую они получают через соску. В этом случае, а также для грудничков разводите кашу пастеризованным молоком. Посоветуйтесь с доктором, и если он сочтет это безвредным, можете даже не кипятить молоко. Не имея дома свежего молока, смешайте в равных долях сгущенное молоко и воду. Разумеется, можно брать для каши и простую воду, но вряд ли такое кушанье понравится вашему малышу.

209. Из чего варить кашу? Большинство родителей предпочитают готовить кашу из полуфабрикатов, специально предназначенных для детского питания. Выпускается множество таких продуктов. Перед употреблением их нужно только развести жидкостью — очень удобно. Детские каши специально обогащают железом, в котором остро нуждается организм, пока ребенок не начнет есть яйца. Анемия из-за недостатка железа — обычное заболевание у детей до года. Если родители подвержены аллергии, наверное, стоит подождать с включением в рацион ребенка каши. Начинать можно с каш из риса, овсяных хлопьев, кукурузной и ячневой круп. С кашами из пшеничной крупы лучше повременить несколько месяцев, потому что они чаще вызывают диатез. Не стоит также варить кашу из смеси круп, пока у малыша не выработается положительная реакция на отдельные компоненты.

Если вы собираетесь кормить ребенка теми же кашами, которые варите для остальных членов семьи, то начинать лучше с манной крупы. Благодаря мелкому помолу манная каша имеет более нежную консистенцию. К пяти-шести месяцам можно переходить на кашу из дробленой пшеницы, овса, кукурузной крупы и риса. Некоторых детей овсяные и пшеничные каши слабят, поэтому лучше подождать, пока они немного подрастут. Каши из пшеничной, овсяной и ячневой круп богаты витаминами и белками. Для лучшего вкуса подсаливайте их.

210. Некоторые дети не желают есть кашу. Спустя несколько дней вы поймете, как ваш малыш воспринял новшество. Ребятишки своим видом как бы говорят: «Это непонятная еда, но поскольку после нее я становлюсь сытым, то не буду от нее

159

отказываться». Со временем они проявляют все больше и больше энтузиазма. Увидев ложку, они широко открывают рот, словно птенцы в гнезде.

Но есть дети, которые уже на второй день решают, что новая пища им не подходит. На третий день они начинают относиться к ней еще более отрицательно. Если и ваш малыш повел себя таким образом, будьте осторожны. Не нервничайте и не пытайтесь кормить его против воли, иначе он будет становиться с каждым разом все более агрессивным. Кормление превратится в мучение. Через неделю-другую малыш начнет с подозрением относиться и к бутылочке с прежде любимой молочной смесью. Чтобы не усугубить ситуацию, предлагайте ему кашу не чаще раза в день. Давайте ее совсем немного — на кончике ложки. Попробуйте добавить сахар, может быть, сладкая каша ему понравится. Если через несколько дней все ваши ухищрения не принесут результата, отложите дальнейшие попытки на несколько недель. Когда вы попробуете снова и ощутите сопротивление, сообщите врачу.

На мой взгляд, вы сделаете серьезную ошибку, пытаясь настаивать на своем, когда впервые даете ребенку твердую пищу. Это может стать началом больших проблем с кормлением, которые проявятся много позже. Даже если все обойдется, ни вам, ни ребенку не принесет пользы ненужная борьба.

Если вам не с кем посоветоваться, то я бы предложил начать не с каши, а с фруктов. Первое кормление также может пройти не очень гладко, но через один-два дня практически все дети приходят к выводу, что фрукты очень вкусны. А уже через две недели все, что вы даете ребенку с ложки, покажется ему не только приемлемым, но и желанным. Теперь можно еще раз попробовать предложить ему немного каши.

211. Фрукты. Обычно их включают в рацион через несколько недель после того, как малыш первый раз получил кашу. Некоторые педиатры считают, что с фруктов надо начинать, потому что дети быстрее к ним привыкают.

До восьми месяцев детям дают фрукты только в тушеном виде. Исключение можно сделать для спелых бананов. Среди приемлемых для малыша фруктов — яблоки, персики, груши, абрикосы, чернослив и ананасы. Продаются специальные фруктовые консервы для детей. Можно также потушить для всей семьи свежие или замороженные фрукты, а для малыша протереть их. Кроме того, добавьте в них сахар, чтобы смягчить кислый вкус. Разрешается давать детям фрукты из консервированного компота, который вы предлагаете взрослым членам семьи. Но надо учитывать, что сироп, в котором находятся фрукты, слишком сладок для грудного ребенка, поэтому прежде чем протирать фрукты через ситечко или мелкую терку, слейте излишки сиропа.

Фрукты можно включать во время любого кормления, причем до двух раз в день, если у малыша все в порядке с аппетитом и со стулом. Лучше всего делать это в 14 часов и в 18 часов.

Количество фруктового пюре надо увеличивать постепенно, по мере привыкания. Большинству детей достаточно в день половины баночки детского питания. На следующий день малыш съест остальное. В холодильнике протертые фрукты можно хранить до трех дней. Не кормите ребенка пюре прямо из баночки, если он не доест ее до конца, туда может попасть слюна, и продукт испортится.

Если вы даете малышу бананы, то выбирайте самые спелые, с черными пятнышками на кожуре. Предварительно разомните мякоть вилкой и добавьте немного молока или молочной смеси, иначе ему будет трудно глотать.

Считается, что фрукты обладают послабляющим действием. Однако у подавляющего большинства детей при употреблении в пищу перечисленных выше фруктов не наблюдается ни колик, ни расстройства стула. Исключением является лишь чернослив. Но и этот недостаток можно обратить во благо, давая в одно из кормлений пюре или сок из чернослива детям, склонным к запорам. В другое кормление предложите малышу другие фрукты.

Если у ребенка часто расстраивается стул, не стоит включать в его меню чернослив и продукты из него, а другие фрукты давайте по разу в день.

Между полугодом и годом можно включать в рацион свежие фрукты или заменять тушеные фрукты свежими. Например, хороши тертые яблоки, груши, авокадо. Ягодами и виноградом детей обычно начинают кормить с двухлетнего возраста.

212. Овощи. Протертые вареные овощи предлагают через две-три недели после того, как ребенок начнет с удовольствием есть кашу, фрукты или оба эти блюда.

Малышу можно давать фасоль, горох, шпинат, томаты, тыкву, морковь, свеклу, картофель, сельдерей.

Некоторые другие овощи, например брокколи, цветная и кочанная капуста, репа, лук, детям часто не нравятся из-за сильного запаха. Поэтому нет смысла даже пробовать кормить ими малышей. Тем не менее, если в вашей семье любят блюда из ароматных овощей, то можете и ребенка с раннего возраста приучать к ним. Надо только уменьшить запах, вываривая овощи в двух водах. Не пытайтесь давать кукурузу, поскольку ее зерна имеют очень твердую, плохо перевариваемую оболочку.

Перед употреблением свежие или мороженые овощи необходимо отварить и протереть. Можно купить консервированные овощные пюре, уже готовые к употреблению. Консервированные овощи также подходят, но их надо протирать.

К овощам малыши относятся куда более разборчиво, чем к кашам или фруктам. Начав кормить ими ребенка, вы очень скоро выясните, что от того или иного вида овощей он будет категорически отказываться. На настаивайте, а через месяц попробуйте еще раз. Стоит ли ограничиваться каким-то видом продуктов, когда перед вами практически неограниченный выбор? Дети с гораздо большим удовольствием будут есть овощи, если их немного посолить. Кстати, это вовсе не повредит их здоровью.

В кале ребенка иногда обнаруживаются непереваренные овощи. Ничего страшного в этом нет, если стул не очень жидкий и в нем нет слизи. Однако следует в этом случае увеличивать количество овощей медленно, чтобы пищеварение малыша адаптировалось к ним. Если же после овощного блюда стул будет жидким или со слизью, исключите это блюдо из рациона примерно на месяц.

После употребления свеклы кал и моча могут приобрести красный оттенок, но это обычные последствия, и если вы не забыли, что кормили ребенка свеклой, то необычный вид испражнений вас не должен пугать.

Шпинат может вызвать растрескивание губ, а также кожи в области заднего прохода. В таком случае откажитесь от этого блюда на несколько месяцев.

Детей, как грудных, так и более старших, которые питаются три раза в день, овощами лучше кормить в 14 часов.

Приготовьте несколько столовых ложек вареных овощей или половину баночки детских овощных консервов. Неиспользованную часть можете дать на следующий день, если будете держать ее в холодильнике. Сваренные овощи хранятся очень плохо. Не кормите ребенка овощами прямо из баночки, если он не доест ее содержимое до конца, туда может попасть слюна, и продукты испортятся.

213. Яйца. Яичный желток играет важную роль в питании маленьких детей благодаря высокому содержанию в нем железа. Железо участвует в образовании красных кровяных телец, а организм малыша начинает нуждаться в нем уже к середине первого года жизни, когда оказываются исчерпанными резервы, накопленные к моменту рождения. В материнском молоке железа практически нет, в других же продуктах его может быть совсем немного. Правда, железом обогащают полуфабрикаты для детских каш.

Когда вы начинаете кормить ребенка яйцами, будьте очень осторожны, потому что часто при этом возникает аллергическая реакция. Риск будет еще больше, если в вашей семье кто-то страдает аллергией. Аллергия у маленьких детей обычно проявляется в виде экземы на лице и за ушами. Кожа в этих местах становится шершавой, краснеет и начинает шелушиться. Потом она начинает мокнуть, покрываться коркой, зудеть.

Чтобы избежать аллергии, необходимо соблюдать некоторые предосторожности. Так, примерно до года следует давать малышу только желток, ибо в нем сосредоточено железо, тогда как основным аллергеном является белок. Кроме того, яйцо варят вкрутую, уменьшая тем самым его вредные свойства. Кстати, и другие продукты после длительной кулинарной обработки вызывают гораздо более слабую аллергическую реакцию. Начальная порция желтка должна составлять около четверти чайной ложки, а потом, если нет отрицательного эффекта, ее можно постепенно увеличивать.

Итак, варите яйцо примерно 20 минут, удалите белок, а желток покрошите. Ребенку может не понравиться его вкус, поэтому подсолите желток или добавьте его в кашу или в овощи.

Если он будет отказываться от сдобренной яйцом пищи, не упорствуйте.

Включать желток в пищу ребенка можно с 5 или 6 месяцев, хотя некоторые педиатры не советуют делать этого до достижения восьмимесячного возраста.

Если доктор не советует иначе и в вашей семье никто не страдает аллергией, можете попробовать дать ребенку желток в 4 месяца. Однако дождитесь 9 месяцев, прежде чем готовить малышу омлет или яйца всмятку. Поступайте с ними, как с новыми продуктами: начинайте с маленькой порции и постепенно увеличивайте ее.

Яйца можно предлагать на завтрак, обед и ужин. Когда в рационе малыша появится мясо, готовьте яйца на завтрак и ужин.

214. Мясо. Исследования питательных свойств мяса показали, что оно уже на первом году жизни очень полезно детскому организму. Поэтому врачи рекомендуют давать мясо уже в возрасте 2–6 месяцев. Мясо должно быть очень тонко измельченным, чтобы малыш мог глотать его не пережевывая, пока у него не появятся зубы.

В магазинах продаются специальные консервы с детским питанием из говядины, говяжьего сердца и печени, а также баранины, телятины, свинины и курятины. Не кормите ребенка мясом прямо из баночки, если он не доест ее до конца, туда может попасть слюна, и продукты испортятся. Можно приготовить мясо и самостоятельно. Проще всего взять для этого мякоть говядины или молодого барашка. Тупым ножом или столовой ложкой размельчите мясо. Полученную нежную массу положите в формочку и готовьте на водяной бане. Готовность можно определить по изменению цвета продукта. Чтобы мясо было более сочным, добавьте к фаршу немного молока или воды. Можно предварительно слегка обжарить мясо для стерилизации поверхностного слоя, а потом размельчить столовой ложкой. Если вы готовите печень, то сначала сварите ее, а потом протрите через сито или мелкую терку. Свинина требует длительной термической обработки. Для лучшего вкуса мясо нужно подсолить.

Когда малыш освоит блюда из скобленого мяса, размельенного ножом, попробуйте провернуть его через мясорубку после предварительной обжарки. Не используйте для питания малышей готовый фарш, потому что в таком продукте осемененный микробами поверхностный слой перемешивается с остальной массой. Кроме того, в фарш попадают жир и обрывки сухожилий.

Если вашему малышу понравится рубленая говядина, начните давать ему в том же виде мясо молодого барашка, курицу, телятину, бекон, свинину.

215. Мясные супы. В продаже есть богатый выбор консервированных супов, предназначенных для детского питания. В них немного мяса и овощей, а основу составляют крупы — обычно рис или перловка. Поэтому сочетайте супы с другими блюдами, рассматривая их в первую очередь как источник углеводов, а не белков.

Если малыш подвержен аллергии, не давайте ему суп, пока не проверите, как действует на его организм каждый ингредиент.

Мясные супы начинайте готовить после того, как ребенок распробует вкус мяса.

216. Питание детей после полугода. Следующие рекомендации мы предлагаем тем, у кого нет возможности постоянно консультироваться с врачом. К этому времени в рационе малыша уже присутствуют каши, яичный желток, различные виды фруктов, овощей и мяса. Для ребенка со средним аппетитом дневное меню должно включать следующие блюда: каша и яичный желток на завтрак, овощи и мясо на обед, каша и фрукты на ужин. Только не следуйте нашим советам, как догме. Прежде всего принимайте во внимание распорядок жизни вашей семьи и аппетит малыша. Например, если его аппетит оставляет желать лучшего, на завтрак предложите ему фрукты и яйцо, на обед — овощи и мясо, а на ужин — только кашу. При склонности к запорам давайте ему каждый вечер чернослив с кашей и какие-нибудь другие фрукты на завтрак. Не исключайте ребенка из жизни остальной семьи, например, угостите его на ужин, как и всех остальных, мясом и овощами, а на обед — кашей и фруктами.

217. Пудинги и запеканки. Пудинги не имеют для ребенка такого значения, как другие блюда. Они ничего не добавят к его рациону. Кроме того, на их приготовление уходит много времени. На десерт гораздо лучше предложить малышу фрукты. Тем не менее если вы для остальных членов семьи приготовили пудинг или запеканку, поделитесь ею и с маленьким. По достижении ребенком 6 месяцев он может полакомиться пудингом на обед или ужин.

В некоторых случаях запеканки могут сослужить хорошую службу. Так, в возрасте около года ребенок теряет интерес к молоку и отказывается пить его. Вы можете «обмануть» его, предложив пудинг, в рецепт которого почти всегда входит молоко. Есть редкий тип детей, которые насыщаются, съев буквально пару ложек любого блюда. Но они охотно отведают кусочек пудинга в качестве дополнительного десерта, например после фруктов. На ужин запеканка с овощами или фруктами может заменить нелюбимую малышом кашу.

К наиболее простым и полезным блюдам относятся пудинги на молоке (творожная запеканка), молоке и яйцах (крем из яиц и молока), молоке и крахмале (рисовая запеканка, пудинги с тапиокой и кукурузным крахмалом). На десерт можно дать и желе, ценность которого заключается отнюдь не в желатине, а во фруктах, из которых делают желе.

В магазинах продают готовые пудинги специально для детского питания. Не кормите ребенка прямо из баночки, если он не доест ее до конца и туда попадет слюна, продукты испортятся. В готовых пудингах на кукурузном крахмале, которые делают для взрослых, слишком много сахара, и их лучше не давать маленьким детям.

Итак, если ваш ребенок охотно ест фрукты и не страдает при этом расстройством желудка, не отказывается от молока, хорошо набирает вес, нет никаких причин готовить ему пудинги и запеканки, если только у вас самой не возникнет желания. В этом случае к пудингу хорошо добавить свежие или тушеные фрукты.

218. Картофель и другие продукты, богатые крахмалом. Содержащий большое количество углеводов картофель хорошо предложить голодному ребенку на обед или заменить им кашу на ужин. Помимо крахмала в картофеле имеется немало железа, минеральных солей и витамина С. Поэтому он очень полезен для детского организма.

Вареный и жареный картофель можно включать в рацион малыша по достижении им полугода. Наиболее подходящий момент для этого — переход на трехразовое питание. Тогда перерыв между обедом и ужином составит 5 часов, и углеводы картофеля все это время будут снабжать детский организм энергией.

Перед тем как предложить малышу блюда из картофеля, вам нужно кое-что узнать об этом продукте. Как правило, дети привыкают к нему хуже, чем к чему-либо другому. Может быть, тому причиной его зернистая структура или клейкая консистенция. Поэтому на первых порах как следует разминайте картофель в пюре и разводите его молоком до жидкой консистенции. Для вкуса добавляйте соль. Если малыш будет отказываться, примерно на месяц откажитесь от намерения кормить его этим блюдом.

Если ваш ребенок весит достаточно и сыт после обеда из овощей, мяса, молока и фруктов, не спешите потчевать его картофелем — его меню и так насыщено всеми необходимыми питательными веществами.

Вместо картофеля иногда давайте ребенку макароны или лапшу, предварительно размельчив их.

219. Рыба. С 10–12 месяцев можно включить в меню малыша нежирную рыбы, например камбалу или пикшу. Разварите рыбу в кипятке или, положив в формочку и залив молоком, готовьте на водяной бане. Можно дать ребенку рыбу, которую вы сварили или поджарили для всей семьи, но в этом случае разомните кусок рыбы пальцами на отдельные волокна и следите, чтобы среди них не попадались кости.

Попробуйте дать ребенку на обед рыбу вместо мяса. Некоторые дети воспринимают такую замену с радостью. Другие отвергают новшество, и в этом случае ваша настойчивость только повредит.

Жирная рыба, вроде макрели, может расстроить желудок малыша. Кроме того, детям не нравится ее вкус.

220. Еда руками. В 6–7 месяцев у ребенка появляется желание взять кусочек пищи в руки и попробовать пососать   ли пожевать его. Это будет для него хорошей тренировкой перед переходом к ложке, который произойдет в годовалом возрасте.

Если не позволить ему самому поесть руками, вам будет сложнее приучить его позже пользоваться ложкой.

При первых попытках самостоятельно поесть дайте малышу корочку черствого хлеба или сухарик. Малыш будет сосать его или попробует жевать деснами. Если у ребенка уже готовы прорезаться зубы, то подобные ощущения доставят ему огромное удовольствие. Постепенно хлеб пропитается слюной, станет мягким, и часть его попадет в рот. Основная же масса останется на руках, лице, волосах малыша и окружающей мебели.

К девяти месяцам пищу малыша уже можно не перетирать, а лишь разминать. Оставляйте целые фасолинки или куски моркови. Ребенок будет брать их в руки вместе с волокнами мяса и отправлять в рот. Он сможет жевать также ломтики яблока или груши.

Обычно у ребенка первые зубы начинают резаться примерно в семимесячном возрасте. К году у него появляется 4–6 резцов. Однако коренные зубы начнут расти только в год с четвертью. Следовательно, ожидать, что до этого момента он сможет по-настоящему пережевывать пищу, будет явным преувеличением.

221. Пища кусочками. В возрасте между семью месяцами и годом пора давать малышу пищу с неразмятыми кусочками. Если долго кормить его только кашами и пюре, то потом будет гораздо труднее заставить его нормально жевать. Многие почему-то думают, что ребенок не в силах одолеть целые куски, пока во рту не будет полного набора зубов. Это совсем не так. Он способен одними деснами и языком справиться не только с вареными овощами или фруктами, но и с сухариком.

Некоторые дети давятся комками в пище. Как правило, это следствие слишком резкого либо запоздалого перехода от размятой и протертой пищи к обычной. А может быть, мама дает ему пищу кусочками, когда он еще к этому не готов.

Чтобы не было неприятностей, воспользуйтесь одним из следующих советов. Первый совет: делайте все постепенно. Предложите ребенку вареные овощи, предварительно размяв их вилкой. Во время еды следите, чтобы малыш не набивал рот. Когда оч освоится с такой консистенцией, дайте ему чуть более грубую пищу. И так далее. Второй совет: пусть ребенок сам познакомится с пищей в виде отдельных кусков. Разрешите ему, например, взять в руки кубик вареной моркови и положить себе в рот. Вскоре такой способ питания станет привычным. Учтите, что больше всего раздражает ребенка полный рот кусочков, которые он не может ни разжевать, ни проглотить.

Итак, впервые предложите малышу пережевывать пищу примерно в 9 месяцев. Угостите его вареными овощами или тушеными фруктами с общего стола либо купите консервированные продукты, нарезанные кусочками.

Совсем не обязательно полностью исключать пюре из меню ребенка. Важно только, чтобы он каждый день хотя бы понемногу работал челюстями.

А вот мясо должно быть мелко порубленное или протертое. Большинство детей подолгу пережевывают куски мяса, давятся, но так и не решаются их проглотить, как сделал бы взрослый. Все это вызывает у них отрицательное отношение к мясной пище и снижает аппетит. Проблемы, возникающие при глотании, обсуждаются также в пункте 609.

222. Меню в конце первого года. Если вы совсем запутались среди многочисленных видов продуктов, которые положены вашему ребенку, вам поможет примерное меню малыша в конце первого года жизни:

Завтрак: каша (лучше гречневая), яйцо всмятку, тост, молоко.

Обед: овощи (зеленые или желтые, кусочками), картофель или макароны, мясо или рыба, фрукты, молоко.

Ужин: каша, фрукты, молоко.

Возможно, основной прием пищи малыша лучше перенести на вечер, когда за столом соберется вся семья. В этом случае на обед надо приготовить продукты, богатые углеводами: мясной суп, картофель, кашу или запеканку, фрукты или овощи.

Фруктовые соки, в том числе апельсиновый, дают в промежутках между кормлениями или на завтрак. Сухарь, тост или ломтик хлеба, намазанный небольшим количеством масла, давайте на завтрак или между приемами пищи. Фруктовый десерт можно заменить пудингом. Фрукты должны быть тушеными. Исключение составляют бананы, тертые яблоки, груши и авокадо.

В общем, это уже вполне «взрослая» диета.

Новое расписание кормлений

223. Когда надо отказываться от вечернего (в 22 часа) кормления? Ответ может быть один: когда ваш ребенок будет к этому готов. Чтобы распознать эту готовность, выясните для себя две вещи.

Первое: может ли ребенок проспать ночь, не поев вечером? То, что он вдруг перестает просыпаться к кормлению, еще ничего не значит. Ведь он может проснуться позже, около полуночи. Поэтому в течение нескольких недель будите малыша сами, а потом проверьте, проспит ли он всю ночь, если его оставить в покое. Если он ночью проснется от голода, покормите его и еще несколько недель давайте ему бутылочку в 10 часов вечера.

Имеет значение и общее развитие ребенка. Если он худой, слабо прибавляет в весе или у него проблемы с желудком, продолжайте кормить его в 10 часов вечера, даже если для этого его надо настойчиво будить.

Второе: сосет ли он во сне палец? Если да, это означает, что он не успевает полностью удовлетворить свой сосательный инстинкт, когда получает грудь или бутылочку. Исключив вечернее кормление, вы еще больше сократите время контакта его губ с материнской грудью или соской и подтолкнете к удовлетворению сосательного инстинкта с помощью собственного пальца. Однако, если он продолжает сосать палец, невзирая на все ваши усилия, нет смысла до бесконечности устраивать вечерние кормления. Чем старше он будет становиться, тем труднее его разбудить, или, проглотив несколько граммов смеси, он снова станет впадать в забытье. С этого времени оставьте его в покое — пусть спит всю ночь. И не обращайте внимания, продолжает ли он держать палец во рту.

Из сказанного следует, что отменить вечернее кормление можно, если малыш спокойно спит всю ночь и не сосет палец. Обычно этот момент наступает между третьим и шестым месяцем. Однако если он просыпается ночью голодный или держит во сне палец во рту, подождите до полугода.

Практически все дети готовы сами отказаться от вечернего кормления. Но бывают случаи, когда ребенок еще долго требует покормить его на ночь. Обычно это происходит, когда мать бросается к малышу, стоит ему лишь пошевелиться в своей колыбельке. Если ребенок перешагнул восьмимесячный рубеж, но продолжает сосать вечернюю бутылочку, пора отучать его от этой привычки. Объективно он в ночном кормлении не нуждается. Когда он проснется в первой половине ночи, не подходите к нему, пусть повозится 20–30 минут. Наверняка после этого малыш снова заснет.

Отменив вечернее кормление, увеличьте порции смеси, предназначенные для остальных кормлений. В сутки вы используете 4 бутылочки по 220–230 г. Но если за один раз малыш выпивает лишь по 150–180 г, не старайтесь дать ему больше. Если он явно не показывает, что голоден, значит ему хватает своих 500 г смеси.

224. Потеря аппетита между третьим и девятым месяцами. Первые два месяца ребенок обычно с удовольствием принимается за новую для себя твердую пищу, но затем вдруг начинает есть гораздо меньше. Одной из причин этого может быть закономерное снижение темпов роста малыша. За первые три месяца он прибавляет в среднем почти по килограмму. К полугоду нормальная месячная прибавка в весе падает до 0,5 кг. Кроме того, у малыша начинают резаться зубы, а это не способствует хорошему аппетиту. Причем у одних детей возникает антипатия к твердой пище, другие теряют интерес к бутылочке.

Главное в этой ситуации — не форсировать события, не пытаться кормить насильно. Из создавшегося положения есть, по крайней мере, два выхода. Во-первых, можно постепенно уменьшать в молочной смеси содержание сахара (см. пункт 225). В первые месяцы жизни сахар играет важнейшую роль как один из главных источников энергии, особенно если вы кормите ребенка разбавленной смесью. Но начав получать твердую пищу три раза в день, малыш уже не так нуждается в дополнительных калориях. Более того, чересчур сладкая смесь отбивает желание есть несладкие продукты.

Во-вторых, в это время у вас появляется шанс перейти от расписания с четырехчасовыми перерывами (кормления в 6, 10, 14 и 18 часов) к трехразовому питанию (в 7, 12 и 17 часов). При этом не имеет значения, даете вы ребенку вечернюю бутылочку или нет (см. пункт 226).

Если эти меры не смогли восстановить аппетит, покажите малыша врачу, чтобы убедиться, что он вполне здоров.

225. Из молочной смеси надо постепенно исключить сахар. Начните это делать между четвертым и девятым месяцем, в момент снижения аппетита малыша в 4, 5 или 6 месяцев. Но если малыш ест с удовольствием и к моменту кормления голоден как волк, пусть сосет сладкую смесь хоть до 8 месяцев.

Содержание сахара уменьшайте постепенно, чтобы ребенок не заметил изменения вкуса смеси. Каждый день кладите сахару на половину столовой ложки меньше, чем накануне, и так до тех пор, пока его в смеси совсем не останется.

226. Переход на трехразовое питание. Дети оказываются подготовленными к такому изменению в кормлении в разном возрасте — одни в 4, а другие в 9 месяцев. При трехразовом питании перерывы между кормлениями составляют примерно 5 часов. Поэтому если малыш начинает кричать от голода уже через 4 часа, значит, он еще не созрел для более редкого питания, какого бы возраста он не достиг. Критерием может служить и время первого кормления. Если он просыпается к 6 часам утра и требует поесть, значит, о трехразовом питании говорить рано.

Также ясно ребенок подскажет вам о своей готовности сократить число ежедневных кормлений. О таком малыше мама говорит: «Он хорошо ест только через раз. Получив в шесть утра свою бутылочку, он чуть притрагивается к еде в десять. Плотно пообедав в два часа, он без всякого удовольствия ужинает в шесть». Этого малыша пора переводить на трехразовое питание, и он за пять часов будет нагуливать хороший аппетит. В противном случае у него позже будут трудности с питанием.

Если малыш постоянно сосет палец и хорошо ест каждые четыре часа, нет смысла менять расписание.

Встречаются младенцы, которые по всем признакам могут питаться по три раза в сутки, но как по часам просыпаются к своей вечерней бутылочке. Ничего страшного в этом нет. Постарайтесь приспособиться к нуждам малыша — кормите его три раза в день и продолжайте давать десятичасовую бутылочку. Наверняка скоро он будет спать всю ночь напролет.

События могут развиваться и по другому сценарию: ребенок явно перерос расписание с четырехчасовыми перерывами между кормлениями, не набирает должного аппетита, но при этом просыпается около 6 часов утра и начинает кричать от голода. Как быть в этом случае? Проще всего дать ему грудь или бутылочку, раз уж он настойчиво требует ее, а кашу или фрукты приготовить на завтрак, когда вам удобно, где-нибудь между 7 и 8 часами. Следующим будет обед — примерно в полдень. Если же ваша семья вообще завтракает рано, то менять распорядок не требуется. Другие же «ранние пташки» обычно удовлетворяются во время первого кормления бутылочкой сока, а молоко могут выпить позже, на завтрак.

Важной причиной изменить расписание питания являются потребности матери. Если у нее много забот по уходу за старшими детьми, то, думаю, ничего ужасного не произойдет, если младший немного потерпит, даже если почувствует голод уже через четыре часа после очередного кормления. Мать с удовольствием согласует расписание с остальными членами семьи, и нет причин отговаривать ее от этого, особенно если малыш не сосет палец. Мамы, у которых первенцы, наоборот, считают, что им удобнее кормить их чаще. И против этого не стоит возражать: пусть они соблюдают расписание с четырехчасовыми перерывами дольше, чем мы рекомендуем, только бы у малышей не ухудшался аппетит. Другими словами, поступайте, как сами считаете нужным, но не теряйте здравого смысла. Следите, когда ваш малыш будет готов перейти на трехразовое питание и выберите момент, удобный для себя и остальных членов семьи.

Часы кормлений при трехразовом питании зависят от распорядка в семье и от аппетита малыша. Завтрак обычно готовят к 7–8 часам, но его можно немного отложить, если ребенок не проявляет чувства голода. В это время ему дают кашу с фруктами (или одно из двух при плохом аппетите), молоко и яйцо. В середине между завтраком и обедом дайте ребенку подкрепиться. Для этого хорошо подойдут 50–60 г апельсинового (ананасового, томатного, черносливового) сока. Если малыш очень голоден, дайте ему пожевать сухарик, корочку хлеба или кусочек печенья.

Обеденное время наступает в районе полудня, хотя некоторых детей лучше кормить в половине двенадцатого. В этот раз предложите им желтые или зеленые овощи, мясо, картофель и молоко. Картофель следует начать давать с переходом на трехразовое питание, чтобы обеспечить малыша калориями на вторую половину дня. Если у ребенка неважный аппетит или он очень упитанный, от картофеля лучше воздержаться. Если ребенок не наелся, устройте ему десерт с фруктами или пудингом. Фрукты малыш должен есть не реже двух раз в день. И не бойтесь в этом переборщить — единственным ограничением может стать только несварение желудка.

Между обедом и ужином также напоите ребенка апельсиновым или иным фруктовым соком. Некоторые мамы считают, что в первые месяц или два после перехода на трехразовое питание их малыш чувствует себя лучше, если в 15 часов дать ему грудь или бутылочку смеси. С этим нельзя согласиться уже хотя бы потому, что такое расписание никак не будет трехразовым, даже если малыш выпивает по половине бутылочки в 15 и в 18 часов. Молоко не стоит давать в перерывах между регулярными кормлениями, потому что оно усваивается не меньше трех-четырех часов и в ужин у ребенка просто не будет аппетита.

На ужин, который происходит между 17 и 18 часами, приготовьте кашу, фрукты и молоко. Многие ребятишки, пообедав в полдень, еле дотягивают до 17 часов, а некоторых надо кормить еще раньше.

Выпивая по три порции молока в день, ребенок не всегда потребляет свою прежнюю суточную норму, поскольку больше 200–250 г за один раз ему не осилить. Не беспокойтесь. И не старайтесь заставить высосать недостающее в перерывах между кормлениями. Подавляющее число малышей отлично обходятся не 1 л, а 750 г молока в день. Если же малыш выпивает 300 г, тем лучше.

Стерилизация молока

227. Можно ли прекратить стерилизовать бутылочки со смесью? Ответ на этот вопрос зависит от такого огромного числа факторов, что дать его может только врач. Внимание родителей, у которых нет возможности посоветоваться с врачом, я бы обратил на следующее.

Смесь, которая употребляется в течение целых суток, необходимо стерилизовать по следующим причинам: в используемой для смеси воде могут находиться вредные микробы (тем более если вы берете воду из сомнительного источника); микробы могут попасть в смесь во время ее приготовления; молоко является прекрасной средой для размножения бактерий, особенно если нет холодильника; организм младенца очень подвержен кишечным инфекциям (иммунитет постепенно развивается лишь на втором году жизни). Если во время приготовления смеси вы разводите молоко водой, смесь необходимо стерилизовать при любых условиях.

228. Нужно ли стерилизовать пастеризованное молоко? Например, в 9 месяцев ваш малыш пьет цельное пастеризованное молоко из чашки или через соску. В случае, если мама наливает молоко в **чистую** бутылочку и ребенок **сразу** выпивает его, нет смысла стерилизовать молоко. Те немногочисленные микробы, которые находятся на стенках бутылки, не успеют размножиться за короткое время, пока ребенок пьет молоко. В самом же молоке, пока не открыта упаковка, микробов нет. Кроме того, вы не добавляете воду, которая может быть источником микробов. И все же доктор вряд ли разрешит пить пастеризованное молоко без предварительного кипячения. Его опасения особенно обоснованны, если у ребенка часто бывают поносы, если на улице сильная жара или если у вас нет холодильника, в котором можно было бы хранить молоко. Сырое молоко необходимо кипятить в любом случае.

229. Нужно ли стерилизовать сгущенное молоко? В этом случае ситуация иная. В молоке из только что открытой банки микробы отсутствуют. Открытую банку без особого риска можно сутки держать в холодильнике. Единственным фактором риска, следовательно, остается вода. Вряд ли доктор сочтет воду из крана или из колодца настолько чистой, чтобы без кипячения поить ею ребенка до года. Более того, любая вода при некоторых обстоятельствах может стать источником заражения. Воду надо стерилизовать до или после смешивания со сгущенным молоком. Но разве такой уж большой труд вскипятить воды на целый день? Уверен, что пятиминутное кипячение, необходимое для уничтожения в воде микробов, не отнимет у вас много времени. После этого перед каждым кормлением смешивайте в чашке или бутылочке равные части кипяченой воды и молока и кормите малыша. Как говорилось в предыдущем пункте, чашка и бутылочка должны быть лишь чисто вымыты (бутылки из-под молока лучше мыть холодной водой, применяя моющие средства), поскольку молочная смесь будет находиться в них всего несколько минут. Разумеется, смесь, приготовленную на сутки, обязательно надо стерилизовать.

230. Когда вместо сгущенного молока можно давать пастеризованное? По-настоящему разумный ответ: никогда! Сгущенное молоко дешевле, оно стерильно, более легко усваивается организмом, не вызывает аллергии, его проще хранить. Когда ребенку не нужно готовить смесь по специальной рецептуре, вы перед кормлением просто смешиваете равные части кипяченой воды и сгущенного молока. Однако получив разрешение доктора не кипятить предварительно воду, вы смешиваете в чашке или бутылке молоко с водой из-под крана.

Почему же при всех вышеперечисленных преимуществах большинство детей в конце концов начинают пить пастеризованное молоко? Вряд ли это происходит по рекомендациям врачей. Главную роль играют предрассудки матерей. Матери с большой гордостью отмечают любые вехи на пути взросления своих отпрысков, и когда вместо молочной смеси те начинают пить пастеризованное молоко, в их глазах это событие сопоставимо с первым шагом, сделанным малышом, и с первым произнесенным им словом. Многим мамам, которые не испытывают восторга от вкуса сгущенного молока, кажется, что и ребенок не признаёт этого продукта, когда станет настолько взрослым, чтобы сделать выбор. Такой момент, по их мнению, наступает, когда малыш выпивает чуть меньше смеси, чем обычно. Я пока не получил убедительных аргументов в пользу того, что дети по собственной воле предпочли бы пастеризованное молоко сгущенному, но мне почти ни разу не удалось убедить мам в своей правоте. Далее, мамам кажется, что проще налить молока из пакета, чем каждый раз смешивать его с водой, хотя вряд ли этот процесс занимает больше полминуты. В любом случае медицинских показаний для перехода от сгущенного молока на пастеризованное нет, поэтому решение этого вопроса целиком зависит от вас.

От соски к чашке

Пришла пора пить из чашки

231. Когда можно дать малышу чашку? Наблюдая за детьми многие годы, я долго не мог понять некий феномен. Суть его заключается в том, что большинство грудничков и некоторые дети на искусственном вскармливании к полугоду заметно теряют интерес к материнской груди или соске. Вместо того чтобы активно сосать все положенные 20 минут, уже через 5 минут они отвлекаются, начинают играть с мамой, со своей бутылочкой или просто наблюдают за движением своих рук. Со временем они становятся все более равнодушными к источнику своей пищи, хотя и не отказываются совсем брать грудь или бутылочку и в 8, и в 10 месяцев, и в год. Зато им нравится пить молоко из чашки, и чем дальше, тем больше.

Но есть дети, которые после полугода намного **сильнее** привязываются к бутылочке, чем раньше. Мама одного из таких малышей рассказывала: «Боже, как он любит свою бутылочку! Он буквально не сводит с нее глаз, пока я кормлю его твердой пищей. Когда очередь доходит до бутылочки, он с истинной страстью хватает ее, ласково потряхивает ее все время, пока соска находится у него во рту, и мурлычет от удовольствия. Он даже смотреть не хочет на чашку с молоком, хотя до полугода охотно пробовал пить из нее». Многие из таких детей до полутора или до двух лет не ложатся спать без бутылочки и настойчиво отвергают чашку с молоком. При этом они охотно пьют из чашки воду или соки.

Наконец я понял, в чем дело. Дети, которым подкладывали бутылочку, оказываются привязанными к ней на втором году жизни еще сильнее, чем на первом. Она единственная может успокоить их в постели, напоминая о первых месяцах жизни, когда она приносила самое большое удовольствие, когда именно она вызывала чувство безопасности, потому что связывала его с матерью. Бутылочка в этом смысле становится заменителем мамы. Привычка к бутылочке не развивается у малыша, которого в 5–6 месяцев мать кормила у себя на коленях, — ведь рядом находилась она сама и искать заменителя не было нужды. Значит, самый правильный способ не дать малышу попасть в зависимость от бутылочки — не подкладывать бутылочку ему в постель, чтобы избавить себя от хлопот по кормлению. Кроме того, постарайтесь пораньше научить ребенка пользоваться чашкой. Другой пример подобной зависимости к мягким игрушкам и пустышкам описан в пункте 336.

232. Первые глотки молока из чашки в 5 месяцев. Пусть с этого времени ребенок каждый день пробует сделать хотя бы один глоток из чашки с молоком. Пока это еще не отказ от соски, а всего лишь попытка познакомить малыша еще с одним способом добывать пищу. Тем более что в этом возрасте его восприятие мира достаточно гибко, и он готов допустить существование других, кроме материнской груди и бутылочки, источников молока.

В небольшую чашку или стаканчик один раз в день наливайте по нескольку граммов молочной смеси. Малышу много не нужно, он все равно не сделает больше одного глотка. Зато это может показаться ему забавным. Если вы кормите его грудью, наливайте в чашку пастеризованное молоко, как следует встряхнув перед этим бутылку. Кипятить молоко необязательно, но лучше посоветуйтесь по этому поводу со своим врачом.

233. Сок из чашки. К этому времени вы, возможно, уже пытались давать ребенку пить апельсиновый сок из чашки или стакана. Если нет, то попробуйте сделать это сейчас. Но учтите, что несколько глотков сока из чашки вовсе не натолкнут малыша на мысль, что таким же способом можно пить молоко.

234. Старайтесь, чтобы ребенку понравилась чашка. Когда малышу исполнится полгода, у него появится страсть все хватать руками и тянуть в рот. Пользуясь этим, дайте ему маленький пустой стакан или чашку (это может быть игрушечная чашка), и пусть он имитирует с их помощью процесс питья. Когда он научится «пить» из пустой чашки, налейте в нее несколько капель молока. Увидев, что он хорошо справляется с делом, увеличьте количество молока. Привыкнув в 6 месяцев самостоятельно выпивать понемногу молока из чашки, малыш уже не будет противиться этому в 7 или в 8 месяцев. Может быть, со временем ему надоест, и он на несколько дней прекратит свои манипуляции с чашкой. Чтобы потом у вас не возникли трудности, оставьте его в покое и не навязывайте пока чашку. Помните также, что несколько месяцев малыш будет пить лишь отдельными глотками. Выпивать некоторое количество жидкости залпом он научится только к полутора годам.

Между годом и двумя ребенку становится скучна старая чашка. Подогрейте его интерес и подарите ему стакан или чашку другого цвета или другой формы. Можно стимулировать желание малыша пользоваться чашкой, налив ему вместо теплого молока холодное, подкрашивать молоко или вводить в него вкусовые добавки. Некоторые мамы добавляют в молоко немного каши. Вкус молока слегка изменится, и это заинтригует малыша. Несколько недель спустя добавляйте каши все меньше и меньше, пока снова не будете давать чистое молоко.

Существуют специальные чашки-поильники, с помощью которых легче отучить ребенка от соски. К ним прилагается специальная крышка с небольшим плоским носиком. Крышка не дает молоку пролиться, а носик удобно брать в рот. Позже крышку убирают, и получается обычная чашка, к которой ребенок к тому времени уже привыкает и с удовольствием ею пользуется. Бывают еще поильники с двумя ручками, которые ребенку проще держать, и поильники с тяжелым дном, которые не опрокидываются. Одним мамам такие чашки нравятся, потому что и окружающие предметы, и сами дети остаются чистыми, пока не приобретут нужного навыка. Другие жалуются, что ребенок начинает капризничать, когда вместо соски ему дают поильник, и позже, когда с него убирают крышку.

Постепенно отучайте ребенка от соски

235. Не нервничайте и не торопите события. Возможно, к 5 или 6 месяцам ваш ребенок потеряет интерес к бутылочке и решит, что пить из чашки интереснее и приятнее. В этом случае постепенно увеличивайте количество выпиваемого им молока. Давайте ему чашку во время каждого кормления. Затем в одно из кормлений, например во время завтрака или обеда, вообще не предлагайте бутылочку. Через неделю попробуйте обойтись без нее во время двух кормлений. Если не будет неприятных последствий, вообще откажитесь от бутылочки. И все же помните: большинство ребятишек предпочитают бутылочку со смесью за ужином и отказываются от нее в последнюю очередь. У других любимой бывает бутылочка на завтрак.

Режущиеся зубы или простуда иногда снижают желание ребенка питаться по-новому, и он на время возвращается к бутылочке. Не препятствуйте этому. Когда недомогание пройдет, потребность пить из чашки возобновится.

236. Младенцы-консерваторы. Некоторые малыши с неохотой отказываются от бутылочки. В 6 или 8 месяцев, сделав глоток из чашки, они с негодованием отталкивают ее. Свое неприятие они искусно маскируют: один просто делает вид, что не понимает назначение чашки, другой дает молоку спокойно стекать по щекам и подбородку, так что ни одна капля в рот не попадает, и при этом невинно улыбается. К году их упрямство проходит, но более вероятно, что негативное отношение к чашке сохранится до полутора лет или еще дольше. Попробуйте наливать в небольшой стаканчик немного молока и каждый раз ставьте его на подносик с едой — вдруг ребенок возьмет его и выпьет? Если это случится и он сделает глоток, ни в коем случае не пытайтесь тут же заставить повторить. Покажите, что вам это совершенно безразлично.

Когда консервативно настроенный ребенок начнет понемногу пить из чашки, вы должны проявить терпение, потому что пройдет еще несколько месяцев, пока он насовсем откажется от бутылочки. Последней будет наверняка вечерняя бутылочка или та, с которой он засыпает. Многие малыши спят с бутылочкой до 2 лет.

237. Причина задержки — мама. Подчас ребенок продолжает есть из соски гораздо дольше, чем ему требуется. И виновата в этом мать, которая боится, что он выпивает из чашки намного меньше, чем из бутылочки. Скажем, в 8 месяцев малыш за завтраком выпивает из чашки 180 г молока, столько же за обедом и около 120 г за ужином. При этом он не требует еще и бутылочку, но если мама в конце предлагает ему, ребенок не отказывается. На мой взгляд, если в полгода ребенок за день выпивает из чашки до 480 г молока и не проявляет особого влечения к бутылочке, лучше вообще забыть о ней. Если же продолжать кормить его через соску, то позже, где-то около года, он может закапризничать, когда ему будут давать пить из чашки.

Если мать, чтобы успокоить ребенка, подкладывает ему бутылочку в постель на втором году жизни, могут возникнуть и более серьезные проблемы. Плачет ли малыш днем или просыпается ночью, сердце матери разрывается от жалости, и она тут же дает ему очередную бутылочку. Таким образом, малыш выпивает за сутки до восьми бутылочек — больше 2 л молока! Естественно, у него пропадает аппетит к другой еде и, как результат, из-за недостатка железа, которого почти нет в молоке, развивается тяжелая форма анемии.

При сбалансированном питании количество выпиваемого за день молока не должно превышать 1 л. Не надо сбрасывать со счетов и эмоциональный аспект: малыш должен чувствовать, что мама поощряет любой его шаг ко взрослой жизни. И ей предоставлена отличная возможность помочь ребенку отказаться от бутылочки с молоком, когда он объективно перестает в ней нуждаться.

Проблемы ухода за ребенком раннего возраста

Водные процедуры

238. Туалет перед кормлением. Мыть малыша лучше всего перед утренним десятичасовым кормлением, но можно это делать и перед любым другим. Нельзя устраивать ванну после кормления, потому что ребенку в это время положено спать. Вечером, в 6 или в 10 часов, выкупать ребенка может и вернувшийся с работы папа — как правило, отцам этот процесс доставляет огромное удовольствие. Когда ребенок перейдет на трехразовое питание, ванну лучше устраивать перед обедом или перед ужином. Чтобы ребенок не мучился от голода, дайте ему перед купанием апельсиновый сок. Подрастая, ребенок перестанет засыпать сразу после кормления и сможет принимать ванну после ужина, что очень удобно, особенно если ужин бывает не очень поздно. Купать ребенка нужно в теплом помещении, например в кухне.

239. Обтирание. Хотя считается, что ребенка надо мыть в ванне или обтирать каждый день, на самом деле можно делать это не чаще двух раз в неделю, особенно в холодную погоду. Следите лишь, чтобы были чистыми тельце под пеленкой и область вокруг рта. В дни, когда вы не купаете малыша целиком, следует подмывать его. Поначалу неопытные мамы вообще боятся купать новорожденного в ванночке — он кажется таким хрупким и беспомощным, а его намыленное тельце так и норовит выскользнуть из рук. Да и сам ребенок чувствует себя неловко, потому что ему не на что опереться. Поэтому несколько первых недель, пока вы не привыкнете, делайте ему обтирания, а купание в ванночке отложите на несколько месяцев и начните, когда малыш научится сидеть. Во всяком случае нельзя погружать ребенка в воду, пока не заживет пупочная ранка.

Обтирание лучше делать на столе или держа ребенка на коленях. Ребенок в это время должен лежать на куске водонепромокаемого материала. На стол положите что-нибудь мягкое, например большую подушку или свернутое в несколько раз одеяло, чтобы ребенок не перекатывался в поисках опоры. Смоченной в теплой воде махровой салфеткой вымойте ему личико и головку (раз или два в неделю делайте это с мылом). Салфеткой или рукой слегка намыльте тельце. Затем удалите мыло, дважды протерев кожу влажной махровой салфеткой. Особенно тщательно протирайте складки на коже.

240. Купание в ванночке. Перед началом купания проверьте, чтобы все необходимые предметы были под рукой. Например, если вы забудете взять полотенце, то придется идти за ним с мокрым ребенком на руках.

Снимите с руки часы.

Наденьте фартук, чтобы не намочить одежду.

Положите рядом с собой:

мыло (некоторые врачи советуют пользоваться бактерицидным мылом),

махровую салфетку,

полотенце,

вату для удаления воды из ноздрей и ушей,

лосьон или детскую пудру, если вы ими пользуетесь,

распашонку, пеленку, булавки, ночную рубашку.

В качестве ванночки можно использовать таз. Купать ребенка в обычной ванне тяжело, потому что у мамы все время находятся в напряжении спина и ноги. Многим мамам нравятся специальные ванночки с тканевым покрытием. Они снабжены высокими ножками и очень удобны, хотя и занимают много места. Если вы не являетесь счастливой владелицей подобного предмета детской гигиены, пользуйтесь обычным тазом, устанавливая его на обеденный или более высокий кухонный стол. Перед кухонной раковиной вы можете сидеть на стуле. Температура воды должна быть 35–40° С, что примерно соответствует температуре тела. Неопытной маме нужен термометр для воды, но приблизительно определить температуру можно и без него. Для этого коснитесь воды локтем или запястьем. Если почувствуете приятное тепло, значит, вода имеет нужную температуру. Пока вы не приобретете навык поддерживать малыша в ванночке, не наливайте слишком много воды. Чтобы тельце ребенка не скользило по поверхности ванночки, выстилайте ее изнутри пеленкой. Поддерживайте ребенка так, чтобы его голова лежала на локтевом сгибе, а пальцы этой же руки находились у него под мышкой. Сначала махровой салфеткой без мыла вымойте ему личико, потом голову. Голову мойте мылом не чаще двух раз в неделю. Сполоснув и отжав салфетку, дважды оботрите головку от мыльной пены. Помните: если салфетка будет слишком влажной, мыльная вода может попасть в глаза ребенку и начать щипать их (сейчас в продаже появились специальные детские шампуни, которые не раздражают слизистую оболочку глаз). Затем с помощью салфетки или, что гораздо удобнее, рукой намыльте тельце, ручки и ножки малыша. Если после мытья кожа становится сухой, применяйте мыло не чаще двух раз в неделю.

Если поначалу вы боитесь купать малыша в ванночке из опасения упустить его в воду, намыливайте его, положив к себе на колени или на стол рядом с ванночкой, а затем ополосните, крепко держа обеими руками.

Пользуйтесь мягким банным полотенцем и промокайте влагу, а не вытирайте ее. Начав купать новорожденного до полного заживления пупочной ранки, после ванны тщательно обсушите область ранки стерильной марлей или ватой. После нескольких купаний в ванночке ребенку начинает нравиться это занятие, и он просто счастлив в воде. Поэтому не спешите его вынимать, дайте ему получить достаточно удовольствия.

241. Уши, глаза, нос, рот, ногти. Обрабатывая уши, мойте только ушные раковины и вход в слуховой проход. Следите, чтобы вода не попала внутрь. Специальные железы вырабатывают ушную серу, которая защищает кожу и поддерживает чистоту слухового прохода.

Чистота глаз также обеспечивается физиологически благодаря постоянному орошению слезной жидкостью (и не только тогда, когда малыш плачет). Поэтому никаких капель в здоровые глаза закапывать не надо.

Рот тоже не требует специального ухода.

Ногти проще стричь, когда ребенок спит. Для этого удобнее применять щипчики, а не ножницы.

Прекрасной системой очистки обладает и человеческий нос. Тонкие невидимые реснички, покрывающие его внутреннюю поверхность, колеблются и перемещают слизь с оседающими на ней пылинками ко входу. Когда в ноздрях скапливается много грязи, она начинает щекотать кожу, и ребенок либо чихает, выбрасывая наружу все лишнее, либо вытирает грязь рукой. Когда вы вытираете ребенка после ванны, смочите комок засохшей слизи краешком влажной салфетки или ватным тампончиком, а затем осторожно удалите его. Для удобства ватный тампон можно аккуратно намотать на кончик зубочистки или спички. Можно купить готовые палочки с ватными тампончиками. Старайтесь прочистить нос быстро, потому что инородное тело в носу беспокоит ребенка, и он начинает капризничать.

Засохшая слизь мешает дыханию. Иногда, особенно в сухом, жарком помещении, в носу у ребенка засохшая слизь скапливается и перекрывает путь воздуху. Более старший ребенок или взрослый начнут дышать ртом, но у грудничков рот закрыт и дышать им они не умеют. Если вы заметили, что у ребенка появилась одышка, смочите комок слизи и удалите его, как написано в предыдущем абзаце.

242. Лосьон или пудра? Наносить на тело ребенка лосьон или пудру приятно, да и малышу это доставляет удовольствие. Но показаний к этому на самом деле нет. Если бы ребенок нуждался в подсушивании кожи, сама природа позаботилась бы об этом. Пудра нужна, когда кожа малыша легко подвержена раздражению. В стороне от ребенка — чтобы ему не пришлось вдыхать пудру — насыпьте себе на ладонь немного порошка и аккуратно вотрите его в кожу. Слой пудры должен быть совсем тонким и не образовывать корочек. Кроме специальной детской пудры можно применять обычный тальк. Не пользуйтесь порошком стеарата цинка, частицы которого раздражают легкие. Детским лосьоном смазывайте очень сухую кожу или если на ней появилась потница. Для предотвращения кожных инфекций можно использовать лосьоны с антисептиком. Детское и минеральное масло лучше не употреблять, так как оно может вызвать сыпь.

Пупок

243. Заживление пупочной ранки. Когда ребенок находится во чреве матери, он получает все необходимое для своего развития по кровеносным сосудам пуповины. Сразу после рождения доктор перевязывает пуповину и обрезает ее. Оставшаяся культя подсыхает и примерно через неделю (бывает, и через три недели) отваливается, а на ее месте остается ранка, которая полностью заживает через несколько дней, а иногда через несколько недель. Если заживление проходит медленно, на ранке могут появиться бугристые образования из так называемой грануляционной ткани. Ничего страшного в этом нет. Необходимо лишь, чтобы пупочная ранка была все время сухой и чистой — это предотвратит попадание в нее болезнетворных микробов. На сухой ранке при заживлении образуется струп, препятствующий проникновению инфекции. В настоящее время врачи советуют не закрывать ранку, пока она не заживет, — таким образом легче сохранять ее в сухом состоянии. Иногда даже не рекомендуют до полного подсыхания мыть малыша в ванночке, но этим правилом можно пренебречь, если после купания тщательно высушить пупочную ранку стерильной марлей. Когда вы заворачиваете малыша в пеленку, следите, чтобы ее край проходил ниже пупка; тогда ранка не будет мокнуть.

Если ранка начала мокнуть и появились выделения из нее, следует усилить уход: защищать ее от контакта с влажными пеленками и ежедневно обрабатывать этиловым спиртом. Доктор, возможно, посоветует присыпать ее пудрой или квасцами.

Если ранка и окружающая ее кожа покраснели, значит в нее попала инфекция. Немедленно обратитесь к врачу, а до тех пор наложите влажную повязку (см. пункт 727).

Одевая и раздевая малыша, вы можете случайно сковырнуть закрывающий ранку струп, и из него вытечет две-три капли крови. Это нормально и не должно вас волновать.

244. Пупочная грыжа. После того как ранка на пупке полностью заживет, под ней в брюшной стенке остается отверстие (пупочное кольцо), через которое проходили кровеносные сосуды. Когда ребенок кричит, небольшой участок кишки выдавливается в это отверстие, и на животе появляется вздутие, называемое пупочной грыжей. Если размеры пупочного кольца малы, размер грыжи не больше горошины, а само кольцо закрывается в течение нескольких недель или нескольких месяцев. Большое кольцо закрывается за несколько месяцев или даже лет, а пупочная грыжа достигает размеров вишни.

Принято считать, что можно ускорить закрытие пупочного кольца, если на пупок наложить кусок лейкопластыря, который препятствует образованию грыжи. Однако исследования показали, что лейкопластырь приносит больше вреда, чем пользы: он быстро загрязняется, отслаивается и раздражает кожу.

Не надо тревожиться по поводу появления пупочной грыжи. В отличие от других подобных заболеваний она практически не дает осложнений (см. пункт 709). И пусть ребенок кричит — это развивает легкие.

У упитанных детей и полных взрослых слой жира на животе такой толстый, что пупок как бы утопает в нем. До двух-трехлетнего возраста у детей этого почти не бывает. Складки кожи на пупке выглядят, как розовый бутон, и выступают над поверхностью живота. Не нужно путать выступающий пупок с грыжей — грыжа ощущается в виде небольшого мягкого шарика под кожей.

Если пупочная грыжа не исчезнет к 6–8 годам, возможно, потребуется хирургическое вмешательство.

Пенис

245. Обрезание и другие методы ухода за пенисом. Нужно ли проводить мальчику обрезание? Если нет, то как ухаживать за его половым членом? Однозначно на эти вопросы не ответишь.

187

Обрезание заключается в удалении крайней плоти — кожной складки, закрывающей головку полового члена. Обрезание полезно с точки зрения простой и практичной гигиены полового члена, если сделано в раннем возрасте. Железы, которые находятся в коже внутреннего листка крайней плоти, выделяют похожее на творог вещество — смегму. Если крайнюю плоть не удалить, то смегма будет скапливаться под ней, становясь благоприятной средой для развития бактерий и провоцируя воспаление головки. После обрезания смегма не образуется и инфицирования головки не происходит. Обрезание в младенческом возрасте не вызывает психической травмы, которая часто сопровождает эту операцию в старшем возрасте (см. пункт 247). Особенно благоприятно обрезание, если вы живете в стране или районе, где принят такой обряд, — тогда мальчик не будет чувствовать себя ущемленным. Обрезание в гигиенических целях можно сделать в роддоме.

После обрезания ранка заживает несколько дней. Пока этого не произойдет, соприкосновение с пеленкой может вызвать у малыша неприятные ощущения. Во избежание этого смажьте борным вазелином небольшой кусочек марли и оберните им кончик пениса. Вязкий вазелин не даст марле соскользнуть. Если ранка трется о грубую ткань пеленки, то она может начать немного кровоточить. Но это не причина для паники.

Можно поддерживать в чистоте головку полового члена другим способом. Во время ежедневного купания оттяните крайнюю плоть и быстро вымойте открывшуюся головку. Учтите, что для малыша это болезненная процедура, так как отверстие крайней плоти в этом возрасте очень маленькое. Мне кажется, что так ухаживать за пенисом неудобно как с физической, так и с психологической точки зрения.

Наконец, третий способ ухода за пенисом — это оставить его в покое. Так и поступают на большей части земного шара.

246. В старшем возрасте обрезание может причинить вред ребенку. Вопрос об обрезании часто поднимают, когда мальчику уже исполнилось несколько лет. Поводом для этого обычно бывает раздражение головки полового члена или детская мастурбация. Прежде переживания ребенка не принимались во внимание, и решение об обрезании казалось вполне логичным и правильным. От родителей и врачей можно было услышать такое предположение: «Может быть, он мастурбирует потому, что его мучает зуд от воспаления». Подобный подход ставит телегу впереди лошади. Сегодня мы знаем, что мальчик между 3 и 6 годами очень боится, как бы что-то не случилось с его пенисом (подробнее об этом рассказано в пункте 522). Он постоянно трогает половой член, как бы убеждаясь в его целости и сохранности. Из-за этого может возникнуть легкое раздражение. Если понять, что здесь причина, а что́ следствие, то станет ясно, почему предстоящая операция только усугубит его страхи.

Самый большой риск психической травмы приходится на возраст от года до 6 лет, но он не исключен и в период полового созревания. На мой взгляд, лучше делать обрезание в самом раннем возрасте.

247. Эрекция. У мальчиков в раннем возрасте эрекция полового члена довольно обычна. Возникает она чаще всего при полном мочевом пузыре и в процессе мочеиспускания. Не обращайте на это внимания.

Родничок

248. На голове у ребенка после рождения есть мягкое место, где еще не срослись четыре кости, образующие свод черепа. Размер родничка у разных детей не одинаков. Не беспокойтесь, если он кажется вам слишком большим. Просто зарастать он будет медленнее, чем маленький. У некоторых детей роднички закрываются уже к 9 месяцам, у других остаются до 2 лет. В среднем они закрываются между двенадцатым и восемнадцатым месяцем.

При ярком свете вы может увидеть, как родничок пульсирует в такт с ударами сердца ребенка.

Матери без всякого основания опасаются дотрагиваться до родничка. На самом деле риск причинить ребенку боль крайне незначителен, потому что родничок закрыт плотной перепонкой.

Прогулки

249. Температура в помещении. Нет ничего сложнее для доктора, чем ответ на вопрос, как одевать ребенка. Так что не ждите ничего, кроме самых общих принципов. Пока вес малыша остается менее 2,5 кг, его система терморегуляции не позволяет ему самому поддерживать постоянную температуру тела, и его приходится помещать в инкубатор. При весе от 2,5 до 3,5 кг ребенок уже не нуждается в дополнительном подогреве. Он вполне комфортно чувствует себя в помещении с температурой 20–22° С.

У ребенка весом 3,5 кг вполне надежно регулируется температура тела, а накопленный слой подкожного жира позволяет хорошо сохранять тепло. В холодное время года температура в его спальне может опускаться до 15° С. Более низкую температуру лучше не допускать.

Детей с весом не ниже 2,5 кг, так же, как более старших детей и взрослых, вполне устроит помещение с температурой 20–22° С. В нем они могут и есть, и играть.

250. Как одеть малыша. У младенцев и детей постарше слой подкожного жира толще, чем у взрослых, поэтому им не нужно столько надевать на себя, как нам. Как правило, дети страдают от излишка одежды, а не от ее недостатка. В дальнейшем это может обернуться многими неприятностями. В постоянном тепле человеческое тело теряет способность приспосабливаться к изменениям температуры. Люди, живущие в таких условиях, хуже переносят даже короткие переохлаждения. Вот почему следует принять за правило поначалу надевать на малыша минимум одежды и понаблюдать, как он реагирует на это. Не пытайтесь определить, замерз ли малыш, по его рукам. Они бывают прохладными, даже если ребенку вполне комфортно. Лучше потрогайте его шею или икры. Легче всего узнать о состоянии младенца по лицу. Если ему холодно, щеки станут бледными, а сам он начнет проявлять беспокойство.

Надевая на ребенка свитер или рубашку с закрытым воротом, помните, что голова у него имеет не круглую, а скорее яйцевидную форму. Чтобы легче справиться, присоберите свитер у ворота и начинайте надевать его с макушки. Опустите ворот на шею и, оттягивая его вперед, пропустите через него лоб и нос. Когда захотите снять свитер, сначала выньте из рукавов руки. Снова соберите свитер к вороту, подхватите переднюю часть и, оттягивая ее, поднимите и освободите лицо. Наконец, снимите свитер через макушку.

Ночной чепчик, в котором ребенок спит в холодную погоду, должен быть крупной вязки. Тогда, если он даже сползет малышу на лицо, тот сможет дышать сквозь него.

251. Чем накрывать младенца. Если ребенок спит в прохладной комнате (15–20° С), удобнее всего пользоваться одеялами, конвертами и спальными мешками из акрила. Они теплые и одновременно легко стираются. Вязаные шали лучше, чем более толстые тканые покрывала, прилегают к телу. Кроме того, легче подобрать несколько тонких покрывал, чтобы обеспечить нужную температуру под ними. Не кладите малыша под тяжелые стеганые одеяла.

Спальный мешок не сползет с ребенка, как покрывало. Спальные комбинезоны стоит надевать, когда малыш уже научится вставать.

В жаркой комнате (при температуре выше 22° С) или в теплое время года малыша достаточно укрыть хлопчатобумажной простынкой. Сейчас появились хлопчатобумажные покрывала с подогревом, которые можно использовать и в жару, и в холод.

Одеяла, покрывала, простыни должны быть достаточно большими, чтобы их можно было легко заправить под матрас, чтобы они не сбивались в ком. Водоотталкивающие прокладки (пеленки) тоже должны быть заправлены под матрас или пришпилены к матрасу по всем углам. Матрасик выбирайте плоский и жесткий, чтобы под малышом, когда он лежит, не образовывалось углубление. Матрасик для коляски нужно подобрать по размеру, иначе руки или ноги младенца могут попасть в щели между матрасом и стенкой коляски. Подушка в кроватке и коляске не нужна.

252. Свежий воздух. Изменения окружающей температуры полезны ребенку, так как стимулируют систему адаптации его организма к жаре или к холоду. Служащий банка, который проводит основную часть времени в кабинете, скорее подхватит насморк, выйдя на холод, нежели лесоруб, для которого холод привычен. Кроме того, после пребывания на свежем морозном воздухе краснеют щеки, повышается аппетит, улучшается настроение. Если дети все время сидят дома, цвет лица бывает нездоровый, а аппетит плохой.

Следует учитывать, что в холодном воздухе содержится меньше влаги. Когда такой воздух в помещении нагревается до 20° С, он становится слишком сухим. При дыхании таким воздухом слизь в носу у малыша густеет и забивает проходы. Мало того что ребенку становится трудно дышать, так у него еще снижается сопротивляемость инфекции.

Малышу (также как и нам с вами) очень полезно проводить ежедневно хотя бы 2–3 часа на свежем воздухе. Это просто необходимо во время отопительного сезона.

Если ребенок зимой спит в комнате, откройте окно пошире, а отопительные приборы отключите и следите, чтобы температура в помещении была на уровне 15° С.

Большинство людей настолько привыкли к отапливаемым домам, что в морозы нагревают воздух в помещении до более высокой температуры, чем это бывает летом. В частных домах перегрева можно избежать с помощью термостата, который отключит нагревательные приборы по достижении приемлемой температуры 22° С. В квартирах без термостатов нужно на видном месте повесить комнатный термометр и периодически следить за его показаниями. Температуру нужно поддерживать на уровне 20–22° С,. Вы скоро привыкнете к ней и будете замечать малейшие изменения, даже не глядя на градусник.

Ребенок может вовсе лишиться такого блага, как бодрящий морозный воздух, если его неопытная мама постоянно боится переохладить малыша и желает любой ценой защитить его от такой напасти. Она закрывает все окна и двери в жаркой комнате и кутает младенца в тысячи одежек. Бывает, что от перегрева у ребенка даже появляется сыпь.

253. На прогулке. Я вырос в одном из восточных штатов и там работал педиатром. Здесь родители считают своей обязанностью ежедневно находиться с детьми на улице по 2–3 часа. Отменяют прогулку только в дождь или при температуре намного ниже нуля. Дети очень любят гулять и возвращаются домой с румяными щечками и превосходным аппетитом. К сожалению, вынужден признать, что подобный обычай распространен отнюдь не повсюду.

Четырехкилограммового карапуза уже вполне можно выносить на прогулку, если температура воздуха на улице выше 15° С. Но нельзя ориентироваться только на температуру. Влажный воздух быстрее вызовет простуду, чем сухой. Особую опасность представляет сильный ветер. Достигнув веса 5,5 кг, малыш может прекрасно себя чувствовать и при минусовой температуре, если час или два проведет в солнечном, укрытом от ветра, месте.

Зимой совсем маленьким детям гулять лучше в середине дня (между 10-часовым и 14-часовым кормлениями). Если вы живете за городом или у вашего дома есть двор, при хорошей погоде можете оставить ребенка на три часа или даже дольше. Пусть солнышко немного посветит ему на лицо, если только свет не раздражает малыша (об этом подробнее написано в следующем пункте 254).

По мере того как малыш взрослеет, периоды бодрствования увеличиваются, и он начинает испытывать удовольствие от вашей компании. В это время не стоит оставлять его совсем одного более чем на час. После полугода он уже требует, чтобы рядом с ним кто-нибудь был, хотя прекрасно забавляется сам с собой. Малыш с удовольствием проведет на улице 2–3 часа с мамой. Когда же он спит, его можно оставить одного.

Горожане не имея места, где оставить малыша, могут покатать его в коляске. Оденьтесь потеплее, и вы получите от этой прогулки ни с чем не сравнимое удовольствие. Если вы не мерзнете и если вам позволяет время, гуляйте дольше.

Летом в доме стоит одуряющая духота. Найдите во дворе прохладное тенистое место и оставьте там малыша поспать, сколько ему заблагорассудится. Даже если в доме прохладно, все равно хотя бы на пару часов в день выносите малыша на свежий воздух, но делайте это утром или перед закатом солнца.

Переведя ребенка на трехразовое питание, вам, скорее всего, придется перенести часы прогулок, чтобы было удобно и ему, и вам. Но их продолжительность ни в коем случае нельзя сокращать. В возрасте около года его начнет страшно интересовать окружающий мир. Если после обеда вы отправитесь на прогулку, везя малыша в коляске, то он, скорее всего, не захочет спать, а будет вертеть головой и наблюдать за всем, что происходит вокруг. Тогда лучше оставить его дома и положить спать в кроватке. К сожалению, в этом случае на прогулку останется не так уж много времени, особенно зимой. Попробуйте погулять с малышом час или два до обеда и еще час перед ужином. Время утренней прогулки зависит еще и от времени его сна после завтрака. Некоторые дети засыпают сразу после еды, а другие не раньше наступления дневных часов. Следовательно, если малыш на прогулке не желает спать, приспособьтесь ко времени его бодрствования.

254. На ярком солнышке. В спектре солнечного света присутствуют ультрафиолетовые лучи, под действием которых в коже образуется витамин D. Поэтому желательно, чтобы хотя бы немного времени ребенок проводил на солнце. Но обязательно учтите три условия. Во-первых, время, проведенное на солнце, нужно увеличивать постепенно. Только так можно уберечь малыша от солнечных ожогов. Это особенно важно, если воздух чист, а солнце стоит высоко. Во-вторых, важно не передержать ребенка на солнце, даже если его кожа покрыта загаром. Ведь загар — это особая мера, с помощью которой организм защищается от избытка солнечного излучения. Другими словами, организм положительно воспринимает лишь ограниченное количество солнечной энергии, превышать которое вредно. В-третьих, солнечный ожог не менее опасен, чем ожог термический. Поэтому, оставляя ребенка спать на улице в коляске, прикиньте, сколько времени его кожу будут освещать солнечные лучи.

Летом устраивайте младенцу солнечные ванны, но при условии, что уже достаточно тепло и малыш весит не менее 5 кг. Последнее означает, что под кожей у него достаточно жира, который защитит его, полураздетого, от прохлады. В свежую погоду обнажите лишь ножки. Открывать лицо солнцу следует только тогда, когда яркий свет не будет его раздражать. При этом кладите его головой в сторону солнца — тогда ресницами он сможет прикрыть глаза.

Зимой устраивайте для малыша солнечные ванны перед открытым окном, но только если в комнате тепло и на него не дует.

Начинайте с продолжительности ванн в 2 минуты и каждый день прибавляйте по 2 минуты — этого более чем достаточно. Пусть половину времени ребенок лежит на спине, а другую половину — на животе. Дольше 30–40 минут держать малыша на солнце не следует, тем более летом. Следите, чтобы он не перегрелся. Лучше, если малыш будет лежать на подушке, расположенной на земле или на полу, где прохладный воздух остудит кожу ребенка. Если малыш лежит в коляске или в кроватке, защитите его от прямых солнечных лучей. Судить о перегреве можно по пунцовому лицу младенца.

В местах, где солнце особенно ярко, например на пляже, ребенка в первые день-два надо держать в тени. Но даже отраженные солнечные лучи могут вызвать на нежной коже ожог. Малышу, который уже умеет сидеть, на голову надо надеть шляпу с полями. Запомните, что покраснение кожи появляется только через несколько часов после получения ожога.

Сон

255. Сколько времени ребенок должен спать? Мамы часто задают этот вопрос. Но ответить на него могут только сами дети. Один ребенок спит очень много, другому на сон хватает на удивление мало времени. Позвольте малышу спать столько, сколько ему нужно, обеспечив ему приятное чувство сытости после кормления, удобную постель и много свежего прохладного воздуха.

В первые месяцы дети обычно спят от одного кормления до другого. Их сон нарушает лишь чувство голода или несварение желудка. Есть, правда, любители подолгу бодрствовать без всякого повода. Если ваш ребенок относится к этому типу, не пытайтесь его переделать.

По мере того как ребенок растет, время сна неуклонно сокращается. Обычно первые периоды бодрствования приходятся на ранний вечер. Потом малыш будет просыпаться и в другое время дня. У каждого ребенка вырабатывается свой режим дня, и он скрупулезно соблюдает его, просыпаясь каждый раз в одно и то же время. К концу первого года малыш днем спит два раза, а к полутора годам переходит на один дневной сон. Предоставьте младенцу возможность самому решать, когда и сколько ему спать. С двухлетним созданием дело обстоит сложнее: малыш бывает возбужден или встревожен, его одолевают ночные кошмары, он затевает соревнование со старшим братом — и все это может нарушить его нормальный сон.

256. Отход ко сну. Постарайтесь привить вашему малышу привычку отправляться спать сразу после кормления. (Встречаются дети, которым не нравится такой порядок, и они желают общения с мамой. Я бы не потакал таким настроениям младенца.) Весьма полезно, чтобы ребенок засыпал один в своей постельке без общества мамы или других детей. По крайней мере, так должно быть, пока у малыша не пройдут колики, которые мучают его в возрасте около 3 месяцев.

Большинство маленьких детей спокойно спят в тихом помещении, им не мешает и небольшой шум. Поэтому не старайтесь все время ходить на цыпочках и говорить только шепотом — таким образом вы сделаете только хуже, и малыш будет просыпаться при каждом неожиданном звуке. Сон маленьких и более старших детей не нарушают шаги и разговоры; они не просыпаются от голосов и смеха гостей, от радио или телевизора, если только приборы не включены на полную громкость; не разбудит их и появление в спальне мамы или кого-либо из членов семьи.

257. На спине или на животе? Большинство новорожденных предпочитают спать на животе. Такое пристрастие особенно характерно для детей, страдающих коликами: давление на живот, похоже, облегчает им боль от скопившихся газов.

Многим ребятишкам все равно, в какой позе они лежат — на спине или на животе. Но сон на спине нежелателен по двум причинам. Если малыш имеет склонность срыгивать, то может легко поперхнуться. Кроме того, лежа на спине, он обычно поворачивает голову в одну сторону, как правило, к центру комнаты. Вследствие этого может деформироваться (стать более плоской) одна половина головы. Ни мозг, ни другие органы не повредятся, и все со временем придет в норму, но для этого иногда требуется несколько лет. Если вы не хотите создавать себе подобные проблемы, периодически меняйте положение ребенка в кроватке: кладите его ногами в ту сторону, куда прежде смотрела голова. За несколько недель ребенок настолько привыкает спать в постоянной позе — на животе или на спине, что переучить его весьма затруднительно.

На мой взгляд, если ребенок не противится, лучше позволить ему спать на животе. Потом, когда малыш научится переворачиваться, он выберет позу по своему вкусу.

Возражения против положения на животе высказывают некоторые ортопеды. Они считают, что впоследствии у ребенка может проявиться косолапость. Но даже если так, большинство специалистов признают, что она исчезнет, когда малыш начнет ходить. На всякий случай посоветуйтесь с врачом.

Чтобы преодолеть недостатки, свойственные обеим привычным позам во сне, врачи рекомендуют класть младенца на бочок, устраивая его головку на плоской жесткой подушке. На самом деле подобным советам следовать очень трудно: малыш сползает с подушки и в конце концов оказывается либо на спине, либо на животе. К 6 месяцам ребенок и сам научится спать на боку, и эта поза ему начинает очень нравиться.

258. Как приучить ребенка дольше спать по утрам? К середине первого года ночной сон малыша более продолжителен, чем прежде, и он уже не просыпается в столь неудобные для родителей предрассветные часы. Однако родители не всегда понимают, как это облегчает им жизнь, и вскакивают, стоит лишь ребенку пошевелиться в постели. Тем самым они не дают малышу снова заснуть, хотя такое желание ему свойственно. Кроме того, его лишают возможности научиться играть самому. В результате родителям придется надолго отказаться от нескольких часов утреннего сна, потому что до 2–3 лет ребенок будет просыпаться ни свет ни заря и требовать, чтобы им занялись.

Любителям поспать утром можно посоветовать вставать, как и прежде, по сигналу будильника, а не по зову ребенка. Ставьте будильник на 5 минут позже того времени, когда обычно просыпается малыш, и через каждые несколько дней прибавляйте еще по 5 минут. Если ребенок проснется до сигнала будильника, он спустя некоторое время опять заснет или будет тихо лежать, занимаясь своими делами. Пусть даже он начнет вертеться — подождите подходить к нему, дайте ему шанс побыть наедине с собой и успокоиться. Разумеется, если малыш проголодался и извещает вас об этом настойчивым криком, вам придется подниматься. Все же через месяц опять попытайтесь продлить утренний сон и его, и ваш.

259. После полугода ребенок должен спать в своей комнате. Если вам позволяют жилищные условия, кладите малыша спать в отдельной комнате сразу по возвращении из родильного дома. Но при этом вы должны услышать его крик, если он проснется. До полугода малыш может спать в вашей комнате, но потом его стоит переселить. Ребенок уже вполне способен удовлетвориться собственным обществом и в то же время еще не привязался к своему месту. Если сейчас не предоставить ему помещение, позже он будет бояться одиночества и не захочет нигде спать, кроме как с вами. Чем старше будет малыш, тем труднее ему привыкнуть к новому месту.

Другая проблема совместного проживания — случайное наблюдение ребенком за половым актом взрослых. Непонятные ему действия родителей могут напугать его и нанести психическую травму. Взрослые подчас думают, что находятся в безопасности после того, как малыш заснул, но детскими психиатрами описана масса случаев, когда ребенок наблюдал занятия родителей, а те даже не знали об этом.

Должна ли быть у ребенка отдельная комната или он может жить вместе со старшими детьми, зависит больше от материальных возможностей родителей. Лучше, если у ребенка будет место, где он сможет хранить личные вещи без опасения, что в них покопается посторонний. Кроме того, иногда ребенку необходимо одиночество. Проживание в одной комнате двух детей не совсем удобно еще и потому, что они станут будить один другого и в результате не выспятся оба.

260. Не берите ребенка в свою постель. В определенный период жизни ребенок испытывает ночные страхи. Он просыпается и начинает либо громко плакать, либо бежит в комнату взрослых за защитой. Некоторые родители из чувства жалости кладут его с собой, и остаток ночи они спят вместе. Несмотря на очевидную простоту, подобный метод борьбы с ночными кошмарами неприемлем. Для ребенка постель родителей постепенно станет единственным безопасным местом, и отучить его залезать в нее будет безумно трудно. Так что, успокоив малыша, **непременно** вернитесь с ним в его комнату и положите обратно в постель. Вообще не существует причин, позволяющих маме укладывать с собой малыша, даже если папа в это время в командировке.

Игры

261. Будьте общительны со своим ребенком. Все время, которое вы проводите рядом с ним, будьте спокойны, излучайте доброту и благожелательность. Постепенно ребенок, пока вы кормите его, купаете, одеваете, меняете ему пеленки, держите его на руках или просто присутствуете в одном с ним помещении, проникнется сознанием, какое огромное значение вы оба имеете друг для друга. Обнимая малыша, возясь с ним, показывая, что любите его больше всех в мире, вы помогаете его духовному росту так же, как способствуете его физическому развитию, кормя и ухаживая за ним. Может быть, именно поэтому мы, взрослые, оказавшись в компании малыша, начинаем вести себя, как он: сюсюкаем, делаем «козу», подражая его движениям. Причем этому настроению не в силах противиться даже те, кого во взрослом обществе считают суровыми и замкнутыми.

Неопытных родителей подстерегает одна опасность: они так серьезно относятся к своим новым обязанностям, что забывают о том удовольствии, которое должны испытывать от общения с ребенком. Этим вы только обедняете себя и его.

Разумеется, я не имею в виду, что вы должны, пока он бодрствует, постоянно щебетать и вертеться около него. Это только утомит младенца, а со временем превратит в избалованного неслуха. Девяносто процентов времени в обществе ребенка вообще лучше молчать. Но мягкое, легкое общение принесет пользу малышу и доставит безграничную радость вам. Пусть ему будет удобно, когда вы берете его на руки, пусть ваше лицо светится любовью и добротой, когда вы смотрите на него, пусть ваш голос не дрожит, когда вы разговариваете с ним.

262. Будьте рядом, но не балуйте. Хотя малышу приятно присутствие мамы (а также братьев и сестер), хотя он рад видеть и слышать ее, учиться у нее разным играм вовсе не обязательно, и даже нежелательно постоянно держать его у себя на руках или на коленях, ни на минуту не оставляя одного. Ребенку достаточно лишь ощущать близость матери и в то же время учиться самому развлекать себя. Если молодая мама переполнена своей любовью к малышу настолько, что готова часами не выпускать его из рук, он может оказаться в сильной зависимости от ее чрезмерного внимания и со временем требовать все больше и больше (см. пункты 297, 298).

263. Вещи, на которые интересно смотреть, и вещи, с которыми играют. Ребятишки, чуть повзрослев, некоторое время, обычно в начале вечера, начинают проводить в состоянии бодрствования. В эти моменты их охватывает жажда деятельности и потребность общения. В 2, 3, 4 месяца они с удовольствием рассматривают яркие движущиеся предметы. На улице им доставляет удовольствие наблюдать, как шевелятся на ветру листья и перемещаются тени. Дома они разглядывают картины на стенах, изучают собственные руки. Наверняка у них вызовут интерес нанизанные на шнурок броско раскрашенные игрушки, если вы повесите такую связку над их колыбелькой. Расположите игрушки так, чтобы до них можно было дотянуться рукой — у малыша скоро возникнет потребность не только рассматривать, но и трогать их, однако, не над самым его лицом. Склейте из картона и раскрасьте фигурки различной формы и подвесьте их к потолку или к абажуру лампы — от легкого прикосновения они будут вращаться и привлекут внимание младенца. Такие поделки достаточно прочны, чтобы малыш сразу же не сломал их, и не принесут вреда, если он потянет их в рот. Вызовут интерес у ребенка и предметы домашнего обихода — ложки, пластмассовые чашки и т.п. Только помните об одном: дотянувшись до чего-либо руками, малыш обязательно испытает это и на вкус. К 6 месяцам ощупывание любых вещей и попытки жевать их будут доставлять малышу наивысшее наслаждение. Подготовьте к этому времени небольшие гирлянды из пластмассовых погремушек, колец, фигурок животных, тряпичных кукол, небьющейся посуды — в общем, все, что не страшно взять в рот.

Следите, чтобы малыш не пытался пробовать на вкус мебель, потому что в покрывающей ее краске иногда содержится свинец. Лучше избегать целлулоидных игрушек — ребенок, разгрызая их, может порезаться обломками. Опасно давать малышу мелкие стеклянные бусы и другие предметы, которыми легко подавиться. Из резиновых игрушек удалите металлические пищалки.

Хотя бы один раз в день вынимайте малыша из наскучившей ему колыбели и пускайте в манеж, только все время наблюдайте за ним. Если вы предполагаете пользоваться манежем и дальше, начинайте готовить к нему малыша с 3–4 месяцев, еще до того, как он научится сидеть и ползать или получит свободу на полу. В противном случае манеж превратится для него в тюрьму. К тому времени, как малыш понемногу начнет передвигаться, его будут привлекать предметы, находящиеся от него на некотором расстоянии. Он попытается брать более крупные вещи: ложки, миски и др. Когда ребенку надоест в манеже, посадите его на детский стул со столиком. Перед тем, как закончить игру, дайте ему немного поползать.

264. Нужен ли ребенку манеж. Манеж не является необходимым предметом в доме. Более того, некоторые психологи и психиатры выступают против его использования, потому что ребенок не получает при этом необходимой ему свободы. Я не исключаю их правоты, хотя такие аргументы не убеждают меня на 100 %. Мне манеж кажется удобным с чисто практической точки зрения, особенно если речь идет о матери, обремененной многочисленными заботами. Установите его в гостиной или кухне — и можете заниматься своими делами, не выпуская малыша из-под надзора, не лишая его своего общества и не мешая ему наблюдать за всем происходящим, — всего этого ребенок оказался бы лишен, останься он в своей комнате. Несколько позже малыш найдет для себя еще одно забавное занятие: он часами будет выкидывать свои игрушки из манежа на пол и радоваться, когда мама соберет и вернет их ему. Когда ребенок научится вставать на ножки, он станет держаться за ограждение манежа. В хорошую погоду манеж можно вынести во двор, где для ребенка откроется масса нового в окружающем его мире.

Манежи со стенками из сетки более популярны, чем с деревянными, потому что их легче переносить с места на место.

265. Качалки и каталки. Специальные устройства в виде эластичных шнуров, на которых ребенка подвешивают за подмышки, или в виде обруча, установленного на ножках с колесиками, удобно применять, когда ребенок уже умеет сидеть, но еще не научился ходить. С их помощью ребенок попытается делать первые шаги и не будет бояться падений и ушибов.

Ряд педиатров не рекомендуют пользоваться такими устройствами, поскольку у детей может появиться косолапость. На всякий случай посоветуйтесь со своим доктором.

Работа кишечника

266. Желудочно-кишечный рефлекс. Вскоре после приема пищи у большинства людей появляются позывы к дефекации. Это происходит потому, что ощущение полноты желудка заставляет кишечный тракт перемещать находящуюся в нем перевариваемую пищу вниз. Такая взаимосвязь называется желудочно-кишечным рефлексом. Наиболее интенсивные позывы наблюдаются утром после завтрака, потому что наполнение желудка происходит после длительного состояния ночного покоя и действует более резко.

В первые месяцы жизни ребенка этот рефлекс срабатывает значительно чаще, и у грудных детей стул бывает после каждого кормления. Некоторые дети чувствуют потуги почти сразу, как начинают сосать. Даже если стул не выделяется, потуги продолжаются все время, пока сосок материнской груди находится у них во рту; причем напряжение мышц настолько сильно, что малыш не может сосать. В таком случае нужно подождать около 15 минут, пока успокоится кишечник, а потом повторить попытку кормления.

267. Меконий. В первый день после рождения стул ребенка состоит из мекония — темно-зеленого клейкого вещества довольно мягкой консистенции. Затем он меняет цвет на коричневый или желтый, превращаясь в обычный кал. Если в течение двух суток у новорожденного не было стула, необходимо сообщить об этом врачу.

268. Частота стула у грудных детей. В первые недели у детей, вскармливаемых материнским молоком, стул бывает несколько раз в сутки. Некоторые испражняются после каждого кормления каловыми массами светло-желтого цвета. Консистенция кала напоминает пюре и почти никогда не бывает плотной. К трехмесячному возрасту стул становится не таким частым и бывает один раз в сутки, а иногда и еще реже. Это настораживает мать, которая из собственного опыта вынесла убеждение в необходимости ежедневно справлять большую нужду. Однако если ребенок чувствует себя хорошо, то причин для беспокойства нет. У грудных детей кал остается мягким даже после двух-трехдневного перерыва.

У детей с редким стулом он, как правило, обильный, но не плотный, напоминающий суп-пюре. Я могу дать только одно объяснение данному явлению: каловые массы в кишечнике настолько жидкие, что не оказывают необходимого давления в районе анального отверстия, и дефекация не происходит. Если вы все же встревожены, посоветуйтесь с врачом. Сделать стул более частым могут небольшие добавки к рациону — пусть даже других показаний к этому нет. Наверняка помогут 2–4 чайные ложки пюре из чернослива (консервированного или тушеного). Не следует прибегать к слабительному. Не пытайтесь исправить дело клизмой или свечами — дети быстро становятся зависимыми от них.

269. Стул у детей, находящихся на искусственном вскармливании. Дети, которые питаются смесями на основе коровьего молока, в первое время имеют стул от 1 до 4, а в редких случаях до 6 раз в сутки. Постепенно частота стула снижается до 1–2 раз в сутки. На самом деле число испражнений не так важно, если стул имеет нормальную консистенцию, а сам ребенок хорошо себя чувствует.

Коровье молоко не влияет на консистенцию кала — он тоже очень мягкий, но цвет каловых масс светло-желтый. У некоторых детей в самом раннем возрасте испражнения иногда неоднородны, со сгустками в более жидкой массе. Если такой ребенок не выказывает недовольства и нормально прибавляет в весе, беспокоиться не о чем.

Проблемой у искусственно вскармливаемых детей может стать плотный стул. Мы обсудим ее в пункте 309, где речь пойдет о запорах.

В первые месяцы лишь у очень немногих детей, питающихся из бутылочки, наблюдается склонность к жидкому стулу. Обычно это результат избытка сахара в смесях. В острых случаях необходимо показать ребенка врачу. Если до врача не добраться, исключите сахар из рецептуры смеси. Когда ребенок весел, хорошо развивается и врач не находит у него расстройства здоровья, на жидкий стул можно не обращать внимания.

270. Изменения стула. Как видите, стул у каждого ребенка выглядит по-своему, поэтому если в остальном никаких нарушений в его поведении и развитии нет, то нет и причин для тревоги. Однако когда стул у малыша меняется, следует посоветоваться с врачом. Если прежде пастообразные испражнения младенца становятся комковатыми, жидкими или более частыми, то это может свидетельствовать о несварении желудка или небольшой кишечной инфекции. Если испражнения стали очень жидкими, а позывы очень частыми, если кал изменил запах, то причину наверняка надо искать в острой кишечной инфекции. Задержка стула и его плотная консистенция указывают на простуду, начало заболевания носоглотки или на иную болезнь — инфекция понижает тонус кишечника, он работает вяло, что, в свою очередь, сказывается и на аппетите. Кратко обобщая, скажем следующее: в первую очередь следите не за частотой стула и его цветом, а за консистенцией и запахом.

Слизь в испражнениях обычно появляется при диарее и становится дополнительным симптомом раздражения слизистой оболочки кишечника. Она же сопровождает и расстройство желудка. Причина образования слизи может находиться и выше — в носоглотке или в бронхах у простуженного ребенка. У здоровых новорожденных в первые недели в кале тоже бывает много слизи.

Когда в рационе малыша появляется новый вид овощей (с другими твердыми продуктами такого обычно не происхо-

204

дит), их непереваренные кусочки появляются в его испражнениях. Если при этом имеются и другие признаки раздражения слизистой оболочки кишечника, например жидкий стул или слизь в каловых массах, при следующем кормлении уменьшите порцию новых овощей. Учтите также, что свекла окрашивает кал в красный цвет.

На воздухе цвет кала меняется с коричневого на зеленый. Никаких признаков болезни в этом нет.

Капельки крови в кале малыша обычно появляются из трещин анального отверстия после выхода плотных масс. Само кровотечение не опасно, но о нем надо сообщить доктору, который незамедлительно начнет лечение запора, что крайне важно как с физиологической, так и с психологической точек зрения. Более значительное количество крови встречается редко и свидетельствует о пороке или инвагинации стенок кишечника (см. пункт 705), а также об острой диарее. В таком случае немедленно покажите ребенка врачу.

Проблемам **диареи** посвящены пункты 315–317.

Пеленки

271. Пеленание. Способы пеленания зависят от размеров пеленки и ребенка. Важно, чтобы максимальное число слоев ткани приходилось на тот участок тела, где скапливается больше всего мочи, а также чтобы пеленка не была слишком плотной и не растопыривала ноги младенца широко в стороны. Сначала сложите пеленку втрое. Затем подогните ее на треть длины; теперь одна половина ее сложена в шесть слоев, а другая — в три. У мальчика более толстая часть подгузника должна находиться спереди, а у девочки спереди, если она лежит на животике, или сзади при положении на спине. Когда вы будете закалывать булавкой края пеленки, держите вторую руку между пеленкой и тельцем младенца, чтобы случайно не уколоть его.

Обычно пеленки меняют один раз перед кормлением, а второй раз укладывая малыша спать. Уставшие от забот матери стараются сэкономить время и расходы на прачечную, меняя пеленки лишь один раз — до кормления или после него. Как правило, ничего страшного в этом нет, потому что дети и в мокрых пеленках неплохо себя чувствуют. Но встречаются ребятишки с чрезвычайно чувствительной кожей, которым пеленки надо менять чаще. Если ребенок хорошо укрыт, то и в мокрых пеленках он не будет мерзнуть. Но на открытом воздухе жидкость испаряется и пеленки студят кожу.

Если ребенок мочится в кровать, бывает полезно использовать сразу две пеленки. Вторую можно не пропускать между ног — иначе получится слишком громоздкое сооружение, а прикрепить на первую, чтобы получилось нечто вроде фартука.

О салфетках и водонепромокаемых штанишках написано в пунктах 55 и 56.

Очищая кожу малыша от кала, пользуйтесь смоченным в воде куском хлопчатобумажной или махровой ткани. Можно предварительно намылить кожу, но потом остатки мыла надо тщательно стереть. Удобно удалять кал и с помощью детского лосьона. Каждый раз, когда вы меняете мокрые пеленки, подмывать ребенка необязательно.

272. Стирка пеленок. Для грязных пеленок держите наготове бак или ведро с крышкой. Наполовину заполните его водой и, сняв грязную пеленку, тут же бросьте ее туда. В воду хорошо добавить мыло или стиральный порошок — тогда пятна легче отстирать. Мыло как следует растворите, чтобы впоследствии на пеленках не оставались липкие комки. Перед замачиванием запачканных пеленок соскребите с них ножом кал, держа их над унитазом.

Стирайте пеленки в стиральной машине или корыте с использованием мягкого мыла или порошка. После стирки прополощите их не менее двух раз. Число полосканий зависит от того, насколько чувствительна кожа вашего малыша. Обычно хватает двух-трех полосканий.

Если малыш склонен к опрелостям, следует регулярно предпринимать дополнительные меры предосторожности, особенно при появлении сыпи. Бактерии, собирающиеся на поверхности пеленок, вырабатывают из мочи аммиак, который и становится основной причиной сыпи. Обычной стиркой эти бактерии полностью уничтожить не удается. В таких случаях пеленки необходимо либо кипятить, либо добавлять при стирке безопасный антисептик.

Для многих бактерий губителен солнечный свет. Поэтому развешивайте на солнце для просушки пеленки и другие предметы одежды, на которые попадает моча: ночные рубашки, простыни, клеенки, водонепромокаемые штанишки. Об опрелости читайте в пункте 319.

Прививки *

273. Ведите календарь прививок. Весьма полезно иметь дома подписанную врачом бумагу, где будут отмечены все сделанные ребенку прививки и чувствительность малыша к различным вакцинам (если таковая наблюдается). Надолго уезжая из дома, берите эту бумагу с собой. Она вам очень пригодится, если вы вдруг решите поменять врача. Конечно, вы всегда можете навести справки о сделанных прививках и о производившем их докторе. Но на это иногда просто нет времени: например, если где-то вдали от дома ребенок поранился и необходимо срочно решить, как предохранить его от столбняка, ваши записи помогут лечащему врачу узнать, когда была сделана противостолбнячная прививка и сохраняется ли поныне ее действие.

274. Адсорбированная коклюшно-дифтерийно-столбнячная вакцина (АКДС). Эта комбинированная вакцина используется для прививки от трех заболеваний. В первый раз инъекцию АКДС делают очень рано, в двухмесячном возрасте. Прививку повторяют два раза с интервалом в месяц. Однако если промежутки между инъекциями окажутся больше, действенность вакцины существенно не уменьшится.

Эффективность прививки после трех уколов очень высока, но с течением времени начинает ослабевать. Поэтому, чтобы восстановить иммунитет, через год (в возрасте 15–18 месяцев) надо сделать дополнительный укол, а через три года еще один. Далее, в 6–12 лет, делают прививки от коклюша и дифтерии.

Комбинированные прививки часто вызывают реакцию организма (причиной в данном случае становится коклюшная вакцина). Повышается температура, снижается аппетит, крас-

---

* Обращаем внимание читателей на то, что в этом разделе речь идет о прививках и сроках их проведения, соответствующих нормам, принятым в США. — *Прим. ред.*

неет кожа вокруг места укола. Все эти признаки появляются через 3–4 часа после инъекции. Доктор может прописать лекарства, которые устранят нежелательные явления, и на следующий день ребенок будет чувствовать себя лучше. Если и после этого у малыша будет наблюдаться лихорадочное состояние, то скорее всего дело не в прививке, а в инфекции. Прививка АКДС не вызывает кашля или симптомов, характерных для простуды.

Прививки АКДС не делают при острых простудных или других инфекционных заболеваниях ребенка, а также во время эпидемии полиомиелита, поскольку они снижают сопротивляемость организма этим болезням.

В месте укола — на ягодице или плече ребенка — может остаться уплотнение. Оно исчезнет через несколько месяцев, и не следует беспокоиться по этому поводу.

Теперь рассмотрим по отдельности вещества, входящие в эту комбинированную вакцину.

275. Коклюшная вакцина. Ее производят из погибших бактерий коклюша. Она не предохраняет ребенка от инфекции полностью, но если малыш все-таки заразится, болезнь будет протекать в легкой форме. Коклюш относится к опасным заболеваниям детей раннего возраста, и именно поэтому прививку делают в первые месяцы жизни.

Высокая сопротивляемость организма вырабатывается спустя некоторое время после трех инъекций. Поэтому если ребенок заразился, мгновенного облегчения от первой произведенной прививки ждать не приходится. Дополнительно делают прививки в 15 месяцев и в 3 года.

276. Дифтерийный анатоксин. Дифтерийные палочки вырабатывают вредные вещества, которые называют токсинами. Именно этим микробы и опасны для человека. Если подвергнуть токсины химической обработке, например формалином, то они становятся безвредными. После инъекции анатоксин помогает организму защититься от токсина дифтерийных палочек. Желательно сделать три укола с анатоксином в раннем возрасте и произвести дополнительные инъекции в возрасте 15 месяцев, 3, 6 и 12 лет. Только в этом случае ваш ребенок будет полностью защищенным.

208

277. Столбнячный анатоксин. Это третий компонент вакцины АКДС. Его вырабатывают из токсинов бактерий столбняка. Несколько инъекций анатоксина стимулируют организм на **постепенное** создание долговременной защиты от болезни. Столбнячный анатоксин не надо путать со столбнячным антитоксином, представляющим собой сыворотку, которая дает быструю, но недолго действующую защиту от столбняка.

Столбняк — очень опасная болезнь, микробы которой попадают в организм через ранки на коже. Столбнячные палочки встречаются часто в земле, удобренной навозом животных. Есть они и на городских улицах. Чем глубже рана, тем выше риск заражения. Очень опасны царапины, которые оставляют на коже когти животных — кошек, собак и др.

Защищенному прививками **анатоксина** организму при опасности заражения столбняком достаточно лишь немного помочь вспомогательной инъекцией — в этом случае можно быть полностью уверенным, что все кончится благополучно. Однако если у врача нет подтверждения сделанных прививок, ему придется сделать инъекцию противостолбнячной сыворотки (см. пункт 278), чтобы спасти жизнь ребенка. Вот когда понадобится записка о сделанных малышу прививках.

Система защиты с помощью анатоксина развивается медленно и становится эффективной только после второй инъекции. Поэтому нет смысла использовать такую прививку сразу после того, как ребенок поранился. Быстро обезопасить его от болезни может только сыворотка.

Дополнительные инъекции проводят в возрасте 15 месяцев, 3, 6 и 12 лет. Поранившемуся ребенку, если есть опасность заражения столбняком, нужно сделать еще один вспомогательный укол, доведя с его помощью эффективность защиты до максимально возможного уровня.

278. Противостолбнячная сыворотка. До изобретения столбнячного анатоксина при опасности заражения столбняком детям делали укол противостолбнячной сыворотки. Сыворотку получали, заражая столбняком лошадей. После того как в организме животных вырабатывалось достаточно защитных веществ, из их крови делали сыворотку. После введения ее человеку, над которым висела опасность заболевания, защитные вещества лошади начинали работать, но срок их действия ограничивался лишь неделями. Кроме того, через несколько дней после укола могла произойти негативная реакция организма человека на сыворотку. Повышалась температура, появлялась сыпь. Если впоследствии такому человеку снова ввести сыворотку, то дело кончится серьезным заболеванием, требующим тщательного лечения.

В связи с этим при решении вопроса о том, применять ли сыворотку ребенку или взрослому, которым либо не вводили анатоксин, либо сведения о прививках отсутствуют, врач всегда испытывает колебания. Если рана у ребенка неглубока или маловероятно, что с попавшей туда грязью в организм могут проникнуть бактерии столбняка, врач советуется с родителями. При порезах и царапинах, полученных дома, противостолбнячную сыворотку, как правило, не применяют.

279. Полиомиелитная вакцина. Эту вакцину вводят через рот всем детям начиная с двухмесячного возраста. Она представляет собой штаммы живых вирусов, выращенных в специальных условиях в лабораториях. Полиомиелит вызывают вирусы трех типов, и, чтобы быть полностью защищенным от болезни, ребенок должен получить три вида вакцины. Некоторые врачи предлагают следующий порядок прививок: с интервалом в 6–8 недель давать поочередно вакцины типа I, типа II и типа III. Есть и другой метод: с тем же интервалом давать вакцину, являющуюся комбинацией вакцин трех типов.

Мир очень долго ждал эту вакцину. Вакцины получают, выращивая бактерии в лаборатории. Но полиомиелит вызывают не бактерии, а вирусы, которые развиваются только в живом организме, а те, что вызывают болезни у людей, — только в человеческом организме. Трое ученых – Джон Эндерс, Фредерик Роббинс и Томас Уэллер — нашли способ выращивать вирусы полиомиелита в тканях обезьяны и хранить их живыми в пробирках. После разрешения этой трудной проблемы доктор Джонас Сак сумел получить безопасную вакцину, убив вирусы с помощью химических соединений. Однако создаваемый ею иммунитет был неполным и с течением времени угасал, что заставляло достаточно часто повторять прививки. Наконец доктор Алберт Сейбин получил вакцину из живых, но ослабленных вирусов. Она оказалась безопасной для человека и создавала длительный и надежный иммунитет.

280. Коревая вакцина. В настоящее время эта вакцина стала общедоступной, и ее вводят всем без исключения детям в годовалом возрасте. Хотя большинство людей считают корь безопасным заболеванием, поскольку перенесли его без всяких последствий, тем не менее она может вызывать очень серьезные осложнения: воспаление среднего уха, пневмонию, энцефалит и даже длительные расстройства деятельности головного мозга. Вот почему так важны прививки против кори. Коревую вакцину изготовляют из живых вирусов кори, действие которых ослаблено благодаря особым условиям, в которых они выращиваются на тканях куриного эмбриона. Поздний срок прививки объясняется тем, что на некоторое время ребенок получает иммунитет от матери. Благодаря вакцине организм приобретает иммунитет, который, как считают, сохраняется на всю жизнь.

Хотя организм реагирует на вакцину (это, по сути, не что иное, как легко протекающее заболевание) гораздо слабее, чем на неизмененные вирусы, все же у 10 % детей через неделю после прививки температура может повыситься до 40° С. Такое состояние длится от одного до пяти дней. Примерно у такого же количества детей может наблюдаться легкая сыпь.

281. Прививки против оспы. Их делают всем детям примерно между пятнадцатым и восемнадцатым месяцами. В этом возрасте они переносятся легко. Оспа очень опасное заболевание, а прививка надежно защищает от него. Вакцина содержит микробы или вирусы оспы коров, и прививка вызывает у ребенка легкую форму этой болезни. Удивительное свойство оспы коров заключается в том, что, не причиняя заболевшему никакого вреда, она вырабатывает у человека иммунитет к более опасным видам оспы.

Встречаются дети, которым лучше подобную прививку временно не делать. Например, если у ребенка экзема, то прививку откладывают до полного исчезновения сыпи (или делают, если среди населения появились случаи заболевания). Дело в том, что у подверженных сыпям детей может наблюдаться очень острая реакция на вакцину. Прививку также лучше не делать ослабленным и болезненным детишкам. То же касается детей с острыми инфекционными заболеваниями и тех, у кого кто-то болеет в семье. Не прививают детей, у которых есть непривитые родственники, страдающие экземой. Для обеспечения полной безопасности ребенка повторно вакцинируют в возрасте 6 лет. Если обнаружены случаи заболевания, все население подвергают повторной вакцинации.

Прививку делают следующим образом: на кожу (обычно на предплечье) наносят каплю вакцины, и врач делает в этом месте легкий надрез. Мгновенной реакции не будет, но примерно через три дня на месте прививки появляется красная папула. На ней вскоре образуется белый волдырь, а кожа вокруг краснеет. Волдырь постепенно растет и на восьмой-девятый день достигает максимального размера — обычно около 2 см в диаметре, а в редких случаях 4 см. Как правило, болезненных ощущений прививка не вызывает. В тяжелых случаях малыш беспокоен, теряет аппетит, у него может подняться температура. В связи с этим лучше не делать прививку, если вам через несколько дней предстоит дальняя поездка или иные дела и больной ребенок помешает их выполнить.

После того как реакция завершается, поверхность волдыря начинает сохнуть и превращается в струп, который через несколько недель отпадает.

До полного окончания реакции нельзя перекрывать доступ воздуха к месту прививки. Если малыш расчесывает его, в самом крайнем случае наложите кусочек стерильной хлопчатобумажной ткани. Если прививку делали на предплечье, ткань можно подшить на внутреннюю сторону рукава ночной рубашки. Если девочку прививали на бедре (чтобы шрам не был виден), наложите ткань на ранку и прикрепите по бокам двумя полосками лейкопластыря; крепить лейкопластырь поперек бедра нежелательно, так как это ухудшает кровообращение.

В первые три дня после вакцинации можно придерживаться обычного режима. После появления белого волдыря лучше отказаться от купания в ванне и перейти к обтираниям — так меньше риска повредить волдырь. К нормальному купанию можно вернуться, когда отпадет струп.

Хотя осложнений после прививки практически не бывает, свяжитесь с доктором, если краснота вокруг ранки разлилась очень широко, у ребенка повысилась температура или струп не отпал через полторы недели.

Если на месте вакцинации через несколько дней реакции не произошло, это свидетельствует не об иммунитете, а лишь о том, что вакцина оказалась слишком слабой либо не попала под кожу. Прививку надо повторять, пока не произойдут все явления, описанные выше.

При повторной прививке через несколько лет снова возникнет реакция. Если действие вакцины уже не такое сильное, то симптомы будут такими же, как после предыдущей вакцинации. Если система защиты еще работает, на месте прививки образуется небольшой прыщик, который вскоре исчезнет сам собой, не оставив следов. При отсутствии какой-либо реакции прививку надо повторить.

Поведение ребенка раннего возраста

Причин для крика очень много

282. Почему он кричит? Если у вас первенец, этот вопрос не дает вам покоя. Став постарше, малыш будет плакать реже, в определенное время, да и вы научитесь понимать, почему он кричит.

А пока у вас голова идет кругом. Он голоден? Мокрый? Может быть, у него несварение желудка или расстегнулась булавка и колет его? Возможно, он капризничает? Родителям почти никогда не приходит в голову, что малыш просто устал. А это одна из главных причин плача. В общем, выяснить, чем недоволен малыш, не так уж сложно, и чуть позже мы рассмотрим все причины одну за другой.

Однако ребенок часто кричит без всяких видимых причин. Почти все дети, когда им исполняется 2 недели, в особенности первенцы, выбирают определенное время суток и начинают оглашать окрестности громким криком. Мы можем придумать название для такого поведения ребенка, но до конца понять его причину, увы, не в состоянии. Если плач начинается к вечеру, мы считаем, что это из-за колик (если малыша пучит) или временного раздражения (если животик мягкий и не вздут). Если на наше горе младенец исходит криком поздно вечером или ночью, то, глубоко вздохнув, мы считаем это просто капризами. Если ребенок беспокоен и подвижен, то думаем, что он кричит от возбуждения. Установлена закономерность, что через этот период проходят большинство детей и постепенно успокаиваются к 3 месяцам. Возможно, мы зря пытаемся классифицировать виды

214

плача и на самом деле все это вариации одного и того же явления. В глубине души мы понимаем, что в эти первые месяцы неразвитые системы малыша — в первую очередь нервная и пищеварительная — приспосабливаются к жизни во внешнем мире и проходит это не у всех гладко. Как бы то ни было, нужно понимать: это явление преходяще и никаких оснований для тревоги в себе не несет.

283. Голоден или нет? Вы можете кормить малыша по расписанию, можете давать ему грудь или бутылочку по первому его требованию — и очень скоро заметите, что поведение ребенка подчиняется определенному порядку: в какое-то время суток у него повышается аппетит, и он просыпается до установленного срока. Эти наблюдения помогут вам решить, не стал ли неожиданный крик малыша сигналом покормить его. Если вдруг ребенок отказался сосать, получив лишь половину обычной порции, то его плач через два часа после кормления вполне **можно** объяснить голодом. Но в этом нельзя быть абсолютно уверенным. Даже не наевшись как следует, малыш может спокойно проспать весь положенный четырехчасовой срок.

Если ребенок мало спит после сытной еды, то еще меньше оснований считать, что он плачет от голода. (Пробуждение всего через час после кормления скорее всего связано с коликами.) Когда крик раздается спустя 2,5 или 3 часа после сна, значит, малыш призывает вас покормить его.

А есть ли основания думать, что у вас стало меньше молока или ребенку не хватает порции смеси? Если вы кормите малыша смесью, то вряд ли возможно, что внезапно, за один день, ее стало ребенку не хватать. Прежде чем увеличить порцию, вы должны заметить, что каждый раз, высосав бутылочку, малыш оглядывается в поисках добавки. Вначале он будет раньше просыпаться и плакать. И лишь затем ребенок станет поднимать крик **сразу** после кормления.

Обычно молока у матери становится тем больше, чем выше потребность ребенка. Чем чаще и полнее опустошается грудь, тем интенсивнее работает молочная железа, тем больше секреция молока. Хотя иногда из-за утомления или излишнего волнения количество молока может внезапно уменьшиться.

Я бы предложил простое правило, которым вы можете воспользоваться. Если ребенок, не смолкая, плачет больше 15 минут и если он перед этим проспал не менее 2 часов (время сна может быть меньше 2 часов, если последнее кормление не было полноценным), возьмите на руки и покормите его. Если же после нормального кормления сон продолжался меньше 2 часов, малыш скорее всего не голоден. Пусть поплачет 15–20 минут, если, конечно, вы в силах это выдержать, или дайте ему пустышку и подождите — вдруг он снова заснет. Если же он плачет все громче, покормите его — вреда не будет.

(Даже если вы подозреваете, что вашего молока не хватает, тем не менее не начинайте кормление с бутылочки. Сначала дайте ребенку грудь.)

284. Болеет или нет? В первые месяцы жизни ребенок может простудиться или подхватить желудочно-кишечную инфекцию. Однако недомогание должно проявиться не только в плаче. У малыша появится насморк, он начнет кашлять, у него расстроится стул. Если ребенок не только кричит, но и **выглядит** необычно, измерьте ему температуру и вызовите врача.

285. Мокрые пеленки? Только очень редкие дети проявляют беспокойство обмочив или запачкав пеленки. Большинство же никак не реагирует на такие события. И все же вреда не будет, если вы лишний раз смените ему пеленки.

286. Укололся булавкой? Английская булавка может самопроизвольно расстегнуться раз в сто лет. На всякий случай проверьте, не произошел ли с вашим малышом этот уникальный случай.

287. Несварение желудка? Попробуйте еще раз изгнать воздушный пузырь, даже если вы только недавно проделали эту процедуру. Нарушение пищеварения, сопровождаемое жидким или комковатым зеленым стулом, рассматривается в пункте 307, а коликам посвящен пункт 292.

288. Избалованность? Более старшие дети могут кричать потому, что избалованы. Но для месячного ребенка такая причина плача выглядит абсурдной.

289. Усталость? Когда в самом раннем возрасте периоды бодрствования ребенка затягиваются или обстоятельства мешают ему заснуть, например, в доме появились посторонние люди, малыш сам оказался в незнакомом месте или, наконец, родители слишком долго с ним играли, он может перевозбудиться, и усталость не помогает, а напротив, мешает ему заснуть. Однако если родители попытаются в этих обстоятельствах успокоить его разговорами или играми, ситуация станет еще хуже.

Некоторые дети вообще не могут спокойно отойти ко сну. Утомление, которое они испытывают перед сном, порождает нечто подобное нервному стрессу, и, чтобы заснуть, они должны снять его криком. Малыши кричат громко и долго, а потом внезапно умолкают и проваливаются в сон.

Поэтому, слыша крик перед сном или после кормления, прежде всего подумайте, не усталость ли стала причиной недовольства малыша, и положите его в постель. Пусть себе кричит 15–20 минут, даже полчаса. Некоторые дети быстро засыпают, если их просто оставить в покое, — в таком случае считайте, вам повезло. А иной малыш способен снять напряжение только благодаря ритмичным движениям — его приходится либо качать, либо катать взад-вперед в коляске. Возможно, он быстрее успокоится, если вы возьмете его на руки и будете ходить с ним по темной комнате. В принципе это не возбраняется, но только в крайних случаях, при очень сильном приступе раздражения. Если вы будете постоянно прибегать к этому способу, ребенок скоро привыкнет и замучит вас своими капризами.

290. Капризные дети. В течение первых месяцев почти каждый ребенок, особенно первенец, переживает период повышенной раздражительности. Некоторые дети капризничают сутками напролет. Приступы возбуждения могут чередоваться довольно длительными периодами, когда малыш крепко спит. Мы не знаем причин подобного поведения, но можно предположить, что в первую очередь виновата неустойчивая работа пищеварительной и нервной систем его организма. В этом нет ничего тревожного, и период капризов рано или поздно заканчивается, хотя родителям не так легко его пережить.

Есть несколько способов успокоить малыша. Попробуйте давать ему между кормлениями пустышку. Если это не помогает, туго пеленайте его. Некоторые матери и медсестры считают отличным выходом из положения тесные колыбельки. Малыша можно класть чуть ли не в коробку от обуви. Вместо матраса используйте плоскую подушку или свернутое в несколько раз покрывало. Неплохо, если у вас есть коляска или люлька — ритмичные покачивания успокаивающе действуют на нервную систему малыша. Фантастический эффект производит поездка на автомобиле, но все может пойти насмарку, когда вам придется вернуться домой; разочарование постигнет вас и при остановке на красный свет. Хорошо подействуют бутылочка с теплой водой (см. пункт 293) или негромкая музыка. Из пункта 294 вы узнаете, как успокоить и собственные нервы. Если доктор сочтет возможным, он пропишет вам транквилизаторы.

291. Возбудимый ребенок. Такие дети в первые недели жизни беспокойны, напряжены, не могут расслабиться. Они резко вздрагивают при малейшем шуме, при любом движении. Для того чтобы выйти из себя, малышу достаточно, например, перевернуться со спинки на бок. Такую же реакцию вы увидите, если не будете крепко держать его в руках или, укачивая ребенка, сделаете неверное движение. В первые несколько месяцев такого ребенка невозможно заставить купаться в ванне. Вдобавок возбудимый ребенок часто подвержен коликам.

Возбудимым детям желательно обеспечить щадящий режим: тихую комнату, минимум посетителей, в их присутствии лучше избегать громких разговоров. Беря такого ребенка на руки, старайтесь, чтобы ваши движения были как можно более плавными. Чтобы он не вертелся при смене пеленок или при обтирании, кладите его не на твердую поверхность, а на большую мягкую подушку, желательно непромокаемую. Лучше, если большую часть времени он будет проводить туго спеленутым; спать его кладите на животик в маленькую колыбельку (см. пункты 290 и 293). Не исключено, что врач пропишет ребенку успокаивающие средства.

292. Колики и «периодическое раздражение». В этом пункте я расскажу о двух взаимосвязанных и внешне схожих явлениях. Первое из них — колики, или резкая боль в кишечнике. Животик ребенка распирают скапливающиеся там газы. Причиняемая ими боль заставляет малыша сучить ножками и кричать, способствуя тем самым отхождению газов. Второе явление я называю «криком от периодического раздражения». В определенное время суток малыш начинает жалобно плакать, хотя только что хорошо поел и определенно не страдает от боли или скопления газов. Крик может продолжаться несколько часов, но у вас на руках ребенок успокоится.

Итак, некоторые дети страдают от колик, другие подвержены периодическим раздражениям, у третьих крик вызван обеими причинами. Не исключена взаимосвязь этих явлений, поскольку оба проявляются в конце первого месяца жизни и продолжаются до истечения третьего месяца. Кроме того, и колики, и временное раздражение мучают малыша утром — примерно с 6 до 9 часов.

Обычно ситуация выглядит следующим образом. У малыша, который в роддоме вел себя тихо и незаметно, после нескольких дней, проведенных дома, начинаются приступы плача, продолжающиеся по три, а то и по четыре часа. Мама меняет пеленки, переворачивает его, дает попить воды — безрезультатно. Через пару часов она уже теряется в догадках: не проголодался ли малыш прежде времени, тем более что он пытается засунуть себе что-нибудь в рот. Она дает бутылочку, ребенок поначалу начинает жадно сосать, но почти тут же выпускает ее и продолжает крик. Иногда весь четырехчасовой перерыв между кормлениями проходит в воплях. Зато после очередного кормления ребенок вдруг затихает.

Основную массу детей подобные приступы посещают считанное число раз. Но есть младенцы, которые заливаются плачем каждую ночь до достижения трехмесячного возраста (вот почему эти приступы плача иногда называют «трехмесячными коликами»). В редких случаях колики продолжаются до полугода и более.

Беспокойные периоды приходятся на разное время суток. Одни дети спят как ангелы почти все время, но после ночного двухчасового или утреннего шестичасового кормления начинают плакать и не останавливаются, пока не придет время снова поесть. У других ребятишек приступ плача возникает днем

219

и продолжается еще дольше. Но хуже всего приходится родителям, чей малыш спит днем и плачет ночь напролет. Бывает, что у одного и того же ребенка периоды беспокойства возникают то ночью, то днем. Плач от колик следует сразу после кормления либо через полчаса после него или чуть позже. Этим он отличается от крика голодного ребенка, который дает о себе знать **перед** кормлением.

Мать подавлена, видя своего малыша таким несчастным, и в голову приходят самые ужасные мысли. Она не представляет, сколько сможет выдержать ребенок и сколько сможет выдержать она. Но парадокс в том, что крик помогает ребенку физически развиваться. Он прибавляет в весе и даже обгоняет в этом своих молчаливых сверстников. От крика появляется аппетит, малыш залпом проглатывает свою порцию и не прочь получить добавку.

Когда у ребенка появляются колики, мать первым делом грешит на питание. Если он сосет грудь, мать считает, что во всем виновато ее молоко. Если она кормит младенца из бутылочки, то готова на самые кардинальные изменения в рационе: перейти со сгущенного молока на свежее или добавлять в смесь не песок, а сахарную пудру, как это делает соседка. Смесь по новому рецепту способна в некоторых случаях улучшить ситуацию, но, как правило, в данном случае происходит обмен шила на мыло. Нетрудно заметить, что главной причиной колик является отнюдь не питание. Иначе почему ребенок не кричит после каждого кормления, а только после одного? От колик страдают дети, которых кормят грудным молоком, тот же недуг преследует малышей при искусственном вскармливании. Случается, что причиной колик бывает апельсиновый сок.

Мы до сих пор так и не смогли понять, что же вызывает колики и периодическое раздражение. Многие специалисты считают, что в основе того и другого лежат сбои в работе нервной системы, тем более что среди крикунов часто встречаются легко возбудимые дети (см. пункт 291). Поскольку чаще дети плачут в конце дня или вечером, то правомерной выглядит ссылка на утомление. Когда возраст детей приближается к 3 месяцам, то после кормления многим из них хочется спать и плакать. Они засыпают, но перед этим считают своим долгом немного поорать.

293. Помощь при коликах. Родители должны уяснить, что колики — чрезвычайно распространенное явление и не приносят ребенку никакого ощутимого вреда; напротив, дети при этом прекрасно развиваются, а к 3 месяцам или даже раньше колики вовсе исчезают, не оставляя последствий. Если родители будут относиться к ним спокойно и без предубеждения, можно считать, что сражение наполовину ими выиграно.

Те дети, которые подвержены коликам и в то же время легко возбудимы, лучше себя чувствуют, если создать им спокойную обстановку: поставить колыбельку в тихой комнате, брать на руки и менять пеленки не делая резких, суетливых движений, говорить с ними ласково, не мучить разными визитерами, не щекотать и не возиться с ними, избегать шумных мест во время прогулок, а в городах вообще от них отказаться на весь период капризов. Таким детям, как и всем другим, нужно общение, нужны ласка и улыбки, мягкость и нежность. После каждого кормления непременно изгоняйте из желудка малыша воздушный пузырь. Старайтесь поддерживать тесный контакт с врачом — при обострении он, возможно, пропишет малышу успокоительное. Верно выбранное лекарство не принесет малышу вреда и не даст эффекта привыкания даже при длительном применении.

Если доктора поблизости нет, можете попробовать средства, которые есть у вас под рукой.

Во многих случаях помогает пустышка, хотя многие врачи и родители относятся к ней с предубеждением (см. пункты 347–349).

Во время приступов колик малыш чувствует себя лучше лежа на животе у мамы на коленях или на грелке с горячей водой. Очень хорошо в это время поглаживать его по спине.

Температура воды в грелке не должна обжигать, когда вы для пробы коснетесь ее запястьем. На всякий случай оберните грелку полотенцем или пеленкой.

Стоит ли во время приступов брать ребенка на руки, укачивать его? Если это успокоит малыша, не избалуете ли вы его? Прежде мы очень опасались, что привыкший к маминым рукам ребенок вырастет избалованным. Сейчас эти страхи уже не кажутся обоснованными. Если, взяв малыша на руки, вы облегчите ему страдания, вряд ли он потребует того же, не испытывая по-настоящему боли. Прижмите к себе плачущего от колик или раздражения малыша, побаюкайте его, раз ему это помогает. Но если и при этом он продолжает плакать, то лучше положить его в постель и не приучать лишний раз к рукам (см. пункт 295).

Детей, которые с трудом успокаиваются, постоянно находятся в напряжении, должен наблюдать врач. С возрастом все неприятности пройдут, но первые 2–3 месяца жизни бывают довольно тяжелыми и для малыша, и для его родителей.

294. Тяжела участь родителей капризного или раздражительного малыша. Взяв на руки плачущего от колик или от раздражения ребенка, вы на какое-то время успокоите его. Но через несколько минут он раскричится с новой силой, начнет бить вас кулачками, отпихивать ножками. Кажется, ваши попытки помочь малышу только злят его. Такая реакция, разумеется, огорчает вас — ведь вы искренне жалеете бедняжку. Потом приходит чувство отчаяния от собственного бессилия. Но время идет, ребенок продолжает брыкаться, и в глубине души у вас рождается возмущение столь явным проявлением неблагодарности. В то же время вам ужасно стыдно, что ваш гнев направлен на это беззащитное и страдающее существо, и вы хотите подавить в себе черные чувства. Но чем больше вы стараетесь, тем большее раздражение на него и на себя охватывает вас.

На самом деле чувство злости в подобной ситуации естественно, и не надо его стыдиться. Признайте свой «грех» и вместе с мужем посмейтесь над своими переживаниями — вам в следующий раз будет легче. Кроме того, вы должны понимать, что ребенок против вас ничего не имеет. Он еще не ощущает вас личностью, как не ощущает личностью и себя. В первые месяцы это просто набор органов и нервов. Тревожащая малыша боль включает рефлекс и заставляет хаотично двигаться его конечности, как удар невропатолога по коленке подбрасывает нашу ногу.

Если вам не повезло, и, несмотря на все ваши усилия и старания врача, ребенок заходится плачем большую часть дня, необходимо подумать и о собственном душевном равновесии. Возможно, вы относитесь к разумным женщинам, которые, выяснив природу и причины детского крика и поняв, что ничего опасного в этом нет, уделяют плачущему малышу ровно столько внимания, сколько требуется. Если так, мне остается лишь порадоваться за вас. Но многие матери буквально сходят с ума, слыша, как их малыш заходится в крике. Этим женщинам необходимо хотя бы дважды в неделю на пару часов вырваться из дома. Если они могут делать это чаще — тем лучше. Упросите подругу или соседку подменить вас. Конечно, у вас на душе будут скрести кошки: «Как же оставить несчастного малютку с посторонним человеком?» Но думать так неправильно. Считайте свой маленький отпуск необходимым лечением для ваших нервов. И ребенку, и мужу куда важнее ваша бодрость и хорошее настроение, нежели постоянный присмотр за малышом. Если вам некого позвать на помощь, попросите мужа отпускать вас два раза в неделю в гости или в кино и пообещайте предоставить другие два вечера в его полное распоряжение. Учтите: помогая себе сохранить душевное равновесие, накопить силы, вы тем самым помогаете ребенку и всей остальной семье.

Избалованность

295. А вдруг ребенок вырастет избалованным? Подобный вопрос постоянно будет приходить в голову, если в первые недели малыш, вместо того чтобы мирно спать, кричит и буянит. Вы берете его на руки, ходите с ним, баюкаете его, и он успокаивается на время. Стоит вам положить его в постель, как снова начинается громкий плач. Не думаю, что в первый-второй месяцы вам следует опасаться избаловать своего малыша. Скорее всего плач в столь раннем возрасте действительно говорит о внутреннем дискомфорте ребенка. На руках у вас он отвлекается от боли, забывает о ней. Кроме того, тепло и давление на животик снимают напряжение. Однако если вы решите, что ваше поведение в дальнейшем приведет к избалованности, в возрасте до 4–5 месяцев достаточно нескольких дней, чтобы младенец отвык от рук.

296. С трехмесячным малышом требуется осмотрительность. К 3 месяцам, как правило, причины, вызывающие приступы плача, — колики, раздражение, возбудимость — исчезают. (Лишь в редких случаях они сохраняются до 4–5 месяцев.) Вы начали замечать, что малыш, которого мучили боли в животе, перестал просыпаться в неурочное время. Подверженный прежде приступам раздражения, перемежающимся спокойными периодами, он уже не заходится в крике. Естественно, некоторые дети, которых постоянно носили на руках в течение трех месяцев, уже привыкли к этому. Им хочется, чтобы приятное ощущение тепла и движения продолжалось и дальше, они желают вашего общества. Но с вашей стороны было бы разумно стать чуть-чуть более строгой. Конечно, не следует мгновенно превращаться в фурию. И все же, укладывая малыша в кровать, спокойно, но твердо предупредите его, что он должен спать, а у вас есть дела, и не подходите к нему, пусть даже похнычет несколько минут. Если ваши проблемы носят более острый характер, прочтите пункт 301.

297. О родителях, которые не отходят от ребенка. Вы рискуете избаловать своего ребенка, если не можете отказать себе в удовольствии постоянно общаться с ним, пока он бодрствует, играть в ладушки, носить на руках, качать на коленях, смешить. Если так же будут поступать папа или бабушка, постепенно малыш разучится развлекать себя сам. Оставшись наедине с собой, он будет скучать, чувствовать себя брошенным и станет искать выход из положения в надрывном крике. То, что началось как забава, превратится для вас в каторгу. Это не значит, что вы должны совсем отказывать себе в радости заниматься с малышом. Речь идет всего лишь о соблюдении меры.

298. О слабохарактерных родителях. Мать, которая хватает малыша на руки, стоит тому лишь чуть забеспокоиться, через месяц или два обязательно заметит, что ее ребенок чаще стал капризничать и тянуть ручки, чтобы его покачали. Не встречая противодействия, малыш поймет, что его бедная усталая мама целиком в его власти, и усилит свои требования, сделает их более настойчивыми. Капризы не вызовут в матери иных эмоций, кроме негодования. Как мы уже говорили, негодование сменится чувством вины, и маме будет трудно вырваться из созданного ею же заколдованного круга.

299. Что заставляет родителей баловать ребенка? Обычно родители балуют своего первенца, практически все мы через это прошли. Для родителей первый ребенок становится самой захватывающей игрушкой. Если мужчина не может нарадоваться новой машине, а женщина постоянно примеряет новую шубу, то неудивительно, что появившийся в семье ребенок занимает все мысли родителей в течение долгих месяцев. Но удовольствие, которое дарит малыш своим папе и маме, не единственная причина. На первенца родители возлагают все свои надежды; они хотят, чтобы ребенок достиг всего, чего им не удалось, чтобы он был избавлен от всего, что им пришлось вынести. Они испытывают волнение, незнакомое прежде чувство абсолютной ответственности за здоровье и будущее счастье этого крохотного и беззащитного существа. Любой его крик заставляет бросаться на помощь, чтобы успокоить и утешить малыша. Со вторым ребенком вам будет проще: появится уверенность в себе, возвратится чувство меры, придет знание, что кое-чего его следует лишить ради его же блага. Кроме того, вас уже не будет посещать чувство вины, если вы проявите твердость и даже жесткость, будучи твердо уверены, что делаете добро маленькому.

И все же некоторые мамы и папы особенно склонны баловать своих отпрысков. Это, например, родители, у которых очень долго не было детей, а после появления первенца практически исчезла надежда родить второго. Другой тип — закомплексованные родители, в душе готовые стать рабами своих детей в надежде, что те добьются в жизни успеха, о котором им самим не приходится и мечтать. Сюда же можно причислить приемных родителей, которые излишне трепетно относятся к своему чаду и готовы для ребенка на любые оправданные и неоправданные жертвы. Со многими проблемами, как ни удивительно, сталкиваются родители, которые изучали детскую психологию или медицину в специализированных учебных заведениях и работают в этой области; они внутренне считают необходимым подтвердить свой особый статус (на самом деле теорию очень трудно применять к собственному младенцу). Следует также упомянуть пап и мам, которые, наказав ребенка, начинают испытывать угрызения совести и пытаются сгладить ситуацию, делая для малыша все, чего тот пожелает. Наконец, это уже знакомый нам тип родителей, которые гневаются на кричащего ребенка и испытывают в то же время вину, — раздираемые противоречивыми чувствами, они загоняют себя в ловушку, из которой нет выхода. Прочтите пункт 503, посвященный чрезмерной опеке.

Помимо прочих причин, у подобных родителей проявляется излишняя склонность к самопожертвованию. Они забывают о своих нуждах и своих правах, желая сделать все в угоду малышу. Это не было бы так страшно, знай ребенок, о чем можно просить, а о чем нельзя. Но беда в том, что младенец этого не знает. В раннем возрасте он целиком нуждается в твердой направляющей длани родителей. Роль ведомого его вполне устраивает. Если же в поведении родителей ребенок почувствует неуверенность и колебания, его внутренний покой будет нарушен. Неправильно поступает мать, когда она при первом движении малыша бросается к колыбельке и выхватывает его оттуда, словно ему угрожает смертельная опасность. Через некоторое время он и впрямь станет бояться своей кроватки. И самое главное: чем охотнее родители подчиняются капризам малыша, тем больше требований он будет выдвигать и настойчивее будет это делать. (В человеческой природе заложено стремление подчинять себе более слабого.)

300. Как исправить ситуацию? Чем раньше вы обнаружите неладное, тем проще вам будет с ним бороться. Для успеха вам потребуется проявить твердую волю и некоторую жесткость. Убедите себя, что последствия неправильного воспитания, будь то нелепые требования к родителям или излишняя зависимость от них, принесут больше вреда не вам, а ребенку. Он окажется в разладе и с собой, и с окружающим миром. Пока не поздно, измените свои отношения с малышом ради его же блага.

Составьте на листке распорядок дня, в котором почти все время, пока ребенок бодрствует, отведите на выполнение различных домашних дел. Придерживайтесь распорядка со всем возможным энтузиазмом, постарайтесь, чтобы у малыша не возникло ощущения, что он брошен. Если он начнет хныкать и протягивать к вам ручки, весело, но твердо скажите ему, что вам надо переделать нынче много дел. Он, вероятнее всего, не поймет смысл слов, но прекрасно уловит тон, которым эти слова сказаны. Выполняя работу, не отвлекайтесь. Самым трудным будет первый час первого дня. Возможно, ребенок сможет легче примириться с вашей занятостью, если он не будет видеть и слышать вас. Ему не останется ничего иного, как чем-то занять себя. Не исключена и противоположная ситуация: видя и слыша вас, малыш будет ощущать ваше присутствие, даже если вы не приближаетесь к нему и не берете его на руки. В конце дня позвольте себе немного поиграть с ребенком. Дайте ему какую-нибудь игрушку и объясните, что́ с ней надо делать, сядьте на пол рядом, позвольте ему вскарабкаться к вам на колени, но не берите его на руки и не прижимайте к себе. Поняв бесперспективность своих намерений оказаться в ваших объятиях, он, скорее всего отползет и займется своими игрушками. Но если вы хотя бы ненадолго возьмете его на руки, он будет шумно протестовать, как только вы попытаетесь положить его в постель. Если вы увидите, что, несмотря на ваше присутствие, малыш не перестает капризничать, вспомните еще о каком-нибудь важном деле по дому и принимайтесь за него.

301. Плохой сон в раннем возрасте (ребенок отказывается ложиться спать). Эта коварная проблема подкрадывается незаметно. Обычно ее первопричиной бывают колики и временное раздражение. Отказ укладываться спать можно рассматривать как одно из проявлений избалованности. Поначалу, в возрасте 2–3 месяцев, ребенок по вечерам плачет от боли в животе. Мать видит, что малышу становится легче, если она некоторое время поносит его на руках. Ее собственное настроение, разумеется, тоже улучшается. Однако, когда ребенку исполняется 3 или 4 месяца, мама начинает понимать, что колики уже не так мучат его, а плач становится не жалобным, а злым и требовательным. Он хочет, чтобы мама ходила держа его в объятиях, потому что привык к ним и считает их нормальной стороной своей жизни. Если мама присела отдохнуть, он гневно сверкает очами, словно приказывая: «Эй, женщина! Вставай, пошли!»

Ребенок, втянувшись в борьбу за еженощные прогулки у мамы на руках, будет постепенно оттягивать время засыпания. И это у него получится. Шаг за шагом время сна отодвинется на 9 часов вечера, потом на 10, 11 и даже полночь. Мама заметит, что глаза у ребенка будут слипаться, головка падать, но стоит ей опустить его в кроватку, как он тут же разразится гневным воплем.

Подобные нарушения сна изматывают и малыша, и его родителей. Следствием могут стать повышенная раздражительность ребенка в дневное время и ухудшение аппетита. Родители будут тоже раздражены — они поймут, что надо прекратить эти ежевечерние концерты, но не будут знать как. Даже если бы ребенок обладал достаточным разумом, я сомневаюсь, что он по своей воле смог бы отказаться от роли тирана.

Тем не менее с этой порочной привычкой не так трудно покончить, если папа с мамой поймут, что ребенку от нее еще хуже, чем им. Рецепт прост: положите малыша в положенный час в постельку, без дрожи в голосе пожелайте ему спокойной ночи, выйдите из комнаты и не возвращайтесь. Ребенок покричит 20–30 минут, но увидев, что его плач не возымел никакого действия, мгновенно заснет. На следующий день крики будут продолжаться примерно 10 минут. Пройдет еще день, и вы вовсе ничего не услышите из детской.

Для родителей с мягким характером бывает невыносимо слышать плач своего малыша. В их воображении разыгрываются самые страшные картины: то им кажется, что головка ребенка застряла между прутьями кроватки, то его вырвало, и он лежит в грязи и вони, то он один в темной комнате сходит с ума от страха. На самом деле почвы для подобных переживаний нет. Малыш быстро избавится от привычки покричать и станет после этого счастливее. Я уверенно могу заявить: его плач вызван не страданием, а гневом. Поэтому важно, чтобы родители не проявляли слабости и не пытались на цыпочках пробраться в детскую и проверить, не случилось ли чего с их чадом. В противном случае крик станет громче и продолжаться он будет дольше. Прочтите также пункт 503, посвященный излишней опеке.

Если пронзительные крики мешают заснуть другим детям или тревожат соседей, занавесьте плотными гардинами окна, а на дверь детской повесьте одеяло. Плотная ткань очень эффективно поглощает звук.

Попробуйте также поговорить с соседями и объясните им ситуацию. Попросите их немного потерпеть и заверьте, что крики прекратятся в ближайшие дни.

302. Ребенок просыпается среди ночи. Малыш спокойно ложится и засыпает, но потом словно что-то будит его. Это может начаться после простуды с осложнением на уши — малыш просыпается и начинает плакать от настоящей сильной боли. Родители вскакивают и бросаются на помощь. Так продолжается ночь за ночью. Болезнь прошла, но стоит маме услышать из детской хныканье или движение, как она тут же оказывается у колыбельки. Причиной бессонницы иногда становятся и режущиеся зубы. Бывает, малыши, как и многие взрослые, по нескольку раз за ночь просыпаются, когда пытаются повернуться на другой бочок. Но если в этот момент мама возьмет его на руки, а назавтра повторится то же самое, ребенок из полусна легко будет переходить в бодрствующее состояние и наслаждаться обществом мамы.

Через короткое время ребенок будет просыпаться несколько раз за ночь, а периоды бодрствования станут все длиннее и длиннее. Он начнет требовать, чтобы к нему подходили да еще и носили на руках. Попытка вернуть малыша в постель встретит отчаянное сопротивление, сопровождаемое громким плачем. Мне рассказывали о случаях, когда ночные прогулки с младенцем на руках продолжались по три-четыре часа и происходили каждую ночь. Естественно, как родителей, так и ребенка все это утомляет гораздо сильнее, чем попытки вечером уложить его спать. Прочтите также пункт 503, посвященный чрезмерной опеке.

Однако, как правило, проблема легко решается за два-три дня. Дайте понять ребенку, что он ничего не достигнет криком. Когда он проснется ночью, пусть себе плачет, ни в коем случае не подходите к нему и не берите на руки. В первый раз он будет кричать примерно полчаса (хотя вам это может показаться вечностью). В следующую ночь малыш затихнет через 10 минут, а третья ночь, возможно, вообще пройдет в молчании.

Для более успешной борьбы с привычкой просыпаться ночью необходимо соблюдать еще одно условие. Ребенок, открыв глаза, не должен увидеть родителей. Даже если они не встают, притворяясь спящими, малыш от злости будет орать до скончания века. Поэтому очень важно держать колыбельку в другой комнате, хотя бы те несколько суток, пока вы пытаетесь избавить ребенка от его вредной привычки. Делать это необходимо не считаясь с любыми неудобствами. Если это абсолютно невозможно, закройте детскую кроватку ширмой или занавеской.

Воспользуйтесь также советами, приведенными в предыдущем пункте.

303. Причина избалованности — слабый желудок. В младенческом возрасте (а иногда и у более старших детей) раздражение и злость часто сопровождаются рвотой. Разумеется, на мать подобные инциденты производят сильное впечатление, которое она не в силах скрыть. С обеспокоенным видом она бросается к малышу, вытирает его, начинает жалеть. Стоит тому в следующий раз чуть-чуть повысить голос, как она спешит его успокоить, дабы неприятность не повторилась. Это не укроется от младенца, и через некоторое время приступ рвоты последует как бы рефлекторно. При этом вид рвотных масс вызовет у ребенка страх и отвращение, поскольку именно таким образом реагирует мама. Если уж вам пришлось оказаться в такой ситуации, возьмите себя в руки и не подавайте виду, что это событие напугало и разжалобило вас. Ребенок может использовать это, не желая засыпать. Поэтому не поддавайтесь слабости немедленно подойти к нему и вытереть грязь. Это легко можно сделать после того, как малыш заснет.

Нарушения пищеварения

При любых изменениях в работе пищеварительной системы ребенка немедленно обращайтесь к врачу. Не пытайтесь сами поставить диагноз — слишком высока вероятность ошибки. Причин, вызывающих рвоту, колики и понос, гораздо больше, чем приведено в этой книге. То, о чем вы здесь прочтете, поможет вам лишь при обычных расстройствах пищеварения, установленных врачом.

304. Икота. В самом раннем возрасте после кормления у детей часто возникает икота. В этом нет ничего страшного, и от вас требуется лишь определить, не скопился ли в желудке воздух. Если малышу помогает немного теплой воды, дайте ему попить.

305. Срыгивание и рвота. Термин «срыгивание» мы употребляем в тех случаях, когда содержимое желудка небольшими порциями спокойно вытекает изо рта ребенка. В отличие от старших детей и взрослых суженная нижняя часть пищевода малыша еще не в состоянии удерживать пищу в желудке. Покачивая ребенка, прижимая его к себе, укладывая в постель, вы можете вызвать срыгивание. Оно иногда происходит самопроизвольно при сокращении стенок желудка.

В течение первых месяцев почти все дети периодически срыгивают. Относить это к нарушениям работы организма у нас нет никаких оснований. У некоторых малышей срыгивание наблюдается по нескольку раз в день, у других оно происходит довольно редко. (Следы молока на простынях легче отстирать, если предварительно замочить их в холодной воде.)

Понятием «рвота» мы обозначаем процесс, при котором содержимое желудка с силой выталкивается наружу и фонтаном выбрасывается изо рта. Молодую маму пугает, когда ее крошку рвет большим количеством молока. Но если других признаков заболевания нет, то беспокоиться не стоит. У некоторых детей с повышенной возбудимостью (см. пункт 291) в раннем возрасте приступы рвоты случаются практически ежедневно. Все же при частых срыгиваниях и рвоте — пусть даже малыш хорошо прибавляет в весе — желательно посоветоваться с врачом. Это особенно необходимо, если налицо другие симптомы расстройства пищеварения. Во избежание рвоты или срыгивания советуем после кормления изгонять воздух из желудка. Частота срыгиваний никак не зависит от рецепта молочной смеси и от выпиваемого малышом количества.

Перед мамой часто встает вопрос: если ребенка сразу после кормления сильно вырвало и, похоже, в его желудке ничего не осталось, нужно ли снова дать ему грудь или бутылочку? Если он нормально выглядит, еще раз кормить его не стоит, во всяком случае, до появления явных признаков голода. Возможно, желудок немного расстроен, и полезно дать ему успокоиться. Кроме того, количество рвотной массы всегда кажется больше, чем оно есть на самом деле. Встречаются дети, которых рвет так, словно из них выходит все содержимое желудка, а они прекрасно прибавляют в весе.

В рвотных массах молоко выглядит створоженным. Объясняется это тем, что для нормального переваривания пищи в желудке выделяется кислота. Молоко, попав в желудок, подвергается действию этой кислоты и свертывается.

Хотя я не раз упоминал, что срыгивание и рвота в первые недели не являются чем-то необычным, это не значит, что их нужно совершенно игнорировать. Ребенок, которого начинает рвать в результате первого после родов кормления, должен находиться под наблюдением врача. Причиной этого может быть слизь в желудке, и через несколько дней все нормализуется, но в редких случаях, особенно когда в рвоте присутствует желчь, требуется более серьезное лечение, вплоть до оперативного.

306. Рвота при стенозе привратника. В первые недели у детей, чаще мальчиков, развивается довольно редкий вид рвоты, вызываемый спазмом, или стенозом, привратника — отверстия между нижним отделом желудка и кишечником. Привратник не открывается и не пропускает пищу. Рвота при стенозе привратника случается во время или вскоре после кормления и происходит так энергично, что струя рвотной массы бьет фонтаном на приличное расстояние. Сильная рвота не является непременным условием этого заболевания. Если она происходит изредка, вам нечего опасаться. Но при регулярной рвоте — по два раза в день — ребенка **обязательно** должен осмотреть врач. Если все предложенные методы лечения безуспешны, ребенка все время тошнит и он не прибавляет в весе, может потребоваться оперативное вмешательство.

Если вашего ребенка прежде не тошнило, а потом вдруг обильно вырвало, измерьте ему температуру — многие инфекционные заболевания именно так и начинаются. Если температура нормальная и вы не заметите иных симптомов, можете успокоиться. При повторении рвоты или при наличии признаков недомогания вызывайте врача.

Внезапная рвота в более старшем возрасте и присутствие в рвотных массах желчи могут быть следствием непроходимости кишечника, например при инвагинации (см. пункт 705) или ущемлении грыжи (см. пункт 709). В обоих случаях требуется немедленное вмешательство врача.

Предрасположенность к срыгиванию и рвоте характерна для первых недель жизни. Вскоре это проходит, хотя в редких случаях первое срыгивание происходит в возрасте нескольких месяцев. Как правило, ко времени, когда малыш научится сидеть, он совсем избавится от этих внешне неприятных явлений.

Правда, эпизодически он может срыгивать вплоть до того периода, как начнет ходить. Во время прорезывания зубов ситуация иногда ненадолго ухудшается.

307. Легкие случаи несварения желудка и метеоризм. До 3 месяцев приступы колик преследуют детей строго в определенные часы, чем бы их ни накормили. Но иногда малыш страдает и от более длительных приступов, вызванных несварением желудка. Это недомогание обычно сопровождается следующими симптомами: капризным поведением, метеоризмом и частым отхождением газов, срыгиванием и рвотой, жидким с комками стулом зачастую зеленоватого оттенка. При несварении вам скорее поможет изменение рецепта молочной смеси, чем те действия, с помощью которых вы облегчали боли при коликах. Если есть возможность, посоветуйтесь с доктором, пусть даже ваш малыш хорошо прибавляет в весе. В противном случае консультация врача тем более необходима.

Если вы не можете попасть на прием к доктору, попробуйте исключить из смеси сахар. Правда, в этом случае надо увеличить количество смеси, чтобы компенсировать потерянные с сахаром калории. Сделайте смесь гуще (на 400 г сгущенного молока берите 600 г воды). Если ситуация не улучшается, замените сгущенное молоко простоквашей (см. пункт 170). Если какая-либо из предложенных мер помогла, продолжайте применять ее, пока не посоветуетесь с врачом.

Запоры

308. Что такое запор? Некоторые дети опорожняют кишечник регулярно в одно и то же время суток, у других стул бывает от раза к разу. И те и другие совершенно здоровы, поэтому не пытайтесь заставить детей ходить на горшок по расписанию. Во-первых, этого практически невозможно добиться. Во-вторых, держа детей на горшке, когда им совсем не хочется, вы воздействуете на их эмоциональную сферу, что вызовет отдаленные отрицательные последствия.

При кормлении грудью дефекация у детей происходит через день, но это тоже не запор: поскольку стул у них мягкий, им не обязательно испражняться ежедневно. Разновидностью запора следует считать случай, когда ребенок безрезультатно тужится и не может избавиться от жидких каловых масс, но такое происходит довольно редко.

309. Плотный стул при искусственном вскармливании. Одним из видов запора считают плотный, сохраняющий форму стул у детей, которых кормят из бутылочки. Акт дефекации у них затруднен. По этому поводу стоит посоветоваться с врачом. Если это по каким-либо причинам невозможно, есть два способа, доступных в домашних условиях. Проще всего поменять сладкий компонент молочной смеси на более слабящий. Замену делайте так, чтобы сохранить вкус смеси. При данном виде запора хорошо помогает включение в рацион сока или пюре из чернослива. Начните с двух чайных ложек пюре (тушеного или консервированного) или сока (в домашних условиях его отжимают из тушеного чернослива) во время вечернего кормления в 18 часов. Если этого окажется мало, увеличьте дозу до четырех чайных ложек и более. У некоторых детей после чернослива бывают колики, но чаще все заканчивается хорошо.

310. Длительный запор. Встречается чаще в более старшем возрасте. Вероятность его незначительна, если в меню ребенка присутствуют каши из ядрицы, овощи и фрукты. Не пытайтесь лечить запор самостоятельно, поскольку вы не знаете причины, лучше предоставьте это врачу. Но чем бы вы ни лечили недомогание, очень важно не концентрировать внимание ребенка на отправлении его физиологических функций. Не разговаривайте с ним на эту тему, не пугайте его, объясняя случившееся грязными руками, не спрашивайте постоянно о его самочувствии. Не учите его следить за своим стулом и сами не делайте этого слишком явно. Не прибегайте к клизме. Процедуры, прописанные доктором, — будь то диета, лекарства или физические упражнения — выполняйте как бы между прочим, старайтесь не выглядеть при этом озабоченной, не объясняйте ребенку, зачем и почему все это. В противном случае он вырастет мнительным и подозрительным в отношении всего, что касается его здоровья.

В ситуации, когда связаться с врачом трудно, а кроме периодических запоров малыша ничто не беспокоит (разумеется, если есть другие симптомы заболевания, нужно каким угодно способом показать его врачу или отвезти в больницу), увеличьте в рационе количество овощей и фруктов — лучше тех, которые нравятся вашему ребенку. Давайте их два или три раза в день. Если он не возражает против чернослива или инжира, включайте их в ежедневное меню. Почти в равной мере помогут фруктовые и овощные соки. Следите, чтобы ребенок больше двигался. Если у ребенка сохраняется плотный стул, но дефекация протекает без осложнений, старайтесь не предпринимать резких шагов, пока не получите рекомендации врача.

Не давайте ребенку жидкое масло, например касторовое, — это весьма небезопасно. Он может поперхнуться, масло попадет в легкие, и дело кончится хронической пневмонией.

311. Болезненная дефекация требует срочного лечения. Если ребенка до 3 лет беспокоит запор и акт дефекации вызывает боль, нужно как можно быстрее облегчить его страдания. Здесь нужна психологическая помощь (см. пункты 312 и 389). Если в данный момент у вас нет возможности обратиться к врачу и вы вынуждены сами принять необходимые меры, лучше всего воспользоваться патентованным средством, в состав которого входят ацидофильные бактерии, жидкое масло с добавками шоколада. Чайная ложка этого лекарства по вечерам — достаточно эффективное средство от запора. Давайте лекарство по одной чайной ложке после ужина в течение месяца или пока не получите квалифицированные рекомендации врача. Если стул за это время придет в норму, постепенно сокращайте дозу: несколько дней давайте по $3/4$ чайной ложки, потом по $1/2$ чайной ложки и т. д. При повторении запора в течение месяца вернитесь еще на месяц к обычной дозе.

312. Запор на нервной почве. Есть две разновидности запора, вызываемые чисто психологическими причинами, которые обычно случаются у детей между годом и двумя. Если в этом возрасте у ребенка раз-другой был болезненный стул, он из опасения повторения боли начнет сдерживать позывы в течение недель, а то и месяцев. А задержка стула всего лишь на день делает его еще более плотным, что только усугубляет положение (пункт 389).

Если мать слишком настойчиво приучает малыша к горшку, то в этом возрасте, когда он самоутверждается как личность, он может из чувства противоречия задерживать стул, что в конце концов и приводит к запору.

313. Временные запоры. Подобное недомогание обычно становится следствием различных болезней, которые протекают с высокой температурой. В прежние времена запор считался чуть ли не основным симптомом многих заболеваний, и лечение их откладывали, пока не налаживался стул. Более того, многие считали, что запор не только сопровождает болезни, но и является их причиной. Однако с научной точки зрения более обоснован иной подход: любое заболевание действует на все системы организма, в том числе и на пищеварительную. При болезненном состоянии тонус кишечника падает, каловые массы движутся по нему медленнее, теряют воду и становятся более плотными. А кроме того ребенок теряет аппетит, у него возможна рвота. Обычно в таких случаях доктор прописывает слабительное. Но если врач задерживается с визитом, родители не должны бояться, что уходит драгоценное время.

Оказавшись перед необходимостью самим лечить малыша, не обращайте на его стул слишком пристального внимания. Здесь лучше не переборщить. Если малыш почти ничего не ест, то и кишечник у него почти пуст.

314. Спастический запор. Этот вид запора характеризуется стулом в виде твердых шариков. Возникает он у детей, которых кормят коровьим молоком и твердой пищей. При спастическом запоре в отделах толстого кишечника происходят спазмы, задерживающие каловые массы. Массы теряют воду и постепенно превращаются в маленькие шарики. Причина спастического запора до конца не выяснена. Возможно, что большую роль в развитии недуга играет нервное перенапряжение. Лечится заболевание тяжело. Иногда, хотя и редко, помогает изменение диеты. Чаще стул со временем нормализуется сам собой. Если вы не можете получить срочную консультацию врача, воспользуйтесь советами, приведенными в пункте 311.

Понос

315. Понос в младенческом возрасте. Кишечник у детей до 2 лет обладает повышенной чувствительностью. Расстроить его работу способна любая мелочь — и бактерии, вызывающие понос у взрослых; и микробы, которые никогда бы не вызвали заболевания у более старших детей; и некоторые виды овощей и фруктов. Поэтому следует всячески беречь малышей от возможности заразиться от других членов семьи, тщательно стерилизовать молочную смесь, не менять резко ее рецептуру, а новые продукты вводить в меню очень осторожно.

Если стул у малыша был нормальным и внезапно стал жидким, резонно предположить кишечную инфекцию. Чтобы убедиться в этом, проверьте, нет ли других изменений стула. У больного он может стать очень частым, с зеленоватым оттенком, с непривычным запахом.

В большинстве случаев понос протекает в легких формах и при своевременно начатом лечении быстро проходит. Тяжелой считается форма поноса, или диареи, если расстройство стула сопровождается хотя бы одним из следующих симптомов: водянистый стул, наличие в нем гноя или крови, рвота, температура 39° С или выше, общая вялость ребенка, запавшие глаза, обведенные черными кругами.

Но и при легком расстройстве стула необходимо как можно скорее связаться с врачом. Чем быстрее он начнет лечение, тем быстрее наступит выздоровление и тем меньше опасность осложнения. Если у ребенка наблюдаются признаки, указывающие на тяжелую диарею, необходимо любыми усилиями обеспечить визит врача или доставить ребенка в больницу.

Два редких случая хронического поноса описаны в пункте 707.

316. Первая помощь при легких формах поноса. В большинстве случаев с момента, когда вы заметили первые признаки заболевания, до получения квалифицированной помощи проходит несколько часов. Вы можете оказаться в сотнях километров от ближайшего медицинского учреждения, быстро добраться до которого невозможно. Учитывая это, мы дадим некоторые рекомендации, которые отнюдь не заменяют консультацию доктора и не должны настраивать мать на проведение самостоятельного лечения.

Если вы кормите малыша грудью, то продолжайте делать это. Обычно при недомогании аппетит у ребенка снижается, но это даже лучше. При наличии в меню твердых продуктов откажитесь от них, пока не переговорите с врачом или пока не пройдет понос. При грудном вскармливании расстройства пищеварения лечатся легко и проходят быстро.

Если понос появился у ребенка, который питается только молочной смесью, до встречи с врачом разводите смесь в каждой бутылочке наполовину водой (см. пункт 179). Еще лучше кормить малыша разбавленным обезжиренным молоком, если, конечно, удастся его достать (см. пункт 168). Давайте ребенку ровно столько смеси, сколько он выпьет. Жидкая смесь менее питательна, поэтому кормить малыша придется чаще. Признаком выздоровления можно считать нормальный стул по крайней мере в течение суток или возросший аппетит ребенка, когда он будет требовать добавки. Пока ему будет хватать того, что вы даете, не переходите на более концентрированную смесь. При продолжении поноса дольше 2–3 дней отнеситесь к случившемуся очень серьезно и приложите больше усилий, чтобы увидеться с врачом.

При поносе у ребенка, которому наряду со смесью дают твердую пищу, исключите из рациона прежде всего твердую пищу. Держите малыша на молочной смеси, пока иного не предложит врач или не пройдет недомогание. Если ребенок не выпивает положенную ему порцию или стул у него не нормализуется, переходите на разбавленную смесь по рецептуре, приведенной в пункте 179, или на разбавленное обезжиренное молоко (см. пункт 168). Когда признаки заболевания пройдут, сначала восстановите первоначальный состав молочной смеси и лишь после этого начинайте понемногу включать в меню твердую пищу. Каждый день добавляйте только один вид продуктов. В первый день пусть это будет $^1/_3$ того количества, которое вы давали до болезни, во второй день предложите $^2/_3$, в третий дайте всю порцию целиком. Виды продуктов следует включать в рацион примерно в следующей последовательности: творог или желе; пюре из яблок или апельсиновый сок; мясо и яйца; манную кашу; овощи; картофель или другие крахмалосодержащие продукты; остальные фрукты. Например, в первый день по окончании болезни дайте малышу $1/_3$ обычной порции творога, во второй день — $2/_3$ порции творога и $1/_3$ порции яблочного пюре. Естественно, нельзя включать в меню новые продукты.

317. Первая помощь при тяжелых формах поноса. Если у малыша появились симптомы тяжелой формы поноса (водянистый стул, гной или кровь в кале, рвота, высокая температура, темные круги под глазами), приготовьте ему смесь без молока примерно такого состава:

вода — 1 литр,
сахар — 1 столовая ложка без горки.

Пока не свяжетесь с врачом, поите ребенка этим сиропом через каждые 2–3 часа в периоды бодрствования. Если вы вынуждены самостоятельно продолжать лечение, несколько суток не кормите ребенка и следите за изменением стула. Как только появятся обнадеживающие признаки, медленно переходите к обычному питанию. Вам в помощь я предлагаю несколько этапов постепенного разнообразия меню. Если малыш быстро идет на поправку, каждый день переходите к следующему этапу. При медленном выздоровлении на каждый этап отводите по двое суток.

Первый этап. Поите малыша наполовину разведенным водой обезжиренным молоком (пункт 168). Если не удалось достать такого молока, приготовьте смесь из половины обычной для ребенка суточной порции молока и воды. Сахара добавлять не надо, а количество смеси разделите на сутки. Бутылочки наполняйте на $2/_3$, а остаток разлейте в две дополнительные бутылочки, если придется кормить малыша с трехчасовыми перерывами. Прекращайте кормление, как только ребенок проявит первые признаки сытости: в данном случае чем меньше он съест, тем лучше.

Второй этап. В разбавленное обезжиренное молоко добавьте 1 столовую ложку сахара. Если обезжиренного молока у вас нет, готовьте смесь по рецепту, приведенному для первого этапа (добавляя туда сахар).

Третий этап. Используйте для смеси обезжиренное молоко и 2 столовые ложки сахара. Можно приготовить смесь из половины порции обычного молока и воды, добавив 2 столовые ложки сахара.

Четвертый этап. Если стул нормализовался, дайте малышу обычную смесь.

Пятый этап. Постепенно вводите твердую пищу, как мы советовали в предыдущем пункте.

Если стул снова стал жидким, вернитесь на два этапа назад. При усилении поноса снова начните давать малышу смесь без молока и вызовите врача.

С началом выздоровления первый утренний стул может выглядеть хорошо, а вот следующий будет хуже. Это обычное явление, и вам не следует расстраиваться. Но прежде чем вносить изменения в диету, дождитесь послеобеденного стула. Добросердечные родители, прочитав о жесткой диете во время поноса, наверняка воскликнут: «Но ведь малыш останется голодным!» Возможно. Но также возможно, что ему вполне хватит питания. Поверьте, лучше день или два поголодать, чем позволить развиться заболеванию. В последнем случае ребенок потеряет гораздо больше.

К 2 годам опасность сильных и длительных поносов становится намного меньше. Однако если это произошло, до встречи с врачом обеспечьте ребенку постельный режим и диету, в которую входят вода, обезжиренное молоко, желе, творог.

Сыпь и раздражение кожи

При появлении сыпи необходимо посоветоваться с врачом, так как сами вы рискуете ошибиться в диагнозе.

318. Синюшность кожи. Если раздеть ребенка с бледной кожей, на ней часто выступают синеватые точки. Это явление не требует лечения.

319. Опрелость. В первые месяцы у малышей очень нежная кожа. Сильнее всего страдает кожа под пеленками. Возвратившись из роддома, вы можете заметить, что кожа на ягодицах ребенка сильно раздражена. Это вовсе не говорит о безответственности медицинских работников, а лишь сигнал для вас: кожа малыша требует самого пристального внимания и тщательного ухода. Обычно опрелость выглядит как скопление маленьких прыщиков и участков красной огрубевшей кожи.

Прыщики быстро инфицируются, на них появляются белые головки (пустулы). При тяжелой форме опрелости происходит эрозия кожи — нарушение ее целостности.

Причиной опрелости в раннем возрасте считают постоянный контакт кожи с мокрыми пеленками. Практически у всех младенцев время от времени образуется несколько участков пораженной кожи. Если их площадь незначительна и воспаление проходит так же быстро, как появляется, никакого специального лечения не требуется. В качестве профилактики лучше отказаться от водонепроницаемых штанишек в периоды развития сыпи.

При устойчивой опрелости отказ от водонепроницаемых штанишек становится обязательным. Попробуйте пользоваться тонкими салфетками — они хорошо высушивают кожу. После ванны или подмывания пораженной зоны тщательно смойте или сотрите остатки мыла. (Засыхая на коже, мыло раздражает ее и способствует проникновению инфекции.) Для мытья лучше брать бактерицидное мыло, это особенно желательно при наличии белых пустул. Если вы хотите создать на коже защитную пленку, пользуйтесь пастой Лассара или цинковой мазью. Эти препараты имеют густую консистенцию и более надежны, нежели пудра, лосьон или вазелин. Иногда опрелость в складках кожи выражена сильнее, чем на выпуклых участках. Такое возможно при себорее, которую лечат стероидной мазью, прописываемой врачом.

Чем старше становится ребенок, тем лучше его кожа противостоит действию мочи. Если вы не приобретаете стерилизованных пеленок, а сами стираете их и не кипятите, то на поверхности ткани остаются микробы. Среди самых устойчивых к мылу и стиральному порошку оказываются бактерии, выделяющие из мочи аммиак. Аммиак накапливается в пеленках, ночных рубашках, постельном белье. Вы будете чувствовать его запах, когда утром откинете одеяло с малыша. Иногда концентрация аммиака бывает столь значительной, что у вас начнут слезиться глаза. Опрелость в возрасте после полугода своим появлением обязана как раз аммиаку. Прочтите также пункт 700, посвященный раздражению кожи на кончике пениса.

При упорном течении заболевания, а также при постоянном запахе от пеленок и постельного белья попробуйте при полоскании после стирки добавлять в воду антисептик. Он останется в ткани и предотвратит развитие бактерий и образование аммиака. Название необходимого препарата вам сообщит врач. Хорошо также использовать стиральный порошок с бактерицидными свойствами. Простым и недорогим антисептиком является всем известная хлорная известь, которую иногда применяют для отбеливания. Еще одной действенной мерой против бактерий является сушка детских вещей на солнце.

При опрелости с большим количеством пустул лучше не смазывать кожу мазями, а по нескольку часов в день держать пораженные места на воздухе. Следите только, чтобы в помещении было достаточно тепло. Грудку и ножки можно прикрыть легкими покрывалами. На тот случай, если малыш описается, подстелите под него пеленку. Высушивание кожи на воздухе — самый надежный способ лечения опрелости, независимо от того, появились ли пустулы или нет.

Если опрелости постоянно мучают вашего малыша, поэкспериментируйте с различными методами лечения и профилактики этого заболевания: сушите белье на солнце, добавляйте антисептик при полоскании, кипятите пеленки, используйте защитные мази и пасты. Любое их этих средств или сочетание нескольких из них при регулярном применении вам обязательно поможет. Не исключен положительный эффект, если вы будете менять пеленки не только до и после, но и между кормлениями.

При опрелостях дополнительным раздражающим кожу фактором становятся каловые массы. Особенно сильному воздействию подвергается зона вокруг заднего прохода. В связи с этим постарайтесь менять пеленки, как только малыш запачкает их; очищайте испачканную кожу с помощью смоченного маслом тампона; на пораженное место наложите толстый слой цинковой мази. Если это не поможет, снимите пеленки и подсушите кожу на воздухе.

320. Легкая сыпь на лице. В первые месяцы личико малыша время от времени покрывается различной сыпью. Эти, как правило, возрастные явления, хотя и случаются сплошь и рядом, все же недостаточно хорошо изучены, и им даже не придумано названий. Прежде всего речь идет о появляющихся ненадолго блестящих белых прыщиках, напоминающих россыпь мелкого жемчуга. С возрастом сыпь исчезает сама собой. На щеках часто появляется сыпь в виде мелких красных пятен или мягких прыщиков. Она может держаться довольно долго и доставляет матери беспокойство. Временами сыпь бледнеет, потом снова становится ярче. Никакие притирания в этом случае не помогают, но постепенно сыпь проходит и без всякого лечения. Реже сыпь на щеках представляет собой красные пятна, которые то появляются, то исчезают.

Из-за того что малыш сосет грудь, у него на верхней губе часто появляются белые волдыри. Иногда они шелушатся. Лечить их не надо — они и сами пройдут.

321. Потница. В жаркое время года у малышей происходят высыпания на плечах и шее. Сыпь представляет собой островки розовых прыщиков, окруженные покрасневшей кожей. На некоторых прыщиках образуются волдыри, и когда они подсыхают, кожа становится немного похожей на кору дерева. Распространение сыпи начинается с шеи. В тяжелых случаях она захватывает грудь, спину, а также области за ушами и вокруг лица. Беспокойства ребенку потница не доставляет. В качестве ухода возьмите тампон из стерильной марли, намочите его в растворе питьевой соды (1 чайная ложка соды на стакан воды), протрите прыщики и окружающую их раздраженную кожу. Процедуру надо повторять несколько раз в течение дня. Можно также присыпать пораженные места крахмалом. Но еще проще вообще не допускать заболевания. Для этого нужно лишь не перегревать ребенка. Поэтому в жаркое время не бойтесь снимать с него лишнюю одежду.

322. Сыпь на голове. Довольно часто у детей раннего возраста волосистая часть головы покрывается корочками. Есть проверенный метод лечения этого не опасного для здоровья заболевания. Вместо мытья головы водой с мылом дважды в день протирайте пораженные места жидким маслом, нанесенным на марлевый тампон. Корочки после этого размягчаются, и их легко удалить частой гребенкой. Если этот способ не помогает, посоветуйтесь с врачом. У более старших детей сыпь, как правило, не развивается.

Об экземе вы можете прочесть в пункте 666, а об импетиго и других распространенных видах сыпи — в пункте 672.

Заболевания глаз и полости рта

323. Молочница. Это грибковое заболевание поражает слизистую оболочку полости рта. На языке, на внутренней стороне щек, на небе появляются налеты, похожие на кусочки молочной пенки. Но они не снимаются так же легко, как обычная пенка. Если их содрать, кожа под ними окажется воспаленной и будет слегка кровоточить. При молочнице слизистая рта воспалена, и во время сосания видно, что ребенка это беспокоит. Одной из распространенных причин молочницы бывает небрежный уход за сосками груди. Но, к сожалению, болеют и дети, уход за которыми ведется безупречно. Заподозрив у ребенка молочницу, первым делом свяжитесь с врачом, чтобы тот установил диагноз и назначил лечение. Если свидание с врачом вынужденно задерживается, полезно дать малышу после кормления выпить несколько глотков кипяченой воды или дать ему пососать пропитанный водой кусок стерильной марли. Вода промоет рот и унесет остатки молока, не оставляя питательной среды для грибка.

Осматривая рот ребенка, не ошибитесь, приняв за молочницу светлую окраску десен в районе верхних коренных зубов.

Кисты на деснах. На краях десен у детей могут появиться одна или две маленькие белые кисты. Они внешне похожи на прорезавшиеся зубы, но в отличие от них имеют круглую форму и при ударе о них ложкой отсутствует звонкий звук. Пусть эти образования вас не беспокоят — со временем они исчезнут без следа.

324. Конъюнктивит. Через несколько дней после рождения у малыша могут слегка воспалиться глаза. Обычно это последствия приема медикаментов, назначаемых ребенку для предотвращения инфекции.

Глаза могут воспалиться и в более поздний срок, тогда это заболевание требует вмешательства врача. При конъюнктивите глаза как бы наливаются кровью, а белки приобретают красноватый оттенок.

Страдают дети и от другой легкой, но долго текущей инфекции. В первые месяцы жизни она поражает веко, как правило, только над одним глазом. Заболевание то обостряется, то затухает. Его причина в обильном слезотечении, которое особенно усиливается на ветру. В уголках глаз и на ресницах скапливается секрет белого цвета. Во сне он высыхает, веки склеиваются, и после сна глаза открываются с трудом. Такая ситуация возникает при закупорке слезных протоков. Эти протоки берут начало от маленького отверстия около внутреннего угла нижнего века. Далее они идут в сторону носа, открываются в глазную впадину и заканчиваются в полости носа. Если проток засорится, то образующиеся слезы не успевают стекать по нему, заливают глаза и текут по щекам. В результате веко слегка воспаляется. В этом случае стоит показать ребенка врачу, чтобы тот поставил верный диагноз и при необходимости назначил лечение.

Прежде всего вы должны понимать, что это недомогание чрезвычайно распространено, не несет никакой опасности и не оказывает влияния на зрение малыша ни в период обострения, ни в будущем. Когда ребенок станет старше, острота заболевания спадет, даже если не предпринимать какого-либо лечения. Если после года ребенок продолжает страдать от склеивания век, окулист может с помощью несложной процедуры прочистить слезный проток. Чтобы размягчить корочку и разлепить веки, положите на глаз кусочек стерильного бинта, смоченного в растворе борной кислоты. Врач иногда советует проводить массаж протока, но для этого необходим специальный навык. Засорение протока не вызывает видимых изменений в состоянии глазного яблока. Если покраснел белок, дело в чем-то ином, и необходимо обратиться к врачу.

325. Косоглазие. В самом раннем возрасте кратковременное смещение зрачка внутрь или наружу считается нормальным явлением. Со временем положение глаз стабилизируется, и оба смотрят прямо. Но если зрачок смещен все время или почти все время и положение глазных яблок не стабилизируется к 3 месяцам, необходима консультация окулиста (см. пункт 711). Матери иногда подозревают у ребенка косоглазие, хотя его нет и в помине. Их вводит в заблуждение необычное строение переносицы у младенца. Она шире, чем у взрослого человека, и перекрывает видимую часть белка, расположенную у носа. Поэтому кажется, что между зрачком и переносицей расстояние меньше, чем между зрачком и внешним краем глаза. Другой причиной, наводящей на мысль о косоглазии, бывает необычный взгляд малыша, когда он рассматривает какой-нибудь предмет в своих руках. На самом деле зрачки его сведены не из-за косоглазия, а лишь потому, что руки у него слишком короткие и рассматриваемый предмет расположен слишком близко. Со взглядом взрослого человека произойдет то же, если он попытается, например, рассмотреть кончик своего носа.

Тем не менее необходимо проверять ребенка на косоглазие, и обоснованность такой проверки заключается в том, что косящий глаз со временем может ослепнуть, если с самого начала не заставить ребенка полноценно пользоваться им. Когда работа глазных мышц не согласована, при взгляде на предмет каждый глаз видит свое изображение, поэтому изображение предметов двоится. Ребенку это доставляет большое неудобство, и он автоматически подавляет сигналы, идущие от одного глаза. Постепенно этот глаз видит все хуже и хуже, пока совсем не ослепнет — разумеется, не в физическом, а в психологическом смысле. Если данный процесс, называемый амблиопией, зайдет достаточно далеко, то ребенок навсегда лишится способности видеть этим глазом. Врач-окулист должен заставить работать слабый глаз. Обычно для этого большую часть времени здоровый глаз выключают из зрительного процесса, закрывая плотной повязкой. Чтобы наладить скоординированную работу обоих глаз, доктор пропишет очки. Позже может встать вопрос и о хирургической операции, а иногда и о нескольких.

Матери беспокоятся, можно ли над колыбелькой развешивать игрушки, потому что им кажется, что ребенок, рассматривая их, косит. Если игрушки не висят над самым носом, то ничего страшного не случится. Лучше всего повесить их так, чтобы малыш мог дотянуться до понравившейся ему.

У новорожденных часто наблюдается и такое явление, когда веко одного глаза остается как бы полузакрытым или один глаз выглядит больше другого. Со временем положение выправляется, и оба глаза становятся одинаковыми.

246

Набухание молочных желез

326. Почему у младенцев набухает грудь. У новорожденных мальчиков и девочек зачастую вскоре после рождения набухают молочные железы. Иногда из них даже выделяется несколько капель молока. Все это вызвано гормональными изменениями, происходящими в организме женщины перед самыми родами. Молочные железы очень скоро придут в норму, поэтому никакого лечения не требуется. Более того, не пытайтесь массировать набухшие железы или сжимать их, чтобы не занести инфекцию.

Особенности дыхания младенцев

327. Чихание. Младенцы чихают часто. Причем это еще не свидетельствует о простуде. Простуда всегда сопровождается насморком, а малыш чихает обычно от пыли и комков засохшей слизи, которые скапливаются у входа в нос. О затрудненном дыхании рассказано в пункте 241.

328. Бесшумное дыхание. Молодых родителей иногда пугает неровное дыхание новорожденного. Кроме того, временами дыхание становится таким легким, что его не слышно и не видно, как поднимается грудь. Может напугать и внезапный храп во сне. На самом деле ни в том, ни в другом случае нет отклонений от нормы.

329. Постоянные шумы при дыхании. В раннем возрасте дыхание малыша часто сопровождается различными звуками. К таким явлениям относится храп, рождающийся в задней части носоглотки. По своей природе он аналогичен храпу взрослых, но сопровождает дыхание не только во сне. Храп будет раздаваться до тех пор, пока с возрастом малыш не научится управлять мягким небом.

Еще более распространен звук, идущий из гортани. Ткани надгортанника, расположенного над голосовыми связками, у некоторых малышей настолько мягкие и эластичные, что поток вдыхаемого воздуха заставляет их вибрировать и издавать громкий кудахтающий звук, как будто ребенок захлебывается. На самом деле он может дышать так довольно долго. Обычно этот звук, который врачи называют стридором, появляется только при тяжелом дыхании, а когда ребенок спокоен или спит, звуков не слышно. Если малыш лежит на животе, стридор появляется реже. Вы можете рассказать об этом явлении врачу, но лечить его не требуется, да лечение и не поможет. Все придет в норму, когда малыш немного подрастет.

Внезапно возникающее шумное затрудненное дыхание характерно для более старших детей. Оно имеет совершенно иную природу, чем стридор, и является признаком опасных заболеваний — крупа, астмы и им подобных. Как только начался приступ, надо срочно вызвать врача.

Любого ребенка с постоянными или кратковременными приступами шума при дыхании должен наблюдать врач.

Заложенность носа засохшими комками слизи описывается в пункте 241, а заложенность при насморке — в пункте 642.

330. Задержка дыхания. Если малыш злится, он начинает громко плакать. В моменты особенно сильного гнева он заходится в плаче, настолько долго задерживая дыхание, что его лицо синеет. Когда такое происходит впервые, родители от страха едва не лишаются чувств. На самом деле это говорит лишь о бурном темпераменте ребенка. Более того, во время «приступов» он великолепно себя чувствует. Однако лучше сообщить о случившемся врачу, чтобы во время очередного визита он проверил, все ли нормально с физической стороны. И, конечно, слыша громкий плач, не пытайтесь успокоить малыша, взяв его на руки, — иначе вы очень скоро избалуете его.

331. Вилочковая железа. Об этом органе многие люди говорят не иначе, как с суеверным ужасом. Можно подумать, что из-за нее с человеком случаются многие несчастья. Внезапную, без определенных причин, смерть маленького ребенка, как правило, списывают именно на вилочковую железу. На самом деле подобное мнение совершенно незаслуженно. Вилочковая железа находится в верхней части груди, и у некоторых детей она настолько велика, что надавливает на трахею. Тем не менее никаких проблем для ребенка это не создает, и сейчас уже никто не придерживается мнения о необходимости лучевой терапии вилочковой железы в раннем возрасте.

Устаревшие взгляды о том, что большая вилочковая железа перекрывает дыхательные пути и вызывает внезапную смерть от удушья, были рождены незнанием, какого размера должна быть железа. На самом деле тщательные исследования показали, что во всех случаях, когда причиной гибели ребенка считали гипертрофию вилочковой железы, виноваты были острые инфекционные заболевания.

Поэтому успокойтесь и не поддавайтесь идее фикс о необходимости рентгенограммы вилочковой железы для определения ее размера.

Особенности нервной системы

332. Отчего ребенок вздрагивает. Новорожденные и грудные дети вздрагивают от громких звуков, от внезапного изменения положения тела. Однако некоторые малыши более восприимчивы к внешним раздражениям. Если положить такого на ровную твердую поверхность, то при движении рук или ног его тело может слегка перекатиться. При этом ребенок вздрагивает так, будто готов выскочить из собственной кожи, и заходится в крике. Такие дети ненавидят купаться в ванне, потому что там им предоставлена относительная свобода движений. Легко возбудимых детей надо мыть у себя на коленях, а потом сполоснуть в ванночке, крепко держа обеими руками. Держа малыша на руках, старайтесь не делать резких движений. Когда ребенок немного повзрослеет, он станет спокойнее. О детях с повышенной возбудимостью говорится также в пункте 291.

333. Дрожь. В первые месяцы жизни малыша часто охватывает дрожь. У него могут трястись подбородок, руки и ноги. Особенно это заметно, когда ребенок волнуется или замерз. В дрожи нет ничего необычного — просто нервная система малыша пока работает нестабильно. Со временем подобные симптомы пройдут.

334. Судороги обычно происходят во сне, причем у одних детей чаще, а у других — реже. С возрастом недомогание проходит, но лучше упомянуть о судорогах врачу, чтобы тот провел необходимые наблюдения.

Душевный комфорт малыша

Первые проявления независимости

В этой части рассказывается о предметах и способах, с помощью которых расстроенные или утомленные дети успокаивают себя, приходят в умиротворенное состояние. Это могут быть мягкая игрушка или кусок ткани, который можно гладить и мять в руках, это пустышка или палец, которые они сосут, это, наконец, привычка качаться или крутить головой.

Начиная примерно с 6 месяцев ребенок начинает ощущать себя самостоятельной личностью, он проводит некоторую границу между собой и матерью. Если малыш устал или чем-то обеспокоен, то, гладя пушистую мягкую игрушку или тряпочку, посасывая пустышку или палец, качаясь или крутя головой, он имитирует чувство уюта и безопасности, которое испытывал, находясь в маминых руках.

Компенсация нервных перегрузок

335. Осознание собственной личности. После полугода к ребенку впервые приходит понимание, что он не составляет единое целое с матерью, а является самостоятельным существом. Точнее, это инстинкт, который тем не менее заставляет его провести границу между собой и матерью и настаивать на своем праве совершать некие самостоятельные действия. Чем дальше, тем крепче становится это чувство независимости. Именно поэтому шестимесячный малыш все чаще проявляет нетерпение, находясь в маминых объятиях, не желает получать пищу из рук матери. Он старается приподняться, тянет ручки, чтобы взять бутылочку. Иногда он даже отталкивает мать, защищая свое право на самостоятельность. С этого момента и до взрослого состояния дети постепенно будут расширять и углублять свою независимость, как в физической, так и в эмоциональной сферах.

336. Помогите нервной системе ребенка. У полугодовалого ребенка еще совсем мало сил. Он быстро устает, его настроение подвержено частым сменам. Когда малыш утомлен или расстроен, у него появляется желание вновь ощутить райское блаженство теплых и мягких маминых рук. (Психологи называют такое бегство от стрессов «регрессом»; даже вполне взрослые самостоятельные люди иногда становятся по-детски беспомощными и капризными, например во время болезни.) С другой стороны, ему вовсе не хочется сдавать позиции, завоеванные в борьбе за свою независимость. И здесь ребенок находит разные предметы и приемы, с помощью которых он может получить удовольствие, как от материнских рук, и в то же время не поступиться своей независимостью. Палец или пустышка во рту, бутылочка, которую он берет с собой в постель, напоминают ему о радости, охватывавшей его, когда он припадал к материнской груди. Тиская в руках мягкую игрушку, краешек одеяла или пеленки, малыш вызывает в памяти ощущение того, как во время кормления он теребил край маминого халата. (Щенята и котята трогают лапами молочные железы матери, чтобы выдавить больше молока. У человеческого детеныша желание погладить мамину грудь вызвано, видимо, инстинктом, доставшимся от далеких предков.) Когда ребенок качается, встав на колени, или крутит влево и вправо головой, он воспроизводит ритмичное покачивание на руках у матери или в люльке, когда его баюкали.

Засунув в рот палец или поглаживая мягкую игрушку, малыш возвращает испытанные прежде ощущения. Но сама мать ему не нужна — он не хочет, чтобы им управляли, как это делала она, кормя или пеленая его; теперь же он сам управляет мамой. (Интересно наблюдать, как ребенок, рассердившись, бьет дорогую ему игрушку, бросается ею в окружающие предметы.)

Почему я так подробно рассказываю обо всех этих символах независимости ребенка? Отчасти потому, что они объясняют нам то громадное значение, которое имеют для шестимесячного малыша его независимость и регресс. Кроме того, это позволяет объяснить различные аспекты поведения ребенка. Например, в первые полгода жизни он сосет палец, если недостаточно удовлетворяет свой инстинкт сосания. Чаще это происходит, когда малыш голоден. Позже смысл действий ребенка меняется. Палец во рту напоминает ему о том удовольствии, которое он испытывал в младенчестве, и теперь он сосет его либо перед сном, либо находясь в дурном настроении. Успокаивающее воздействие этого занятия на нервную систему столь велико, что многие дети сосут палец до 3, 4 и даже 5 лет.

Аналогично меняется роль пустышки. Малыш тоже любит ее, но не так сильно. Уже в год или два он забудет пустышку, если только мать не будет искусственно подогревать интерес к ней. Кстати, ребенок обычно сосет либо палец, либо пустышку, но не то и другое.

Другую роль отводит ребенок и бутылочке, которую мать подкладывает ему в постель. Она также станет символом его независимости, если до полугода мать давала ему бутылочку с молочной смесью, чтобы он самостоятельно выпивал ее. Привыкнув к бутылочке, ребенок требует ее до двухлетнего возраста. Та же бутылочка в ситуации, когда ребенок сидит у матери на коленях, остается всего лишь источником пищи — именно потому, что мать рядом и имитировать ее присутствие бессмысленно.

Некоторые дети совершенно не нуждаются ни в мягких игрушках, ни в пустышке или пальце, чтобы успокаивать нервы. Причина этого мне неизвестна. В психологическом плане между теми и этими детьми нет никакой разницы. На мой взгляд, нет повода специально приучать ребенка к заменителям мамы, равно как не нужно силой ломать его любовь к указанным предметам. Лишь из чисто практических соображений следует отучить его от бутылочки в постели (см. пункт 231) или пустышки (см. пункт 347).

337. Мягкие игрушки. Как показывают наблюдения, детям, сосущим палец, более свойственна глубокая привязанность и к мягким игрушкам. Ребенок, регрессируя (возвращаясь) к ощущениям младенческого возраста, пытается дополнить удовольствие от сосания радостным чувством от поглаживания чего-то мягкого и теплого.

У некоторых детей развивается глубокая привязанность к определенным предметам, которая иногда длится не один год. У других ребятишек страсть не так сильна, а со временем и совсем сходит на нет. Третьи же время от времени меняют предмет своей привязанности.

Сильные чувства малыша к мягкой игрушке, предмету одежды или просто тряпочке создают определенные проблемы для матери. Ребенок не желает ни на минуту расставаться со своей игрушкой. Постепенно она пачкается, изнашивается, превращается в лохмотья. Малыш бурно выражает свой протест при попытке выстирать или почистить игрушку, не разрешает заменить ее на другую. Настоящей трагедией становится потеря обожаемой вещи — многие часы после этого никакими силами не удается уложить ребенка в постель.

Я считаю, что не надо заставлять малыша отказываться от своего увлечения (зачастую такие попытки вообще обречены на неудачу). Правда, мне известно несколько случаев, когда мамам благодаря изобретательности и твердому характеру удавалось решить дело миром: они с самого начала смогли добиться согласия ребенка, чтобы любимый предмет находился где-то в детской комнате или вообще в доме, но не постоянно у него в руках.

Есть и другой путь: потихоньку, пока малыш спит, забрать у него игрушку, вымыть и высушить ее, не дожидаясь, пока она превратится в грязный, дурно пахнущий комок. (Часто малыш идентифицирует игрушку не только по ее внешнему виду, но и по запаху.) Выходом из положения станет копия игрушки или тряпки; время от времени вы будете менять их друг на друга, о чем ребенок и не догадается. Конечно, покупая игрушки для ребенка 3–6 месяцев, вы не в состоянии предугадать, какая из них станет у него любимой в полтора года. Кроме того, невозможно за ночь выстирать и высушить более или менее крупную игрушку. Поэтому вычистите ее хотя бы снаружи с помощью мыла и щетки и высушите феном.

Считать ли зависимость ребенка от любимой игрушки вредной привычкой? Думаю, ничего страшного в этом нет, кроме недовольства родителей ее неряшливым внешним видом. В любом случае вы вряд ли сможете предотвратить появление предмета обожания у малыша. Любой ребенок до года получает в подарок мягкие игрушки, та или иная может стать незаменимой для него лишь по достижении полутора лет. Процесс идет постепенно, и до родителей доходит лишь его результат.

Большинство детей утрачивают зависимость от любимой мягкой игрушки в возрасте 2–5 лет, хотя некоторые не отказываются от своей привязанности и много позже. Можно рекомендовать родителям изредка (несколько раз в год) спокойным тоном напоминать, что когда-нибудь ваш сын или дочь вырастут, и игрушка им будет не нужна. Такие ненавязчивые заявления помогут детям, естественно желающим скорее стать взрослыми, быстрее отказаться от любимой вещи.

Палец во рту

338. Почему дети сосут палец. Основная причина — недостаточное удовлетворение врожденного инстинкта сосания при кормлении грудью или через соску. Доктор Дэвид Леви приводит данные, что дети, получающие грудь или бутылочку каждые три часа, реже приобретают такую привычку, чем дети, которых кормят с четырехчасовыми перерывами. Более склонны сосать палец малыши, выпивающие свою бутылочку не за 20, а за 10 минут (это часто происходит потому, что со временем соска теряет свою эластичность, становится мягкой). Доктор Леви проверил свои наблюдения на выводке щенят. Он кормил их из пипетки, лишая возможности сосать молоко. В результате они начинали сосать свою лапу или лапы других щенков, да так интенсивно, что с лап сходила шерсть.

Инстинкт сосания развит у детей неодинаково. Так, одному достаточно 15 минут на кормление, и у него никогда не возникает потребности дополнительно сосать палец. Другой же, затрачивая на бутылочку не менее 20 минут, не обходится без пальца во рту. Некоторые новорожденные впервые суют в рот палец еще в роддоме, и далее их привычка только укрепляется. Возможно, определенную роль в этом играет наследственность.

Вас не должно расстраивать, когда ребенок незадолго до кормления сунет в рот палец. Он лишь показывает, что голоден. Вашего внимания заслуживает ситуация, когда ребенок сосет палец сразу после еды или в течение довольно долгого времени между кормлениями — такое поведение говорит о неудовлетворенности инстинкта сосания. Малыш начинает сосать палец примерно в 3 месяца.

Не надо путать это явление с попытками ребенка жевать палец или весь кулак в период появления первых зубов на четвертом-пятом месяце жизни. Ребенок в одних ситуациях сосет палец, а в других жует его, чтобы снять напряжение в деснах, когда у него режутся зубы.

Если вы заметили стремление малыша подолгу держать палец или кисть руки во рту, не пытайтесь действовать методом запрета — лучше продлите время кормления или увеличьте число кормлений, чтобы ему не приходилось искать замену для удовлетворения инстинкта сосания. В крайнем случае предложите малышу пустышку (см. пункт 347).

339. Когда сосание пальца должно насторожить вас. Вы должны обязательно обратить внимание на первую попытку малыша засунуть палец в рот — не дожидайтесь, пока сосание пальца станет устойчивой привычкой. Многие дети в первые месяцы просто не знают, что им делать с собственными руками. Вы, должно быть, замечали, как они поднимают их, вертят ими, пробуют на вкус. Если кулачок младенца каким-либо образом окажется во рту, ребенок буквально присасывается к нему и долго не отпускает. Вы тут же должны сделать для себя вывод, что малышу нужно давать больше времени на кормление, будь то ваша грудь или бутылочка.

Чем младше ребенок, тем нужнее ему ваша помощь, поскольку инстинкт сосания сильнее всего проявляется именно в первые 3 месяца. Потом он начинает постепенно угасать. В возрасте 6–7 месяцев его роль в привычке сосать палец становится ничтожной. После этого палец во рту лишь помогает ребенку успокоиться (см. пункт 338).

340. Почему грудники реже сосут палец. Мои многочисленные наблюдения показали, что ребятишки, которых кормят грудью, реже нуждаются в такой дополнительной утехе, как сосание пальца. Иначе и быть не должно — мама ведь не склонна ограничивать время кормления, потому что ей неизвестно, сколько малыш выпил молока и сколько у нее осталось. Другое дело с бутылочкой: выпив свою порцию, малышу остается лишь глотать воздух. Если все же ребенок пытается сосать палец, позвольте ему больше времени проводить у груди — до 30–40 минут. Остановитесь, только когда это начнет причинять вам неудобства. Но не следует кормить дольше 40 минут. Основное количество молока ребенок высасывает в первые 5–6 минут, а за все остальное время — всего несколько капель, в основном удовлетворяя инстинкт сосания. Другими словами, если он проводит у груди 35 минут, то получает столько молока, сколько получил бы за 20 минут. Не ограничивайте ребенка во времени, проводимом у груди, и вы будете поражены, как будет отличаться по длительности одно кормление от другого. Иногда он, довольный, насытится уже через 10 минут, а следующее кормление растянет на все 40 минут. Это показывает, насколько лучше для малыша кормление грудью, и не только с точки зрения количества молока.

Если ребенок, побыв у одной груди, прекращает сосать, вам уже не заставить его продолжать. Но если за один раз он сосет из обеих грудей и еще начинает брать в рот палец, есть два способа продлить время кормления. Попробуйте не отнимать его от первой груди — возможно, он насытится, если пососет подольше. Если же он все равно выказывает чувство голода, подержите его у первой груди не 10, а 20 минут и лишь после этого дайте ему вторую грудь, чтобы он сосал, пока не успокоится.

341. Когда дети на искусственном вскармливании начинают сосать палец. Как правило, это происходит, когда они выпивают бутылочку за 10 минут, а не за 20, как было до того. Объяснение лежит на поверхности: ребенок с возрастом становится крепче и сильнее, а резиновая соска — мягче. У сосок на бутылочках с навинчивающейся пробкой есть сбоку отверстие для воздуха. Плотнее закрутив пробку, вы затрудните доступ воздуха в бутылку, в ней создастся разрежение, и сосать будет труднее. Если это недостаточно помогает, купите новые соски и посмотрите, не увеличится ли время кормления. Если отверстия в них окажутся слишком маленькими, ребенок прекратит сосать, даже не выпив до конца бутылку. Подберите отверстие таким образом, чтобы малыш, пока ему не исполнится полгода, тратил на каждую бутылочку около

20 минут. Время, конечно, подсчитывайте, исключив все перерывы и паузы.

342. Если ребенок сосет палец, не спешите сокращать число кормлений. Для удовлетворения инстинкта сосания важна не только длительность каждого кормления, но и их число. Так что если малыш продолжает сосать палец, хотя вы до предела увеличили каждое кормление, лучше повременить с отменой некоторых кормлений. Например, трехмесячный ребенок не просыпается к десятичасовому вечернему кормления, но много времени проводит с пальцем во рту. В этом случае целесообразно подождать пару месяцев, прежде чем отказаться от этого кормления — пусть даже вам придется будить малыша.

343. Влияние на прикус. Вас должен обеспокоить тот эффект, который оказывает сосание пальца на развитие десен и рост зубов. Действительно, у детей, которые подолгу держат палец во рту, верхние резцы выдаются наружу, а нижние растут вовнутрь. Причем изменение прикуса во многом зависит от того, как помещается палец. Однако стоматологи утверждают, что подобное нарушение прикуса не влияет в дальнейшем на рост постоянных зубов, которые идут на смену молочным примерно в 6 лет. В большинстве же случаев привычка сосать палец проходит много раньше этого срока.

Конечно, независимо от состояния прикуса вы хотели бы, чтобы ваш ребенок как можно раньше прекратил сосать палец. Мои советы, надеюсь, помогут вам справиться с этой задачей.

344. Силой вы вряд ли добьетесь успеха. Почему бы не попробовать связать руки малыша или не надеть на пальцы алюминиевые колпачки? Однако эта мера лишь увеличит нагрузку на нервную систему ребенка, что само по себе уже принесет вред. Кроме того, подобные ограничения не избавляют ребенка от желания сосать палец. Мы все слышали о матерях, которые от отчаяния связывали руки своих малышей и надевали им на пальцы металлические колпачки или намазывали горькой смесью. Так они боролись с привычкой ребенка не дни, а месяцы. Но стоило им отказаться от драконовских мер, как палец вновь оказывался во рту ребенка. Истины ради надо упомянуть о матерях, которые сообщали о хороших результатах, полученных с помощью ограничений. Но во всех упомянутых ими случаях привычка сосать палец не носила достаточно устойчивого характера. Очень многие дети сосут палец не постоянно, а от случаю к случаю, и привычка со временем исчезает сама собой, даже если вы ничего не предпринимаете. Насильственные меры делают ребенка более упрямым и затягивают борьбу с этой напастью.

345. Почему дети сосут палец в более старшем возрасте? До сих пор мы говорили о мотивах, которые заставляли брать в рот палец детей грудного возраста. Но у ребенка старше полугода сосание пальца приобретает иной смысл и становится средством успокоить свою нервную систему. Он прибегает к этой мере, когда утомлен или обеспокоен; часто малыш сосет палец перед сном. В старшем возрасте малыш берет палец в рот в трудной и неприятной ситуации, воспроизводя младенческие ощущения, когда сосание было для него высшей радостью. Об этом мы говорили в пункте 336.

Хотя палец во рту с возрастом выполняет иную функцию, привычку сосать палец ребенок приобретает лишь в младенчестве. Если до полугода она не появилась, то не возникнет и позже. Очень редки случаи, когда малыш впервые берет в рот палец в возрасте от полугода до года.

Стойкая привычка сосать палец в возрасте до года не должна вас тревожить. Если ребенок растет веселым, любит играть и сосет палец лишь перед сном и изредка в дневное время, вам вообще не стоит что-либо предпринимать. Другими словами, эта привычка не свидетельствует о душевных муках малыша, об испытываемом им дефиците любви. Как правило, такие дети вполне удовлетворены своей жизнью, тогда как по-настоящему обделенные вниманием и лаской дети почти никогда не берут в рот палец. Однако если малыш почти не вынимает палец изо рта, родители должны задать себе вопрос, в чем их упущение и почему их ребенок вынужден таким образом приводить в равновесие свое душевное состояние. Может быть, малыш скучает, почти не видя лиц своих сверстников, или страдает от недостатка игрушек? Возможно, ему приходится слишком долго сидеть в коляске, не имея возможности подвигаться? У ребенка полутора лет будут постоянно возникать конфликты с матерью, если вместо того чтобы помочь ему найти подходящие предметы для игр, она станет лишь запрещать ему брать те или иные вещи. Иной ребенок в окружении одногодков смущается и не принимает участия в общих забавах. Он стоит рядом и сосет палец, наблюдая за резвящимися ребятишками. Я привел эти примеры с одной целью: чтобы отучить малыша совать палец в рот, вы должны сделать его жизнь полнее, разнообразить ее играми и забавами.

Бинтование рук, металлические наконечники на пальцах, намазывание пальцев горькими составами не помогут вам так же, как эти способы не помогали и в раннем возрасте. Напротив, это лишь причиняет ребенку дополнительные страдания и отодвигает на долгое время успех ваших стараний. То же относится к строгим окрикам и попыткам силой вытащить палец изо рта. Я вспоминаю историю маленькой Анны. В возрасте 3 лет она сама прекратила сосать палец, хотя прежде изрядно досаждала взрослым этой своей привычкой. Полгода спустя у них в доме после долгого отсутствия вновь появился ее дядя Джордж. Прежде он жил в семье и постоянно читал нотации девочке, пытаясь отучить ее брать в рот палец. Стоило им оказаться вместе, как Анна тут же сунула палец в рот. Вы, верно, не раз слышали совет дать малышу в руки игрушку, когда он начинает сосать палец. В этом, разумеется, есть смысл. Но если вы будете постоянно подсовывать малышу какую-нибудь старую и уже надоевшую игрушку, он скоро разоблачит вашу «хитрость», и в очередной раз она не сработает. Иной раз не грех и подкупить малыша. Предположим, ваша дочка в 5 лет продолжает сосать палец и вы беспокоитесь, что это плохо отразится на ее прикусе, поскольку приходит время постоянных зубов. Предложите ей сделать на пальцах маникюр. Так вы одним выстрелом убьете двух зайцев: во-первых, она почувствует себя взрослой дамой, которой просто неприлично держать во рту палец, а во-вторых, ей будет жалко портить свои красивые ноготки. Но в 2 или в 3 года у малыша еще недостаточно воли, чтобы перебороть свой инстинкт к регрессу. Поэтому не переживайте и относитесь к его привычке спокойно.

Кстати, полезно время от времени напоминать малышу, что взрослые не сосут палец и он в будущем тоже не будет сосать палец. Говорите это весело, бодрым тоном. Если ребенок почувствует в ваших словах обеспокоенность его поведением, то результат окажется противоположным ожидаемому. Всегда помните, что эта привычка не на всю жизнь и когда-то ребенок все равно откажется от нее. В подавляющем большинстве случаев желание сосать палец начинает уменьшаться после появления второго зуба. Правда, бывают и рецидивы. Они, как правило, происходят во время болезни или когда ребенок оказывается в трудной ситуации. Но после 3 лет это случается совсем редко, а к 6 годам привычка проходит совсем.

У большинства детей привычка сосать палец сочетается с любовью к мягким предметам. Одни мнут или теребят край одеяла или пеленки, шелковые или мохнатые игрушки, другие щиплют себя за мочку уха или накручивают на палец прядь волос. Некоторые прижимают к лицу тряпочку, а пальцем свободной руки трогают свой нос или губы. Все эти действия должны напомнить вам о том, как хорошо было вашему малышу в объятиях мамы, когда он касался ее во время кормления грудью или молочной смесью из бутылочки. Когда он прижимает что-нибудь мягкое к лицу, кажется, что он вспоминает о тех моментах. О любви к мягким игрушкам мы рассказали в пункте 337.

346. Жевание языка. Иногда ребенок начинает сосать и жевать собственный язык, пока его не стошнит. Так же ведет себя корова на лугу, поэтому подобное довольно редкое явление у детей называют жеванием языка. Обычно оно возникает тогда, когда родители ограничивают возможность сосать палец, и малыша выручает его язык. Как только вы заметите, что ребенок начал сосать язык, тут же освободите ему руки — пусть уж лучше возьмет в рот палец, поскольку жевание языка имеет куда более печальные последствия. Кроме того, следите, чтобы ребенок как можно больше времени проводил в компании, в играх или иных занятиях.

Пустышка

347. Пустышка — хорошее средство успокоить капризных детей и любителей сосать палец. Пустышка представляет собой соску без отверстия, прикрепленную к широкому диску.

Когда малыш берет пустышку в рот, диск упирается ему в губы и не позволяет проглотить соску. С задней стороны диска имеется кольцо, за которое малыш может хвататься или к которому привязывают ленточку, надетую ему на шею.

Некоторые пустышки целиком изготовлены из одного куска мягкой резины. Это очень удобно с точки зрения безопасности: пустышка не причиняет малышу боль, если он, заснув, выпустит ее изо рта и ляжет на нее. Кроме того, ребенок не оторвет пустышку от кольца и случайно не проглотит. Единственным недостатком пустышки является то, что ее конец достает до глотки, и ребенок может подавиться. Поэтому иногда делают короткие пустышки с шаровидным окончанием.

Детей, подверженных несильным приступам раздражения, довольно легко успокоить пустышкой. Возможно, пустышка хорошо действует на нервную систему малыша или он перестает плакать потому, что у него просто занят рот. Пустышка помогает и при коликах, отчасти отвлекая от боли в животе.

Временное раздражение и колики к трехмесячному возрасту обычно проходят, после чего пустышку ребенку лучше не давать, чтобы он к ней не привыкал.

348. Пустышка, если ею правильно пользоваться, поможет избежать привычки сосать палец. Большинство детей, которым в первые месяцы жизни давали пустышку, не начинают сосать палец, даже если они не пользуются пустышкой с 3–4 месяцев.

Некоторые спросят: «А есть ли смысл использовать пустышку, чтобы избежать сосания пальца, если привычка держать во рту кусок резины также малопривлекательна?» Смысл все же есть. Если ребенок в первые три месяца приучится сосать палец (а примерно с половиной всех детей так и происходит), эта привычка останется до трех-, четырех- и даже пятилетнего возраста. Напротив, дети, которым в младенчестве давали пустышку, совершенно теряют к ней интерес уже по достижении 3 или 4 месяцев. Хотя поначалу они долго не выпускали ее изо рта, теперь им хватает нескольких секунд, после чего они почти с отвращением выплевывают ее. Среди приверженцев пустышки мало кто терпит ее до года или двух.

Другим преимуществом пустышки является то, что она не портит прикуса.

349. Почему матери не дают ребенку пустышку? Правильному и эффективному использованию пустышки мешают две причины. Очень часто матери всячески противятся пустышке в первые недели жизни, хотя это помогло бы им решить массу проблем. В результате ребенок либо вовсе не знаком с пустышкой, либо мама решается прибегнуть к ней, когда она не доставляет малышу никакой радости. Сомнения мамы понятны — мало кому нравится вид соски, прыгающей в центре физиономии младенца. Еще менее привлекательным кажется многим «тупое» выражение лица ребенка, сосущего пустышку. Мать не убеждают даже советы врача, и лишь несколько недель спустя она готова дать своему крошке пустышку, после того как приятельницы расскажут ей о большой пользе, которая заключена в этом резиновом изделии.

Вторая причина заключается в попытках матери, которая поняла, что пустышка помогает при коликах и при временном раздражении, сунуть ее младенцу в рот, как только тот захнычет. И так продолжается месяцами, даже когда малыш перестает нуждаться в пустышке. Постепенно у ребенка возникает привыкание к ней, которое проходит лишь к полутора годам.

В первые 3 месяца пустышка (как и палец) способствует более полной реализации инстинкта сосания. Но на четвертом месяце этот инстинкт начинает понемногу угасать. Теперь для его удовлетворения ребенку достаточно обычных кормлений, и он начинает выплевывать пустышку. К полугоду инстинкт сосания значительно ослабевает — не случайно малышу надоедает сосать грудь. Если давать ему пустышку и дальше — потому ли, что инстинкт сосания у него еще довольно силен, или потому, что он привык к ней, — пустышка превратится в средство, позволяющее успокоить нервную систему. Тогда ребенок уже не откажется от пустышки почти до 2 лет.

Когда ребенок не собирается отказываться от пустышки, то не стоит отнимать ее силой. Но если в 3–4 месяца он готов покончить с привычкой сосать пустышку, если он выплевывает ее, как только она оказывается у него во рту, прекратите подсовывать ее ребенку по каждому поводу. Так вы успокоите и своих родственников, которых нервирует вид младенца с соской во рту, и прикус у малыша наверняка будет нормальный.

Пустышка помогает избежать привычки сосать палец. Но ведь почти половина всех детей даже не начинают сосать палец или делают это редко и держат палец во рту недолго. В подобных случаях пустышка не нужна, разве только для того, чтобы успокоить боль при коликах. Однако вы должны думать не только о том, что уже произошло, но и о том, что еще может произойти. Так, если после еды ребенок пытается сунуть палец в рот и начинает жадно сосать его, у вас есть повод воспользоваться пустышкой.

В каком возрасте можно и нужно впервые дать малышу пустышку? Наш ответ: чем раньше, тем лучше. Если ребенок уже попробовал сосать палец, он почти наверняка отвергнет пустышку. Ему приятны не только ощущения, рождающиеся во рту, но и ощущения в пальце.

Важно правильно угадать время суток, когда предложить ребенку пустышку. Чтобы не ошибиться, понаблюдайте за ребенком. Следите, как он будет искать, за что бы ухватиться губами, и пытаться сунуть в рот палец, кулачок, запястье, край одежды. В самом раннем возрасте малыш не спит лишь перед едой и после нее. В эти моменты предложите ему пустышку. Для этих целей подходит и время, когда малыш просыпается между кормлениями. До 3 месяцев надо руководствоваться правилом: чем больше ребенок сосет, тем лучше. Он удовлетворит свой инстинкт сосания и откажется от пустышки, как только отпадет надобность в ней.

Если малыш не начинает громко протестовать, забирайте у него пустышку, когда он начинает засыпать. Ребенок может привыкнуть, что и во сне соска находится у него во рту, и, потеряв ее, начнет громко плакать — и так десятки раз за ночь.

Наконец ребенок готов отказаться от пустышки, он выплевывает ее и всем видом показывает, как ему хорошо, но я все же не советовал бы вам отнимать пустышку раз и навсегда. Сделайте это постепенно — потратьте примерно две недели, давая пустышку все реже и на более короткое время. Не бойтесь иногда лишний раз дать малышу пустышку, если видите, что он с радостью принимает ее как средство успокоить нервную систему.

Если малыш и после полугода не расстается с пустышкой и по нескольку раз за ночь просыпается, потому что соска выпадает у него изо рта, разложите около его головы несколько штук, чтобы ему было нетрудно найти какую-нибудь и не пришлось будить вас. Можете также приколоть пустышку булавкой к краю ночной рубашки. (Не привязывайте пустышку к шнурку, надетому на шею малыша. Это слишком опасно.)

С момента появления у ребенка зубов возникает опасность, что он откусит резиновую соску от пластикового кружка у старой пустышки или откусит от соски небольшие кусочки и будет жевать их. Так он может серьезно подавиться, если кусок попадет не в то горло. Во избежание неприятностей периодически покупайте новую пустышку.

Странные привычки

350. Поклоны, качания, повороты головы и кивки. Иногда, сидя на стуле, ребенок делает резкие движения, как будто кланяется, так что стул даже шатается. Другие движения — качания — малыш совершает, опираясь на руки и колени. Если он качается в своей кроватке на колесиках, то она начинает двигаться, а когда доедет до стены, вы услышите, как ее спинка монотонно долбит препятствие. Лежа на спине, малыш иногда раз за разом поворачивает голову то влево, то вправо или делает движения головой взад и вперед, ударяясь при этом лбом или затылком о спинку колыбельки. Эта привычка особенно удручает родителей. У них возникает подозрение, есть ли у ребенка вообще мозги в голове, а если есть, то не повредит ли он их, стуча головой о спинку кровати?

Что же кроется за всеми этими бесконечными ритмичными движениями? Не думаю, что мы дадим всеобъемлющий ответ, но кое-какие мысли на этот счет кажутся мне интересными. Подобные привычки появляются у ребенка в конце первого года жизни; тогда у ребенка естественным образом развивается чувство ритма, которое впоследствии заставляет его двигаться в такт музыке. (Возможно даже, что эти движения закладывают основу ритма при ходьбе.) Мне думается, что привычка к ритмичным движениям чаще проявляется у мальчиков, поскольку их нервная система более возбудима.

Дети начинают ритмично двигаться в моменты утомления, беспокойства, перед сном, то есть эти движения играют ту же роль, что и сосание пальца, поглаживание мягких игрушек: они помогают успокоить нервную систему, вернуться во времена младенчества, когда мама укачивала их, носила на руках. Об этом написано в пунктах 336–337.

Если ребенок бьется головой о спинку кровати, прикрепите к ней подушку или другой мягкий предмет, чтобы он не набил шишку. Один папа решил проблему, сняв деревянную стенку кровати и затянув это место куском плотной ткани. Если ваш ребенок качается, создавая невыносимый грохот во всем доме, с внешней стороны колыбельки укрепите амортизаторы в виде подушек или кусков мягкой резины или зафиксируйте кровать у стены, поместив между стеной и кроватью амортизирующую прокладку.

В любом случае я бы не пытался наказывать детей с целью отучить их от подобной привычки.

Развитие ребенка

Наблюдайте, как ребенок растет

351. Перед вами проходит вся эволюция человека. Нет ничего более захватывающего, чем видеть, как растет и развивается ваш малыш. Поначалу вам будет казаться, что младенец просто становится крупнее. Потом, когда ребенок начнет совершать первые осмысленные действия, вы решите, что он подглядел их и пытается повторить. На самом деле все гораздо сложнее и наполнено глубинным смыслом. Каждый ребенок в своем развитии повторяет долгую эволюцию человеческого рода, шаг за шагом овладевая физическим и духовным наследием ушедших поколений. Человек зарождается из одной крошечной клетки, как когда-то из клетки возникла жизнь в Мировом океане. Через несколько недель после пребывания во внутриутробной жидкости у него появляются жабры, как у рыбы. К концу первого года жизни, когда он научится подниматься на ножки, он как бы повторяет действия своего далекого предка, первым отказавшегося ходить на четырех ногах. Примерно в это же время малыш учится действовать пальцами — ведь предшественник человека встал на задние лапы именно потому, что руками он мог принести себе больше пользы, чем если бы использовал их как лишние подпорки при хождении. В возрасте 6 лет ребенок старается уменьшить свою зависимость от взрослых. Он пытается определить свое место в окружающем мире. Моделью этого мира становится игра со сверстниками. Здесь на память приходят ассоциации с той ступенью развития общества, когда нашим предкам стало понятно, что более безопасно жить в лесу не отдельными семьями, а крупными общинами. В этих общинах должны были появиться принятые всеми законы и правила, в соответствии с которыми люди начали сотрудничать; все меньше значил для выживания общины произвол старейшин. То же мы видим в правилах игр, которые дети выполняют самым серьезным образом.

352. Задержки в развитии. Ваш ребенок растет, и, наблюдая за ним, вы испытываете сложную гамму чувств. Когда он схватывает все на лету, вами овладевает гордость — ведь это ваше создание. Он радуется своим успехам, ему интересен открывающийся перед ним мир, и вы вместе с ним как бы вновь переживаете самые прекрасные моменты своего детства. Вы готовы впасть в отчаяние, заметив, как у него что-то не получается, как он запаздывает в развитии по сравнению с другими детьми. Ваше беспокойство усугубляется смутным ощущением собственной вины. Подобное чувство свойственно всем любящим родителям. Любое, самое незначительное отклонение от принятой нормы вызывает рой мыслей о неправильном уходе, о дурной наследственности, о поступках в далеком прошлом, которых вы теперь стыдитесь, и о том, что призраки прошлого возвращаются и как-то влияют на развитие малыша. Более того, в Библии вы находите подтверждение своим страхам, когда читаете о том, что грехи отцов ложатся на их детей, да и нас самих в детстве учили тому же.

На самом деле запаздывание в развитии очень редко вызвано ошибками воспитания, наследственностью или грехами родителей (подлинными или мнимыми).

Каждый ребенок проходит свой путь, непохожий на путь других детей, он развивается по сложной, присущей только ему модели, о чем мы говорили в пункте 3. Эта модель заложена в его нормальной наследственности, а вовсе не в отклонениях от нее. Рано или поздно ребенок начнет ходить, говорить, у него появятся первые зубы, начнется половое созревание. Будет ли он высоким или маленьким, худым или полным — все это передано ему родителями. Но и в одной семье дети часто развиваются по-разному, потому что слишком сложен весь комплекс наследственных черт, передаваемых ребенку от отца и матери.

Развитие двигательной активности включает такие факторы, как умение держать головку, садиться, вставать, ползать, ходить. Конечно, известны средние величины всех этих факторов, но индивидуальные отклонения от них у вполне здоровых детей весьма значительны.

Известны довольно редкие заболевания, которые могут повлиять на двигательную активность, но их легко определит врач.

Подавляющее большинство (до 90 %) задержек в формировании двигательных навыков относится к обычным отклонениям от нормы, но не является следствием заболевания или неправильного развития.

Умственное развитие никак не связано с двигательной активностью, о чем необходимо знать родителям, чтобы лишний раз не терзать свои нервы. Как правило, дети, у которых развитие двигательных навыков запаздывает, хорошо развиваются интеллектуально. Так получилось, что тесты, которым подвергают младенцев (например, при решении вопроса об усыновлении), могут выявить лишь отклонения в физическом развитии и социальной адаптации ребенка. Они показывают, не страдают ли дети от болезней или травмы мозга, не сказалось ли на их духовной сфере вынужденное одиночество в самом раннем периоде жизни. Ни один из существующих тестов не даст ответа о будущих умственных способностях годовалого ребенка. Такие качества человека, как память или способность мыслить логически, можно более или менее надежно определить, лишь когда ребенку исполнится 2 года.

Умственное развитие в отличие от физического в большей степени зависит от среды, в которой растет малыш, а не от характеристик наследственности. Дети, рожденные от женщины с низким интеллектом, будучи усыновленными и попав в интеллигентную семью, ближе по развитию к приемным родителям.

Духовное и социальное развитие ребенка зависит от врожденного темперамента (например, бывают активные или тихие и замкнутые дети), но в еще большей мере оно определяется их воспитанием. Вы не найдете надежных доказательств, что такие пороки личности, как алкоголизм, нечестность, являются наследственными.

Запаздывающие в умственном развитии дети нуждаются в постоянном наблюдении со стороны врача. Лишь он может выявить, страдает ли ребенок заболеванием или находится в условиях, которые необходимо изменить. Помощь врача тем более важна, когда ребенок плохо развивается физически и к тому же не ориентируется в предметах и людях, его окружающих.

По крайней мере его должен осмотреть педиатр, а окулист и отоларинголог пусть проверят зрение и слух.

353. До двух-трех месяцев ребенок погружен в себя. В это время он практически не реагирует на внешние раздражители. Малыш как бы постоянно прислушивается к процессам, происходящим в его организме. Когда внутренний голос говорит ему, что все идет нормально, младенец тих и безмятежен. Когда же организм требует пищи или сообщает о несварении желудка или об утомлении, он чувствует себя совершенно несчастным, поскольку никакой обнадеживающий сигнал извне не способен пробиться сквозь плотную пелену, окутывающую его сознание. В это время дети часто плачут — одних мучают колики, другие периодически подвержены раздражению, третьи по нескольку минут кричат, перед тем как заснуть.

После 3 месяцев перед малышом все шире открывается внешний мир. Он начинает вертеть головой во всех направлениях, и, похоже, ему нравится то, что он видит вокруг.

354. Первые движения ребенка. Наукой управлять своим телом малыш овладевает довольно долго. Первой начинает осмысленно действовать голова, потом в работу вступают руки, туловище, ноги. С момента своего появления на свет младенцу известно, как он должен сосать. Ему присущ особый рефлекс: если его щеки что-либо коснется — сосок груди или, например, палец, – как он тут же повернет голову и попытается схватить побеспокоивший его предмет ртом. Он готов приникнуть к груди, из которой сможет сосать молоко. Если вы в этот момент попытаетесь придержать его голову, малыш разозлится и начнет выворачиваться. Возможно, этот инстинкт не дает ему задохнуться, если его лицо оказывается закрытым.

Иногда мамы спрашивают: «Что впервые видят дети?» Зрение ребенка тоже развивается постепенно. С момента рождения он различает мрак и свет. Яркий свет беспокоит его, и малыш тут же закрывает глаза. В первые недели он фиксирует взгляд на предметах, расположенных близко от его лица. В месяц или два он начинает узнавать человеческое лицо и реагировать на его приближение. К 3 месяцам ребенок начинает присматриваться к тому, что творится вокруг. В первые недели он еще не умеет координировать работу глазных мышц и поэтому часто косит. Кроме того, поверхность глазных яблок у малыша малочувствительна, и мелкие соринки, попавшие в глаз, похоже, не очень его беспокоят.

Новорожденный ничего не слышит. Только через день-два после появления на свет, когда внутренние слуховые каналы освободятся от наполнявшей их жидкости, он начинает вздрагивать от громкого звука. У некоторых детей период глухоты затягивается на несколько недель, поскольку у них жидкость из слуховых каналов уходит медленно.

355. Ребенок рано начинает улыбаться, показывая, что он любит общество. В один прекрасный день, в возрасте где-то между месяцем и двумя, малыш вдруг улыбнется в ответ на вашу улыбку или сказанную фразу. Думаю, я не ошибусь, если скажу, что от охватившего волнения вам на глаза навернутся слезы. Вдумайтесь, что эта первая улыбка может означать с точки зрения развития ребенка. В этом возрасте он почти ничего не знает об окружающем, он не умеет еще пользоваться руками, не поворачивает сознательно голову. Но он рад обществу любящих его людей и чувствует, что должен как-то продемонстрировать свою радость. И если вы не будете скрывать свои чувства, общаясь с малышом, если будете искренне радоваться в его присутствии, он будет расти добрым и послушным, поскольку это заложено в его природе.

356. С помощью рук. Сразу после рождения лишь очень немногие дети способны совать в рот палец по своему желанию. Большинство из них до 2–3 месяцев даже не могут поднести руку ко рту. Пальцы на руках постоянно сжаты в кулачки, и ребенок не умеет пользоваться ими по отдельности.

Главная функция человеческих рук — брать и держать предметы. Ребенок словно заранее знает об этом. Задолго до того, как у него в руке действительно окажется какой-то предмет, его движения словно говорят, что он хочет или пытается что-то подержать в руке. На этой стадии, если вы вложите ему в руку погремушку, он ухватится за нее и будет трясти. К полугоду он научится доставать предметы, до которых сможет дотянуться. Постепенно малыш начинает брать предметы все более уверенно. В конце первого года жизни ребенку нравится поднимать очень мелкие предметы, причем делает он это виртуозно.

357. Правши и левши. Почему развивается привычка пользоваться преимущественно правой или левой рукой, объяснить очень трудно. Примерно до года некоторые дети одинаково действуют обеими руками, и лишь позже у них появляется «любимая». У других «неравноправие» рук проявляется раньше и фиксируется на всю оставшуюся жизнь. Третьи сначала начинают действовать одной рукой, а через несколько месяцев меняют свое предпочтение.

Прежде ученые, занимавшиеся проблемой левшей и правшей, считали, что склонность к использованию в качестве основной правой или левой руки является врожденной и раньше или позже проявится у каждого индивидуума. А с тех пор как логопеды и специалисты по обучению чтению сообщили, что у детей, которых пытались переучить пользоваться в основном правой, а не левой рукой, развивается заикание и появляются проблемы с чтением, стало преобладать мнение о большом вреде такого переучивания.

В то же время доктор Абрам Блау приводит много доказательств своей точки зрения, что предпочтение правой или левой руки не врожденное, а благоприобретенное качество. Он рекомендует родителям с самого начала тактично, но твердо настаивать, чтобы малыш действовал преимущественно правой рукой, и считает, что предпочтение, отдаваемое левой руке, идет от чувства противоречия, которое питается именно стараниями матери сделать из ребенка «нормального» человека.

Какой же из этих теорий должны придерживаться родители? Я полагаю, что нетрудно найти взаимоприемлемое компромиссное решение. Если малыш в полугодовалом возрасте не отдает предпочтения ни одной руке или ему удобнее действовать правой, то вешайте ему игрушки с правой стороны колыбельки, вкладывайте ему предметы и кусочки пищи в правую руку, а потом постарайтесь, чтобы и ложку он брал в правую руку. Однако если с первых же попыток действовать руками малыш явно выделяет для себя левую руку, не спорьте и не пытайтесь с ним бороться. Даже если решение пользоваться левой рукой принято ребенком из чувства противоречия, ваша настойчивость лишь ухудшит положение.

Мягко подскажите ребенку, что правильнее брать вещи в правую руку, но если он не слушает, не настаивайте.

358. Отношение к незнакомым людям. Вы можете наблюдать, как ребенок переходит из одной стадии своего развития в другую, по его реакции на незнакомое место и незнакомого человека. Возьмите, например, его поведение в кабинете врача. Двухмесячный младенец практически не обращает на доктора внимания. Лежа на столике для осмотра, он смотрит через плечо врача на мамино лицо. Иметь дело с трехмесячным малышом для врача одно удовольствие. Он мгновенно расплывается в улыбке в ответ на улыбку доктора. Но к 5 месяцам отношение ребенка к чужакам резко меняется. При приближении незнакомого лица он прекращает гулить, улыбка исчезает. Замерев, он примерно с полминуты настороженно разглядывает незнакомца. Затем живот ребенка начинает часто вздыматься и опадать, подбородок дрожит, и наконец раздается пронзительный крик. Малыш настолько возбужден, что продолжает еще долго плакать после завершения осмотра. Этот период характеризуется особой подозрительностью, когда ребенок легко пугается неизвестных предметов, например шляпы на голове гостя. Даже к своему отцу он не проявляет расположения. Такое поведение объясняется, возможно, тем, что малыш уже достаточно развит и в состоянии отличить знакомое лицо от увиденного впервые. Если ваш ребенок в полгода так пуглив, если с трудом переносит новую обстановку и новых людей, постарайтесь оградить его от стрессов, не позволяйте незнакомым людям приближаться к малышу, пока тот хотя бы немного не привыкнет к их лицам, сократите выходы из дома. С папой дело проще — ребенок очень скоро научится его узнавать.

Некоторые дети до поры до времени довольно спокойно относятся к незнакомцам, но потом ситуация меняется полностью. Полагаю, в 13 месяцев ребенок наиболее подозрителен к окружающим. При приближении врача малыш пытается вскочить на ножки и сползти со стола на руки матери. Он кричит и утыкается личиком в мамину шею, словно страус прячет голову в песок. Иногда он замолкает, но лишь затем, чтобы через плечо бросить на врача взгляд, быстрый, как удар кинжалом, и снова заходится в крике. Лишь после окончания осмотра он постепенно успокаивается. Зато через несколько минут он с интересом осматривает кабинет и своим довольным видом показывает, что совсем не прочь подружиться с доктором. О том, как вести себя с возбужденным годовалым ребенком, рассказано в пунктах 407 и 408.

359. Ребенок начинает переворачиваться и садиться. Если управлять движениями головы и рук почти все дети начинают примерно в одном возрасте, то в умении переворачиваться, садиться, ползать, вставать и делать первые шаги каждый ребенок выбирает свой срок. Очень большое значение имеют темперамент и комплекция малыша. К крепким, энергичным детям эти навыки приходят раньше; упитанные флегматики не спешат осваивать новые виды движений.

Когда вы заметите первые попытки ребенка перевернуться, старайтесь не оставлять его без присмотра или подстрахуйтесь с помощью специальных лямок. Когда же он освоит перевороты со спины на живот и обратно, небезопасно оставлять его даже посреди большой кровати. Просто поразительно, с какой скоростью он окажется на краю.

Большинство детей в возрасте между седьмым и девятым месяцем уже умеют садиться, правда, с помощью матери. Но некоторые малыши — без признаков задержек в развитии — дожидаются, пока им не исполнится год. Когда вы берете ребенка за ручки, он старается подтянуться. Обратив внимание на стремление малыша сесть, мамы задаются вопросом, когда же можно будет пользоваться высоким стулом или прогулочной коляской? Врачи советуют в данном случае не спешить и подождать, пока ребенок не научится самостоятельно сидеть с прямой спиной по крайней мере несколько минут. Это вовсе не значит, что вы не должны стимулировать его желания садиться, например поддерживая его за ручки, сажая на колени или подкладывая под спину подушку. Не допускайте только, чтобы он сидел в неправильной позе.

В завершение хочу сделать предупреждение об использовании высокого стула. Конечно, прекрасно, когда малыш сидит за столом со всей семьей. Но, с другой стороны, падения с высокого стула стали более чем частым явлением. Когда ребенок уже научился есть самостоятельно, было бы правильнее сажать его за отдельный низкий столик. Если вы все же решили пользоваться высоким стулом, выбирайте изделие с широким основанием (его не так легко опрокинуть) и с привязным ремнем, который не позволит ребенку вывалиться. После того как ребенок научится ползать и вставать на ножки, не держите его подолгу на стуле — малышу необходимо больше двигаться.

360. Игрушка или лакомство во время смены пеленок. Одному никогда не научится малыш — спокойно лежать, когда мама переодевает его или меняет пеленки. Все его существо протестует против неподвижности. С полугодовалого возраста до года во время переодевания ребенок кричит, извивается, а позднее и встает на ножки, словно его подвергают грубому насилию.

Вас выручат маленькие хитрости. Некоторых малышей можно отвлечь кусочком сухаря или печенья, других щекочут, ласкают. Приготовьте для таких случаев какую-нибудь забавную игрушку, например музыкальную шкатулку. Отвлекающий маневр нужно производить до того, как вы уложите малыша на столик; не ждите, пока он раскричится.

361. Ребенок начинает ползать. Этот вид передвижения ребенок осваивает где-то после 6 месяцев. Некоторые дети пропускают данный этап своего развития. Научившись сидеть, они ждут, пока не смогут встать на ноги. Ползают дети самыми разными способами; приобретя некоторый опыт, они могут поменять свой стиль. Для кого-то легче сначала научиться ползти назад, у другого лучше получается двигаться куда-то вбок. Одни перемещаются, упираясь в пол руками и ступнями прямых ног, другим удобнее ползать на коленях, у третьих работают одно колено и одна ступня. Ребенок, который активно ползает, начинает ходить позже; тот же, у кого это получается плохо или не получается вовсе, имеет все шансы обогнать своих сверстников в умении ходить.

362. Ребенок принимает вертикальное положение. В среднем дети встают на ноги после 8 месяцев. Крепкие, со здоровым честолюбием ребятишки пытаются встать уже в 7 месяцев. Иногда совершенно здоровые во всех отношениях малыши медлят до года и дольше. Как правило, не спешат принять вертикальное положение упитанные, спокойные дети или те, которым не сразу удается координировать свои движения. Если врач не обнаружил каких-либо отклонений в развитии ребенка, нет повода для беспокойства.

Некоторые дети при попытке встать встречаются с неожиданными трудностями: они не знают, как вернуться в сидячее положение. Бедняжки часами стоят, ухватившись за край манежа или кроватки, пока не расплачутся от отчаяния и усталости. Полная жалости к своему малышу мама отцепляет его пальчики от перилец манежа и усаживает. Но через мгновение, словно забыв о безвыходном положении, в котором они только что оказались, малыши снова вскакивают и не в силах опуститься снова поднимают плач уже через несколько минут. В такой ситуации попробуйте отвлечь ребенка забавной игрушкой, чтобы он мог играть сидя, или покатайте его в коляске. Главное, не расстраивайтесь сами — уже через неделю ребенок научится садиться сам. Однажды он сделает такую попытку. Очень осторожно начнет опускать попу, придерживаясь за край манежа, а после долгих колебаний наконец решит разжать пальцы. Обнаружив, что падать не так высоко, а седалище у него довольно мягкое, малыш избавляется от последнего страха.

Пройдут дни, и ребенок начнет переступать вдоль края манежа, придерживаясь сначала двумя, а затем и одной рукой. У него разовьется чувство равновесия, увлекшись, он на несколько секунд останется без поддержки и сделает несколько шагов. Малыш и предположить не может, что эти крошечные шажки означают коренной перелом в его жизни — он научился ходить!

363. Первые шаги. Возраст, в котором ребенок самостоятельно сделает первые шаги, определяется множеством причин. Играют роль и его целеустремленность, и вес тела, и быстрота перемещений ползком, и болезни, и предыдущие неудачные попытки научиться ходить. Казалось, малыш уже совсем было пошел, но болезнь на 2 недели остановила его — по крайней мере месяц после выздоровления он не предпримет новых попыток. Другой при первых шагах упал и ушибся — еще одна причина задержки на много недель.

Большинство детей начинают ходить между двенадцатым и пятнадцатым месяцами. Непоседливые, крепкие сорванцы готовы пойти уже с 9 месяцев. Изрядное число малышей без признаков рахита и других заболеваний даже не предпринимают серьезных попыток пойти до полутора лет.

С первыми шагами ребенка у мамы возникает масса мелких проблем, о которых мы поговорим в следующих пунктах.

У вас нет необходимости вмешиваться в процесс обучения ходьбе по крайней мере на первых стадиях. Когда мышцы, нервная система, духовная сфера ребенка созреют для перехода на новый уровень его развития, вам при всем желании не удастся его остановить. Я знаю одну маму, которая попробовала водить ребенка, держа его за ручки, задолго до того, как он решился бы сделать это самостоятельно. Малышу это очень понравилось, и он часами мучил мать, у которой к вечеру так ломило спину, что она едва могла двигаться.

Когда ребенок рано начинает ходить, у матери возникает легко объяснимое беспокойство, не повредит ли это его неокрепшим ножкам. На самом деле, как показали исследования, ребенок хорошо переносит нагрузки, которые он самостоятельно на себя принимает. Иногда, после того как малыш самостоятельно пойдет, у него искривляются ножки, принимая О-образную или Х-образную форму. Но появление подобного дефекта не зависит от возраста, в котором ребенок сделал первые шаги.

364. Формирование ноги и ступни. У всех детей в первые два года стопы выглядят плоскими. Это объясняется двумя причинами: во-первых, в раннем возрасте еще не окончательно сформировался свод стопы, а во-вторых, ступни у малышей очень мягкие. По мере приобретения навыков ходьбы у детей развиваются и укрепляются мышцы, которые создают свод стопы. Об этом более подробно рассказано в следующем пункте.

Стройность ног зависит как от конституции ребенка, его врожденных свойств, так и от некоторых заболеваний, в частности рахита, развивающегося при недостатке витамина D. У некоторых детей без малейших признаков рахита наблюдается деформация коленных и голеностопных суставов, при которой колени как бы сходятся вместе и форма ног напоминает букву Х. Чаще подобное случается у полных детей. Встречаются и врожденное искривление ног в форме буквы О, а также косолапость, причем ни в том ни в другом случае рахит ни при чем. Такой дефект больше характерен для крепких подвижных детей. И все же врожденная склонность к искривлению ног может усугубиться рахитом — тогда оно будет развиваться очень быстро и в ярко выраженной форме. На будущую походку влияет и положение ног, к которому привык малыш еще до того, как сделал первый шаг. Например, носки, повернутые внутрь, часто бывают следствием привычки сидеть «по-турецки», с подогнутыми ногами. Причиной косолапости считают позу ребенка, когда он подолгу лежит на животе с повернутыми навстречу друг другу носками ног.

Делая свои первые шаги, малыш инстинктивно старается принять более устойчивую позицию и поэтому ставит ступни носками врозь. У некоторых детей походка даже напоминает движения героев Чарли Чаплина. Чем увереннее становится походка, тем более прямо они ставят ноги, пока следы ступней не будут почти параллельными. Зато у ребенка, который начинает ходить, ставя ступни параллельно друг другу, постепенно вырабатывается косолапая походка.

Как только малыш начинает вставать, врач должен регулярно следить за состоянием его нижних конечностей. Поэтому на втором году жизни очень полезны частые визиты в поликлинику. При слабых голеностопных суставах, при развитии косолапости или искривлении ног доктор может посоветовать носить ортопедическую обувь. Если есть подозрение на рахит, возможно, надо будет сделать рентгеновский снимок.

365. Обувь. Пока ребенок находится в помещении, вообще нет необходимости обувать его. Ноги малыша, как и руки, обычно довольно прохладны на ощупь, но это его совершенно не беспокоит. Другими словами, он не нуждается ни в ботинках, ни в домашних тапочках, если только пол не ледяной.

Более того, когда малыш начнет вставать и ходить, полезно чаще оставлять его босиком. Дело в том, что стопа у младенцев довольно плоская. В то же время кожа на ее своде очень чувствительна, и когда ребенок встает и шагает босиком, мышцы стопы и голени рефлекторно напрягаются, отрывая поверхность свода стопы от пола. Еще полезнее ходить босиком по неровной поверхности — при этом дополнительно возбуждаются рецепторы кожи свода стопы, управляющие работой мышц. Если водить ребенка только по ровной поверхности и надевать на ноги ботинки с жесткой подошвой, то мышцы стопы будут расслаблены и начальное плоскостопие будет прогрессировать.

Разумеется, ребенка надо обувать, когда вы в холодную погоду выходите с ним на улицу или собираетесь прогуляться по тротуару или мостовой. Но все же в доме, на пляже или в песочнице во дворе в теплую погоду желательно оставлять ноги босыми до 2–3 лет.

На первых порах врачи рекомендуют пинетки с мягкой подошвой. В такой обуви нога малыша довольно подвижна. Пинетки должны быть достаточно просторными, чтобы ноге не было тесно, но и не огромными, спадающими при каждом шаге. Носки тоже надо выбирать достаточно большие.

Маленькие дети очень быстро вырастают из своей обуви, и вам, видимо, придется менять ее примерно один раз в два месяца. Возьмите себе за правило регулярно проверять, не малы ли ботиночки. Даже если нога малыша хорошо помещается в ботинке, нельзя считать, что обувь подобрана правильно — ведь при ходьбе ступня передвигается вперед, и пальцы упираются в передний край ботинка. Ботинок подходит по размеру, когда в положении стоя между кончиками пальцев и передним краем ботинка остается расстояние примерно с полногтя вашего большого пальца. Само собой, ботинки не должны жать и по ширине ступни.

Если необходимо носить обувь со специальными прокладками, чтобы выправить косолапость, искривление ног, укрепить голеностопный сустав, то врач обычно прописывает специальные ортопедические ботинки с высокими жесткими голенищами.

Малышу с прямыми крепкими ногами подойдут мягкие туфли — лишь бы они не оказались чересчур тесными. От обуви на резиновой подошве лучше отказаться, так как ноги малыша будут в ней потеть.

366. Развитие речи. Первые осмысленные звуки малыш произносит примерно в год. Многие нормально развивающиеся дети начинают говорить несколькими месяцами позднее. «Разговорчивость» ребенка во многом определяется не способностями, а темпераментом. У более живого, непосредственного малыша желание пообщаться с вами появляется раньше. Спокойный, склонный к созерцанию ребенок, прежде чем высказать свое мнение о мире, предпочитает подольше побыть в молчании, не отвлекаясь от наблюдений за тем, что происходит вокруг.

Важны и атмосфера, в которой находится ребенок, и стиль вашего общения с ним. Если мать постоянно пребывает в нервном напряжении, если, кормя ребенка или меняя ему пеленки, она сосредоточенно молчит, то и малыш не спешит вылезать из своей скорлупы. Однако не лучше и противоположная ситуация, когда взрослые члены семьи не спускают глаз с младенца, постоянно пытаются с ним говорить, что-то рассказывать. Он устает, ему все это надоедает, но, к сожалению, не может просто уйти или попросить окружающих оставить его в покое. А малышу еще надо выучить слова, с которыми он мог бы обратиться к собеседнику.

Бытует мнение, что в семьях, где родители стремятся предупреждать любое желание своего чада, дети начинают говорить с опозданием. Конечно, в таких условиях ребенок хуже пополняет свой словарный запас, но не думаю, что это заставляет его вовсе молчать, если только своим излишним усердием взрослые не подавляют личность малыша.

Медленное заучивание слов иногда пытаются объяснить тем, что мать говорит с ребенком длинными фразами, не давая тому возможности разделить их на отдельные слова. На самом деле это совсем не типичная ситуация. Большинство людей инстинктивно заставляют себя говорить с ребенком отчетливо, простыми и короткими фразами, делая ударения на ключевых словах.

Не является ли медленное освоение речевых навыков следствием умственной отсталости? Это страшное предположение почему-то первым приходит на ум родителям. Действительно, среди умственно отсталых детей встречаются такие, кто опаздывает с развитием речи, но много и таких, которые начали говорить в одно время со сверстниками. Разумеется, ребенок с ярко выраженной задержкой развития, в 2 года не умеющий сидеть, начнет говорить гораздо позже других детей. Но факты подтверждают другое: подавляющее большинство «молчунов», отказывавшихся говорить даже в 3 года, не только не проигрывают в умственном развитии, но зачастую обладают незаурядным интеллектом.

Практически все малыши вначале искажают произношение многих слов. С течением времени у большинства речь постепенно исправляется. Но у некоторых детей остаются проблемы с произнесением тех или иных звуков. Подчас это вызвано малой подвижностью языка или другими нарушениями речевого аппарата. Ведь даже некоторые взрослые картавят, несмотря на все свои старания говорить правильно. А иногда проблема лежит в детской психологии: верно произнося звуки в одном слове, ребенок коверкает их в другом. Небольшие отклонения в произношении слов не должны вас особо тревожить, если малыш в целом старается говорить правильно и во всех остальных отношениях не отстает в развитии от сверстников. Время от времени поправляйте его как бы между прочим, но не будьте слишком настойчивы и серьезны, иначе в ребенке проснется дух противоречия и это лишь ухудшит дело.

Как быть с ребенком, у которого в 3, 4 года и даже в 5 лет речь остается такой невнятной, что приятели его не понимают? Прежде всего надо показать его врачу, чтобы проверить слух. Возможно, вам потребуется помощь логопеда. Но в любом случае крайне необходимо, чтобы ребенок с дефектами дикции как можно больше общался со своими ровесниками. Прекрасно было бы определить его в детский сад. Опытная воспитательница защитит малыша от насмешек других детей и позанимается с ним. Во многих детских учреждениях есть учителя-логопеды.

Иногда дети умышленно коверкают речь. Такое поведение обычно свойственно малышам, ревнующим младших братьев и сестер, которым, как они полагают, уделяется больше внимания (об этом подробно читайте в пункте 490). Есть и другой тип детей: они намеренно шепелявят и картавят, хотя соперников у них нет. Мне, например, вспоминается кудрявая девчушка в платье с оборочками, единственная дочка очень любящих родителей. Похожая на куколку, она в их глазах была игрушкой, и они как будто забыли, что все дети рано или поздно взрослеют. Родители продолжали с ней сюсюкать, когда это уже выглядело совершенно неестественным, и не уставали восторгаться, какая она у них славная, когда слышали ее лепет. Трудно винить малышку, если она, как могла, пыталась ублажить взрослых. Но стоит подумать о трудностях, которые ждут девочку, когда она окажется в кругу сверстников, — в их представлении она будет не славной, а противной воображалой.

Зубы

367. Не имеет значения, когда начнут резаться зубы. Время появления у детей первых зубов варьируется в широких пределах. Некоторые малыши жуют предметы, капризничают, пускают слюни за 3–4 месяца до прорезывания первого зуба, доводя всю семью до отчаяния. А иногда в одно прекрасное утро мать вдруг обнаруживает во рту ребенка зуб, хотя еще вчера к этому не было ни малейших предпосылок.

У одного ребенка первый зуб появляется в 3 месяца, у другого и в год рот остается беззубым, хотя оба они совершенно здоровы и нормально развиваются. Истины ради надо сказать, что некоторые заболевания задерживают рост зубов, но они очень редки. В обычных случаях все дело лишь в наследственности. В некоторых семьях зубы у малышей режутся рано, в других — поздно. Ранний срок не указывает на опережение в развитии, так же как поздний не говорит о запаздывании.

368. Порядок появления зубов. В среднем первый зуб прорезается у ребенка примерно в 7 месяцев, но желание пожевать разные предметы, чтобы снять зуд в деснах, приступы плача появляются за 3 или 4 месяца до этого. Весь набор из двадцати молочных зубов заканчивает формироваться лишь к двум с половиной годам, причем за все это время практически не бывает дня, чтобы не резался тот или иной зуб. В такие периоды дети плохо себя чувствуют, и становится понятным, почему раньше многие заболевания объясняли появлением очередного зуба.

В прошлом прорезывание зубов считали причиной простуды, лихорадки, расстройства пищеварения. На самом деле эти болезни вызываются болезнетворными микробами, но некоторая доля истины в подобных утверждениях все же есть: прорезывание зубов ослабляет сопротивляемость организма к инфекции. Поэтому при высокой температуре, сопровождающей прорезывание зуба, необходимо вызвать врача, чтобы тот определил причину болезненного состояния и при необходимости назначил соответствующее лечение.

Первыми обычно появляются два нижних резца. (Резцами называют восемь передних зубов, имеющих острые края.) Через несколько месяцев приходит очередь четырех верхних резцов. Свой первый год ребенок обычно встречает с шестью зубами: четырьмя сверху и двумя снизу. Далее следует перерыв в несколько месяцев. Затем почти подряд режутся еще шесть зубов — два недостающих нижних резца и четыре коренных зуба, которые появляются чуть сзади за резцами, оставляя пространство для клыков.

После новой паузы длиной в несколько месяцев в промежутках между резцами и молярами режутся клыки. Обычно это происходит после 18 месяцев. Последними позади первых моляров выходят еще четыре коренных зуба.

369. Режущиеся зубы ухудшают сон. Первые четыре коренных зуба, которые режутся между двенадцатым и восемнадцатым месяцем, беспокоят малыша больше других. Ребенок становится раздражительным, на несколько дней теряет аппетит. В это время он плохо спит. Малыш по нескольку раз за ночь просыпается с криком. Проще всего успокоить ребенка, дав ему молока в бутылочке или чашке. Нет ли в этом риска избаловать его? Как правило, после прорезывания зубов сон полностью восстанавливается, но у некоторых детей ночные пиршества входят в привычку, особенно если мать при пробуждении пытается успокоить его разговорами (см. пункт 285). Поэтому лучше избегать кормления среди ночи и отвлекающих разговоров. И уж совсем не стоит брать малыша из кровати и успокаивать его, нося на руках. Если он сам не заснет через несколько минут, дайте ему пару раз в постель бутылочку. Но как только зубы прорежутся, проявите твердость и прекратите ночные кормления.

Нарушения сна происходят и на рубеже полугода, когда режутся первые зубы.

О проблемах, связанных с кормлением ночью, рассказано в пункте 98.

370. Не мешайте малышу жевать. Подчас мать считает своим долгом препятствовать попыткам ребенка совать в рот различные предметы. Обычно такой подход приводит к взаимному раздражению. Большинство детей между шестым и пятнадцатым месяцем постоянно что-либо берут в рот и жуют. Мать лишь должна следить, чтобы предметы, оказывающиеся во рту малыша, были достаточно мягкие и не поранили бы его, случись ему упасть. Хороши резиновые кольца различных размеров, но подойдет и любой кусок резины, если ребенку не трудно его держать. Следите, чтобы малыш не брал в рот игрушки из целлулоида: они легко крошатся, и обломками можно подавиться. Не давайте ребенку также грызть мебель, потому что в краске, которой она покрыта, возможно, содержится свинец. Правда, сейчас для окраски вещей, с которыми контактирует ребенок, применяются только покрытия без свинца, но ведь что-то вы могли перекрасить уже дома, а какие-то вещи были сделаны на фабрике, где никто не мог и предположить, что малыш захочет попробовать их на вкус. Некоторые дети любят жевать что-нибудь из своей одежды. Не мешайте им, если только они не рискуют подавиться или отравиться. Пусть вас не беспокоят микробы, остающиеся на поверхности резинового кольца или на пережеванной одежде, — ведь это **собственные** микробы малыша. Разумеется, если кольцо оказалось на полу или в зубах собаки, то перед тем как вернуть кольцо малышу, вымойте его с мылом. Время от времени кипятите одежду, которую малыш постоянно тянет в рот. Иногда дети расчесывают зудящие десны, но не применяйте для их заживления какие-либо лекарства без назначения доктора.

371. Залог здоровых зубов. Вы должны знать, что коронки молочных зубов (часть, выступающая над поверхностью десны) формируются еще во внутриутробном периоде. Другими словами, их составляют вещества, полученные матерью с пищей. Исследования показывают, что у малыша будут здоровые зубы, если в рационе его матери присутствуют кальций и фосфор, получаемые с молочными продуктами, особенно творогом, витамин D (его источник — витаминные препараты и пребывание на солнце), витамин С (витаминные препараты, апельсины и другие цитрусовые, свежие помидоры, капуста). Важными составляющими диеты являются также витамин А и некоторые витамины группы В.

Постоянные зубы, которые начнут резаться только в 6 лет, формируются в первые месяцы жизни ребенка. В это время малыш, разумеется, получает достаточно кальция, поскольку основу его питания составляет молоко. Но с месячного возраста в его рацион необходимо включать витамины D и С, например в виде витаминных препаратов.

372. Чтобы зубы были крепкими, в питьевой воде должно быть достаточно фтора. Одним из важнейших химических элементов, влияющих на состояние зубов, является фтор. Следует добиться, чтобы он поступал в необходимых количествах в организм беременной женщины. Не менее важно его присутствие в рационе ребенка в период формирования постоянных зубов. В местах, где природная вода содержит много фтора, люди гораздо реже страдают заболеваниями зубов. С недавних пор в качестве профилактической меры фтор в небольших количествах стали добавлять в питьевую воду многих городов и поселков. Если в вашем районе в воде отмечен недостаток фтора, стоматолог, возможно, посоветует вам принимать препараты со фтором во время беременности и давать их вашему ребенку в грудном возрасте. Он также может предложить смазывать зубы малыша фторсодержащей жидкостью или чистить зубы пастой со фтором.

Всякий раз, когда населению того или иного района предлагают обогащать питьевую воду фтором, появляется масса скептиков. Тут же на свет достается литература, где сказано, что фторирование очень вредно, приглашаются лекторы — известные противники этого новшества, которые призваны убедить население отказаться от фторирования. Поскольку многие заявления звучат устрашающе, в головах людей поселяется тревога. Однако многочисленные исследования, проведенные авторитетными и ответственными учеными, рекомендующими искусственное фторирование воды, учли все возможные вредные факторы и проверили все аргументы против. Безопасность употребления фторированной воды подтверждена Американской ассоциацией здравоохранения, Американским обществом стоматологов, Департаментом здравоохранения США.

Полезно также вспомнить, что такие ныне общепринятые меры, как всеобщая вакцинация, прививки против дифтерии или хлорирование водопроводной воды, тоже в свое время вызывали сильнейшее противодействие.

373. Кариес зубов обусловлен чрезмерным употреблением сахара и крахмала. Стоматологи до сих пор не выяснили причин, вызывающих кариес зубов (разрушение твердых тканей зуба с образованием полостей). Во многом здоровье зубов определяется диетой будущей матери и самого ребенка. Важную роль играет и наследственность.

Но часто во вполне здоровом зубе вдруг появляется дупло. Стоматологи считают, что в первую очередь в этом виновата молочная кислота. Она образуется в процессе переработки сахара или крахмала бактериями, находящимися на поверхности зубов. Чем дольше на зубах остаются следы сахара и крахмала, тем сильнее размножаются бактерии и тем больше ими производится молочной кислоты, растворяющей ткани зуба и увеличивающей дупло. Вот почему кариес чаще поражает детей, которые между едой привыкли сосать леденцы, есть тянучки и варенье, пить сладкую газированную воду, грызть печенье и сухари — короче, все, что содержит сахар и крахмал и остается на зубах.

Конечно, сахар имеется также во фруктах и в овощах. Но там сахар сильно растворен и поэтому быстро смывается с поверхности зубов. Кроме того, жесткие волокна плодов работают при еде как зубная щетка. Все мы в той или иной мере используем в нашей пище крахмал. Но это не чистый крахмал, и поступает он с достаточно грубыми продуктами — кашами, картофелем, которые не остаются на зубах. Самыми вредными, следовательно, становятся липкие сладости, которые мы сосем между обычными приемами пищи.

374. Уход за зубами. Согласно многочисленным рекомендациям начинать чистить зубы малышам надо с появлением первых моляров. У большинства детей это бывает в середине второго года жизни. На мой взгляд, есть смысл подождать, пока малышу не исполнится 2 года, когда у него появляется страсть копировать действия взрослых. Увидев, как мама и папа чистят зубы, он однажды возьмет в руку родительскую зубную щетку и попробует повторить их движения. Этот момент я считаю самым подходящим, чтобы купить малышу собственную зубную щетку и научить ею пользоваться. Разумеется, не сразу у него будет хорошо получаться, но с вашей помощью он скоро освоит этот предмет гигиены. Большинство навыков, которые мы должны привить нашим детям и которые мы сами считаем скучными обязанностями, на определенной стадии развития малыша могут обернуться для него интересным занятием — вам останется лишь предоставить ему возможность действовать.

Зубы чистят в первую очередь для того, чтобы удалить с них остатки пищи. Поэтому лучше всего делать это три раза в день после еды. (Держите зубные щетки не только в ванной, но и на кухне.) Непременно надо чистить зубы после ужина, чтобы они оставались чистыми всю ночь, когда слюноотделение незначительно. На детских зубах иногда образуется зеленоватая пленка, но никто еще не доказал, что от нее бывает какой-то вред.

375. С трехлетнего возраста дважды в год показывайте ребенка зубному врачу. Ничего кроме пользы не принесут вашему малышу визиты к стоматологу каждые полгода. Первый такой визит надо нанести в 3 года. Именно в это время обычно начинается кариес. Пока дупло в зубе маленькое, его пломбирование не причиняет боли. Даже если в 3 или в 3,5 года все зубы у ребенка выглядят здоровыми, поход к зубному врачу будет нелишним с двух точек зрения. Во-первых, сам врач подтвердит, что у малыша во рту все в порядке, а во-вторых, в дальнейшем зубной кабинет не будет вызывать у него страха. Вы поймете, как это важно, когда появится необходимость ставить пломбу на больной зуб.

Некоторые родители не считают нужным беспокоиться о дупле в молочном зубе ребенка, потому что этот зуб все равно вскоре выпадет. Это большое заблуждение. Испорченный зуб не только заставляет страдать от боли, но инфекция из него может распространиться на надкостницу. Если больной зуб придется удалить, то останется промежуток, и соседние зубы могут сдвинуться. Подобная деформация мешает нормальному росту постоянных зубов. Последние молочные зубы ребенок теряет примерно в 12 лет, и до этого времени необходимо тщательно следить за ними.

376. Постоянные зубы. Первые постоянные зубы появляются в шестилетнем возрасте. Зародыши постоянных зубов находятся под молочными зубами. Прежде всего у ребенка выпадают нижние центральные резцы. Постоянные резцы, надавливая на корни молочных зубов, разрушают их (корни молочных зубов рассасываются), и в конце концов зубы выпадают. Порядок выпадения молочных зубов совпадает с порядком их появления: сначала резцы, затем коренные зубы, наконец, клыки. Постоянные зубы, заменяющие молочные моляры, называются малыми коренными зубами, или премолярами. Замена молочных зубов постоянными завершается между двенадцатью и четырнадцатью годами. Затем позади премоляров появляются большие коренные зубы. Еще позже вырастают зубы мудрости (у некоторых они вообще никогда не прорезаются).

Иногда постоянные зубы растут криво или в неположенном месте. Потом они могут немного выправиться, но никто не гарантирует, до какой степени. Стоматолог, наблюдающий вашего ребенка каждые полгода, возможно, посоветует специальное лечение, позволяющее сделать зубы ровными и красивыми.

Постоянные зубы сначала расположены чуть позади молочных, но со временем сдвигаются вперед. На постоянных резцах имеются зазубрины, которые постепенно стачиваются.

Приучение к горшку

По большой нужде

377. Почему это важно. Приучение к отправлению естественных потребностей человека — серьезный рубеж в развитии ребенка, и для всей семьи это важно с нескольких точек зрения. Малыш приобретает навыки в управлении теми функциями собственного организма, которые прежде выполнялись автоматически, как бы сами собой. Это наполняет его такой гордостью, что он готов вообще не слезать с горшка. Кроме того, теперь ребенок может оправдать доверие, которое ему оказала мать. Успешное сотрудничество в столь важном деле придает им обоим дополнительную уверенность друг в друге. Более того, если малыш до сих пор представлял собой безалаберное существо, **всюду** оставлявшее следы, будь то пища или испражнения, то теперь в нем появляется тяга к чистоте. Возможно, в таком изменении «менталитета» ребенка вы более всего оцените чистые пеленки. Это, конечно, существенно, но в новых установках, которые овладевают сознанием ребенка между годом и двумя годами, заключен более глубокий смысл. Они станут на всю будущую жизнь основой его брезгливого отношения к грязным рукам, ненависти к заношенной одежде и беспорядку в доме, неприятия неряшливого ведения бизнеса. Привыкнув цивилизованно отправлять естественные потребности, ребенок понимает, что в любом деле можно пойти разными путями, но лишь один будет правильным, и важно сделать верный выбор. У малыша вырабатывается и чувство ответственности. Поэтому такой, казалось бы, сугубо практический шаг в воспитании становится базой для формирования личности будущего человека и укрепления доверия между ним и матерью.

378. Как готовиться к горшку. Успех дела зависит от того, насколько чутко мать уловит момент, когда малыш созрел для горшка.

На первом году ребенка практически не занимают вопросы отправления естественных потребностей. Его сознание в этом процессе почти не участвует. Когда его прямая кишка переполняется, а после еды усиливается перистальтика кишечника, каловые массы начинают давить на внутреннюю сторону заднего прохода, и тот рефлекторно открывается. Одновременно так же рефлекторно сокращаются мышцы брюшной стенки, выдавливая экскременты наружу. Другими словами, малыш не тужится, как это делают старшие дети или взрослые, акт дефекации происходит автоматически.

В течение первого года все же есть небольшая возможность начать готовить некоторых детей к горшку — имеются в виду малыши, у которых первый за день стул бывает регулярно, через 5–10 минут после завтрака. Если мать хочет приступить к подготовке, начиная с 7 или 8 месяцев (когда ребенок уже умеет прямо сидеть) она может сажать малыша на горшок на несколько минут, пытаясь «поймать момент». Примерно через несколько недель возникнет условный рефлекс, и ребенок начинает тужиться, как только почувствует под собой горшок. Это, разумеется, лишь предварительный этап приучения к горшку, поскольку малыш еще поступает бессознательно.

Главным достижением начального этапа является то, что ребенок привыкает сидеть на горшке и оставлять там свой стул. Благодаря этому на втором году жизни ему будет проще приобрести навыки **сознательного** управления работой кишечника и мочевого пузыря. К сожалению, через некоторое время, когда малыш начнет понимать происходящее вокруг него, он может из-за упрямства отказываться ходить на горшок — так же, как ребенок, которого к этому не приучали вовсе.

Однако не всех детей можно приучить к горшку на первом году жизни, поскольку у многих из них стул бывает нерегулярно, поэтому невозможно поймать нужный момент, а следовательно, и развить условный рефлекс. Попытки угадать, когда посадить малыша на горшок, сильно утомляют мать, что не лучшим образом скажется на ее самочувствии. Раздосадованная очередной неудачей, она раздражается, и при этом страдают и мать, и ребенок. Если же подолгу держать ребенка на горшке, то кроме отвращения к этому предмету гигиены трудно будет чего-либо добиться.

И все же, если матери хочется пораньше приучить ребенка к горшку и если ей удается уловить время, когда его надо высаживать, то впоследствии им обоим будет легче на более поздних и более важных этапах освоения горшка.

379. Первая половина второго года. После года ребенок начинает по-новому относиться к собственным испражнениям, и это можно использовать для приучения его к горшку. Малыш начинает обращать внимание на ощущения, которые сопутствуют выходу каловых масс, хотя он еще недостаточно осознает их, чтобы оповестить об этом мать. Похоже, вид испражнений, остающихся в горшке, на полу или на пеленках, заставляет ребенка относиться к ним как к своей собственности, причем **единственной** и **неотъемлемой** собственности, которой он обладает в этом мире. Он гордится ими, как гордится частями собственного тела, например носом или пупком. Если малыш облегчился в горшок, а мать в это время находится в другой комнате, он может взять кал в руки и пойти к ней, чтобы она порадовалась вместе с ним, какую «изумительную» вещь он создал. Ребенок будет наслаждаться запахом своего кала с тем же удовольствием, с каким взрослый нюхает цветы.

В этом возрасте мать, ощупывая пеленки на малыше, иногда может бросить фразу типа: «Маленький Джонни покакал?» или, обмывая его, сказать: «Джонни сделал свое дело». Таким образом малыш учится связывать свой стул с каким-нибудь словом, принятым в семье для его обозначения, хотя пока он слишком мал, чтобы самому повторить это слово.

В начале второго года ребенок демонстрирует другие, не очень явные, признаки готовности начать ходить на горшок. Его охватывает страсть делать подарки. Например, если ему чем-то понравится мамина приятельница, он принесет ей все свои игрушки одну за другой и сложит их у нее на коленях. Удовольствие, переживаемое им от процесса дарения, может сыграть свою положительную роль, если мать попросит сделать ей подарок в горшок. Кроме того, малыш будет необычайно горд, услышав мамину похвалу, что он поступил как настоящий взрослый.

Примерно в год ребенку нравится все складывать в коробочки. Этой чертой тоже можно пользоваться, приучая его ходить на горшок или в туалет.

Таков общий взгляд на проблему. Усвоив его, мать может в довольно раннем возрасте начать приучать ребенка к горшку, особенно если малыш демонстрирует, что готов к этому. Например, он пытается какими-либо звуками или выражением лица привлечь внимание матери или довольно стабильно испражняется через несколько минут после завтрака. Заметив это, мать должна посадить ребенка на горшок или унитаз (см. пункт 382) на 10–15 минут и ежедневно повторять эту процедуру, занимая разговорами о том, что большие мальчики только так и делают свои дела (см. пункт 383).

Даже если ребенок между годом и полутора ходит в туалет не очень регулярно, матери не следует совсем отказываться от попыток приучать его к горшку, а стоит попробовать несколько раз угадать момент в надежде, что он обрадуется удаче и захочет ее повторить. Надо показать малышу горшок, потом ежедневно высаживать его в те моменты, когда у ребенка возникают позывы. В это время следует говорить малышу, какой он уже большой и что таким образом справлять большую нужду удобнее всего. Если эти попытки в течение нескольких недель не принесут успеха, есть смысл на время прекратить их и подождать, пока ребенок станет постарше, скажем, до полутора лет.

Матери, желающей приучить ребенка к горшку до полутора лет, скорее всего придется столкнуться с двумя проблемами. Первая касается детей, которые ходят в туалет нерегулярно и вообще не понимают назначения горшка. В этом случае надо просто ждать. По-другому обстоит дело с малышами, которые знают, чего от них хотят, но намеренно отказываются пользоваться горшком. Подобная ситуация рассматривается нами в следующем пункте.

380. Упрямство. Многие дети с удовольствием начинают пользоваться горшком, но в возрасте между полутора и двумя годами резко меняют свое поведение. Они послушно садятся на горшок, сидят, но ничего не делают, пока не встанут. Сразу после этого они испражняются на пол где-нибудь в углу комнаты или в штаны. Матери остается лишь констатировать: «Он забыл все, чему его учили». Я не думаю, что ребенок и в самом деле потерял приобретенные навыки. Просто его чувства собственника по отношению к своему калу стали настолько сильными, что он уже не желает делиться им с горшком, унитазом или матерью. Кроме того, в этом возрасте у него появляется сильная тяга к самостоятельности и независимости, и это в полной мере относится к отправлению его естественных потребностей.

Если по прошествии нескольких недель ребенок продолжает упрямиться и его сопротивление возрастает, он начнет сдерживаться не только сидя на горшке, но, возможно, и в течение всего дня. Это явление называют психологическим запором. К заболеваниям его не относят, потому что с физиологической точки зрения никаких нарушений нет.

Поскольку главным сдерживающим фактором для ребенка этого возраста становится нежелание расстаться со своей собственностью, в данном случае калом, попробуйте убедить его, что не случится ничего страшного, если он сейчас сходит в горшок, — ведь и завтра, и послезавтра он получит возможность покакать, и далее каждый день.

Если ребенок, не достигший еще полутора лет, начинает упрямиться сразу после первых попыток матери усадить его на горшок, ей лучше подождать с новыми попытками. Возобновить их можно во второй половине второго года, когда ребенок «созреет». Если же ей несколько раз сопутствовала удача и малыш понимает, чего от него ждут, если он выражает готовность «сотрудничать», то лучше продолжать начатое дело даже после нескольких дней капризов и отказов. Попробуй мать в этот момент сдаться, ребенок непременно подумает, что они до сих пор пытались не начать новый этап жизни, а занимались ничего не значащими пустяками. Потом будет труднее возобновить обучение еще и потому, что у ребенка надолго сохраняется ощущение его победы. Дополнительным поводом для расстройства мамы будет мысль, что ребенок, если бы только захотел, прекрасно пользовался бы горшком.

Матери следует быть настойчивой. Усадив малыша на горшок, опуститесь на пол рядом с ним и проведите вместе 15–30 минут. Следите только, чтобы он не соскакивал раньше времени или не забыл, зачем сидит. Поговорите с ребенком, расскажите ему о том, как хорошо быть взрослым, и напомните, что все взрослые ходят в туалет, а не в штаны (см. пункт 383).

381. Пора начинать. Во второй половине второго года жизни дети все более ясно дают понять, что готовы начать пользоваться горшком. Они уже достаточно хорошо знакомы с ощущениями от позывов и от самого акта дефекации. В моменты выхода кала наружу они прекращают играть, а сразу после этого ведут себя так, словно испытывают некоторое неудобство. Ребенок может подать голосом или знаками сигнал маме, что лежит в испачканных пеленках и что хорошо бы его обмыть. Для того чтобы малыш сообщил матери о случившемся, она сама должна предлагать ему делать это. И она затратит мало сил и времени, пока научит ребенка заранее оповещать ее о приближении момента дефекации.

В этот период жизни дети начинают относиться к своему стулу с брезгливостью и отвращением. Им бывает неприятно испачкать испражнениями пальцы, они морщатся, почувствовав запах из горшка или от испачканных штанишек.

Кстати, дети боятся запачкаться не только калом, а любой грязью. Один расстраивается, увидев на руках следы глины, другого озадачивают пальцы, вымазанные шоколадным пудингом. Удивительно, как радость и гордость при виде собственного кала, которые были главным мотивом поведения малышей всего несколько месяцев назад, сменяются более или менее выраженным отвращением. Но обычно настроение детей не меняется полностью, и чувство собственника продолжает бороться с чувством брезгливости.

382. Унитаз или горшок? Многих детей с самого начала приучают пользоваться специальными сиденьями на унитазе. К этому приспособлению желательно приделать подставочку для ног, а еще лучше, если папа изготовит что-то вроде лесенки, чтобы малыш мог обходиться в туалете без взрослых.

Хочу предостеречь родителей от попытки спустить воду в присутствии малыша. Делать это надо только когда он покинет кабинку. Большинство детей приходят в восторг от этой процедуры и готовы сами целый день нажимать или дергать ручку сливного бачка, но некоторых малышей мощный поток воды, смывающий испражнения, приводит в ужас. Одного пугает перспектива самому оказаться унесенным струей, другого не устраивает безвозвратная потеря того, что ему кажется частью собственного тела. Страхи могут зафиксироваться, и ребенок долгое время не решится повторить свой опыт в туалете.

С моей точки зрения, до двух с половиной лет лучше пользоваться обычным ночным горшком. Ребенок чувствует себя спокойнее в окружении маленьких предметов мебели, которые принадлежат лично ему и которыми он может пользоваться без посторонней помощи. Ноги малыша надежно стоят на полу, его не терзает страх высоты. Выносить горшок следует после того, как малыш покинет помещение.

Вы можете купить ребенку специальный стульчик с отверстием посередине сиденья, которое закрывается крышкой. Несколько дней пусть малыш привыкает к нему, играет, сидя на нем; при этом не нужно снимать с него штанишки. Попробуйте объяснить ему, что, сидя на этом стуле, он должен опорожниться, как папочка и мамочка в туалетной комнате, — тогда он скорее поймет, что от него требуется. (Детей в этом возрасте охватывает беспокойство, стоит им неожиданно оказаться в новой ситуации.) Затем в одно прекрасное утро, сняв с него подгузник, предложите малышу сесть на стульчик, как будто он уже совсем большой.

383. Некоторые практические советы. После полутора лет мать должна приступить к обучению ребенка пользоваться горшком, пусть даже она не заметила у него никаких признаков готовности. На самом деле маме просто нужно более внимательно следить за сигналами, подаваемыми малышом, и воспользоваться ими, пусть даже они окажутся слабыми.

Некоторые дети в этом возрасте уже вполне сознают, что ощущают позывы к дефекации (или к мочеиспусканию) и дают об этом знать без всякой подсказки. Однако дети более склонны оповещать мать уже после случившегося. Но и в этом тоже надо видеть прогресс. Похвалите малыша за то, что он сказал, и попросите завтра сделать то же пораньше, «чтобы мы могли с тобой сделать это в горшочек и нам не пришлось бы лишний раз подмываться».

Детей, которые не сообщают о том, что запачкались, но которые пачкают пеленки в одно и то же время дня, надо сажать на горшок заранее. Когда малыш день за днем будет опорожнять свой кишечник в горшок, выражайте ему свою радость и предлагайте завтра предупредить вас заранее о желании сходить по большой нужде. Скорее всего вы добьетесь успеха, потому что в этом возрасте ваша просьба встретит понимание.

Если ни регулярного стула, ни демонстрации готовности научиться сидеть на горшке нет, скажите малышу, обмывая его после очередной «детской неожиданности», что, делая свои дела в горшок, он станет таким же взрослым, как папочка или Чарли, что ему не будут подкладывать подгузник, а оденут в штанишки, что он целый день будет чистым, что не нужно будет переодеваться. После этого с теми же словами высаживайте его в любое подходящее время.

384. Акцент на испытываемые неудобства, воспитание уверенности. Будет весьма разумно «качнуть маятник» чувств, переживаемых ребенком, от гордости при виде экскрементов к брезгливости. Объясните малышу, как плохо и неприятно оставаться в запачканных подгузниках. Во время обмывания объясните ему, как приятно ходить в чистом белье, что он будет больше похож на взрослого, если в следующий раз предупредит вас и вы успеете посадить его на горшок. Но не переборщите с черным цветом, не стыдите его сверх меры — иначе ребенок вырастет излишним чистоплюем.

Вместо кнута предложите малышу пряник: дайте ему понять, что верите в него, что ему вполне по силам оставаться чистым, как все большие мальчики. Не забудьте похвалить и поздравить его при удаче.

385. Помощь ребенку наглядными примерами. Можно научить ребенка к двум годам ходить на горшок, если использовать его желание постоянно подражать взрослым. Когда у малыша есть старшие братья и сестры и он видит, как они отправляют свои естественные потребности, он наверняка захочет во всем повторить их действия. Тот же стимул сработает при наблюдениях за родителями. Однако детские психиатры по разным причинам считают, что ребенку не следует видеть родителей в момент посещения ими туалета (см. пункт 540).

Самой большой наградой маме и папе за их старания будет желание самого ребенка научиться пользоваться горшком. Заинтересуйте малыша, не теряйте дружеского тона, при любой возможности подбодрите его. Кроме того, от вас потребуется незаурядная настойчивость, поскольку столь грандиозную задачу не решить за несколько дней и даже за несколько недель, а малыш требует постоянного и пристального внимания. Не выходите из себя, если увидите, что ребенок прекрасно знает, чего от него хотят, но намеренно дразнит вас. Разумеется, следует избегать постоянных жалоб и неоправданных придирок.

Своим поведением вы должны выражать уверенность и оптимизм: не получилось сегодня — обязательно получится завтра. Расскажите ребенку, что вы сами, папа, братья, сестры и все знакомые тоже пользуются туалетом, что и малыш с каждым днем становится взрослее, что ему станет намного приятнее целый день оставаться чистым и сухим. Только не превращайте свою речь в нудную проповедь, достаточно непринужденного напоминания.

Не будет большим грехом воспользоваться меркантильностью ребенка: пообещайте девочке, если она докажет, что может оставаться чистой, вместо обычных штанишек красивые трусики, обшитые кружевами; мальчик тоже мог бы получить красивый костюмчик или что-нибудь подобное.

386. Не все дети понимают назначение горшка. Ребенку, который испражняется нерегулярно и не выражает интереса к горшку или, испачкавшись калом, не испытывает чувства неудобства, можно дать возможность разгуливать по комнате без трусиков (в этом случае уберите с пола ковер). Пусть он облегчается прямо на пол, где увидит свои испражнения и, может быть, впервые поймет смысл случившегося. Собирая экскременты в горшок, объясните ему, что этот предмет туалета специально существует для испражнений. То же можно сказать, счищая в горшок кал с запачканных подгузников. Учтите, однако, что с подобными объяснениями нужно знать меру.

387. Трусики вместо подгузников. Как только у малыша появятся первые успехи в использовании горшка, надевайте на него в дневное время не подгузники, а трусики. Не забудьте в первый раз поздравить его, что он стал уже достаточно взрослым, чтобы носить этот вид одежды. Чем лучше он будет управлять отправлением естественных надобностей, тем реже подкладывайте подгузники, которые для ребенка становятся символом грязи и влаги.

388. Самостоятельное пользование горшком. Уже научившись оповещать мать о приближении критического момента, малыш тем не менее ждет, чтобы она помогла ему снять одежду и посадила на горшок. Последний этап обучения — умение все делать самостоятельно — ребенок осваивает между двумя и двумя с половиной годами. Результат во многом зависит от способности матери заверить малыша в успехе и от его способности самому управляться с предметами одежды. Тем не менее до 3 лет еще возможны срывы, например во время игры на улице, в дороге или при расстройстве желудка. В 2,5 года научите ребенка самостоятельно подтираться и не вините его, если поначалу на трусиках будут оставаться коричневые следы.

389. Страх перед болезненной дефекацией. Время от времени стул у малыша становится очень плотным, и при дефекации он испытывает боль. Не всякий плотный стул бывает болезненным. При спастическом запоре стул представляет собой плотные шарики, и при дефекации ребенок не испытывает никаких неудобств. Боль причиняет лишь твердая толстая «колбаска». Растягивая анальное отверстие, она царапает его стенки, оставляя на них маленькие трещинки. При следующей дефекации трещинки раскрываются. Это не только приносит неприятные ощущения, но и препятствует их заживлению, которое длится неделями. Ребенок, один раз испытавший боль, боится ее повторения и отказывается садиться на горшок. Образуется замкнутый круг, потому что при задержке стула кал уплотняется и возрастает риск болезненной дефекации.

При первых признаках запора обратитесь к врачу. Это особенно важно на втором году, когда привычка к горшку еще не стала прочной. Возможно, доктор изменит диету или пропишет лекарство, которое нормализует стул. Хорошо помогает постоянное употребление чернослива или черносливового сока — только бы это блюдо нравилось малышу. Полезны каши из немолотых круп, хлеб, сухари. В экстренных случаях, если к тому же визит к врачу невозможен, попробуйте давать ребенку по 1 столовой ложке в день касторового масла, пока ситуация не нормализуется.

Подбодрите своего малыша, скажите, что знаете, как ему было больно в прошлый раз, дайте ему понять, что вам известно о его страхе снова испытать боль, и пообещайте, что на сей раз все будет в порядке, потому что лекарство сделало его стул мягким.

Если страх у ребенка не проходит или, похоже, боль в прямой кишке не утихает, покажите ребенка врачу. Если трещинки не заживают, возможно, придется раскрывать задний проход под наркозом.

390. Проблемы последнего времени. В XX веке многим родителям стало труднее приучать ребенка к горшку. Я был членом коллектива медиков, занимавшегося исследованием влияния этой проблемы на эмоциональное развитие ребенка. В эксперименте участвовала группа из нескольких десятков детей. Процесс приучения к горшку шел более медленно и трудно, чем мы, профессионалы, могли ожидать. Не углубляясь в дебри, замечу, что основной причиной задержки был страх матерей восстановить против себя детей. Все они, как правило, начинали в первой половине второго года. Но стоило детям заупрямиться, как матери прекращали свои попытки. Одни дети, например, задерживали стул на время, пока их держали на горшке, другие проявляли нетерпение, вскакивали или вовсе отказывались садиться, третьи переносили время дефекации с утра на время сна. Через месяц матери снова робко начинали приучать детей к горшку, но, встретив сопротивление, снова отступали. Они были уверены, что упрямство их малышей объясняется тем, что они не готовы ходить на горшок.

Однако врачи обратили внимание, что, несмотря на разные формы сопротивления, дети вполне готовы ходить на горшок и даже проявляют настоящее желание освоить эту процедуру. Они ясно показывали, что осведомлены о сути данного физиологического процесса, выражали неудовольствие запачканными подгузниками, испытывали радость и гордость, когда на них вместо подгузников надевали трусики, и злились при замене трусиков на подгузники. Но матери, опасаясь конфликта, не замечали этих знаков. Некоторые из них, видя откровенное желание малыша посетить туалетную комнату, считали преждевременным усадить ребенка на горшок, потому что раньше он часто отказывался это делать.

В нашей клинике мы убедились, что главным препятствием в освоении горшка стало опасение возбудить в ребенке враждебные чувства по отношению к родителям. Мы поняли также, медики виноваты в этом сами, поскольку всячески пытались убедить взрослых любыми способами избегать ошибок прежних поколений, шедших на открытые столкновения с маленькими. Занятно еще и то, что труднее всего проблемы с горшком решались высокообразованными родителями, глубоко интересовавшимися детской психологией. В другой клинике, где наблюдались дети, родители которых не были так осведомлены в психологии, почти все испытуемые к двум годам были приучены к горшку практически без нажима, без борьбы, без всяких отрицательных последствий для личности. Когда мы расспрашивали матерей о причинах успеха, чтобы донести их опыт до остальных, они были удивлены и могли лишь сказать, что следили за признаками готовности ребенка, пользовались для подготовки стульчиком, под который потом ставили горшок, и через несколько недель или в крайнем случае месяцев у малыша все прекрасно получалось. Их преимущество перед более образованными матерями заключалось в том, что они вообще ничего не знали о возможности вражды между детьми и их родителями и никогда об этом не слышали.

Мать одного ребенка, находившегося под нашим наблюдением и к двум годам научившегося пользоваться горшком, буквально пропела оду твердости и настойчивости. Она сказала следующее: «Я даже рада, что вы поступали против моих убеждений. Иначе я наверняка бросила бы это дело — ведь я была яростной противницей ссор с ребенком. Зато теперь, когда мой малыш научился пользоваться горшком, я вижу, что он чувствует себя по-настоящему взрослым. И сама удивляюсь, какую радость это мне доставляет. Знаете, это еще более сблизило нас — словно мы нашли друг в друге новые пласты взаимного доверия».

По малой нужде

391. Готовность пользоваться горшком. В определенном смысле научиться мочиться в горшок для ребенка более сложная задача, чем ходить по большой нужде, ведь человеку любого возраста проще управлять кишечником, чем мочевым пузырем. Большинство детей к двум годам уже умеют справлять большую нужду на горшок, тогда как дети двух с половиной лет часто мочатся в подгузник как днем, так и ночью. С другой стороны, ребенок к содержимому мочевого пузыря относится безразлично, тогда как стул вызывает у них чувство творца. Как только дети научатся управлять работой мочевого пузыря, они совершенно спокойно мочатся в горшок.

392. Между двенадцатым и восемнадцатым месяцами мочевой пузырь ребенка может удерживать много мочи. Дети до года опорожняют свой мочевой пузырь автоматически и довольно часто. Затем сроки между мочеиспусканиями увеличиваются. Где-то в 15–16 месяцев мама вдруг с удивлением и радостью обнаруживает, что ее малыш после двухчасового дневного сна проснулся сухим. Однако это не результат стараний родителей приучить ребенка мочиться в горшок, а следствие развития мочевого пузыря. Так, один ребенок уже в год перестал мочиться по ночам еще до того, как мать в первый раз попыталась посадить его на горшок справить большую или малую нужду. Но у некоторых детей и до 2 лет пузырь опорожняется с промежутками от получаса до часа. В среднем мальчики приучаются мочиться в горшок дольше, чем девочки.

Хотя между пятнадцатым и восемнадцатым месяцами дети мочатся с интервалом в 2 часа, это не значит, что они уже готовы пользоваться горшком. Если мать это понимает, то попытается — и небезуспешно — несколько раз в день поймать момент. Но не у всякого ребенка эти случаи отложатся в сознании, и он после этого начнет подавать маме сигналы.

393. Когда ребенок научится оповещать мать. В конце второго года жизни многие дети достаточно хорошо ощущают наполненный мочевой пузырь и дают знать об этом матери. Особенно преуспевают дети, которых прежде пытались высаживать на горшок в нужный момент, — подобные действия матери привлекают внимание ребенка к его собственному самочувствию. Вначале малыш подает сигнал только **после** того, как обмочится. Такое поведение на первый взгляд лишено практического смысла или выглядит как издевательство. Но мне кажется, что столь глубокий пессимизм не оправдан. Дело в том, что ощущения от мокрых подгузников более ярки, чем от переполненного мочевого пузыря. Малыш все делает из лучших побуждений и со временем, если почувствует, что его усилия оценены мамой, будет подавать сигнал вовремя.

Но и тогда еще рано говорить, что малыш уже готов пользоваться горшком. Временами его мысли заняты более важными и интересными проблемами, нежели мочевой пузырь, и если мама не следит за временем, может произойти досадное для обоих событие. Вы должны всячески поощрять ребенка, чтобы он учился определять свое состояние и приобрел достаточно опыта, чувства ответственности и сам направлялся к туалету. Помогите ему снять одежду и выполнить саму процедуру. Исследования показывают, что в 2,5 года дети сплошь и рядом еще мочатся в штанишки, а на многих из них и в 3 еще нельзя полностью положиться.

394. Ловите момент. Есть два подхода к обучению ребенка проситься на горшок. Мамы, которые стремятся начать как можно раньше (к ним относятся те, кто на рубеже второго года пытался поймать момент), могут высаживать малыша со времени, когда мочевой пузырь опорожняется с интервалом в 2 часа. Заметив, что ребенок после последнего мочеиспускания в течение 2 часов остается сухим, будьте уверены в следующем.

1. Мочевой пузырь ребенка развит настолько, что имеет смысл начинать обучение. До этого все попытки были бы обречены.

2. После двухчасового интервала мочевой пузырь полон, следовательно, очень скоро произойдет мочеиспускание и вам не придется долго держать ребенка на горшке.

3. Выжидая 2 часа, чтобы посадить малыша на горшок, приготовьтесь к возможным разочарованиям — сначала это будет получаться нечасто. Но постепенно вы будете находить его сухим все чаще и чаще.

Значит, пришло время менять подгузники на штанишки.

Как правило, малыш просыпается сухим после дневного сна. Некоторые дети остаются сухими дольше 2 часов и в остальное время дня, а кое-кому удается продержаться всю ночь.

395. Приучайте малыша к горшку после первых сигналов. Есть родители, которые не спешат форсировать события и ждут от ребенка сигналов, чтобы приучить его ходить на горшок по нужде к концу второго года жизни. Примерно месяц спустя, как он научится сообщать маме о желании облегчить кишечник, малыш даст знать, что его мочевой пузырь полон. Как правило, это происходит между полутора и двумя годами и требует от мамы моральной поддержки — она должна словами или другими действиями подбодрить малыша, предложить ему предупредить о своем желании помочиться.

Если мама ждет большей инициативы от ребенка, например чтобы он продемонстрировал свое желание воспользоваться туалетом по примеру других членов семьи, то к 2 годам он почти в одно время освоит горшок для отправлений обеих функций организма. Поначалу он будет даже надоедать вам, просясь на горшок через каждые 10 минут в надежде, что у него что-то получится.

Еще раз хочу подчеркнуть: родители, которые ждут сигнала о желании ребенка воспользоваться горшком, не должны полностью передавать инициативу малышу, не должны бояться, что какие-либо шаги с их стороны помешают нормальному развитию событий. Большинство детей на рубеже второго года очень чутко воспринимают желания матери и готовы идти ей навстречу, если желания эти выражены в дружелюбной форме и не выходят за пределы их возможностей. Другими словами, ребенка смущает поведение матери, которая боится своим вмешательством испортить дело и тщательно скрывает нетерпеливое ожидание, когда малыш сам научится пользоваться горшком.

396. Нежелание мочиться в непривычной обстановке. Бывает, что в возрасте около 2 лет ребенок настолько привыкает к своему горшку или сиденью на унитазе, что не в состоянии помочиться в другом месте. Не ругайте его, если он вдруг окажется в мокрых штанишках. Если вы надолго покидаете дом, то на всякий случай прихватите с собой необходимые принадлежности. Чтобы избежать конфуза, приучите малыша мочиться в разных местах, в том числе на улице. Кроме того, существуют мочесборники как для мальчиков, так и для девочек, и если вы дома несколько раз используете их по назначению, то потом можете отправляться с малышом и на прогулку, и в гости к знакомым — неожиданности вам не грозят.

397. Когда мальчики учатся мочиться стоя? Некоторых родителей волнует, что двухлетние мальчики, чтобы помочиться, садятся на горшок или на унитаз, а не делают этого стоя. Не обращайте на это внимания. Все войдет в норму, когда ребенок увидит, как это делают старшие дети или папа. О примерах со стороны взрослых написано в пункте 540.

398. Всю ночь ребенок остается сухим. Многие родители, как неопытные, так и довольно искушенные, считают, что ребенок не мочится в постель только в том случае, если его удается высадить на горшок поздно вечером. Они рассуждают так: «Раз он уже умеет ходить на горшок днем, тогда его надо разбудить, чтобы он помочился на ночь». Подобная точка зрения ошибочна. На самом деле малыш остается ночью сухим, когда его мочевой пузырь уже достаточно развит и он перед сном не волнуется и не расстраивается (см. пункт 694). В частности, один ребенок из ста перестает мочиться в кровать уже с годовалого возраста, хотя никто не приучает его пользоваться горшком и в дневное время он часто оказывается мокрым. Многие дети в конце второго и начале третьего года, которых раньше приучали к горшку, остаются всю ночь сухими. Такая необычная на первый взгляд ситуация имеет вполне простое объяснение в области физиологии: когда ребенок спит, его почки вырабатывают мочу в меньшем количестве, зато она более концентрированна.

Итак, большинство детей перестают мочиться ночью между 2 и 3 годами, несколько меньше проходит этот рубеж между годом и двумя и лишь очень немногие просыпаются мокрыми по утрам после 3 лет. У мальчиков процесс затягивается несколько дольше, также дольше мочатся в постель дети с легко возбудимой нервной системой. Определенное значение имеет и наследственность.

Полагаю, родителям нет нужды что-либо предпринимать, чтобы отучить малыша мочиться в постель. Естественное развитие мочевого пузыря и внушенная родителями мысль, что днем нужно ходить на горшок, — вполне достаточные условия для успеха. Разумеется, будет полезно разделить с ребенком радость, когда он утром проснется сухим.

Некоторые родители не могут оставаться сторонними наблюдателями и, добившись от ребенка сухих штанишек в дневные часы, будят его в 22 часа и высаживают на горшок. Такая мера в какой-то степени гарантирует сухость простыней, поскольку опорожненный вечером пузырь будет не таким полным к утру. Но здесь есть свои сложности. Если некоторых детей поднять среди ночи легко и, помочившись, они тут же снова засыпают, то разбудить других не так просто, а третьи вообще начинают капризничать. Чтобы не создавать новых проблем, лучше отказаться от высаживания на горшок на ночь.

Годовалый ребенок

Год — это рубеж

399. Резкие перемены в поведении и характере. Годовалый ребенок вступает в новый и очень интересный период жизни. В нем происходят многочисленные перемены — он по-другому ест, двигается, он совершает другие, чем прежде, поступки, по-другому относится к себе и к окружающим. Когда он был маленький и беспомощный, вы могли положить его туда, куда хотели, могли всунуть ему в руку игрушку, какую считали нужной, кормили его пищей, которая казалась вам наиболее полезной. Почти все время он простодушно позволял полностью управлять собой. Теперь с каждым днем вам приходится все труднее и труднее. Он словно осознал, что не будет всю оставшуюся жизнь бессловесной игрушкой в ваших руках, что он человек со своими собственными мыслями и желаниями.

Стоит вам предложить малышу то, что придется ему не по вкусу, как он самым резким и нелицеприятным образом даст об этом знать. Природа диктует ему такое поведение. Он отвечает «нет» словами или действиями даже на самые заманчивые предложения. Психологи называют это «негативизмом», а мамы сокрушаются: «Этот несносный возраст, когда ему ничего не нравится». Но не спешите сердиться. Лучше задумайтесь, что будет, если ребенок и дальше будет со всем соглашаться. Ведь он вырастет роботом, бессловесным механизмом. Вам придется руководить каждым его шагом, каждым его словом. Он перестанет развиваться, не будет ничему учиться. Когда он подрастет и окажется в не зависящем от вас мире — в школе, на службе, любой сможет помыкать им. Он окажетс ни на что не способным.

400. Страсть к исследованиям и открытиям. В этом возрасте ребенок — неутомимый исследователь. Он любопытен и деятелен. Он сует свой нос в любой угол, в любую щель, ощупывает пальцами каждый деревянный завиток на мебели, трясет стол и другие предметы, которые не в силах опрокинуть, берет с полки книгу за книгой, вскарабкивается на все, до чего способен дотянуться, впихивает маленькие предметы в большие, а потом пытается запихнуть большой предмет в маленький. Измученная мама бросает в сердцах: «Ему до всего есть дело!» — и в словах ее звучит неприкрытая досада. А она, возможно, даже не представляет себе, насколько этот период важен для всей будущей жизни малыша. Ребенок должен узнать, какую форму и какой размер имеют окружающие его предметы. Он должен постигнуть, как они движутся. Без этого он не сможет продолжить познание мира, как не может человек, не окончив школу, поступить в университет. То, что ему «до всего есть дело», лишь показывает, как отлично работает его разум.

Возможно, с сожалением вы понимаете, что малыш ни на секунду не успокаивается весь период бодрствования. Но он не нервный, он энергичный. Природа сделала его таким — он учится и тренируется все отпущенное ему время.

Как избежать страхов и несчастных случаев

401. Год — очень опасный возраст. Родители не в состоянии полностью оградить ребенка от грозящих ему несчастий, и если бы паче чаяния им это удалось, они вырастили бы зависимого от всего и вся, робкого и нерешительного человека.

С другой стороны, можно легко избежать многих несчастных случаев, если вы знаете, откуда угрожают наиболее часто встречающиеся опасности и как их устранить. Ниже мы приводим примерный список того, что нужно учесть и в каких случаях.

Низкий комбинированный со столом стул более безопасен, чем **высокий стульчик**. Пользуясь высоким стульчиком, обратите внимание, чтобы он имел широкое основание, не позволяющее ему перевернуться, а кроме того, ремень или планку, удерживающие малыша от падения. Съемный поднос необходимо прикреплять к стульчику, чтобы ребенок не мог его опрокинуть. У детской **прогулочной коляски** также должны быть ремень или планка, удерживающие малыша. Ступеньки, по которым малыш залезает в коляску, должны иметь ограждение или перильца; сами ступеньки в нерабочем состоянии следует убирать. У **окон** верхних этажей шпингалеты или защелки должны находиться сверху.

Ребенка, который умеет ползать или ходить, нельзя пускать **на кухню**, когда мать готовит еду или накрывает на стол. Его могут обжечь разлетающиеся брызги горячего масла, мать может опрокинуть на него горячую кастрюлю или сковородку, он может сам стащить с плиты стоящие там предметы. В крайнем случае позвольте ребенку играть на кухне в манеже или в подобии манежа из положенных набок стульев, причем они должны находиться как можно дальше от плиты. Если ребенку захочется до чего-то дотянуться, просто удивительно, какую ловкость он при этом проявляет. Поэтому следите, чтобы длинные **ручки** сковородок и кастрюль не выступали за край плиты. Накрывая на стол, ставьте горячий кофейник в центр стола. Скатерть не должна свисать с края стола, иначе малыш легко стянет ее на пол вместе со всем, что находится на столе.

Если малыш еще не вышел из возраста, когда в рот тянут все, что ни попадет под руку, следите, чтобы у него не оказались **мелкие предметы** — пуговицы, горошинки, фасолинки, бусинки; не давайте ему лакомиться орешками или воздушной кукурузой. Все это может легко попасть в дыхательное горло, и ребенок поперхнется. Убирайте карандаши и другие **острые предметы** — неосторожное движение на бегу или во время игры иногда приводит к травме.

Возьмите за привычку пробовать воду в **ванне**, перед тем как сажать туда ребенка, даже если вы делали это пять минут назад. Малыш может обжечься о горячий кран или трубу. Когда вы находитесь в ванной, не трогайте сами и не давайте трогать ребенку металлические части электрооборудования. Не оставляйте на полу ведро или таз с горячей водой.

На **электрических проводах** и шнурах не должна быть нарушена изоляция. С первых же попыток отучите ребенка брать их в рот. Пользуйтесь фиксаторами, которые не позволяют вытащить вилку из розетки. Пустые розетки закрывайте специальными заглушками. В продаже имеются розетки, отверстия которых автоматически закрываются, когда из них вытаскивают вилку. В патроны всех осветительных приборов, до которых в состоянии дотянуться ребенок, должны быть вставлены лампочки.

Двери, за которыми малыша подстерегает опасность, закрывайте на **замок**. То же касается шкафов, где вы храните медикаменты и острые кухонные предметы.

Спички держите в плотно закрытых ящиках, куда не доберется трех- или четырехлетний ребенок.

В руки ребенка не должны попадать ручные и электрические **инструменты** с острыми частями.

Не спускайте глаз с ребенка во время купания в **ванне**.

Будьте исключительно внимательны, когда ведете машину по двору, особенно двигаясь задним ходом.

Колодцы, плавательные бассейны, крупные **емкости с водой** должны быть надежно огорожены.

На **берегу водоема** малыш постоянно должен носить надувной спасательный жилет. Так должно продолжаться, пока ребенок не сможет спокойно проплывать хотя бы тридцать метров.

Когда вы вместе с малышом едете в машине даже на самые короткие расстояния, непременно пристегивайте ремень безопасности. Не позволяйте ему вставать на сиденье.

Разбитые стеклянные предметы, использованные **консервные банки** с острыми краями выбрасывайте в закрывающиеся мусорные бачки. **Бритвенные лезвия** держите в коробках, которые трудно открыть.

Не подпускайте маленького ребенка к неизвестным **собакам**, пока он не достигнет возраста, когда перестанет их бояться.

402. Подальше прячьте вредные и ядовитые вещества. До 20 % отравлений детей происходит на втором году жизни. В это время они обо всем хотят узнать и все хотят попробовать. Причем, пробуя все на язык, малыш совершенно не заботится о вкусе. Особенно дети любят таблетки и другие лекарства, сигареты, спички. Вам, видимо, будет интересно прочесть список веществ, чаще всего вызывающих отравления у детей:

— аспирин и другие медикаменты;
— ядовитые порошки против мышей и насекомых;

— керосин, бензин, чистящие жидкости;

— краски, содержащие свинец (большинство красок для внутренних работ не содержат свинца. Особенно опасны краски для наружных работ, ими окрашены оконные рамы, двери и т.д. Такими красками иногда пользуются для ремонта внутри дома, ими перекрашивают игрушки, детские кроватки и иную мебель);

— полироли;

— щелочи, используемые для чистки раковин и кухонных плит;

— растворы удобрений и средств против садовых вредителей.

Теперь поставьте себя на место ребенка и его взглядом окиньте все, что вас окружает в доме. Убирайте в недоступное место все лекарства, как только вы ими попользовались. На пузырьки и коробки с медикаментами, чтобы не ошибиться, прикрепите дополнительные таблички с крупно написанным названием содержимого. Выбрасывайте порошки и таблетки, которые остались после завершения курса лечения, — скорее всего, они испортятся прежде, чем вам придется ими воспользоваться. Кроме того, легко перепутать новые лекарства с утратившими годность, если они хранятся вместе. Не перекладывайте лекарства в другую тару. Однако если вы купите специальную упаковку, которую ребенок не сможет открыть, пересыпьте в нее часто используемые таблетки или пилюли, например аспирин.

Никогда не переливайте вещества из фабричной упаковки в посуду, где прежде хранилось что-то другое. Так, нельзя держать ядохимикаты в бутылке из-под газированной воды, а в стакан не наливайте жидкость для чистки раковин и кухонных плит. Подобная небрежность очень часто приводит к несчастным случаям.

В ванной опасность для малыша представляют шампуни, бальзамы для волос, косметические средства.

На кухне и в кладовке оборудуйте места, недоступные для ребенка, и там держите чистящие порошки и моющие жидкости, нашатырный спирт, соду, хлорную известь, растворители, борную кислоту, нафталин, бензин для зажигалок, гуталин. Не храните в доме отраву для мышей и насекомых — это слишком опасно.

В сарае или в гараже оборудуйте закрытое место для скипидара, бензина, аэрозольных баллончиков с краской, машинным маслом, пестицидами и инсектицидами, антифризами. Перед тем как выбросить пустую тару, споласкивайте ее.

403. Оберегайте малыша от необычных шумов. Годовалый ребенок иногда привязывается к какой-либо вещи и на несколько недель делает ее любимой игрушкой. Это могут быть, например, телефон, электрическая лампочка и т.п. Если предмет его интереса безопасен, не мешайте ему рассматривать и трогать его. Но при знакомстве с некоторыми предметами малыш может испугаться. В таком случае родителям не нужно настаивать на продолжении игры, а если это еще и опасно, то нужно занять ребенка чем-нибудь другим, а не пытаться вызвать страх.

В этом возрасте малыши пугаются любого громкого звука или внезапного резкого движения, будь то выпадающая из книги свернутая гармошкой иллюстрация, открывшийся зонтик, пылесос, автомобильная сирена, прыгнувшая собака, движущийся поезд и даже ваза с шуршащими листьями.

Не разрешайте ребенку приближаться к подобным предметам, пока он не привыкнет к ним на расстоянии. Если малыш пугается пылесоса, прекратите на время уборку или пользуйтесь им, когда ребенок находится на прогулке. Если вы в следующий раз воспользуетесь им в присутствии малыша, пусть он смотрит издали.

404. Страх перед купанием. Между годом и двумя ребенка иногда охватывает страх перед купанием в ванне. Это обычно происходит после того, как он случайно окунется с головой, если в глаза ему попадет мыло или он увидит или услышит, как уходит в слив вода. Чтобы защитить глаза малыша от мыла, мойте его слегка влажной намыленной мочалкой. Смывать мыло тоже нужно влажной мочалкой. Можно также использовать специальные детские шампуни, которые не разъедают глаза. Если ребенок боится самой ванны, мойте его в тазу или в крайнем случае обтирайте его у себя на коленях. Когда страх пройдет, снова продолжите купать его в ванне, но вначале наливайте на дно лишь немного воды. Не вынимайте из ванны затычку, пока не заберете малыша.

Годовалому ребенку часто не нравится, когда вы пытаетесь после еды вытереть ему влажной салфеткой лицо и руки. В этом случае поставьте перед ним миску с водой, где он сможет прополоскать руки, а вы тем временем рукой вымойте ему лицо.

О страхе ребенка перед незнакомцами вы можете прочесть в пунктах 358 и 407, а испуг, вызванный струей из сливного бачка, рассматривается в пункте 382.

Общительность и независимость

405. Малыш одновременно борется за независимость и демонстрирует еще большую зависимость. Подобное утверждение звучит не совсем логично, и тем не менее оно справедливо. Матери, например, часто жалуются: «Стоит мне выйти из комнаты, как он поднимает крик». Разумеется, это не признак избалованности или плохого воспитания. Малыш растет и постепенно начинает осознавать, насколько он зависит от матери. Возможно, вам прибавится хлопот, но поверьте: это хороший знак. В этом же возрасте ребенка все сильнее охватывает тяга к самостоятельности — ему хочется открывать неизвестные места, знакомиться с новыми людьми.

Понаблюдайте за ребенком, который научился ползать. Вот, например, как он ведет себя, когда мать моет на кухне посуду. Малыш с удовольствием играет с мисками, кастрюльками, однако это ему довольно быстро надоедает, и он решает отправиться за новыми впечатлениями в столовую. Там он залезает под мебель, поднимает с пола мусор, пробует его на вкус и, наконец, держась за стенку шкафа, поднимается на ноги, чтобы дотянуться до блестящей медной ручки. Вдруг ему становится скучно и одиноко, и он ползком возвращается на кухню к маминому обществу. Итак, сначала берет верх стремление к независимости, но очень скоро ребенок начинает искать защиты у матери. Поочередно он радуется то тому, то другому чувству. Со временем малыш набирается храбрости, и инстинкт исследователя все больше определяет его поведение. И все же он еще нуждается в покровительстве матери, правда, не так часто и не так заметно. Ребенок становится все более независимым, но его храбрость питается тем чувством собственной безопасности, которую обеспечивает присутствие мамы.

Я не случайно подчеркиваю, что независимость малыша и чувство защищенности составляют две стороны одной медали, ведь многие родители истолковывают данное явление превратно. Они пытаются «развить» в ребенке смелость и самостоятельность, надолго запирая его одного в комнате, и не идут к нему, даже слыша плач. Я полагаю, что столь жесткий путь воспитания не принесет ребенку добра.

Годовалый малыш как бы находится на распутье. Если вы предоставите ему благоприятную возможность, он станет более независимым, более общительным с посторонними людьми (и детьми, и взрослыми), более уверенным в своих силах. Если же круг общения ребенка ограничится только матерью (см. пункт 503), если он будет проводить большую часть времени взаперти, то, даже став взрослым, он останется под ее влиянием, будет замкнут, робок и необщителен.

Как же помочь малышу? Вынимайте его из коляски, когда ему захочется подвигаться. Если ребенок умеет ходить, полезно выпускать его на свободу во время вашего ежедневного пребывания на свежем воздухе. И пусть вас не огорчает, если он весь вымажется. Выберите для малыша место, где вам не пришлось бы следить за каждым его шагом и где он мог бы оказаться в компании других детей. Если он подберет с земли, скажем, окурок, быстро отберите его и дайте взамен какую-нибудь интересную игрушку. Не позволяйте ребенку набирать в пригоршню землю и отправлять ее в рот — это не только вызовет раздражение кишечника, но и приведет к появлению глистов. Лучше предложите ему сухарик или предмет, который он любит жевать дома. Удерживая здорового и активного малыша в коляске, вы избавите его от различных неприятностей, но тем самым будете сковывать, замедлять его развитие. Некоторые родители во время прогулок, при посещении магазинов предпочитают держать ребенка на помочах, однако не следует привязывать его надолго к одному месту.

406. Не держите малыша в манеже, если он хочет наружу. Одни дети с удовольствием остаются в манеже до полутора лет, другие уже в 9 месяцев воспринимают его как тюремную камеру. Для большинства детей «манежный» период подходит к концу в год с четвертью, когда они уже умеют более или менее хорошо передвигаться на ногах. Мой совет таков: вынимайте малыша из манежа, если ему там не нравится. Я не имею в виду, что следует так поступать, чуть услышав его хныканье — возможно, новая игрушка на несколько часов увлечет ребенка, он успокоится и будет счастлив. Было бы неправильно отказаться от манежа раз и навсегда. Это надо делать постепенно. Сначала вы увидите, что ребенок заскучал, просидев в манеже довольно долго. Чем дальше, тем быстрее ему будет надоедать ограниченное пространство манежа. А затем он начинает кричать при вашей попытке посадить его «за решетку», тогда придется убирать манеж в кладовку.

407. Давайте ребенку возможность знакомиться с новыми людьми. В этом возрасте природа заставляет его относиться к посторонним с настороженностью и подозрением. Во всяком случае, ему требуется какое-то время, чтобы присмотреться к незнакомцу. Потом ему захочется поближе узнать нового человека и даже подружиться с ним, разумеется, в соответствии с представлениями, свойственными его возрасту. Малыш может просто стоять, уставившись на новое лицо и долго изучая его. Потом он захочет дать ему какой-либо предмет и через секунду снова забрать. А потом он принесет все, что в силах удержать в руках, и положит на колени гостя.

Многие взрослые не разбираются в чувствах ребенка и не понимают, что тому нужно время, чтобы присмотреться. Они сразу же бросаются к нему и заставляют ретироваться под защиту матери. После этого малыш уже не скоро наберется храбрости, чтобы продемонстрировать свои дружеские чувства. Думается, будет правильным со стороны матери сразу предупредить визитера: «Он поначалу стесняется, поэтому не уделяйте ему сразу пристального внимания. Давайте с вами поговорим, а он тем временем освоится и постарается подружиться с вами».

Когда ребенок начнет хорошо ходить, дайте ему возможность чаще встречаться с людьми, чтобы он меньше боялся чужих. Берите его с собой за покупками в магазины хотя бы пару раз в неделю. При всякой возможности посещайте места, где играют другие дети. Малыш еще не сможет принять участие в их забавах, но станет с интересом за ними наблюдать. Если он постоянно будет рядом с детьми, то к 2,5 или к 3 годам он без проблем войдет в общую компанию.

Когда ребенок трех лет воспитывается в одиночестве, ему затем требуются месяцы, чтобы стать полноправным членом детского коллектива.

Как научить ребенка слушаться

408. Малыша легко отвлечь. Годовалый ребенок настолько охвачен страстью изучения окружающего мира, что не в состоянии надолго сосредоточиться на чем-либо конкретном. Это его свойство легко можно использовать в своих интересах. Например, малыш целиком поглощен связкой ключей, а вам они вдруг понадобились. Дайте ему венчик для взбивания яиц, и ключи тут же будут брошены на пол.

409. Расставьте вещи так, чтобы любопытный ребенок мог гулять среди них. Попробуйте сказать матери, что ее ребенок уже достаточно взрослый и ему не следует долго оставаться в манеже. Она придет в ужас и жалобно простонет: «Он или сам покалечится, или перебьет все в доме». Но ведь рано или поздно малыша все равно придется выпустить на простор, даже если это случится не в 10 месяцев, а в год и три месяца. И его поведение будет совершенно таким же. В каком бы возрасте вы ни разрешили ему бродить по дому, вам нужно как следует к этому подготовиться.

Как избежать травм от ударов о мебель или другие домашние предметы? В комнате, где будет находиться ребенок, 70 % должны составлять вещи, с которыми он может играть. Остальные 30 % предметов не разрешайте ему брать. При обратном соотношении и вы, и ребенок скоро дойдете до белого каления. Коли малыш сможет взять почти все, что ему заблагорассудится, он не почувствует себя ущемленным, если ту или другую вещь он не получит.

На деле это означает, что хрупкую посуду, вазы, украшения нужно убрать повыше. Ценные книги с нижних полок шкафов уберите на верхние, а на их место положите старые журналы. Хорошие книги поставьте на полке так плотно, чтобы у ребенка не хватило сил их вытащить. В кухне металлические кастрюли и сковородки поставьте на полки пониже, а фарфор и коробки с продуктами сделайте для ребенка недоступными. Одна мама специально набивала нижние ящики шкафов старой одеждой, игрушками и другими предметами, представлявшими интерес для ребенка, и позволяла ему вытаскивать, разглядывать и запихивать их обратно, сколько его душа желала.

410. Есть вещи, которых ребенок не должен касаться. Это одна из главных проблем в возрасте от года до двух. Вы должны дать ему понять, что в доме всегда есть предметы, к которым ему лучше не подходить. Возьмите, к примеру, настольные лампы. Он не должен дергать их за шнур, не должен сбрасывать со стола. То же касается газовых плит, окон и многого другого.

411. Слово «нельзя» для маленького ребенка пока остается пустым звуком. Вам не удастся поначалу остановить малыша, просто сказав «нельзя». Позднее его реакция во многом будет зависеть от вашего тона, от того, как часто вы это слово произносите и какой смысл в него вкладываете. Во всяком случае, пока малыш не узнает значений слов запрета и не начнет их правильно понимать, ваша попытка словами остановить его вряд ли поможет. Не кричите ему «нет! нельзя!» через всю комнату. Таким образом вы лишь предоставляете ему выбор. Услышав окрик, он спрашивает себя: «Неужели я трусливый мышонок и испугаюсь ее слов? Или я все-таки человек, и если мне хочется, то я потяну за шнур этой лампы!» Помните, что сама природа заставляет ребенка поступать по-своему, противиться любым указаниям. Скорее всего, он, кося на вас глазом, будет приближаться к лампе и наблюдать, рассердитесь ли вы по-настоящему.

Наиболее разумный поступок с вашей стороны — быстро подойти к малышу и перенести его в другой угол комнаты. Свои действия можете сопроводить строго сказанным «нельзя!», тогда до него быстрее дойдет смысл этого слова. Тут же дайте в руки малышу журнал, пустую пачку из-под сигарет или что-нибудь столь же безопасное и интересное для него. Однако не пытайтесь соблазнить его старой погремушкой, которая надоела ему уже несколько месяцев назад.

Если ребенок спустя минуту опять пойдет к лампе, еще раз, не выказывая и следов раздражения, возьмите его на руки и отнесите подальше. Пока несете, повторите: «Нет, нельзя». Словами вы подтвердите свои действия. Присядьте около ребенка на минуту, покажите, как обращаться с новой игрушкой. Переставьте лампу в недоступное для него место или вообще унесите ее из комнаты. Этим вы тактично, но твердо покажете малышу, что у вас нет ни капли сомнения в том, что лампа — неподходящий предмет для игр. Так вы не поставите ребенка перед проблемой выбора, избежите споров, косых взглядов и ворчания — всего того, что не помешает ему вновь возобновить свои попытки, которые доставляют вам беспокойство

Вы можете возразить: «Но ведь он не поймет, пока я не научу его, что он должен слушаться». Не волнуйтесь, он прекрасно все поймет. Урок будет еще лучше усвоен, если вы не будете нервничать. Не старайтесь из другого конца комнаты грозить пальцем ребенку, который еще не знает, что «нет» значит «нет», — ваш жест легко собьет его на неверный путь. Ему наверняка захочется узнать, что случится, если он вас не послушается. Не лучший выход будет повернуть его к себе лицом и прочитать нотацию. Так вы не дадите ему отвлечься и забыть о вожделенном предмете, а заставите лишь подчиниться своей воле или, напротив, бросить вам вызов.

Мне вспоминается некая миссис N, которая горько жаловалась, что ее полуторагодовалая дочь совершенно не желает слушаться. Как раз в этот момент в комнату вошла Сьюзи, очень хорошенькая, живая девчушка. Моментально миссис N, неодобрительно взглянув на дочь, громко произнесла: «Запомни, ты не должна подходить к радиоприемнику». Сьюзи до этого и не думала о радиоприемнике, но сама мать привлекла к нему внимание девочки. Разумеется, Сьюзи повернулась и двинулась прямо к тому месту, где стоял аппарат. Миссис N впадает в панику всякий раз, как очередной ее ребенок достигает возраста, когда ему необходима хоть толика независимости. Ее охватывает ужас, что она не справится с малышом.

Она нервничает и из каждой мухи делает слона. Она напоминает человека, который учится кататься на велосипеде и которому за каждым поворотом дороги мерещится глубокая яма. Он так этого боится, что когда на пути действительно появляется препятствие, то едет прямо на него.

Представьте себе ребенка, направляющегося к горячей плите. Нормальная мать не останется сидеть на месте, пытаясь остановить малыша криком: «О, не-е-т!» Она вскочит, схватит его в охапку и оттащит подальше от опасности. Это способ остановить ребенка подсказывает ей природа, и он не приведет к войне амбиций и характеров.

412. Вам потребуется либо большое мастерство, либо большое терпение. Одна мать постоянно брала с собой ребенка, отправляясь в магазин за продуктами. Когда она с малышом шла мимо очередного дома, ребенок требовал свернуть к нему и карабкался на ступеньки лестницы, ведущей к подъезду. Чем настойчивее она звала ребенка, тем больше он тянул время. Когда же мать начинала ругать сына, он поворачивался и шел в противоположную сторону. Мать боялась, что ребенок растет неслухом. Разумеется, это было не так, хотя со временем его поведение могло бы превратиться в большую проблему для родителей. Но пока он был еще не в том возрасте, чтобы помнить о магазине как цели их путешествия. Его натура постоянно твердит ему: «Посмотри: вот дорожка, она ведет к дому, пройди по ней. Вот ступеньки, попробуй по ним подняться».

Каждый раз, когда мать зовет ребенка, она напоминает ему, что он уже достаточно большой, чтобы стоять на своем. Как же ей в таком случае поступить? Если ей некогда, то в магазин лучше возить ребенка в коляске. Но если она использует поход в магазин как часть прогулки, то лучше не дергать ребенка и разрешить ему путешествовать по дорожкам и лестницам; ему это занятие наконец наскучит, и он сам будет не против маминого общества. Правда, она должна быть готова потратить вчетверо больше времени, чем если бы отправилась за покупками одна.

Или другой пример. Вам пора возвращаться домой, где малыша ждет обед, а он увлеченно копается в песке. Если вы скажете «нам пора домой» таким тоном, что в нем будет

слышаться «хватит тебе забавляться», то наверняка почувствуете отпор. Но если вы весело произнесете «ну-ка, попробуй
взобраться сам по лестнице», малыш наверняка воспримет это
как вызов и попытается доказать, что у него все прекрасно
получится.

Возможна и иная ситуация: ребенок в этот день не в духе.
Ничто не влечет его домой. Он капризничает без причины. На
месте мамы я бы спокойно взял его на руки и отнес в дом, пусть
себе визжит и брыкается, как поросенок, которого собираются
резать. Не проявляйте колебаний; вы как бы говорите ему: «Я
знаю, ты устал и недоволен. Но раз нужно идти домой, значит,
нужно». Не пытайтесь ругать малыша — ему пока еще не понять, что он поступает неправильно. Не надо пытаться и что-
либо ему объяснять — он не изменит своего мнения, а вы только расстроитесь.

413. Ребенок начинает бросать вещи. В возрасте около
года ребенок начинает намеренно ронять вещи на пол. С
серьезным видом он перегибается через ограждение своего
стульчика и разжимает пальцы, которые держат кусок пищи.
Он выбрасывает из кроватки одну за другой игрушки. Однако когда через перильца летит последняя, он поднимает
крик, не в силах достать игрушки с пола. Рассерженная мать
думает, что малыш просто издевается над ней. Но он в этот
момент даже не думает о маме, а целиком поглощен новым
для себя занятием. Он намерен продолжать делать это весь
день, как мальчик, который не желает до самой ночи слезать с подаренного только что велосипеда. Если вы поднимете брошенные предметы и отдадите ему, ребенок с удовольствием продолжит свою игру. Лучше не возвращать
игрушки малышу, а взять его и опустить на пол. Можно также привязать его любимые игрушки к решетке кроватки.
Веревочки не должны быть длиннее полуметра (более длинные шнурки использовать опасно — ребенок в них запутается). То же сделайте с игрушками в его коляске. Если же
желание что-либо бросать приходит к нему за едой, шалости необходимо пресечь. Немедленно заберите со стола еду
и унесите, а ребенка пустите поиграть. Попытки ругать малыша ничего не принесут, кроме вашего испорченного настроения.

Дневной сон

414. Время дневного сна у ребенка после года сдвигается. Те дети, которые прежде хорошо засыпали в 9 утра, теперь либо совсем не хотят ложиться, либо показывают, что они лягут поспать, но попозже. Но, засыпая поздним утром, они не нагуливаются до следующего дневного сна и соответственно позже ложатся вечером. Возможен вариант, когда они отказываются спать после обеда. Сроки сна и его продолжительность в этом возрасте все время меняются. Ребенок, который 2 недели кряду не спал перед ланчем, вдруг возвращается к прежним привычкам. По поведению малышей в это время нельзя судить, как пойдет дело дальше. Вам придется мириться со множеством неудобств, и единственным утешением будет мысль, что все это преходяще.

Некоторых детей, которые не засыпают перед ланчем, тем не менее можно около 9 часов утра положить в кроватку, и они будут тихо лежать. Другие же малыши приходят в ярость, как только вы делаете попытку отправить их днем в постель.

Если у малыша глаза начинают слипаться где-то к полудню, то матери лучше на несколько дней перенести ланч на 11.30 или даже на 11 часов, после чего малыш будет долго спать. Но перейдя на один дневной сон (поздно утром или в полдень), ребенок сильнее устает к ужину, начинает часто капризничать. Один знакомый детский врач сказал мне: «Это особая стадия жизни ребенка, когда второй дневной сон становится излишком, а одного еще недостаточно». Вы отчасти исправите положение, чуть раньше покормив малыша ужином и тут же уложив его спать на ночь.

Я не хочу, чтобы, прочитав этот пункт, вы подумали, что все дети в этом возрасте примерно одинаково отказываются от одного дневного сна. У одних этот период наступает уже в 9 месяцев, а другие будут с удовольствием спать по 2 раза в день до 2 лет.

Новый подход к питанию

415. Ребенок становится разборчивым. Примерно в год у малыша меняется отношение к еде. Он уже не выглядит всеядным обжорой, а предпочитает одни блюда и отвергает другие. Это и неудивительно. Если бы он продолжал питаться как в первый год жизни, то скоро превратился бы в великана. Теперь же за столом он, похоже, рассуждает: «Ну-ка, посмотрим, что сегодня выглядит аппетитным, а что не очень». Какой контраст по сравнению с недавним прошлым, когда ребенку было 8 месяцев! В то время перед очередным кормлением он выглядел голодным до полусмерти. Вынужденный ждать, пока мать повязывала ему салфетку, он начинал хныкать и жадно тянулся за любым кусочком. Ему было совершенно все равно, что стояло на столе. Голод мешал задумываться, насколько вкусно то или иное блюдо.

Кроме голода, на нынешнюю разборчивость малыша оказывают влияние и другие факторы. Он уже ощущает себя полноправной личностью, имеющей право на свои симпатии и антипатии. Он уже не стесняется выражать очевидное недовольство пищей, которая прежде вызвала бы в нем лишь легкие колебания. У него стала крепче память, и он уже может оценивать: «Этой пищей меня кормят изо дня в день, и мне она уже надоела; хочется чего-то новенького».

Аппетит ребенка ухудшают и режущиеся зубы, особенно коренные. В эти дни он съедает лишь половину положенной порции либо вовсе отказывается от пищи.

Наконец, самым, пожалуй, важным фактором становятся естественные, вызванные самой **природой** изменения наших вкусов и предпочтений. Подобное знакомо и нам, взрослым. Стакан томатного сока, который мы с наслаждением выпили за обедом накануне, совершенно не привлекает нас сегодня, зато мы с удовольствием бы полакомились гороховым супом. То же свойственно и детям. Но мы этого до поры до времени не замечаем, поскольку неутолимый голод не дает им возможности отказаться от любого блюда, поставленного на стол.

416. Эксперименты доктора Дэвис со «шведским столом». Клара Дэвис поставила перед собой цель выяснить, что́ станут есть дети, будь у них возможность широкого выбора. Она начала эксперимент не со старших детей, предполагая, что у них уже выработались устойчивые предпочтения в еде. Ради чистоты эксперимента она исследовала троих малышах восьми-десятимесячного возраста, которые до сих пор питались только грудным молоком. Дети находились под постоянным пристальным наблюдением. Питание их было организовано следующим образом: перед каждым ставили набор из шести или восьми простых и полезных блюд. Обязательно присутствовали овощи, фрукты, яйца, каши, мясо, хлеб с отрубями, молоко, вода, фруктовые соки. Нянечке было дано строгое указание не помогать ребенку, пока он не выберет понравившееся блюдо. Восьмимесячный малыш должен был протянуть руку и засунуть ее в блюдо со свеклой, после чего попытаться облизать пальцы. Только после этого нянечка давала ему чайную ложку свеклы. Далее ей приходилось ждать, пока ребенок снова не продемонстрирует свою волю. Это могла опять быть свекла, а мог оказаться и апельсиновый сок.

Доктор Дэвис получила три важных результата. Во-первых, дети, которые сами организовывали свое меню, очень хорошо развивались: ни один не набрал лишнего веса, но никто и не отличался худобой. Во-вторых, каждый ребенок со временем останавливал свой выбор на тех блюдах, совокупность которых любой ученый-диетолог признал бы отлично сбалансированным рационом. И в-третьих, предпочтения детей день ото дня менялись. Каждое по себе блюдо не было полностью сбалансировано по пищевым характеристикам. Несколько дней подряд основу меню ребенка составляли в основном овощи и фрукты. Затем он переходил на блюда с высоким содержанием углеводов. Иногда единственным продуктом была свекла, которую малыш потреблял в таких количествах, что и вчетверо меньшая порция показалась бы взрослому человеку более чем достаточной. Но даже после такой невоздержанности у ребенка не наблюдалось ни рвоты, ни боли в животе, ни расстройства желудка. Бывало, свой обед ребенок запивал чуть ли не литром молока, зато в следующее кормление вовсе к нему не притрагивался. А один из ребятишек как-то раз на закуску уничтожил 6 сваренных вкрутую яиц.

Доктор Дэвис много дней следила за одним ребенком, наблюдая, как со временем у него менялось потребление говядины. Поначалу аппетит к мясу у него был невелик, но потом стал резко расти. Он съедал в 4 раза более того, что мы посчитали бы нормальным. Так продолжалось несколько дней, а потом малыш охладел к мясному. Подобные колебания доктор Дэвис объясняла регулирующей ролью организма ребенка, его изменяющейся потребностью в тех или иных продуктах.

Доктор Дэвис повторила свой эксперимент на старших детях и на пациентах госпиталя. Первоначальные данные нашли очень хорошее подтверждение.

417. Работа доктора Дэвис может многому научить родителей. Удивительные результаты, полученные исследовательницей вовсе не означают, что мать должна ежедневно готовить по десятку блюд, из которых ребенок будет каждый раз выбирать приглянувшиеся ему. Однако эксперимент показывает, что мать вполне может доверять неиспорченному вкусу своего малыша и разнообразить его стол, предлагая сбалансированный набор блюд из природных продуктов, которые ребенок предпочел бы в настоящий момент. Без опасений за здоровье ребенка она может позволить ему есть те или иные продукты в количествах, значительно превышающих обычную порцию. Можно вообще исключить из меню ребенка какие-либо овощи, если они разонравились ему.

Нам, людям XX века, трудно безоглядно доверять вкусам малыша. В наших головах так крепко сидят советы диетологов о том, чего и сколько мы должны есть, что мы забыли простой факт: наш организм сам знает это благодаря миллионам лет эволюции. Любая гусеница чувствует, листья какого растения позволят ей развиваться, чтобы превратиться в бабочку, и не станет есть ничего иного. Олени проходят многие мили до солончаков, когда в их организме не хватает соли. Воробей не спрашивает, что ему есть, хотя ни разу не посещал лекций на тему о рациональном питании. Человек тоже должен слушать сигналы своего организма и соответственно строить свое меню. Я, разумеется, не считаю, что взрослый или ребенок всегда предпочтет съесть то, что ему сейчас необходимо, и что родители должны пренебрегать мнением ученых о полноценном и сбалансированном питании. Если мать каждый день кормит ребенка пончиками и кофе, то о чем бы ни говорили малышу его инстинкты, ограниченный выбор не сделает его питание сбалансированным. Мать непременно должна знать питательную ценность овощей, фруктов, молока, мяса, яиц, каш из круп — только так она сможет удовлетворить все потребности детского организма. Но ей следует также учитывать, что ребенок прислушивается к своим инстинктам и его предпочтения тому или иному блюду со временем могут меняться, что он сам старается сбалансировать свой стол, если его насильно не свернуть с пути.

418. Временный отказ от некоторых овощей. Малыш может вдруг разлюбить овощи, которые с удовольствием ел еще неделю назад. Не стоит идти против его желаний. Не будете настаивать — через несколько дней или недель он, возможно, снова проявит к ним интерес. В противном случае он навсегда возненавидит некоторые продукты и лишится в будущем многих гастрономических радостей. Если два раза подряд он будет отказываться от предлагаемых блюд, исключите их на пару недель из меню. Конечно, матери бывает очень обидно, после того как она бегала по магазинам, покупала любимые малышом овощи, варила их и парила, наконец с радостным ожиданием благодарности поставила их на стол, а этот несносный тип вдруг стал воротить нос. Очень трудно в такой момент не расстроиться, не начать упорствовать. Но для малыша нет ничего хуже, чем пища, предлагаемая ему насильно. Пусть он не хочет смотреть на некоторые овощи — а такое случается на втором году жизни, — предложите ему другие, свежие или консервированные, тем более что сегодня наша торговля располагает огромным ассортиментом. Если малыш вообще не хочет овощей, но с удовольствием ест фрукты, добавьте их в его рацион. Получая в достаточном количестве фрукты, молоко и витаминные препараты, он вообще прекрасно обойдется некоторое время без овощей. (О заменителях овощей читайте в пункте 443.)

419. Ребенку надоедают каши. На втором году жизни каши становятся обязательным элементом меню ребенка. Особенно часто их дают на ужин. В конце концов ребенку это надоедает. Перестаньте на время кормить его кашами — в вашем распоряжении достаточное количество блюд, заменяющих их (см. пункт 445 и 446). Если он отказывается вообще от любой пищи, богатой углеводами, несколько недель воздержания от нее малышу не повредят.

420. Не беспокойтесь, если ребенок отказывается от молока. С молоком малыш получает основную массу питательных веществ, в которых нуждается его организм. Именно поэтому молоко играет большую роль в рационе ребенка, и мы посвятили этому пункт 437. Однако надо помнить, что есть места на Земле, где не разводят ни коров, ни коз, и тем не менее по окончании грудного периода дети получают все нужные вещества из других продуктов. В среднем ребенку 1–3 лет достаточно выпивать в день 750 г молока, если его рацион достаточно разнообразен. Многие дети между годом и двумя не получают этого количества молока и временами почти совсем теряют к нему интерес. Если мать из лучших побуждений заставляет пить почти через силу, ребенок со временем начинает чувствовать к нему отвращение. В дальнейшем он будет употреблять все меньше молока, если родители не догадаются в это время оставить его в покое.

Не заставляйте ребенка пить молоко, если видите, что он больше не хочет. Каждый его отказ еще сильнее утверждает его во мнении, что ему этот продукт не нравится. Если в день ему хватает 250 г молока, не давайте ему больше, пока сам не попросит.

Если ребенок отказывается пить молоко, включите его в состав других блюд, о чем вы сможете прочесть в пункте 438. Причем его питательная ценность останется такой, как если бы вы брали его из-под коровы.

Когда ребенок целый месяц получает в день не больше 750 г молока в виде различных блюд, сообщите об этом врачу. Возможно, он пропишет препарат кальция, пока у ребенка не появится вновь интерес к молоку.

421. Проблемы питания имеют далеко идущие последствия. Родители должны хорошо понимать, как и почему в раннем возрасте меняются вкусы и пристрастия ребенка в еде. Именно между годом и двумя чаще всего возникают проблемы с питанием. Если ребенок начал капризничать и его капризы раздражают мать, в пламени ссор сгорает накопленный в организме малыша жир. Чем настойчивее становится мать в своем стремлении накормить ребенка, тем хуже он ест. Чем меньше он съедает, тем сильнее беспокойство родителей. Кормление превращается в муку, которая иногда длится годами. Растущее между ними напряжение начинает влиять на поведение малыша и в других ситуациях.

Ребенок всегда будет питаться как следует, если будет думать, что за столом исполняются его желания. Пусть, прислушиваясь к своему внутреннему голосу, он чего-то съест побольше, а чего-то поменьше. Готовя малышу еду, выбирайте блюда, которые составят сбалансированный рацион и в то же время понравятся ребенку. Будьте готовы к тому, что вкусы ребенка каждый месяц будут меняться. Если у вас нет возможности посоветоваться с врачом по поводу меню, прочтите пункты 437–447 о включении в рацион новых продуктов и о том, чем их заменить, если малыш временно к ним охладеет.

Не устраивайте за столом битв, и ваш ребенок будет нормально питаться, получая все необходимые его организму вещества, хотя в какие-то дни в его рационе не будет хватать то одного, то другого. Заметив, однако, что ребенок постоянно отказывается от некоторых продуктов, обсудите возникшую проблему с врачом.

422. Игры за столом. Различные «выверты» появляются в поведении ребенка еще до года. Его интересует не столько пища, сколько возможность показать все, чему он только что научился: карабкаться, хватаясь за все выступающие предметы, держать в руке ложку, перемешивать пищу в тарелке, переворачивать вверх дном чашку, бросать на пол предметы. Я знаю ребенка, который во время кормления стоял на сиденье своего высокого стульчика; другой во время обеда бродил по всему дому, а следом за ним, проклиная все на свете, плелась мать с миской и ложкой.

Балуясь во время еды, ребенок показывает, что он растет, а проблемой насыщения он озабочен гораздо меньше мамы. Такое поведение приносит массу неудобств, раздражает мать и приводит к проблемам с питанием. Чем быстрее вы прекратите баловство во время еды, тем будет лучше для всех. Понаблюдайте за малышом, и вы без труда заметите, что он отвлекается от еды, когда сыт или почти сыт. Следовательно, при первой же шалости за столом прекращайте кормление, убирайте еду и отпускайте ребенка играть. Будьте тверды, но не выказывайте ни малейших признаков расстройства или раздражения.

Если малыш захнычет, давая знать, что еще голоден, дайте ему доесть. Если же он ни о чем не жалеет, ни в коем случае не пытайтесь позже накормить его оставшейся пищей. Скорее всего, он раньше положенного времени начнет проявлять признаки голода. Дайте ему перекусить или устройте чуть раньше следующее кормление. Очень скоро малыш поймет, что вы не пойдете у него на поводу, и его отношение к еде станет более серьезным.

В годовалом возрасте ребенку нравится покопаться пальцами в овощах, набрать в кулачок каши, чтобы почувствовать, какова она на ощупь, посмотреть, как расплескивается молоко по столу. Не считайте это шалостью. Ведь в тот же момент он жадно откроет рот навстречу очередному куску. На вашем месте я бы не рассматривал его поступки как повод к окончанию кормления и не препятствовал бы его попыткам получить новые знания о тех блюдах, которыми его потчуют. Если же малыш попробует опрокинуть тарелку, отберите ее, а после очередной выходки заканчивайте кормление.

423. Как можно раньше разрешите ребенку есть самому. Возраст, в котором ребенок научится пользоваться ложкой и вилкой, прежде всего зависит от взрослых. Доктор Дэвис в своих экспериментах со свободным рационом обнаружила, что младенцы еще до года способны самостоятельно пользоваться ложкой. Но встречаются двухлетние дети, как правило, чересчур заботливых родителей, которые не умеют донести пищу до рта.

Большинство ребятишек выказывают желание взять в руки ложку в возрасте около года, а те, кому такая возможность была предоставлена, уже к 15 месяцам уверенно с ней обращаются.

Готовиться к пользованию столовыми приборами малыш начинает много раньше — еще в полгода, когда у него в руках оказываются сухарик или другая твердая пища. Позже, примерно в 9 месяцев, в его меню появляются нарезанные кусочками продукты, он пробует брать их руками из тарелки и отправлять в рот. Дети, чьи попытки есть руками взрослые пресекали, заметно опаздывали в умении работать ложкой.

Хорошо воспитанный малыш в 10–12 месяцев при кормлении будет класть ладошку на мамину руку, как бы помогая ей держать ложку. Однако основная масса детей поступает иначе: почувствовав в себе тягу к самостоятельности, они вырывают ложку у матери из рук. Некоторые матери считают это попыткой малыша помериться с ними силой и уступают, после чего берут другую ложку и продолжают кормить. Вскоре дети понимают, что есть ложкой намного труднее, чем просто держать ее в руке. Пройдут недели, прежде чем малыш научится захватывать ложкой кусочек пищи с тарелки, и только еще через несколько недель ему удастся донести полную ложку до рта. Ребенку быстро надоедает есть, и он начинает просто крутить ложкой в тарелке. Отодвиньте тарелку, оставив перед малышом немного пищи, чтобы он мог еще потренироваться.

Несмотря на все старания малыша есть аккуратно и правильно, вокруг него будет страшная грязь, с которой вам придется некоторое время мириться. Если вы боитесь за ковер на полу, подкладывайте под стул ребенка большой кусок клеенки. Удобно пользоваться подогреваемым снизу блюдом, разделенным на несколько частей бортиками. В нем еда дольше остается горячей, его трудно перевернуть, а вертикальные перегородки позволяют упирать в них ложку при попытках подцепить кусочек пищи. Для детей выпускают ложки со специальной формой ручки. Их якобы удобнее держать, но лично мне более подходящими кажутся небольшие ложки с прямыми ручками.

Когда ребенок научится есть самостоятельно, предоставьте его самому себе. Здесь мы подходим к очень важному моменту воспитания. Мало дать ребенку ложку в руки и предоставить ему возможность пользоваться ею. Вы должны постоянно ему объяснять, **почему** он должен ею пользоваться. Первый импульс малыша — показать свою самостоятельность. Но увидев, как сложно кормить себя самому, он быстро бросит это дело, если вы будете перехватывать у него инициативу. Иначе говоря, как только он сможет донести кусок до рта, вам стоит на несколько минут оставить его наедине с тарелкой, и лучше сделать это в начале кормления, когда голод еще силен. Чем лучше у него получится действовать ложкой, тем дольше он будет пользоваться ею во время каждого кормления.

Когда малыш сможет за 10 минут до крошки съесть свое любимое блюдо, вам пора уходить со сцены. В этот момент многие матери совершают ошибку. Они рассуждают так: «Конечно, он может самостоятельно съесть мясо и фрукты. Но кто же, если не я, накормит его кашей, картошкой и овощами?» Вот здесь-то вас и ждут подводные камни. Не думайте, что если ребенок в состоянии съесть одно блюдо, то другое окажется ему не по силам. Продолжая кормить его с ложечки тем, до чего у него еще просто не дошли руки, вы проведете границу между блюдами, которые хочет есть **он**, и блюдами, которые он **должен** съесть. С течением времени ребенок будет все настойчивее отказываться от «вашей» еды. Но если вы составите сбалансированное меню из его любимых продуктов и дадите ему возможность самому с ним управиться, в целом он будет питаться полноценно, хотя в то или иное кормление станет игнорировать некоторые блюда.

И не обращайте особого внимания на манеры ребенка за столом. Он сам со временем научится есть более аккуратно. В нем постепенно развивается желание заменить собственные руки ложкой, а затем, по мере накопления некоторого опыта, освоить и вилку. Он будет брать на себя все более сложные задачи, видя, что люди вокруг него с ними справляются. Эту детскую черту подметила доктор Дэвис, наблюдая за своими подопечными, которых никто специально не учил обращаться с посудой. Она сравнила действия детей с поведением щенков, которые без всякого обучения воспринимали навыки бережного и аккуратного обращения с пищей. В самом начале те становились лапками в блюдце с молоком и погружали в него мордочки. Первым делом они научились добираться до молока не купая в нем лапы. Потом приспособились лакать, не окуная всю мордочку, и наконец начали чисто вылизывать закапанную молоком шерсть.

Я считаю необходимым позволять детям действовать ложкой в 12–15 месяцев, потому что именно в этом возрасте они горят желанием попробовать. Представьте мать, которая в год отбирала у своего дитяти ложку, а к двум годам пеняла ему: «Ты уже здоровый парень и должен есть сам». В ответ ребенок имеет все основания возразить: «Если меня кормили до сих пор, то с какой стати я сейчас буду от этого отказываться?» Он уже перерос ту стадию своего развития, когда возможность самому пользоваться ложкой была захватывающе интересна. Теперь его **заставляют** делать это, и все его существо восстает против. Мать просто упустила нужный момент.

Я вовсе не хочу, чтобы после моих слов вы решили что только в этом возрасте можно приучить ребенка к ложке, и не волнуйтесь понапрасну о медленном развитии своего малыша и уж тем более не пытайтесь подталкивать его, когда он еще не готов. Это лишь породит новые проблемы. Я только заострил ваше внимание на том, что ребенок хочет приобрести навыки еды ложкой гораздо раньше, чем вы себе это представляете, и вы должны прекратить кормить его, как только он сможет делать это сам.

Составляющие детского рациона

Перед тем как поговорить о ежедневном питании ребенка, обратим внимание на химические вещества, из которых состоит наша пища, и на их значение для организма.

Детский организм можно сравнить со строящимся зданием. Нужно много всяких материалов, чтобы возвести его и при необходимости отремонтировать. Можно уподобить его и работающему мотору. В этом случае ему необходимы горючее и другие вещества, чтобы он не останавливался ни на мгновение, — так же как автомобилю для езды нужны бензин, масло, вода.

Белок

424. Белок — это самый главный материал в нашем организме. Мышцы, сердце, мозг, почки — везде содержится белок (и еще вода). Кости тоже состоят из соединений белка с минеральными солями. Ребенок нуждается в пище, богатой белками, — ведь все его органы постоянно растут, и кроме того, необходимо восстанавливать белок, разрушающийся в процессе жизнедеятельности организма.

Почти во всех природных продуктах питания есть белок — где-то его больше, где-то меньше. Более всего богаты белками мясо, птица, рыба, яйца, молоко. Животные белки называют полноценными, потому что они имеют наибольшую биологическую ценность, поскольку содержат все многообразие элементов, в которых нуждается наш организм. В ежедневный рацион ребенка должны входить около 700 г молока, а также мясо (рыба или птица) и яйца, а лучше и то и другое. Далее по своей ценности идут растительные белки, содержащиеся в крупах, орехах и бобовых. Эти белки неполноценные — они хуже усваиваются организмом, а кроме того, не содержат всех необходимых составляющих: в пшеничной крупе нет элементов, которые имеются в бобах, и наоборот. Белки, содержащиеся в крупе, дополняют животные, но не могут их заменить.

Минеральные вещества

425. Соли минералов входят в состав различных органов, в первую очередь костей. Кроме того, без них различные системы организма не могут выполнять свои функции. Например, твердость костей и зубов в первую очередь зависит от содержания в них кальция и фосфора. В состав красных кровяных телец, доставляющих кислород во все участки тела, входят железо и медь. Необходимым условием деятельности щитовидной железы является наличие йода.

Свежие продукты — фрукты, овощи, мясо, крупы, яйца, молоко — включают богатый набор минералов. Но при кулинарной обработке, например при варке овощей, много минеральных веществ переходит в воду. Особенно остро человек испытывает нехватку кальция, железа, а в некоторых районах и йода. Кальций в небольших количествах присутствует в овощах и фруктах, зато его много в молоке и твороге. С помощью железа, поступающего в организм с овощами, фруктами, кашами и главным образом с яичным желтком и печенью, можно предотвратить малокровие. Недостаток йода приводит к заболеванию щитовидной железы и характерен для местностей, удаленных от морей и океанов. В воде и растениях там его совсем немного, а морепродукты не всегда доступны. Нехватку этого минерала компенсируют, добавляя его в поваренную соль.

Витамины

Витамины — это особые вещества, которых для нормальной работы организма нужно совсем немного. Их можно сравнить с крохотной искрой, необходимой, чтобы заработал двигатель автомашины.

426. Витамин А нужен для нормальной работы пищеварительной и мочевыделительной систем. Он также позволяет нам видеть при слабом освещении. Этого витамина много в сливочном масле, яичном желтке, различных овощах. Он входит в состав всех витаминных препаратов. От недостатка витамина А страдают люди, находящиеся на очень ограниченной диете, а также те, у кого он не усваивается из-за тяжелого заболевания кишечника. Дефицит в организме витамина А обуславливает тяжелое течение простудных заболеваний. Нельзя, однако, считать, что повышенное потребление витамина А позволит избежать простуды вообще.

427. Витамины группы В. Прежде ученые считали, что существует один витамин В, по-разному влияющий на функции организма. Но после тщательного анализа оказалось, что под этим названием подразумевают дюжину различных веществ. Тем не менее все они содержатся в одних и тех же продуктах. Поскольку витамины группы В еще недостаточно изучены, то лучше получать их с природными продуктами, а не с помощью таблеток или драже. Среди известных витаминов данной группы для человека наибольшее значение имеют четыре вещества: тиамин, рибофлавин, никотиновая кислота и пиридоксин. В этих витаминах нуждается буквально каждая клеточка нашего тела.

Тиамин (B_1) в значительных количествах присутствует в крупах, молоке, яйцах, печени, мясе и некоторых овощах и фруктах. При длительной кулинарной обработке тиамин разрушается, особенно в присутствии углекислоты. Человек ощущает недостаток витамина, если питается крахмало- и сахаросодержащими продуктами высокой степени переработки. Недостаток тиамина в организме ведет к ухудшению аппетита, медленному росту, быстрой утомляемости, к расстройствам пищеварительной системы, невритам. (Подобные симптомы характерны для многих заболеваний, вызываемых отнюдь не только дефицитом витамина B_1.)

Рибофлавин (B_2) содержится в печени, мясе, яйцах, молоке, зелени, дрожжах. Его не хватает у людей, питающихся в основном продуктами с высоким содержанием крахмала и сахара. При дефиците рибофлавина в углах рта появляются трещины, возникают проблемы с кожей, слизистой оболочкой рта, со зрением.

Никотиновая кислота (витамин РР) является постоянным спутником рибофлавина. Недостаток витамина ведет к пеллагре — заболеванию, которое поражает слизистую оболочку рта, кишечник, кожу (кожа при этом словно поражена хроническим солнечным ожогом — краснеет и шелушится).

Пиридоксин (B$_6$) присутствует в широкой гамме пищевых продуктов, поэтому его дефицит проявляется только у очень немногих людей (в форме невритов, судорог, сыпей, малокровия), которые в силу своей наследственности нуждаются в повышенном количестве витамина.

Цианкобаламин (B$_{12}$) содержится в достаточных количествах в продуктах животного происхождения, включая молоко. Зато его мало в овощах, фруктах, крупах. Дефицит витамина ведет к злокачественной анемии.

428. Витамин C (аскорбиновая кислота) в достатке присутствует в апельсинах, лимонах, грейпфрутах, помидорах и томатном соке, в капусте. Он имеется также в других фруктах и овощах, даже в картофеле. Аскорбиновая кислота выпускается в виде таблеток, драже, витаминных капель. При тепловой обработке витамин C быстро разрушается. Он необходим организму, поскольку обеспечивает нормальный рост костей и зубов, улучшает состояние кровеносных сосудов и других тканей, участвует в жизнедеятельности клеток. Признаки недостатка витамина C наблюдаются у детей, которые питаются коровьим молоком и не получают апельсинового или томатного сока. При дефиците витамина развивается цинга, ее типичные симптомы — болезненные кровоизлияния около костей, изъязвленные, кровоточивые десны.

429. Витамин D в больших количествах необходим для роста костей и зубов. Он способствует всасыванию в кровь через стенки кишечника содержащихся в пище фосфора и кальция и отложению их в растущих костях. Вот почему витамин D так необходим организму младенцев, когда происходит бурный рост костей. В продуктах повседневного рациона витамина D содержится недостаточно. Он синтезируется в подкожном жире под воздействием солнечных лучей. Поэтому люди, подолгу находящиеся на свежем воздухе, не страдают от недостатка витамина. Население полярных районов вынуждено тепло одеваться и проводить основное время под крышей. Кроме того, лучи солнца там падают на землю под большим углом и в значительной степени поглощаются толщей воздуха и оконными стеклами. В таких условиях главным источником витамина D являются жир из печени некоторых рыб и синтетические препараты. (Рыбы накапливают витамин D, поедая планктон, в котором он синтезируется под действием солнечного света.) Недостаток в организме витамина D вызывает размягчение костей и их искривление, порчу зубов, слабость мышц и связок. Все это называется рахитом.

Взрослым людям обычно хватает того количества витамина, которое они получают с яйцами, маслом, рыбой, а также благодаря образованию его в организме с помощью солнечных лучей. Но детям витамина нужно больше, а на солнце они бывают реже. Им необходимо добавлять витамин D в молоко или принимать отдельно витаминные препараты до подросткового возраста, пока у них не завершится рост костей. Матери во время беременности и кормления грудью также нуждаются в увеличенных дозах витамина D.

Вода и клетчатка

430. Вода. Это чистое вещество, в котором не содержится ни витаминов, ни калорий. Но без воды невозможна жизнь. (Человеческое тело на 60 % состоит из воды.) Ребенку надо давать воду хотя бы один-два раза между приемами пищи. В жаркую погоду количество выпиваемой воды возрастает. Наша пища содержит много воды, и во время еды мы удовлетворяем часть суточной потребности во влаге.

431. Клетчатка. Из нее состоят волокна и кожура овощей, фруктов, зерен. Клетчатка не переваривается кишечником и не всасывается в кровь. Она выходит из организма со стулом и не усваивается. Но клетчатка крайне полезна в другом смысле:

она составляет основу каловых масс и стимулирует перистальтику кишечника, обеспечивая продвижение по нему пищи. Человек, употребляющий пищу с малым содержанием клетчатки, например молоко, яйца, бульоны, обычно подвержен запорам, потому что в нижнем отделе кишечника скапливается слишком мало остатков пищи, вызывающих позывы к дефекации.

Жиры и углеводы

432. Источники энергии. До сих пор мы говорили о веществах, служащих материалами для строительства организма и позволяющих ему нормально функционировать. Но мы пока не затрагивали вопрос об источниках энергии. Наше тело в чем-то подобно мотору, и ему необходимо горючее, как автомобилю для движения нужен бензин. Даже когда человек неподвижен, к примеру во сне, у него бьется сердце, происходят сокращения мышц кишечника, работают почки, печень, другие органы. Так же и автомобиль: хотя он стоит у светофора, его двигатель все равно работает на холостых оборотах. Проснувшись, человек начинает двигаться, и энергии ему нужно больше. Основную долю ежедневного рациона ребенка составляют «горючие материалы», несмотря на то что он в это время продолжает быстро расти.

Энергию организм получает из крахмала, сахара, жиров и отчасти белков. Крахмал образуется в результате химического соединения сахаров. В кишечнике он распадается на составляющие его сахара, которые легко усваиваются организмом. Поскольку сахара и крахмал по своему строению очень схожи, их объединяют под одним названием – **углеводы**.

433. Жировые отложения. Когда жиров, углеводов и белков в пище человека больше, чем ему необходимо на восстановление энергетических затрат, неиспользованные продукты превращаются в жир, который образует прослойку под кожей. При энергетически бедном питании часть подкожного жира «сгорает», и человек худеет. Жировая прослойка, которая есть у всех людей и отличается в основном толщиной, служит не только резервом энергии, но и выполняет роль теплоизолятора, своего рода одеяла, сохраняя тепло.

434. Калории. Энергетическая ценность пищи выражается в калориях. В воде и минеральных веществах калорий совсем нет, т.е. энергетической ценности они не имеют. В жирах калорий очень много — в два раза больше, чем в белках и углеводах. Сливочное и растительное масло, маргарин, почти целиком состоящие из жиров, а также сливки и сметана, богатые жирами, являются высококалорийными продуктами.

Сахар и сахарный сироп также очень богаты калориями, поскольку почти целиком состоят из углеводов, не содержат плохо усваиваемой клетчатки и почти не включают в себя воды.

В зерновых продуктах (мы употребляем их в пищу в виде каш, хлеба, печенья, макарон, пудингов и запеканок), а также в картофеле, бобовых и кукурузе много калорий, поскольку они в основном состоят из крахмала.

Мясо, птица, рыба, яйца, сыр имеют высокую энергетическую ценность благодаря сочетанию жиров и белков. Тем не менее с ними мы не получаем столько калорий, сколько дают продукты из зерна или картофель. Это происходит потому, что порции мяса, как правило, невелики. Ценным источником калорий считается молоко, поскольку в нем содержатся и жиры, и белки, и сахар в легко усваиваемом виде.

Во фруктах, как свежих, так и прошедших кулинарную обработку, тоже довольно много калорий благодаря содержащемуся в них сахару. Бананы и сушеные фрукты еще более богаты калориями и в этом отношении сопоставимы с картофелем.

Энергетическая ценность овощей весьма разнообразна. Богаты калориями картофель, соевые бобы, фасоль. Овощи со средним содержанием калорий — горох, кабачки, свекла, морковь, лук, другие корнеплоды. Среди низкокалорийных овощей назовем стручковую фасоль, цветную и белокочанную капусту, сельдерей, баклажаны, шпинат, помидоры, листовой салат, мангольд, брокколи, спаржу.

Рациональная диета

435. Придерживайтесь принципа сбалансированности. О пользе тех или иных продуктов нельзя судить по содержанию в них только калорий или только витаминов. Любой человек нуждается и в высоко- и в низкокалорийной пище: ему необходимы и белки, и жиры, и углеводы, и минеральные соли — другими словами, рациональное питание всегда сбалансировано. Если заботиться лишь об одном аспекте питания и забывать об остальных, недалеко и до беды. Девочка-подросток, которая поставила перед собой цель похудеть и фанатично ей следует, отвергает все продукты, по слухам содержащие калории. Ни к чему, кроме болезней, такое поведение не приведет. Мать, решив, что витамины полезны, а крахмал вреден, потчует ребенка ужином из тертой моркови и грейпфрутового сока. Бедняжка получает запас энергии, которого не хватит даже воробышку. Тучная мать, все родственники которой тоже имеют лишний вес, стесняется своего худенького сына и кормит его как на убой, жирной калорийной пищей. Тем самым она снижает его аппетит, и ребенок наверняка будет страдать от нехватки витаминов и минералов.

436. Основные принципы правильного питания. Проблемы построения сбалансированной диеты кажутся почти непреодолимыми. На деле это не так. К счастью, ребенок сам может определить круг продуктов, необходимых ему для роста и развития. Эксперименты доктора Дэвис дали тому надежное подтверждение (см. пункт 416). Необходимо лишь дать малышу свободу выбора и не провоцировать неприязнь к тем или иным блюдам. Вам достаточно предложить ему набор полезных натуральных продуктов. Родители должны знать, комбинация каких пищевых компонентов даст в результате сбалансированный рацион и какие замены продуктов можно производить, не влияя на характеристики диеты и учитывая при этом меняющиеся вкусы ребенка. В ежедневное меню малыша должны входить следующие продукты:

1) молоко (в любой форме) — 700–900 г;
2) мясо, птица или рыба;
3) яйца (яйца и мясо по всем пищевым параметрам взаимозаменяемы);
4) овощи, в том числе сырые, один или два раза в день;

5) фрукты (половина из них в свежем виде), в том числе апельсиновый сок, два или три раза в день (овощи и фрукты по всем пищевым параметрам взаимозаменяемы);

6) крахмалосодержащие овощи один или два раза в день;

7) хлеб из муки грубого помола, крекеры, каши от одного до трех раз в день;

8) витамин D в виде молока или препаратов (драже или таблетках).

Теперь можно рассмотреть пищевую ценность некоторых продуктов.

Пищевые продукты и блюда из них

Когда и какие новые продукты следует включать в меню ребенка — вопрос, который надо решать в индивидуальном порядке. Лучше, если это сделает врач, — ведь имеет значение, как реагировала прежде на те или иные продукты пищеварительная система ребенка, от каких блюд ребенок отказывается, что из предлагаемого можно достать в магазинах и на рынке.

Эта часть книги предназначена тем родителям, кто не в состоянии регулярно общаться с врачом и вынужден рассчитывать только на себя. Оказавшись в такой ситуации, прежде всего призовите на помощь здравый смысл. Сразу отбросьте мысль, что в определенном возрасте ребенку подходят те или иные конкретные продукты. Даже на втором году жизни ребенка меняйте меню постепенно, новые блюда давайте сначала совсем маленькими порциями. Особенно осторожными будьте с детьми, у которых легко расстраивается пищеварение.

Молоко

437. Молоко на втором году жизни. В молоке содержатся почти все пищевые компоненты, которые необходимы человеку: белки, жиры, сахар, минеральные соли и большинство витаминов. Сбалансированная диета, в которой нет молока, обеспечит ребенка почти всеми веществами, кроме кальция. Только в молоке содержится достаточно кальция, чтобы обеспечить потребность бурно растущего организма. Поэтому в ежедневном рационе ребенка должно присутствовать 700–900 г молока. Причем его можно включать в различные блюда, например в каши.

Помните, однако, что дети по-разному воспринимают одни и те же продукты: сегодня им больше хочется одного, завтра — другого. Чтобы они совсем не разлюбили молоко, позволяйте им иногда снизить его обычную порцию; в другой раз они выпьют больше. Если ребенок отказывается, не настаивайте. При длительном, более недели, отсутствии интереса к молоку приготовьте из него новые блюда.

438. Заменители обычного молока. Много молока уходит на молочную кашу. Молоко входит в рецептуру многочисленных пудингов и запеканок. Если вы готовите овощной или куриный суп, можете вместо воды использовать молоко. Картофель, вареный, в виде пюре, а также макароны можно готовить с молоком.

Подумайте и о молоке с вкусовыми добавками. Разумеется, лучше обойтись без них, если малыш получает достаточно молока с другими блюдами. При необходимости молоко добавляют в какао и горячий шоколад, холодное молоко можно сдобрить шоколадным сиропом. Следует, правда, иметь в виду, что маленьких детей шоколад слабит, поэтому лучше предлагать его лишь детям старше двух лет, причем в ограниченных дозах. Молоко можно ароматизировать ванилью и другими вкусовыми добавками, которые обычно используются для теста и каши. Старайтесь не пересластить ароматизированное молоко, чтобы не перебить у ребенка аппетит. Бывает, малыш находит забавным пить молоко через соломинку.

Когда период новизны проходит, ребенок обычно теряет интерес к ароматизированному молоку. Особенно быстро оно надоедает малышу, если мать пробует настаивать в первый же раз, как он не допьет свой стакан. Стоит только сказать ребенку: «Ну-ка, выпей еще чуть-чуть этого чудесного шоколадного молока» (вместо молока может быть любой другой продукт), и он больше к нему не притронется.

Очень полезным молочным продуктом является сыр. В 30 г любого из его многочисленных сортов содержится столько же кальция, сколько в 250 г молока. Есть лишь одно исключение — сливочный сыр. В нем содержится в три раза меньше кальция, чем в других сырах. В твороге кальция еще меньше. Вместо 30 г сыра нужно съесть 300 г творога.

Зато нежирный творог не вызовет у ребенка расстройства пищеварения, поэтому его можно потреблять в больших количествах — подсоленным, с нарезанными кусочками сырыми овощами, даже с желе. Некоторые сорта сыра содержат много жира, и их надо давать маленькими порциями. Больше съесть ребенок, возможно, и не захочет. Мягкий сыр намазывают на хлеб, тертым сыром посыпают блюда из других продуктов. Можно предложить малышу и просто кусочек сыра.

Если ребенок не любит ни молока, ни молочных продуктов (или у него на молоко аллергия), надо давать кальций в другом виде — необходимый рецепт даст врач.

Сливочное масло или обогащенный маргарин в меню годовалого ребенка включают очень осторожно, намазывая его на хлеб или добавляя к вареным овощам. С кашей, пудингом, фруктами голодному ребенку можно дать немного сливок. Пищеварительной системе ребенка нужно время, чтобы привыкнуть к этим довольно тяжелым продуктам.

Мясо, рыба, яйца

439. Мясо. Большинство детей в годовалом возрасте может принять участие в общей семейной трапезе и полакомиться вместе со всеми блюдами из мелко рубленных или провернутых через мясорубку говядины, птицы, баранины, печени, бекона, свинины, телятины. Для них выпускаются также специальные детские мясные консервы. Бекон занимает в этом ряду особое положение — в нем мало белков, и его не стоит использовать регулярно вместо других мясных продуктов. Когда вы готовите свинину, предварительно срежьте с нее жир. Свинина — прекрасный источник витаминов, но блюда из нее надо прожаривать и проваривать очень тщательно, чтобы на срезе она была белая, а не розовая. Непрожаренная свинина может стать причиной опасного заболевания – трихинеллеза. С ветчиной и сосисками лучше повременить до 2 лет.

Вкус мяса детям очень нравится, но они предпочитают есть его только в провернутом виде. Даже маленькие кусочки натурального мяса приводят их в растерянность, часто они давятся ими, поэтому такие блюда не включайте в меню малыша до 5–6 лет.

440. Рыба. В меню детей годовалого возраста начинают осторожно включать нежирную рыбу с белым мясом: треску, пикшу, камбалу. Малыш может есть ее в вареном, жареном и запеченном виде. Перед тем как дать ребенку рыбу, аккуратно вытащите из нее все кости, даже самые мелкие. Более жирную рыбу и рыбные консервы очень осторожно можно предлагать после 2 лет. Некоторым детям рыба очень нравится, и один-два раза в неделю ее дают вместо мяса. Другие малыши с трудом привыкают к необычному вкусу рыбы и упорно отказываются от нее. Насильно заставлять ребенка есть рыбу не стоит.

441. Яйца – вареные вкрутую и всмятку, жареные в виде омлета или яичницы — одинаково полезны. Их можно включать в другие блюда и даже напитки. Если ребенок не отказывается от яиц, давайте ему одно-два в день ради содержащихся в них белков и железа.

Если малыш недовольно морщится, когда вы предлагаете ему мясо или рыбу, то его суточную потребность в белках можно покрыть 700–900 г молока и двумя яйцами. Кроме того, часть белков он получает с кашей и овощами.

Детей, которые не любят яиц или страдают аллергией на них, надо более регулярно кормить мясом.

Овощи

442. Разнообразие овощей. В течение первого года малыш имеет возможность попробовать шпинат, горох, лук, морковь, спаржу, мангольд, кабачки, помидоры, свеклу, сельдерей, картофель.

На рубеже второго года надо постепенно переходить от овощных пюре к блюдам из овощей, нарезанных кусочками. (Совсем отказываться от протертых овощей, естественно, не стоит.) Однако горох надо разминать, чтобы ребенок не глотал его целиком.

Вместо обычного картофеля с начала второго года можно давать ребенку сладкий картофель (ямс). Выработав привычку к легко усваиваемым овощам, постепенно и аккуратно вводите в детский рацион более грубые продукты: брокколи, цветную и белокочанную капусту, репу, пастернак. У некоторых овощей довольно резкий запах, избавиться от которого можно, проварив их в двух водах. Учтите, однако, что при этом блюдо лишится почти всех витаминов. Некоторые дети быстро привыкают к обновленному меню, другие настроены очень консервативно, незнакомый вкус их пугает. Кукурузу не следует предлагать, пока ребенку не исполнится 2 года. Малыши просто не в состоянии разжевать ее жесткие зерна, и они невредимыми выйдут со стулом. Используйте только молодую кукурузу восковой зрелости. Зерна с початка обрезайте не слишком близко к основанию. Когда в 3–4 года вы дадите ребенку кукурузу в початке, вырежьте один ряд зерен, чтобы было легче приступить к еде.

Ребенку с хорошим пищеварением между годом и двумя дайте сырые овощи, которые усваиваются легче других. Это могут быть очищенные от кожуры помидоры, листья салата, нарезанные кусочками стручковая фасоль, морковь, сельдерей. Заправьте блюдо апельсиновым или слегка подслащенным лимонным соком, добавив в него немного соли.

В то же время предложите ребенку сок из свежих овощей. Предпочтение сырым овощам и овощным сокам отдают в первую очередь, потому что в них сохраняются все витамины и минеральные вещества, а организм ребенка, не страдающего расстройствами пищеварения, усваивает их не хуже вареных.

Если ребенок временно отказывается есть овощи и салаты из них, вспомните об овощных супах: гороховом, томатном, луковом, свекольном и из овощного ассорти.

443. Чем можно заменить овощи? Представьте, что ребенок категорически не желает есть овощи. Не пострадает ли его организм? Самое ценное в овощах — высокое содержание витаминов, минеральных веществ и клетчатки. Но те же вещества вы найдете и во многих фруктах. Если вы кормите ребенка молоком, мясом, яйцами, даете ему витамины в виде капель или драже, он вполне будет обеспечен солями и витаминами, хотя во фруктах их содержится все же меньше, чем в овощах. Иначе говоря, если ребенок овощам предпочитает фрукты, большой беды нет. Давайте ему фрукты два или три раза в день и на несколько недель, а то и месяцев забудьте об овощах. Вполне возможно, к тому времени вкусы ребенка вновь изменятся, и он с удовольствием вернется к овощному меню.

Фрукты

444. Фрукты. В течение первого года малыш наверняка пробовал яблочное пюре, тушеные или вареные абрикосы, чернослив, груши, персики, ананасы, а также свежие спелые бананы, яблоки, груши, авокадо. На рубеже второго года некоторые из этих фруктов можно давать крупно порезанными. Консервированные компоты из груш, персиков, ананасов годятся взрослым, но для детей они слишком сладкие. В крайнем случае, если вы решите угостить ими малыша, слейте предварительно сироп.

Свежие фрукты, например апельсины, персики, абрикосы, сливы, виноград без косточек, постепенно включают в рацион ребенка, не страдающего расстройствами пищеварения, между годом и двумя. Разумеется, можно давать только полностью созревшие плоды. Для малышей до 3–4 лет очищайте их от кожуры. Неочищенные продукты следует тщательно промывать под струей воды, чтобы удалить остатки химикатов, применявшихся при опрыскивании садов.

Врачи обычно рекомендуют подождать до 2 лет, прежде чем угостить ребенка вишнями и свежими ягодами (клубникой, малиной, черникой, смородиной). После клубники и смородины на коже ребенка может появиться сыпь. Маленькие дети подчас проглатывают некрупные ягоды целиком, и они непереваренные выходят естественным путем, не принося никакой пользы. Поэтому перед тем как дать ребенку, слегка разомните их. Пока малыш не научится выплевывать вишневые косточки, удаляйте их сами. В каком бы возрасте вы ни включили в меню свежие ягоды, вначале давайте их понемногу и сразу же откажитесь от них, если желудок у малыша расстроится.

Дыни и арбузы можно осторожно предлагать начиная с двухлетнего возраста. В первое время нарезайте их кусочками. Сушеные финики, курагу, инжир и чернослив на третьем году добавляйте в салаты или давайте целиком — пусть малыш грызет их. Если на упаковке не написано, что продукт готов к употреблению, тщательно мойте фрукты перед кормлением. Мякоть у сушеных фруктов липкая и остается на зубах, поэтому не злоупотребляйте ими, чтобы не вызвать у малыша кариес.

Крупяные и мучные блюда. Легкие закуски

445. Вареные и сухие каши. В годовалом возрасте ребенок уже наверняка пробовал овсяные и пшеничные каши — специально приготовленные или сваренные для всей семьи. Если они ему нравятся, продолжайте кормить ими малыша и дальше.

Имейте в виду, что дети этого возраста предпочитают либо жесткую, либо совсем жидкую пищу; блюда с вязкой консистенцией их не привлекают. Отсюда вывод: варите жидкие каши.

Если малышу надоела одна и та же каша, попробуйте дать ему другую, к которой он пока не привык. Время от времени готовьте ему вареный нешлифованный рис или мамалыгу.

Существует много видов сухих каш, и малыши, глядя на взрослых, тоже с радостью захотят их попробовать. Наиболее полезны овсяная и пшеничная каши, поскольку в них много витаминов и минеральных веществ. Рисовая и кукурузная каши им в этом отношении уступают.

446. Хлеб. Надоевшую кашу можно заменить хлебом из пшеничной, ржаной, овсяной или банановой муки. Дайте ребенку, например, на завтрак кусок хлеба, тост, булочку или рогалик. Выпечка не менее полезна, чем каша, и не важно, что она не горячая. Намажьте на хлеб или булочку масло или маргарин (для годовалого ребенка первые несколько раз делайте очень тонкий слой). На масло положите немного фруктового пюре или джема — так малышу еще больше понравится.

447. Ланч и ужин, как правило, состоят из нескольких блюд. В семье, где я рос, детей кормили ужином в половине шестого, а к семи уже укладывали в постель. Потом родители обедали в спокойной обстановке. Позже, когда я работал врачом в Нью-Йорке, родители большинства моих пациентов придерживались примерно такого же распорядка. Поэтому я продолжал считать, что на ужин детям дают достаточно легкие блюда. Но оказалось, что не везде люди придерживаются подобных взглядов. В некоторых семьях дети вечером довольно плотно едят в компании родителей. Зато ланч у них бывает легким.

С ланчем или ужином у матерей часто возникают проблемы: они не знают, как их разнообразить. Принцип должен быть таков: в меню следует включать два блюда: одно из них высококалорийное, другое обязательно из фруктов или овощей.

Для старших детей основное блюдо могут составить несколько бутербродов. Годовалым ребятишкам с куском хлеба справиться еще трудно, обычно они слизывают то, что намазано на бутерброде, а кусок хлеба оставляют нетронутым. Но к 2 годам дело налаживается. Начните с пшеничного, ячменного, овсяного или бананового хлеба, а затем разнообразьте меню хлебом из ржаной муки грубого помола. Намазывайте на хлеб масло, маргарин, творог или сливочный сыр. Чтобы бутерброд казался вкуснее, сверху положите немного джема, меда или посыпьте сахаром. Однако я бы не советовал особенно увлекаться сладким. Сэндвичи более разнообразны, для их приготовления подходят самые разные продукты: сырые овощи (листовой салат, помидоры, мелко нарезанные морковь и капуста), тушеные фрукты, нарезанные кусочками жареные фрукты, арахисовое масло, яйца, рыбные консервы, провернутое мясо. Мягкий сыр можно намазывать, а твердый сыр первое время лучше натирать и посыпать им хлеб, а позже резать тонкими ломтиками. Перечисленные выше продукты смешивают со сливочным сыром, а к 3 годам и с майонезом.

В качестве основного блюда хорошо подать бульон, заправленный перловой крупой, рисом или вермишелью, а также постный или заправленный сметаной овощной суп. К супу подают гренки.

Приготовьте яичницу или омлет и положите на кусок хлеба. Возможен и другой вариант: поджарьте кусочки хлеба и залейте их яйцом. Еще проще приготовить яичницу и подать к ней кусок хлеба.

К легкому ланчу или ужину хороши крекеры из пшеничной муки. Их подают сами по себе, намазывают маслом или джемом, крошат в стакан с горячим или холодным молоком. Вместо крекеров используют галеты, хотя последние не так калорийны, или подсоленный хлеб, порезанный кусочками или ломтиками.

Прекрасным основным блюдом является картофель, если ребенок от него не отказывается. Время от времени можно варить макароны, спагетти или вермишель.

Вареная или сухая каша станет более аппетитной, если вы положите в нее кусочки свежих, тушеных или сушеных фруктов, сахар, мед.

В некоторых случаях следует поменять порядок блюд. Вместо основного блюда с последующим десертом из тушеных или свежих фруктов подайте закуску из вареных овощей, овощного или фруктового салата, а затем предложите высококалорийную запеканку с рисом, хлебом; старшим детям иногда позвольте съесть мороженое. Годятся для основного сладкого блюда и бананы.

Есть дети, которым не нравятся и, похоже, не особенно нужны блюда с большим содержанием крахмала. Энергетические ресурсы они черпают из молока, фруктов, мяса, овощей и при этом очень хорошо растут и развиваются. В перечисленных продуктах вполне достаточно витаминов группы В. Другими словами, когда вы разрабатываете диету для своего ребенка, вам меньше всего стоит волноваться о богатых углеводами продуктах. Можно неделями игнорировать их, если малыш нормально растет.

Малоценные и вредные пищевые продукты

448. Пирожные, печенье, выпечка. Главным недостатком этих продуктов врачи считают большое количество крахмала, жиров и сахара. В них много калорий, и, немного поев, ребенок теряет аппетит. В то же время в сладкой выпечке почти отсутствуют минеральные соли, витамины, клетчатка, белок, поэтому эти продукты отбивают аппетит. Они обманывают организм ребенка — тот ощущает сытость, хотя на самом деле нуждается в других важных питательных веществах.

Но вы не должны слишком предвзято относиться к плюшкам и ватрушкам, угостите ими малыша хотя бы в день рождения. Лишь постоянное присутствие в рационе сладкой выпечки отрицательно сказывается на режиме питания. Поэтому не проявляйте сами инициативы и не старайтесь познакомить ребенка с подобными излишествами меню.

Особую опасность представляют пирожные с кремом. В крем попадают вредные бактерии и при неправильном хранении быстро там размножаются. Несвежие пирожные — очень частая причина пищевых отравлений.

449. Сладкие консервы. Это продукты, в которых сахар играет роль консерванта. Вы должны всячески избегать их: они портят аппетит и зубы. Не подслащивайте кашу и фрукты ребенку, который и так ест их с удовольствием. Добавив немного сахара или несколько капель меда, вы сделаете блюдо более привлекательным для малыша, и ничего страшного не произойдет. Однако твердо откажите ребенку, если он хочет сделать свою еду сладкой до приторности. Различные желе, джемы, консервированные фрукты (за исключением специального детского питания) содержат излишек сахара, и малыша лучше ими не кормить. Возможно, ребенок согласен есть исключительно бутерброды с вареньем или джемом. Намазывайте их на хлеб тонким слоем, чтобы только ощущался вкус. Если вся семья лакомится на десерт консервированным компотом, не делайте исключения для ребенка, но обязательно слейте сироп. Изюм, сушеный чернослив, курага тоже не лучшим образом действуют на зубы, потому что их липкая, богатая сахаром мякоть остается на зубах и способствует образованию кариеса.

450. Конфеты, газированная вода, мороженое. Во всех этих лакомствах много сахара, и они тоже отбивают аппетит. Сладости особенно вредно давать между регулярными приемами пищи, потому что это портит зубы и аппетит ребенка. Но отказаться от них трудно, ведь малышу постоянно подают пример дети, которые лижут, жуют, сосут лакомства. Ребенку старше двух лет можно дать на десерт мороженое или конфету, если их едят и остальные члены семьи. Но в промежутках между едой старайтесь не предлагать малышу сладости и не злоупотребляйте конфетами даже на десерт. Леденцы и ириски быстрее всего ведут к кариесу, потому что малыш сосет их долго, и все время во рту существует неблагоприятная для зубов среда.

Чтобы у малыша не было лишних соблазнов, не держите в доме конфеты, а газированную воду и мороженое покупайте как можно реже. Сложнее с детьми школьного возраста, которые уже познали удовольствие от сладкого. Матери, конечно, не хочется, чтобы ее ребенок был белой вороной. Поэтому лучше идти навстречу умеренным желаниям ребенка. Если же он не может остановиться и требует сладкого каждую минуту, да и состояние его зубов оставляет желать лучшего, родители должны самым твердым образом ограничить потребление сладостей.

451. Тяга к сладкому — часто результат действий родителей. Дети любят сладкое по одной простой причине: их растущий организм постоянно требует энергии и легко распознает в богатых сахаром продуктах источник калорий. Но это не значит, что не приученные к сладкому дети сами попросят вас дать им конфет или варенья. Напротив, некоторые малыши вообще плохо относятся к сладкому. Эксперименты Клары Дэвис показали, что при свободном выборе дети предпочитают весьма ограниченное количество сладостей.

Я думаю, что неумеренная страсть к сладкому возникает в результате неправильного поведения родителей. Мама, которая хочет, чтобы ребенок скорее покончил с едой, зачастую пытается соблазнить его, обещая: «Я не дам тебе мороженого, пока ты не доешь шпинат» или «Скорее доедай кашу, и получишь конфетку». Такие посулы только разжигают желания малыша и в конце концов приводят к обратному эффекту: каша и шпинат представляются ребенку препятствием, которое мешает получить награду, и, естественно, становятся ненавистными. В то же время сладости теперь являются целью, к которой ребенок будет всеми силами стремиться. В шутку я бы предложил «подкупать» детей только так: «Я не дам тебе шпинат, пока ты не доешь мороженое». А если говорить серьезно, я бы в отношении еды никогда и ничего не обещал заранее. Пусть обычная и сладкая пища будут в глазах ребенка совершенно равноправными. Если однажды он обратит внимание на десерт прежде, чем на основные блюда, и попросит начать со сладкого, не перечьте ему.

452. Кукуруза, рис, манная крупа не так полезны, как овсянка или пшеничная крупа грубого помола. В рисовой и кукурузной крупе (даже если ее делают из нешлифованного зерна) не так много витаминов и белка, как в крупе из овса, ржи и нешлифованной пшеницы. При шлифовании зерна, т.е. при очищении его от оболочки, вместе с последней удаляется основная доля витаминов, минеральных солей и клетчатки. Тем не менее время от времени можно готовить детям блюда из очищенных круп и муки: манную кашу, белый пшеничный хлеб, макароны, вермишель, крекеры, рис, мамалыгу, кукурузные хлопья. Из этих продуктов готовят и десерты: сладкие пудинги и запеканки. Для приготовления различных блюд лучше брать неочищенный рис. Белый хлеб из пшеничной муки с добавками витаминов группы В называют обогащенным. Но в пшеничной муке грубого помола полезных веществ все же больше.

Из сказанного не следует, что я закоренелый противник блюд, содержащих сахар и крахмал. Однообразие всегда вредно, и я не хочу, чтобы вы морщились при виде куска пирога или аппетитного пудинга и покупали продукты только в магазинах здорового питания. Тем не менее нельзя назвать удачным рацион ребенка, который получает свою дневную порцию углеводов следующим образом: на завтрак — сладкая манная каша с кусочком белого хлеба, намазанного джемом; на ланч — макароны и тот же ломтик хлеба с джемом; на обед — мороженое и газированная вода; на ужин — кукурузные хлопья и пудинг. Даже если ребенку дают еще овощи, фрукты, молоко и мясо, большая часть его меню просто отбивает аппетит.

453. Кофе и чай. Эти напитки детям пить не очень рекомендуется. Во-первых, они занимают место ценного во всех отношениях молока, а во-вторых, в кофе и чае содержатся возбуждающие вещества, совершенно не нужные детскому организму, тонус которого и так достаточно высок. Если дети хотят подражать взрослым, влейте в молоко столовую ложку чая или кофе, но лучше вообще отложить их до более старшего возраста.

Замороженные продукты

454. В замороженном виде продукты, если ими правильно пользоваться, имеют не меньше ценности, чем свежие или консервированные. Правда, замораживание, как и термическая обработка, меняет их химический состав. После замораживания продукты лучше усваиваются людьми, но, к сожалению, больше подвержены воздействию бактерий. Другими словами, они быстрее портятся, чем свежие, так как являются благотворной средой для болезнетворных микробов.

Быстрее всего портятся без холодильника молоко и изделия из молочных продуктов (пудинги, кремы), овощи, птица.

Между завтраком, обедом и ужином

455. Не теряйте здравого смысла. Дети, как маленькие, так и более старшего возраста, испытывают необходимость немного «перехватить» между завтраком и ланчем, между обедом и ужином. Подходящая закуска в подходящее время никаких проблем с аппетитом не создаст.

Фруктовый и овощной соки, а также свежие фрукты быстро перевариваются и меньше всего способствуют порче зубов. Молоко остается в желудке дольше и скорее препятствует восстановлению аппетита. Тем не менее некоторые ребятишки едят помалу и без дополнительного стакана молока не могут дотерпеть до следующего кормления. Медленная усвояемость молока не мешает таким детям нагулять хороший аппетит к следующему приему пищи.

Пряники, печенье, пирожные обладают тремя недостатками: в них много калорий, мало полезных для питания веществ, и наконец, они портят зубы. Даже сухое печенье и хлеб липнут к зубам, и, следовательно, их лучше не давать детям между регулярными приемами пищи.

Однако не разрешайте ребенку перекусывать позже чем за полтора часа до еды. Но и здесь могут быть исключения. Некоторые дети после стакана сока в середине утра остаются голодными и с трудом дожидаются ланча. Не получая ничего в ответ на просьбу поесть, малыш обижается, злится и вообще отказывается полдничать. А ведь стакан апельсинового или томатного сока, выпитый за 20 минут до еды, только улучшает его аппетит. Итак, универсальных рецептов нет, и в каждом конкретном случае надо поступать, руководствуясь здравым смыслом и интересами ребенка. Кстати, многие дети вообще прекрасно терпят до очередного приема пищи, и это лишь положительно сказывается на состоянии их зубов.

Некоторые матери жалуются, что за столом дети едят плохо, а выйдя из-за него, начинают клянчить чего-нибудь перекусить. Это происходит вовсе не потому, что мать снисходительно относится к соблюдению режима питания. Как раз наоборот. Во всех подобных случаях я наблюдал, что мать требовала от ребенка есть за столом, а затем прятала всю пищу. Такая непреклонность лишала ребенка аппетита. После нескольких месяцев борьбы один лишь вид обеденного стола вызывал у него спазмы в животе. Сразу по выходе из-за стола, где малыш поел совсем немного, у него вновь появлялся аппетит. И вскоре случалось то, что и должно случиться с ребенком, у которого здоровый и пустой желудок, — он начинал просить есть. Дело, значит, не в том, чтобы отказывать малышу в еде в неположенное время, а в том, чтобы создать за столом обстановку, при которой у него слюнки потекут. Еда должна быть вкусно приготовлена и красиво подана. Если ребенку менее приятно находиться за столом, чем перекусывать на ходу, значит, что-то вы делаете не так.

Примерное меню

456.

Завтрак
1. Фрукты или фруктовый сок.
2. Каша.
3. Яйцо.
4. Молоко.

Ланч (или ужин)
1. Основные блюда (одно на выбор): каша, хлеб или бутерброды, картошка, суп с гренками, перловой крупой, рисом, вермишелью и т.д., яйцо с куском хлеба, запеканка или макароны.

2. Овощи или фрукты (как свежие, так и подвергнутые кулинарной обработке).

3. Молоко.

Обед (или ланч)
1. Мясо, рыба или птица (иногда дополнительно яйцо).

2. Овощи (зелень и корнеплоды), как сырые, так и подвергнутые кулинарной обработке.

3. Картофель.

4. Свежие фрукты, иногда запеканка.

5. Молоко.

Хлеб из муки грубого помола ко всем блюдам (если ребенку нравится).

Ежедневно ребенок должен принимать витаминные препараты.

В промежутках между приемами пищи можно давать фруктовый или томатный сок.

Поведение матери и ребенка

Игра и общение

457. Игра — это очень серьезное занятие. Когда мы, взрослые, видим, как дети сооружают здание из кубиков, бегают с раскинутыми в стороны руками, представляя себя самолетом, учатся прыгать через скакалку, то нам все это кажется развлечением, которое ничуть не похоже на настоящее, серьезное дело вроде выполнения школьных заданий или службы. Корни нашего предубеждения лежат в детстве, когда нам постоянно твердили, что игры — это забава, школьные занятия — обязанность, а служба — тяжелый труд.

Когда малыш занимается с погремушкой, одолевает ступеньки лестницы, тянет за веревочку деревянный кубик, представляет, будто ведет поезд, — он упорно трудится, познавая окружающий мир. Маленькие дети приобретают навыки для взрослой жизни с не меньшей серьезностью, чем ученики средней школы изучают геометрию. Ребенку нравится играть не потому, что это легко, а потому, что это трудно и требует всех его сил. Ежеминутно и ежечасно дети проявляют все свое усердие, чтобы научиться выполнять более и более сложные действия и поскорее добиться того, с чем справляются старшие дети и взрослые.

Мать годовалого ребенка жалуется, что малыш забыл свои кубики и играет только с кастрюлями и мисками, складывая их в высокую стопку. А причина всего одна: он подсмотрел, как мама на кухне занимается посудой, а не кубиками, и миски для него стали более притягательным объектом для игр. То же можно сказать и о глубоком интересе детей к сигаретам.

458. Чем проще игрушка, тем лучше. Детям больше нравятся простые игрушки, и они используют их гораздо дольше. Из этого, однако, не следует делать вывод, что дети примитивны, напротив, у них чрезвычайно богатое воображение. Это можно проиллюстрировать тем, как они играют в поезд. Один поезд сделан из металла, раскрашен, как настоящий, и бегает по рельсам. Другой — это набор деревянных кубиков, которые легко сцепляются друг с другом. Металлический красивый поезд маленький ребенок может только возить по полу. Ему слишком трудно устанавливать вагончики на рельсы, соединять их в состав. А чтобы посадить кукол в пассажирский вагон, он отламывает жестяную крышу. Естественно, игра с таким поездом быстро надоедает. Другое дело — простые деревянные вагончики. Малыш соединяет их в длинную цепь и восхищается получившимся составом. Два вагончика превращаются в грузовик с прицепом. На кубики он кладет разную мелочь — вот вам и товарный состав. Надоело двигаться по суше — кубики становятся кораблями, а связка будет караваном барж. И такие вариации длятся до бесконечности.

Иногда родители сетуют, что у них не хватает средств купить своему малышу сверкающий настоящим хромом педальный автомобиль или роскошный кукольный дом. Но пусть они лучше подумают о том, что может сделать ребенок из обычной картонной коробки. Он превратит ее в кровать, дом, грузовик, танк, крепость, гараж.

Конечно, ребенка наверняка порадует красивая, сложная игрушка. Придет время, и в сердце его поселится мечта о настоящем трехколесном велосипеде. Если у вас есть финансовые возможности, не отказывайте ему в таком подарке, он по-настоящему порадует малыша. Однако в раннем возрасте лучше занимать ребенка самыми простыми игрушками.

Младенец, еще не умея пользоваться руками, любит наблюдать за разноцветными предметами, висящими на бечевке над его колыбелью. Во второй половине первого года жизни он уже пытается брать их, трясти, жевать. Такова, например, новая пластмассовая игрушка из нескольких колец, надетых на одно большое кольцо. Эта игрушка не бьется, краска с нее не сходит, и она не может причинить малышу вреда.

От года до полутора ребенка чрезвычайно занимают попытки вставить предметы один в другой, тянуть их за собой или толкать. Любимой игрушкой становится деревянная тележка на колесиках или кусок дерева на веревочке. Вначале ребенку интереснее толкать игрушку перед собой — вот почему так популярны колокольчики на колесиках, укрепленные на длинной палке. С миской, решетом или ложкой ему интереснее играть, чем с обычными формочками.

Тряпичных кукол и плюшевых мишек любят очень многие ребятишки раннего возраста, хотя кого-то они вовсе не увлекают.

Примерно к 2 годам детьми овладевает страсть к подражанию. Они повторяют движения матери, когда та моет посуду, или папы, когда тот бреется. Позже воображение ребенка становится более самостоятельным и творческим. Наступает время кукол, платьев для них, мебели, автомобилей и кубиков. Ставя кубики один на другой, малыш строит небоскреб, а вытянув их в линию на полу, получает поезд. Он может выложить контур комнаты или корабля, сесть внутрь и затеять игру в «квартиру» или «пароход». Фантазии ребенка не знают границ.

459. Игры детей должны соответствовать их возрасту. Занимаясь с ребенком, взрослый часто поддается искушению усложнить игру. Мама, купившая недавно дочери куклу со всем приданым, хотела бы, чтобы та одевала куклу по всем правилам — начиная с нижнего белья. А дочка первым делом наряжает игрушку в ярко-красное пальто. Или другой случай. Больному малышу родители приносят в подарок цветные карандаши и альбом для раскрашивания. Тот открывает альбом на первой попавшейся странице, берет оранжевый карандаш и начинает возить им вдоль и поперек, не следуя контуру рисунка и не обращая внимания, что небо и трава у него получаются не того цвета. Трудно удержаться от крика: «Нет, не так! Смотри, как надо делать!» А вот папа, который в детстве не успел наиграться с игрушечной железной дорогой, на Новый год с гордостью приносит своему трехлетнему сыну большой набор, состоящий из рельсов, вагончиков, паровозов и станционного здания. Папе не терпится приступить к игре, он соединяет несколько вагончиков, но в это мгновение сынишка хватает одну из еще не прицепленных платформ и бросает ее в стену. «О нет! — восклицает отец. — Ты должен поставить поезд на рельсы, вот так». Малыш толкает вагончик, но на повороте тот опрокидывается. «Неправильно, — снова пытается объяснить взрослый. — Надо завести ключиком пружину у паровоза, чтобы он тащил поезд». Но у ребенка нет еще сил завести пружину, он не может аккуратно поставить на рельсы длинный поезд и его вовсе не трогает, что вагончики и другие предметы так похожи на настоящие. После того как отец в течение 15 минут без толку будет пытаться объяснить смысл игры, та окончательно наскучит ребенку и оставит у него горькое чувство, что он не оправдал папины ожидания. Малыш отвернется и займется старой любимой игрушкой, от общения с которой получает настоящее наслаждение.

Ребенок в свое время проявит интерес к одеванию кукол, раскрашиванию картинок, вождению игрушечных поездов. Но не торопите его. Когда вы пытаетесь перепрыгнуть через некоторые этапы развития, вы лишь заставляете малыша почувствовать себя неумелым и непонятливым. От этого будет больше вреда, чем пользы. Дети обожают играть с родителями, но только если взрослые учитывают уровень их развития. Пусть **малыш** покажет **вам**, как надо играть. Помогайте ему, лишь когда он сам вас попросит. Если подаренная вами игрушка слишком сложна, дайте ему возможность пользоваться ею по своему усмотрению или мягко и тактично заберите и спрячьте, пока ребенок не подрастет.

460. Не требуйте от ребенка проявлений щедрости. Когда дети в 1,5, 2 или 2,5 года начинают играть с другими ребятишками, они без особых церемоний вырывают друг у друга из рук игрушки. Маленький ребенок никогда не отдаст принадлежащую ему вещь по своей воле. Он будет сражаться за нее до конца, давая посильный отпор посягнувшему на его собственность, а если уступит, то обидится и расстроится. Видя это, многие матери приходят в замешательство.

Если ваш двухлетний ребенок отнимает игрушки у соседских ребятишек, это еще не значит, что он вырастет хулиганом. Он еще слишком мал, чтобы обращать внимание на чувства окружающих. Не наказывайте его всякий раз, когда он будет приставать к играющим малышам. Но если это будет происходить постоянно, переведите его в компанию более старших детей, способных постоять за себя. Ребенок иногда выбирает себе конкретную жертву — в этом случае пусть они некоторое время поиграют раздельно. Увидев, что ваш ребенок ударил одного из находящихся рядом детей или ведет себя предельно воинственно, отвлеките его разговором, уведите в сторону и дайте позаниматься другим делом. Не стыдите его сверх меры, иначе он почувствует себя одиноким и станет еще более агрессивным.

Если ребенок и после 3 лет остается забиякой, не находит общего языка с остальной компанией, надо показать его психиатру — частному или сотруднику специализированной детской клиники. В этом возрасте проблемы поведения еще легко решаемы (см. пункт 577).

Видя, что малыш двух лет не желает делиться игрушками с товарищами, не расстраивайтесь — он ведет себя нормально для своего возраста. Постепенно, по мере взросления, в нем будет просыпаться щедрость, он научится получать удовольствие от общества сверстников, полюбит их. Если вы заставите его отдать соседу свое сокровище, как только тот протянет к нему руку, вы дадите малышу почувствовать, что весь мир против него, — не только настырные соседские дети, но и взрослые пытаются лишить его самого дорогого. Он не станет менее жадным — наверняка случится обратное. К 3 годам ребенок начинает получать удовольствие от общих игр, а вы объясните ему, как устроить совместную игру: «Пусть сначала Джонни покатает коляску с Катериной, потом Катерина повозит Джонни». Так взаимные уступки вместо обязанности станут приятным делом. О застенчивости мы поговорим в пункте 464.

461. Помогите своему первенцу стать общительным. Обычно первые дети умеют ладить с окружающими не хуже вторых, третьих и более младших братьев и сестер. Но от некоторых из них требуются усилия, чтобы приспособиться к внешнему миру.

Матери часто заявляют: «Со вторым ребенком мне гораздо проще, с ним почти нет проблем. Он может играть сам с собой, а когда я подхожу к нему, он весь светится дружелюбием». Через несколько лет они признают: «Мой второй ребенок такой дружелюбный, такой открытый всем, что все начинают любить его с первого взгляда. Когда мы гуляем, посторонние люди останавливаются, чтобы улыбнуться ему, поздороваться с ним. Лишь потом они замечают старшего и заговаривают с ним только из вежливости. Это сильно ранит его — ведь он любит внимание намного сильнее, чем младший».

Почему же так происходит? Все дело в том, что во многих семьях вокруг первенца все время царит суета, которая только вредит ребенку. Особенно это сказывается после полугода, когда он учится сам себя занимать. Родители крутятся возле малыша, постоянно предлагают ему игрушки, берут на руки, в общем, не дают ни минуты покоя. В результате ребенок не в состоянии сделать что-либо самостоятельно, проявить инициативу. Он не успевает даже поприветствовать окружающих — взрослые сами заговаривают с ним. Его постоянно показывают друзьям и знакомым. В малых количествах все это было бы только полезно, но под прессом неумеренного внимания малыш становится замкнутым и стеснительным. Когда первенец заболевает, в доме возникают содом и гоморра, с появлением второго ребенка, имея уже некоторый опыт, родители ведут себя не в пример спокойнее. Любая шалость первого ребенка повергает родителей в шок.

Излишек внимания портит малыша. С одной стороны, он начинает чувствовать себя центром Вселенной, воспринимает всеобщее восхищение как норму независимо от того, обоснованны ли его претензии. С другой стороны, ребенок не только не знает, что делать, оставаясь наедине с собой, но и не умеет обращаться к взрослым за помощью.

Разумеется, нельзя совсем бросить малыша на произвол судьбы. В разумной мере внимание необходимо маленькому человеку. Но не вмешивайтесь в его игру с самим собой, если видите, что он доволен. Старайтесь не ворчать на него, не командуйте им, не выражайте необоснованного беспокойства. Пусть он заговорит с вами первым. Когда приходят гости, дайте ему возможность самому познакомиться с ними. Если он подойдет к вам и попросит поиграть с ним, не отказывайтесь, будьте с ним ласковы, но, почувствовав, что он готов вернуться к своим делам, не удерживайте.

Есть еще одна причина, почему первые дети растут замкнутыми. Заключается она в слишком серьезном отношении взрослых к своему родительскому долгу. Это отнюдь не мрачные по характеру люди — со своими знакомыми, с младшими детьми они могут быть веселыми и открытыми. Просто с первенцем они чересчур стараются оправдать свое звание родителей.

Вы поймете, о чем я говорю, если когда-нибудь видели человека, впервые севшего на лошадь. В седле он чувствует себя очень напряженно, сидит неподвижно, словно статуя, не знает, как приспособиться к движениям животного, без нужды дергает за поводья. В этой ситуации трудно и лошади, и всаднику. Опытный наездник умеет расслабляться, он заранее ожидает прыжка лошади, чтобы не вылететь из седла, и ненавязчиво управляет животным. Воспитание ребенка имеет мало общего с верховой ездой, но душевный настрой в обоих случаях должен быть похожим.

Примерно в таком же положении оказывается молодой офицер, которого впервые в его жизни поставили командовать другими людьми. Он не уверен в своих способностях, в своих силах, а поэтому бывает неоправданно строг, боясь потерять контроль над подчиненными. Чем опытнее командир, тем больше он проявляет дружелюбие и снисходительность.

Вы можете сказать в свое оправдание: «Моя беда в том, что я неопытна». Но чтобы прекрасно ладить с детьми, не требуется специальных знаний и навыков — для начала нужен только дружественный настрой. Ребенок в отличие от лошади не сбросит вас на обочину дороги (во всяком случае, пока не станет гораздо старше), не будет высмеивать вас, как это делают подчиненные у неопытного офицера. Не бойтесь расслабиться, не бойтесь соглашаться с вашим малышом. Лучше проявить легкомыслие, чем излишнюю жесткость.

Становление характера

462. Контроль над агрессивностью. Можно ли считать пистолеты и ружья подходящими игрушками для мальчиков? Многие годы я настаивал на их абсолютной безвредности. Многие матери говорили мне о своем желании избавить ребенка от игрушек, связанных с войной, поскольку не на шутку опасались, как бы тот не проникся идеями милитаризма. В ответ я говорил, что детские игры и проявления жестокости в старшем возрасте никак не связаны между собой. Чем старше становится ребенок, тем он лучше контролирует проявления своей агрессивности, если ему, конечно, помогут в этом родители. В 1–2 года во время вспышки гнева малыш без колебаний ударит обидчика. Но к 3 или 4 годам он начинает понимать, что таким образом решать свои проблемы нельзя. Тем не менее ему нравится стрелять в воображаемых врагов. В качестве мишени могут выступать даже отец и мать, но при этом малыш улыбается, показывая, что его намерения не следует воспринимать всерьез.

В возрасте от 6 до 12 лет мальчики часто играют в войну, причем ограничивают свои действия целым сводом строгих правил. Между соперничающими сторонами порой возникают жестокие споры, но до рукоприкладства дело, как правило, не доходит. В родителей дети уже не целятся даже в шутку. Причина не в том, что ребенок боится наказания, просто он повзрослел и даже мысленно не способен нанести вред родителям. В период полового созревания агрессивные инстинкты становятся мощнее, но правильно воспитанный юноша «выпускает пар» в спортивных состязаниях, в шутливой возне со сверстниками.

Раньше я считал игры в войну естественным способом обуздывать агрессивность мальчиков (и некоторых девочек), ведь практически все священники и пацифисты в детстве занимались тем же. Я предлагал матери при всей ее мнительности не бояться, что из сына вырастет жестокий и беспощадный злодей, и объяснял, что человек становится преступником не потому, что играл в бандитов в 5–10 лет, а потому, что с ним плохо обращались в первые два года жизни, когда закладывались основы его характера, и будущее ребенка не предопределено первым в жизни игрушечным пистолетом.

Но теперь я бы скорее поддержал мать в ее усилиях удержать ребенка от игр, связанных с насилием. Многое в последнее время убедило меня в важности этой проблемы.

Впервые моя точка зрения на сей предмет оказалась под сомнением несколько лет назад, когда я поговорил с одной опытной воспитательницей детского сада. В ее группе дети без повода затевали драки, а на ее выговоры отвечали, что так же поступают персонажи одной популярной детской телепрограммы. Разумеется, копирование поведения телегероев еще не говорит о серьезных изменениях в характере детей, но оно показывает, как, наблюдая на экране сцены насилия, детям становится легче прибегать к насилию в жизни. Исследования психологов в последние годы показали, что взрослые тоже становятся более жестокими после просмотра фильмов с большим количеством драк и убийств.

Следующим событием, которое произвело на меня глубокое впечатление и заставило по-иному относиться к прежнему опыту, стало убийство президента Кеннеди. Я был поражен тем, что некоторые школьники радовались случившемуся. Я не обвиняю в этом детей — они вели себя так под влиянием родителей, которые выражали свое отношение к нелюбимому президенту примерно такими словами: «Я бы и сам застрелил его, будь у меня возможность».

Все это заставило меня задуматься над другими примерами снисходительного отношения американцев к жестокости, беззаконию, насилию. В свое время мы не проявляли жалости в наших отношениях с индейцами. В пограничных районах господствовало упрощенное представление о справедливости, близкое к нормам военного времени. Никак нельзя назвать добрым наше отношение к иммигрантам. Зачастую мы отказывали в справедливости группам людей с иными религиозными или политическими взглядами. В нашем обществе высока преступность. Подавляющее большинство взрослых и детей воспитано на бесконечных детективах и вестернах, идущих в кинотеатрах и на телевидении и прославляющих культ грубой силы. Наша история изобилует множеством постыдных фактов не только убийств на расовой почве, но и постоянного унижения и притеснения людей с черным цветом кожи. В последние годы в больницы попадает все больше детей с серьезными увечьями, нанесенными родителями.

Конечно, некоторые из этих отвратительных явлений характерны для незначительной части населения. Да и другие примеры, о которых можно говорить применительно к большинству общества, еще не означают, что американцы более склонны к насилию, чем прочие нации. Тем не менее у нас ослаблен контроль за проявлениями агрессивности, причем начало этому следует искать в детском возрасте.

Для меня ясно: если мы хотим иметь более стабильное и цивилизованное общество, мы должны воспитывать у будущего поколения уважение к закону и правам других людей. Есть много способов научить этому наших детей, и мы можем и должны ими воспользоваться. Проще всего с самого раннего возраста показать детям наше неприятие беззакония и насилия, демонстрируемых на экранах телевизоров, которые проникают в детские игры.

Еще я уверен, что выживание человечества во многом зависит от того, насколько оно осознает необходимость предотвратить войну, активно искать дорогу к мирным договоренностям. На Земле накоплено достаточно ядерного оружия, чтобы уничтожить всю нашу планету. Один неверный шаг в международном конфликте может стать роковым, и в течение нескольких часов человечество будет уничтожено. Такая страшная перспектива требует гораздо большего, чем прежде, самообладания и здравомыслия от государственных лидеров и от всех граждан. В столь трудной ситуации мы обязаны привить нашим детям чувство ответственности за их собственное будущее. И я вижу обнадеживающие тенденции в этом направлении.

Стоит нам дать людям понять, что в жестокости нет ничего страшного — является ли она лишь художественным вымыслом, диктуется ли интересами государства или направлена на людей, поведение которых нам представляется неприемлемым, — как мы лишим их нравственных устоев, и во вполне безобидной ситуации они потеряют контроль над собой со всеми роковыми последствиями.

Но можно ли отнять у американских мальчишек их игрушечные пистолеты и танки, любимые вестерны и боевики? Этот вопрос нуждается в обсуждении.

Я полагаю, что родители должны твердо выступить против любых игр, которые сопровождаются проявлениями жестокости и проповедуют культ силы. Конечно, делать это надо тактично, без ругани и нотаций.

Если бы сын 3 или 4 лет стал просить меня об игрушечном пистолете, я бы с улыбкой, но ни в коем случае не с раздражением ответил, что не хочу давать ему в руки даже ненастоящее оружие, поскольку в мире и так слишком много убийств и жестокости. Я немедленно предложу ему выбрать любую другую подходящую игрушку.

Но если я потом увижу, как он взял палочку и использовал ее в качестве пистолета, чтобы оказаться в компании других ребят, которые стреляют друг в друга и кричат «пиф-паф», я не стану его одергивать. Пусть он получит удовольствие от общения с другими детьми — главное, чтобы игра не была жестокой. Когда его дядя подарит ему на день рождения пистолет или солдатскую каску, у меня не хватит духу отнять подарок. Если в 7 или в 8 лет он решит потратить свои карманные деньги на игрушечное оружие, я не стану запрещать ему делать это. Я все же напомню, что мне самому такие игрушки не нравятся и я не стану покупать и дарить их никому. Но теперь он будет больше времени проводить вне дома и сам решать, чем ему заняться, пусть и это решение принадлежит ему. Разумеется, беседу следует вести спокойно, без угроз, чтобы сын не боялся возражать. Несмотря на военные забавы, позже — в отрочестве и став взрослым человеком — он будет самым серьезным образом относиться к проблемам насилия, даже более серьезно, чем это случилось бы, наложи я сейчас запрет.

Я не советую прибегать к прямому запрету в первую очередь потому, что он действует только на тех, кто в этом меньше всего нуждается. Вот если бы все родители договорились и решили отказаться от игрушечного оружия, например, с первого числа следующего месяца, то, на мой взгляд, это был бы идеальный выход из положения. Но это произойдет еще очень и очень не скоро. Может быть, после случайного взрыва одной-единственной бомбы мир осознает необходимость запретить все оружие, настоящее и игрушечное. Совсем немногие родители, наиболее озабоченные судьбами своих детей, хотят оградить сыновей от игрушек, связанных с войной; эти ребятишки вырастут добрыми, чуткими, ответственными. Поэтому, настаивая, чтобы наши дети прекратили использовать игрушечное оружие, сторонники доброты и человеколюбия ставят перед собой пока невыполнимую задачу — ведь все друзья наших сыновей продолжают размахивать ружьями и пистолетами. (Практически подобный проект можно реализовать лишь в небольших замкнутых общинах.) Тем не менее мы должны прививать нашим детям доброе отношение ко всему человечеству — для начала достаточно общей благожелательной атмосферы в семье. Идеи гуманизма нужно распространить и на отношения с другими нациями и народностями — этому детей нужно специально учить. Прекращение игр в войну помогло бы воспитанию в детях терпимости к другим людям, но не в такой степени, как те два фактора, о которых я только что упомянул.

В меньшей степени я готов согласиться с культом насилия в кино и на телевидении. Вид человеческого лица, превращаемого кулаком в кровавую кашу, действует на детей сильнее, чем воображаемые сцены во время игр в полицейских или индейцев. Полагаю, родители должны проявить известную твердость и полностью запретить детям смотреть подобные фильмы и программы. Кстати, это было бы полезно и для взрослых. Следует также учитывать, что дети не всегда способны провести грань между актерской игрой и действительностью. Поэтому родители могут так объяснить свое решение: «Люди не должны убивать друг друга, и я не хочу, чтобы ты смотрел на это».

Даже если ребенок тайком смотрит боевики, он знает, что папа с мамой не одобрили бы его поступок, и чувство стыда за обман снижает эффект вредного воздействия сцен насилия.

463. Плохие слова. Примерно в 3, а чаще в 4 года дети проходят период так называемого туалетного юмора. Они с удовольствием дразнят друг друга, используя примерно такие выражения: «Ну ты, большая какашка!» или «Я спущу тебя в унитаз». Малышам это кажется очень остроумным. Не относитесь к этому как к чему-то чрезвычайному. Если вас подобные фразы коробят, попросите ребенка прекратить такие шутки, если можете — терпите.

Становясь старше и получая возможность общаться со сверстниками (что можно только приветствовать), они знакомятся с другими выражениями, а именно с грязными ругательствами. Дети не вникают в значения того или иного слова, но осознают, что фразы несут оскорбительный смысл. Они повторяют их не для того, чтобы обидеть собеседника, а чтобы показать свою взрослость и некоторое пренебрежение нормами морали. Чувствительные родители едва не теряют сознание, услышав, какие чудовищные ругательства вылетают из уст их невинного чада. Что в таком случае должна сделать умная мать? Прежде всего не нужно выходить из себя или явно выказывать возмущение. На робкого и застенчивого малыша это произведет угнетающее впечатление:

он начнет нервничать и перестанет играть с детьми, в лексиконе которых есть выражения, расстроившие его мамочку. Однако чаще дети бывают польщены, когда им удается шокировать родителей, хотя, возможно, и постараются этого не показывать. Некоторые станут постоянно «украшать» свою речь бранью в надежде повторить свой «успех». Другие под страхом наказания дома прекратят употреблять мерзкие слова, но в других местах дадут себе полную волю. Имейте в виду: если вы покажете ребенку, что теми или иными словами или неприличными звуками он вызовет возмущение окружающих, то это будет все равно, как если бы вы сами поставили его у заряженной пушки и умоляли не стрелять. И все же вы не должны молча сносить потоки грязной ругани. Твердо, но спокойно скажите, что и вам, и другим людям неприятно выслушивать подобное и вы не желаете, чтобы он употреблял такие слова.

464. Излишняя стеснительность. Первенцы, которые дома не общаются с другими детьми, к 2 годам не могут противостоять попыткам сверстников отнимать у них игрушки и обижать их. Любая беспардонность приводит малыша в замешательство и заставляет его с громким плачем бросаться к матери за защитой. Неспособность ребенка ответить на грубость тревожит многих родителей. Как правило, подобная беспомощность длится не очень долго и объясняется лишь отсутствием опыта совместных игр. Если вы не лишите ребенка общества других детей, то через несколько месяцев он научится достойно бороться за свои права. Мать не должна демонстрировать свою обеспокоенность, слишком явно сочувствовать малышу или открыто вступаться за него. Не нужно убеждать его и в необходимости делиться своими игрушками с другими детьми. Спокойно предложите ему пойти к обидчику и забрать свою игрушку.

Со вторым и третьим ребенком вы не будете испытывать таких трудностей, потому что ему уже в годовалом возрасте придется стоять за себя.

Если в детской компании окажется агрессивный ребенок, который начнет постоянно третировать и запугивать вашего малыша, я бы порекомендовал месяц-другой водить играть его в другое место — возможно, там он сможет поднять свой дух.

Если ребенок и в 3, и в 4 года продолжает безропотно сносить обиды, пожалуй, стоит обратиться к специалисту-психологу.

Отца может расстроить и беспокоить увлечение его двухлетнего сына куклами и игрушечными детскими колясками. На самом деле его волнения преждевременны. В этом возрасте дети еще не разделяют свои занятия на «мужские» и «женские». Лишь к 3 годам они демонстрируют некоторое предпочтение играм, характерным для их пола. К 4 годам эта приверженность укрепляется. Мальчик 3–4 лет иногда подолгу спокойно играет с девочками, особенно если других детей мужского пола в их окружении нет. Тем не менее, играя в дочки-матери, он предпочтет роль отца или сына.

Если мальчик 3, 4, 5 лет избегает компании ребят своего возраста, а в играх с девочками предпочитает женские роли, возможно, он испытывает страх от своего мальчишеского естества и нуждается в помощи врача — психолога или психиатра. В подобной ситуации очень важными становятся теплые и дружественные отношения с отцом — возможно, причиной подобных отклонений стала излишняя материнская опека.

465. Привычка кусаться. Для годовалого ребенка совершенно естественно укусить мать за щеку. Режущиеся зубы заставляют грызть все подряд. В моменты усталости у малыша желание кусаться становится только сильнее. Я не вижу ничего странного, если ребенок между годом и двумя укусит сверстника, причем это может быть как выражением гнева, так и проявлением дружеских чувств.

Между 2 и 2,5 года все зависит от того, насколько часто происходят попытки пустить в дело зубы, и от того, как ребенок ведет себя в остальное время. Если он доволен жизнью, если он открыт окружающим, то случайный укус во время шутливой борьбы не стоит принимать близко к сердцу. Но когда он вечно чем-то недоволен, постоянно напряжен и пристает к сверстникам без каких-либо видимых причин, значит, что-то не в порядке. Возможно, его дома держат в ежовых рукавицах, не дают шагу спокойно ступить, надоедают замечаниями и придирками; возможно, он редко общается с другими детьми и те представляются ему источником опасности и угрозы; возможно, наконец, он испытывает ревность в семье и вымещает свои страхи и обиды на других детях, словно и они выступают в роли его соперников. Если вы оказались в подобной ситуации и никакие меры не помогают, обратитесь за помощью к детскому психиатру (см. пункт 577).

Матери спрашивают, должны ли они укусить ребенка в ответ. Вам будет легче справляться с малышом, если вы сохраните спокойное настроение, а не опуститесь до его уровня и станете кусаться, шлепать его или кричать. Кроме того, годовалый малыш тут же вообразит, что вы решили с ним побороться или поиграть. Если же вы укоризненно на него посмотрите, то лишь разбудите в нем черные чувства. Лучше всего, заметив в следующий раз знакомый блеск в глазах, дать ему понять, что вам не нравятся его действия и вы не позволите ему так играть.

466. Обиженный ребенок. Когда ребенок расстроен или обижен, ему хочется, чтобы родители успокоили его, да и взрослые чувствуют потребность в этом. Это естественно и закономерно.

Иногда родителей, которые хотят вырастить ребенка сильным и бесстрашным, терзает мысль, что их излишняя снисходительность к капризам сделает из него кисейную барышню. Но проявление родительского сочувствия вовсе не мешает ребенку стать самостоятельным и уверенным в себе. После 6 лет он и сам приложит все силы, чтобы поменьше обращаться за помощью к матери.

Плакса, который при малейшей неприятности начинает рыдать в три ручья, как правило, имел проблемы в раннем детстве. Он оказывается полностью зависимым от родителей в результате сильной опеки и угнетения его самостоятельности. Иногда мать, сама того не желая, относится к ребенку излишне сурово и проявляет материнскую нежность, лишь когда он плачет от боли или от обиды. Разумеется, выход не в том, чтобы оставаться строгой, когда малышу плохо, напротив, ей надо быть отзывчивой и ласковой, когда у малыша все в порядке. С другой стороны, очень уж сильное беспокойство и страх родителей перед ушибами, порезами и прочими причинами боли могут передаться ребенку, и он будет бояться всего и вся.

Не стесняйтесь быть нежной и внимательной, когда малыш чем-либо огорчен или напуган. Но и не падайте в обморок при виде любой царапины; как только ребенок сможет, пусть возвращается к обычным своим занятиям.

Отец — товарищ и воспитатель

467. Сыну нужен доброжелательный и понимающий отец. И сыновьям, и дочерям необходимо общество отца, они должны получать удовольствие в его компании, заниматься с ним разными делами. К сожалению, чаще всего, когда папа приходит с работы, у него остается одно желание: завалиться на диван с газетой. Однако если он понимает, насколько важно для детей провести с ним вместе некоторое время, думаю, он преодолеет усталость и поиграет хоть чуть-чуть с малышом. Конечно, во всем следует придерживаться меры, и я вовсе не советую папе (а равно и маме) насиловать себя и доводить до изнеможения играми и разговорами. Лучше 15 минут с улыбкой на лице поиграть или побеседовать с малышом, а потом сказать: «А теперь дай папе почитать газету», чем с унылым и хмурым видом целый день проходить с ним по зоопарку.

Иногда отец настолько поглощен идеей сделать из ребенка совершенство, что это мешает ему радоваться их взаимному общению. Например, если папа хочет, чтобы из сына вырос настоящий атлет, он с самого раннего возраста берет его с собой поиграть в мяч. Разумеется, поначалу у малыша не получится как следует ловить и бросать мяч. Услышав при каждой неудаче критическое замечание отца, пусть даже сделанное в самой непринужденной и дружеской форме, малыш почувствует себя неловким и неумелым. Все удовольствие от игры пропадет. Кроме того, это роняет его в глазах отца и в своих собственных. Мальчик без принуждения займется спортом, если он общителен и уверен в себе. При этом ему больше нужны знаки одобрения со стороны отца, чем обучение тем или иным приемам. Игра должна нравиться и сыну, и отцу, доставлять удовольствие обоим.

Мальчик растет мужественным не потому, что родился с мужским телом. Основным побудительным мотивом поступать по-мужски становится его желание копировать действия взрослых мужчин и старших ребят, к которым он испытывает привязанность. Но он не испытает такого желания, пока не удостоверится в ответной любви и симпатии. Если малыш чувствует, что раздражает отца, что тот в его обществе теряет терпение, то он замыкается в себе и испытывает неловкость в обществе других особ мужского пола. Постепенно мать становится ему ближе и он перенимает ее манеры и привычки.

Если отец хочет вырастить сына настоящим мужчиной, ему не следует излишне опекать малыша, когда тот заплачет, он не должен встречать насмешкой игру, больше подходящую для девочек, или насильно вовлекать в занятия физкультурой. Он должен радоваться присутствию сына, показывать ему близость их интересов, делиться с мальчиком некоторыми своими тайнами, совершать с ним вдвоем дальние прогулки.

О проблемах ребенка, который растет без отца, рассказано в пунктах 779 и 780.

Роли отца в воспитании дисциплины посвящен пункт 483.

Кое-что еще о взаимоотношениях отца и ребенка вы найдете в пунктах 512–516.

468. Девочке тоже нужен добрый и внимательный отец. Для сына отец является прежде всего объектом для подражания. Не менее важна роль отца и в развитии девочки, хотя роль эта насыщена совсем другим содержанием. Дочери, конечно, не пристало подражать папе, но ее самоощущение как девочки, а позже и женщины во многом определяется тем вниманием, которое ей уделяет отец, одобрением ее внешности, поступков, мыслей и чувств. От него совсем немного требуется — похвалить ее платьице, прическу, с благодарностью съесть кусок пирога, который она испекла. Когда дочь подрастет, отец не должен отмахиваться, если она высказывает свое мнение, а еще лучше будет, если он поделится с нею своими мыслями. Как только она начнет встречаться с парнями, очень важно с одобрением высказаться о ее выборе, даже если в душе вам эта партия не кажется подходящей.

Когда девочка оценивает мужские качества отца, она готовит себя к взрослой жизни в мире, половина которого состоит из мужчин. От ее взаимоотношений с отцом в детском возрасте во многом зависит, с какими мальчиками она будет дружить и как будет развиваться эта дружба, какого юношу она полюбит и как сложится ее жизнь в браке.

469. Игры в меру. Большинство отцов любят устраивать с малышами веселую возню и никогда не встречают в этом отказа. Но дети слишком легко возбудимы, и часто за бурным весельем приходят ночные кошмары. Следует иметь в виду и впечатлительность детей в возрасте 2–4 лет. В это время их симпатии и антипатии, любовь и страхи легко выходят из-под контроля. Кроме того, у детей бывает размыта граница между реальностью и вымыслом. Если отец изображает медведя или разбойника, то в глазах ребенка он и есть медведь или разбойник. Малышу нелегко такое вынести. Следовательно, не надо пытаться даже в шутку пугать ребенка, не надо и затягивать возню, хотя он настойчиво требует продолжения. Старайтесь избегать игры в охоту либо борьбы, лучше просто немного покувыркаться. Сразу же прекращайте возню, как только почувствуете, что ребенок возбужден.

470. Не дразните ребенка. Как правило, мужчины более склонны к агрессии, чем женщины. Нормы поведения в обществе требуют от них контроля над собой. Когда мужчина рассержен на своего приятеля или партнера по бизнесу, он не может, например, ударить его. Зато насмешка считается допустимой. Многие мужчины отлично владеют подобным искусством, и когда ребенок чем-то разозлит отца, тот в сердцах иногда начинает дразнить малыша. Ребенок чувствует себя униженным и неспособным адекватно ответить на насмешку. Поддразнивание — слишком жестокий метод общения с ребенком.

Сон

471. Отход ко сну должен доставлять ребенку радость. Есть большая разница между детьми, которые отправляются в постель довольными, и теми, кто ложится спать со спорами и капризами.

Старайтесь, чтобы время, предшествующее сну, проходило мирно и спокойно. Учтите, что ребенок с удовольствием и охотой отправиться спать, если вы сами не превратите эту процедуру в скучную обязанность. Старайтесь излучать спокойную уверенность. Малыш должен видеть, что ложиться спать в назначенный час так же необходимо, как дышать. Но не будьте и твердокаменны — иногда (в праздничный вечер или в день рождения) позвольте ребенку немного сдвинуть время сна.

И тем не менее именно в момент отхода ко сну чаще всего возникают наиболее ожесточенные споры матери и ребенка. Не так сложно убедить малыша лечь подремать днем, сразу после обеда, — у него просто не хватает времени увлечься играми. Труднее обстоит дело по вечерам: между ужином и сном обычно вклиниваются такие события, как купание или возвращение отца с работы.

Пока ребенку не исполнится 3–4 года или пока он не повзрослеет настолько, чтобы у него возникало желание самому отправляться в постель, не пытайтесь уговаривать его, а лучше мягко подведите к кроватке и помогите раздеться. Совсем маленьких ребятишек можно отнести на руках. Но в любом случае развлеките малыша разговорами.

Дети младшего возраста очень любят, когда их отход ко сну обставляют как особый ритуал. Например, сначала мама с ребенком укладывают в игрушечную кроватку куклу. Потом в свою постель ложится малыш с плюшевым мишкой. Потом ребенка накрывают, и все завершается поцелуем на ночь. Затем мама загораживает лампу или гасит свет. Ни в коем случае не комкайте эту процедуру, даже если очень спешите. (С другой стороны, не разрешайте малышу затягивать дело до бесконечности.) Ваши движения не должны быть резкими, в разговоре не повышайте тона. Если у вас есть время, регулярно читайте ребенку на ночь сказку, но не выбирайте сюжетов с чудовищами и злыми колдуньями. Большинство детей засыпают быстрее, если вместе с ними класть какую-нибудь мягкую игрушку.

472. Сколько времени должен продолжаться сон? В младенческом возрасте ребенок сам мог определять продолжительность сна в соответствии с нуждами своего организма. После двух лет на это рассчитывать трудно. Несмотря на насущную потребность в сне малыш не может заснуть из-за нервного напряжения, вызываемого самыми разными причинами: страхом перед одиночеством, боязнью темноты и ночных кошмаров, опасением намочить постель, возбуждением после бурного, полного волнующих открытий дня. Его могут терзать воспоминания о недавнем соперничестве со старшим братом или ревность к младшей сестре. Он бывает взвинчен ссорой с матерью, не давшей ему досмотреть интересный фильм по телевизору, или волнуется по поводу предстоящей на следующий день контрольной в школе. Как устранить все эти страхи и тревоги, мы обсудим ниже, а здесь я хотел лишь показать, что бессонница ребенка вовсе не означает, что сон ему не нужен.

В двухлетнем возрасте ребенок должен спать в среднем 12 часов ночью и один или два часа днем. Дневной сон постепенно сокращается, и в 6 лет потребность в нем исчезает. Продолжительность же ночного сна остается постоянной. В промежутке между 6 и 9 годами сон становится короче на 1 час. Если ребенок встает в 7 часов утра, он должен ложиться в 8 часов вечера. До 12 лет можно дважды сократить на полчаса длительность сна, после чего ребенок будет отправляться в постель в 9 вечера. Мы здесь упоминаем средние цифры — некоторым детям нужно больше времени на сон, некоторым — меньше.

Многие дети уже в 3–4 года отказываются спать днем, но все же большинство до 6 лет нуждается в небольшом отдыхе после обеда. В школах, где работают опытные педагоги, такой отдых предусмотрен в классах для шестилеток.

Продолжительность ночного сна и необходимость в послеобеденном сне зависят от характера и темперамента каждого ребенка.

Проблемы сна в младенческом возрасте рассмотрены в пунктах 301 и 302; то же для детей до 2 лет в пунктах 500 и 502; после 3 лет— в пункте 517.

Домашние обязанности

473. Исполнение обязанностей должно приносить удовольствие. Как научить ребенка выполнять различные дела по дому? Выйдя из младенческого возраста, малыш сам хочет научиться самостоятельно одеваться, чистить зубы, подметать пол, убирать вещи на свои места — ведь это очень интересно, и так он больше похож на взрослых. Если родители поддерживают подобные стремления, то ребенок с удовольствием будет приносить дрова для камина, вытряхивать половички, выполнять другие поручения, которые ему по силам, потому что он чувствует свою нужность в доме и видит, что доставляет этим удовольствие родителям. Почти все мы (не исключая и автора этой книги) не в состоянии воспитывать наших детей так, чтобы они постоянно были рядом с нами и принимали участие во всех наших делах. Но если мы осознаем, что дети всей душой хотят быть полезными, то нам скорее удастся сделать их хорошими помощниками по хозяйству и не превратить домашние дела в скучную и неприятную обязанность, о которой приходится напоминать по двадцать раз.

Вам не стоит рассчитывать, что ребенок будет четко и неукоснительно выполнять все, что вы ему поручите. Даже в 15 лет трудно этого ожидать. Ведь и взрослые время от времени пренебрегают своими обязанностями. Малышу нужно иногда напоминать о том, чего от него ждут. При этом запаситесь терпением и говорите с ним спокойно и вежливо, как если бы вы говорили с равным себе по возрасту человеком. Сварливый, укоряющий тон — вот что убивает всю радость ребенка от порученного дела, вот что снова превращает его из взрослого, каким он выглядит в своих глазах, в несмышленого и неумелого младенца. Очень разумно предложить малышу дело, которое он мог бы выполнять вместе с другими членами семьи, например вытирать посуду или собирать скошенную на лужайке траву. Здесь старание ребенка будут подстегивать и «взрослость» задания, и общество родителей.

474. Самостоятельное одевание. Впервые малыш пробует самостоятельно раздеться между годом и полутора. Обычно он пытается снять носок и тянет его кончик по направлению к своему животу. Естественно, пятка застревает, и у него ничего не получается. Но уже к 2 годам он вполне осваивает процедуру раздевания. Теперь ему очень хочется научиться одеваться, но поначалу он путается в вещах. Еще примерно год ему потребуется, чтобы правильно надевать простые предметы одежды, и еще год (до 4 или 5 лет), чтобы добиться успеха в тонких операциях — застегивании пуговиц и завязывании шнурков.

В этот период, от 1,5 до 4 лет, от вас требуется максимально проявлять такт. Если вы не позволите малышу делать то, чему он уже научился, или будете постоянно вмешиваться и поправлять его, то лишь разозлите его. Если вы вообще не предоставите ему возможность учиться, пока ему это интересно, то он просто потеряет всякое желание развивать свое умение. Вы ничего не добьетесь, если бросите ребенка на произвол судьбы, — он и одеться не сможет, и окончательно расстроится от сознания неудачи. Помогайте ему, но ненавязчиво, делайте только то, с чем он не справляется. Наденьте носок наполовину и дайте ему натянуть его до конца. Разложите всю одежду в ряд, чтобы он знал, с чего начать. Пока он надевает что-то сам, займитесь более трудными процедурами, продолжая разговаривать с ним. Если ребенок перепутает какие-либо операции, не заставляйте его повторять, а поправьте сами, чтобы он мог продолжать без вашей помощи. Он почувствует, что вы заодно с ним, а не против него, и это лишь укрепит его желание сотрудничать. Тем не менее учтите: от вас потребуется масса терпения.

475. Наведите порядок после игры. Когда ваш ребенок еще слишком мал, а вам нужно после него убрать игрушки, превратите это в новую игру. Громко и весело скажите: «Длинные брусочки сложим в эту стопку, а квадратные — в другую. Представь, что здесь будет гараж, и все машинки отправляются сюда спать». Когда ребенку исполнится 4 года, у него уже сформируется привычка все складывать по своим местам. Часто он будет делать это даже без напоминания. Но если малыш сам не справляется, обязательно помогите ему.

Предложив трехлетнему малышу: «Убери на место свои игрушки», ничего кроме скуки вы у него не вызовете. Даже если сам процесс ему нравится, в этом задании он не видит целесообразности. Кроме того, в его возрасте желание перечить маме развито особенно остро.

Если же вы с веселым видом поможете малышу разложить по местам его вещи, то не только сохраните с ним добрые отношения, но и сэкономите свое время, которое ушло бы на пререкания.

476. Копуши. Если вы хоть раз в жизни видели, как мать мольбой и криком, посулами и угрозами пытается заставить медлительного ребенка скорее вставать, скорее одеваться, скорее завтракать, скорее собираться в школу, вы дадите самую страшную клятву сделать все, чтобы не оказаться на ее месте. Но ребенок не рождается копушей, а постепенно становится им, и главную роль в этом процессе играют постоянные понукания, выражающиеся примерно в таких фразах: «Ну скорее же заканчивай есть», «Сколько раз я еще должна повторить, чтобы ты шел спать». Эти постоянные напоминания быстро входят в привычку и вызывают в ребенке желание изо всех сил им противостоять. Родители признаются, что если они не будут ворчать на свое чадо, он никогда и никуда не будет успевать. Это порочный круг, но большинство родителей, тем не менее, в нем оказывается. Чаще в ловушку попадает мать. Она более нетерпелива и в то же время ее мучит зуд покомандовать мужчинами. Обычно она даже не осознает, насколько вялым и безынициативным растит своего сына.

В раннем возрасте, пока ребенок еще не понимает устных указаний, вы должны пройти с ним все приемы и процедуры. Став постарше, он сам захочет выполнять свои обязанности. Как только вы это заметите, тут же покиньте сцену. Напомните о себе, если малыш о чем-нибудь забудет. Когда он пойдет в школу, дайте ему понять, что это его работа, на которую нельзя опаздывать. Будет лучше, если вы специально позволите ему раз или два опоздать на занятия и понять, к чему ведет его медлительность. Ребенок переживает свои опоздания гораздо сильнее, чем его мать, поэтому урок он запомнит надолго.

Из моих слов не следует делать вывод, что я выступаю за полную анархию и предлагаю ребенку самому определять свой распорядок дня. Все как раз наоборот. Я считаю, что он должен сидеть за столом, когда подан обед, и вставать утром в положенное время. Но не надо дергать малыша каждую минуту, дайте ему поступать по-своему, ненавязчиво напоминайте ему о том, о чем он забудет, поправляйте его, если он сделает что-то не так. Главное, не начинайте говорить ему о его обязанностях заранее, когда он еще не приступил к их выполнению, и не повторяйте ему о них по нескольку раз.

477. Давайте ребенку возможность иногда повозиться в грязи. Маленький человечек увлечен массой вещей. После некоторых занятий он становится грязным как поросенок. Но эти занятия приносят ему огромную пользу. Ребенок, например, любит копаться в земле, лепить куличики, плескаться в воде, налитой в раковину. Он любит кататься по траве, месить руками мягкую глину. Когда у него появляется возможность делать все это, он приходит в приподнятое настроение, становится добрее к окружающим, т.е. испытывает то же, что взрослый человек, слушая прекрасную музыку.

Ребенок, которому родители не позволяют пачкать одежду и создавать вокруг себя небольшой беспорядок, не сможет нормально развиваться. Если он в детстве будет бояться грязи, то позже станет излишне подозрителен и осторожен. Из него не получится свободной личности, с теплотой относящейся к окружающим и по-настоящему любящей жизнь.

Конечно, нельзя позволять ребенку делать все, что ему в голову придет. Но даже останавливая его, избегайте неодобрительного выражения лица; лучше весело предложите ему другое интересное занятие, более приемлемое с вашей точки зрения. Если вы нарядно одели малыша на прогулку, а он вдруг захотел построить домик из песка, предложите ему сначала переодеться. Если он нашел в чулане старую кисть и решил произвести дома «ремонт», посоветуйте ему начать с ванной, покрытой кафелем, и дайте тазик с водой, которая станет для него «краской».

478. Постепенно ребенок овладеет хорошими манерами. Воспитание вежливости надо начинать не с того, чтобы учить ребенка говорить «здравствуйте» и «спасибо». Сначала внушите ему доброе отношение к людям. Иначе даже внешние признаки этикета прививаются с большим трудом.

Далее следует избавить малыша от ситуаций, когда бесцеремонное поведение взрослых ставит его в неловкое положение. Вот в доме появился новый человек. Первым делом вы хотите показать ему вашего малыша и заставить его произнести что-нибудь. Это желание особенно сильно, когда в семье растет первенец. Но если речь идет о двухлетнем ребенке, то следует знать, что в этом возрасте дети при встрече с незнакомцем испытывают сильное смущение. Оно охватывает их уже в тот момент, когда вы здороваетесь с не известным малышу человеком: он чувствует, что сейчас все внимание будет приковано к нему. Пока ребенку не исполнилось 4 лет, в начале. беседы с новым для него человеком старайтесь не касаться тем, связанных с ним. Малыш, понаблюдав несколько минут, как мать разговаривает с посторонними, вдруг сам вмешается в разговор, заявив, например: «В нашем туалете вода вдруг как польется из унитаза! И все оказалось на полу». Он, конечно, вовсе не собирался шокировать гостя; это естественное желание поделиться с другими поразившим его фактом. Не кричите, не заставляйте его тут же замолчать, тогда он довольно скоро перестанет дичиться в присутствии взрослых, научится общаться с ними и не будет вгонять вас в краску.

Наконец, очень важно, чтобы члены семьи, где растет ребенок, уважительно относились друг к другу. Малыш будет впитывать эту теплую атмосферу. Ему самому захочется сказать «спасибо», потому что так говорят остальные, и говорят искренне. Ему будет доставлять удовольствие снимать шапочку, приветствуя женщину, потому что отец всегда при встрече с дамой приподнимает шляпу, а ему так хочется быть похожим на папу.

Разумеется, надо учить ребенка, как проявлять свое внимательное отношение к окружающим. Если вы делаете это доброжелательно, зерна воспитания упадут на благодатную почву. Всем нравятся вежливые дети, с хорошими манерами, и никто не будет рад встрече с грубым и невоспитанным ребенком. Родители должны помочь ребенку стать человеком, которому все будут рады и которого все будут любить. Одобрение окружающих еще более укрепит в малыше добрые чувства.

Обучать малыша хорошим манерам желательно наедине, а не в присутствии многочисленных свидетелей.

Дисциплина

479. Путаница в умах по поводу дисциплины. Педагоги и психоаналитики, детские психиатры и психологи провели множество исследований в области психологии ребенка за последние полвека. Газеты и журналы с результатами этих исследований идут нарасхват: родителям не терпится узнать о последних достижениях науки. Постепенно мы открыли много нового в наших детях: больше всего на свете им нужна любовь их родителей; они прикладывают все свои силы, чтобы больше походить на взрослых; многие из попавших в беду взрослых людей в детстве страдали от недостатка ласки, а не от недостатка наказаний; дети лучше усваивают школьные дисциплины, которые преподаются с учетом их возраста и вдобавок учителями, понимающими их нужды; ревность в отношении братьев и сестер и гнев на родителей нельзя считать чем-то экстраординарным и не стоит стыдить детей за проявление этих чувств; слишком жесткое подавление детской агрессии и сексуального интереса ведет к неврозам; работа подсознания влияет на поведение детей не меньше, чем работа сознания; каждый ребенок — самостоятельная личность и, как личность, требует уважения к себе.

Сейчас все эти идеи звучат вполне обыденно, но в момент их появления они буквально шокировали. Многие из них шли вразрез с давно устоявшимися взглядами. Естественно, невозможно было круто изменить представления родителей о природе и нуждах ребенка и в то же время оградить их от перегибов и перехлестов. Тех родителей, чье детство прошло безмятежно, и кто уверен в своих силах, как правило, не собьешь с толку. Они, разумеется, знакомятся с новыми идеями и не видят причин от них отказываться. Но на практике они действуют так, как в этом случае поступили бы их собственные родители. Поэтому в воспитании своих детей они достигают того же успеха, который был достигнут в их собственном воспитании. Самый лучший способ научиться воспитывать детей — просто провести свое детство счастливо.

Новые методы педагогики с трудом воспринимают те взрослые, которым в детстве не повезло с родителями. Их воспоминания о семье и об отношениях с родителями представляют смесь обиды и вины. Им невыносима мысль, что и у собственных детей о них сложится тот же тяжелый образ. Поэтому такие родители с надеждой хватаются за все новые рекомендации. Часто они даже видят в новых теориях то, чего не предполагали их авторы. Например, они делают вывод, что любовь — это единственное, в чем нуждаются дети; что их нельзя заставлять слушаться взрослых; что нельзя ограничивать детей в выражении агрессивных чувств по отношению к родителям и посторонним; что в любых конфликтах между детьми и родителями виноваты взрослые; что детей нельзя наказывать за плохое поведение, а нужно лишь еще сильнее демонстрировать свою любовь к ним. Такой односторонний взгляд на проблемы воспитания не приведет ни к чему хорошему. Следуя ему, родители растят своих детей черствыми эгоистами. Из-за него ребенок мучится чувством вины за свою грубость и непослушание. Он заставляет родителей заниматься всепрощенчеством. Когда ребенок ведет себя плохо, родители тратят немало сил, чтобы подавить злость, но иногда гнев бурно выплескивается наружу. Потом на смену гневу приходит чувство вины и горячего желания вымолить у ребенка прощение. В результате ребенок становится настоящим тираном (см. пункт 480).

Некоторые родители, сами получившие хорошее воспитание, позволяют своим детям совершенно недопустимо вести себя не только по отношению к ним, но и к посторонним людям. Похоже, они просто не понимают, отчего это происходит. Если вдуматься, то ситуация, скорее всего, выглядит следующим образом. В детстве их заставляли быть послушными, не давали разрядиться от копившегося раздражения и недовольства. Теперь они испытывают подсознательную радость, что их чадо может выплеснуть наружу те чувства, которые им приходилось прятать в себе, и якобы находят подтверждение своей позиции в новых теориях воспитания.

480. Чувство вины у родителей и проблемы поведения детей. Существует много ситуаций, когда родители испытывают чувство вины в отношении своего ребенка. О некоторых из них рассказано в пунктах 26 и 27. Можно привести еще несколько наглядных примеров: мать, которая идет работать и в глубине души считает, что этим она обделяет ребенка вниманием; родители детей-инвалидов; семья с усыновленным ребенком, члены которой считают, что они должны быть более добрыми к малышу, чем настоящие родители; взрослые, которых в свое время воспитывали в суровых условиях и которые постоянно чувствовали себя виноватыми, пока им не удавалось доказать обратное; родители — профессиональные педагоги, которые знают обо всех подводных камнях и желают на практике доказать, что не зря тратили время на студенческой скамье.

Какова бы ни была причина, следствие всегда одно: чрезмерная снисходительность к ребенку с точки зрения дисциплины. Отец или мать слишком мало требуют от него и слишком много — от себя. (Здесь имеет смысл поговорить о роли матери, поскольку она больше занята ребенком, хотя то же самое касается и отца.) Часто мать из последних сил старается хранить терпение и оставаться доброжелательной, даже когда ребенок ее не слушает, или она проявляет нерешительность, когда от нее требуется твердость.

Ребенок не хуже взрослого понимает, когда его поведение выходит за рамки, даже если мать закрывает на это глаза и не реагирует должным образом. Поэтому в душе его мучит чувство вины. Ему хочется, чтобы его остановили. Но, если этого не происходит, он ведет себя все более вызывающе, как бы спрашивая: «Ну какую шалость я еще должен сделать, чтобы вы заметили и прекратили все это?»

В конце концов поведение ребенка становится настолько невыносимым, что мать взрывается. Она кричит на него, даже наказывает. Однако беда родителей, все время чувствующих себя виноватыми, заключается в том, что, даже с опозданием отреагировав на плохое поведение, они тут же начинают жалеть о своей несдержанности. Поэтому, не поразмыслив спокойно о происшедшем, мать тут же отменяет наказание или даже пытается просить у ребенка прощения. Ребенок снова начинает вести себя неподобающе, но ей легче этого не замечать, чем снова пережить гнев, стыд и раскаяние. Иногда, если ребенок исправляется, она сама провоцирует его на грубость, разумеется, не замечая этого.

Все это может показаться вам слишком сложным и даже надуманным. Если вы не можете представить себе родителей, которые закрывают глаза на убийство, совершенное их чадом, и даже стараются выручить его, значит, вы никогда не мучились чувством вины. На самом деле это не такая уж редкая проблема. Многие чуткие и совестливые родители время от времени выпускают вожжи, когда им кажется, что они были к ребенку несправедливы или недостаточно внимательны. Но большинство, как правило, быстро восстанавливают душевное равновесие. Однако, если мы слышим от матери: «Все, что делает или говорит этот ребенок, ужасно злит меня», — можете быть уверены, что перед вами личность, которая постоянно мучится чувством вины; в любой ситуации она будет либо излишне строга, либо излишне снисходительна, и такое ее поведение спровоцирует ребенка на непослушание. Малыш никогда сам по себе не придет в раздражение. И если мать трезво оценит, в каких случаях можно быть либеральной, а в каких нельзя, и при необходимости проявит твердость, то с радостным удивлением обнаружит, что ребенок не только стал более послушным, но и более веселым, добрым и счастливым. Ребенка нужно любить по-настоящему, и он непременно ответит тем же.

481. Будьте дружелюбны и тверды. Ребенок должен знать, что его родители добры и ласковы, но у них есть свои права, они умеют быть твердыми и не позволят ему быть грубым и непослушным. Осознав это, ребенок будет относиться так же и к остальным людям. Избалованный ребенок несчастен даже у себя дома. А оказавшись за его пределами, будь то в два года, четыре или шесть, он испытает настоящий шок. Малыш вдруг увидит, что никто не собирается петь ему дифирамбы; более того, окружающих возмущает его себялюбие. И ему придется либо всю жизнь страдать от всеобщей антипатии, либо трудно и долго учиться нормальному общению с людьми.

Родители могут иногда позволить ребенку немного злоупотребить их добротой — во всяком случае, пока не иссякнет их терпение, но затем следует строго остановить его. Однако лучше бы они не допускали ни первого, ни второго. Родители, не забывающие о чувстве собственного достоинства, всегда настоят на своем, не теряя при этом дружеского расположения. Например, когда ребенок хочет продолжить вашу совместную игру, а вы устали, не бойтесь сказать ровным и твердым тоном: «Знаешь, я устала и хочу почитать. Ты тоже можешь взять свою книжку, и мы почитаем вместе».

А вот другой пример. Ваш сын играет на прогулке с машиной другого мальчика. Тот собирается домой и хочет взять игрушку. Ребенок начинает капризничать. Если вам не удалось перевести его внимание на другой предмет, не бойтесь просто подхватить его и унести — пусть даже он несколько минут поплачет.

482. Не бойтесь сказать ребенку, что признаете за ним право сердиться на вас. Если ребенок грубит вам, когда он чемто расстроен или ревнует к вам свою младшую сестру, вы должны оборвать его и заставить извиниться. В то же время скажите малышу, что знаете о его минутном раздражении и что такое случается с любым ребенком. Возможно, вам кажется это неудобным — вы словно отменяете свой выговор. Педагогическая наука считает, что ребенок лучше себя чувствует и лучше ведет себя, если родители разумно обосновывают свои требования. Кроме того, ребенок понимает: вам известно о его раздражении, но вы воспринимаете это как норму и не начинаете относиться к нему хуже. Это помогает ему преодолеть свой гнев, не заставляет испытывать вину или страх. Умение провести грань между неприязненными чувствами и соответствующими действиями очень важно в практическом воспитании детей.

483. Отец тоже должен воспитывать ребенка. Отец, родители которого вели себя очень сурово, мог бы сказать: «Я не хочу, чтобы мой ребенок относился ко мне так же плохо, как я к своему отцу». Следуя этому принципу, он старается избегать любых конфликтов с ребенком и неприятную миссию поддержания дисциплины оставляет матери. Даже если поведение сына возмущает отца, он сожмет зубы и промолчит. На самом деле это слишком высокая плата за дружбу с сыном (или за ее видимость). Ребенок знает, когда своим поведением огорчает родителей или нарушает установленные правила, и ждет, чтобы его поправили. Если отец пытается скрыть свое неодобрение или раздражение, малыш теряет психологическую ориентировку. Папа тоже нервничает: он понимает, что подавленный гнев когда-нибудь вырвется наружу (и в этом он недалек от истины). Исследования в центрах детской психологии показывают, что ребенок больше боится отца, который самоустранился от поддержания дисциплины, чем строгого, но и справедливого. В последнем случае мальчик расплачивается за свое непослушание, узнает, что хотя наказание не приносит радости, но и не смертельно, — таким образом атмосфера в семье улучшается. Итак, отец должен быть своему сыну не только другом, но и строгим воспитателем.

484. Будьте решительны. Бывает, мать по любому поводу обращается к ребенку с вопросами: «Может быть, ты сядешь и позавтракаешь?», «Ты будешь одеваться?», «Не хочется ли тебе пи-пи?» У ребенка от года до трех будет только один ответ: «Нет». Затем бедной маме приходится убеждать малыша делать то, что должно выполняться без всяких вопросов. На пререкания уходит много времени. На вашем месте я не предоставлял бы такому маленькому ребенку права выбора. Когда приходит время садиться есть, не прерывая начатого раньше разговора, возьмите его за руку и ведите в столовую. Когда вы видите, что ему нужно в туалет, отведите его туда или принесите горшок. Перед тем как положить его спать, без дополнительного объявления начинайте расстегивать одежду.

Это вовсе не значит, что следует заставлять ребенка безусловно исполнять вашу волю. В любом случае, когда вы отрываете малыша от его занятия, лучше проявить побольше такта. Если, например, ваш полуторагодовалый сын увлечен попытками вставить круглую палочку в отверстие колесика в момент, когда наступило время ужина, перенесите его за стол, не отнимая игрушек, и затем замените их ложкой. Если ваш ребенок не засыпает, продолжая играть в постели с игрушечной собачкой, обратитесь к нему не с вопросом, а с предложением: «Собачка устала. Отпусти ее спать». Если вам нужно начать мыть трехлетнего сына, который катает по полу гостиной машинку, скажите ему, что короткие маршруты машинке надоели и ей, наверное, хочется отправиться в более далекое путешествие в ванную. Если вы показываете искреннюю заинтересованность в его занятиях, он скорее ответит вам желанием сотрудничать.

По мере того как ваш ребенок будет расти, он перестанет однозначно негативно относиться к вашим просьбам. Теперь, перед тем как прервать любое его занятие, постарайтесь заранее предупредить его об этом. Например, ваш четырехлетний сын строит из кубиков военный корабль. Подойдите к нему и попросите: «Установи на корабль пушки, я хочу посмотреть, как они стреляют, прежде чем ты пойдешь спать». Так вы скорее добьетесь успеха, нежели молча схватите его в охапку и потащите в постель, когда самое интересное в игре еще впереди. Не лучший способ сохранить мир в семье и сердитое замечание, как будто вы ничего не видите в творчестве ребенка, кроме устроенного в комнате беспорядка. Правда, все это требует большого терпения, которого почему-то часто вам не хватает.

485. Не мучьте ребенка лишними объяснениями. Многие малыши в возрасте от года до трех буквально замучены многочисленными запретами. Мать двухлетнего мальчика пыталась управлять его поведением с помощью уговоров: «Джекки, не трогай лампу. Ты сломаешь ее, и доктор не сможет осматривать больных». Джекки с беспокойством разглядывает лампу и бормочет: «Не сможет осматривать». Минуту спустя мальчик пытается открыть входную дверь. Мама предупреждает: «Не открывай дверь, Джекки. Ты потеряешься, и мама не сможет тебя найти». Бедный Джекки размышляет над новой опасностью и повторяет: «Не сможет найти». Для малыша вредно узнавать за столь короткое время о таком большом количестве грядущих несчастий. Не следует после этого удивляться болезненному воображению ребенка. Вообще не стоит пугать двухлетнего малыша возможными неприятными последствиями его поступков, поскольку в этом возрасте он познает мир через действия и их результаты и предполагаемое воспринимает как фатальное. Я вовсе не советую вам оказаться от попыток предупреждать ребенка с помощью слов; важно лишь, чтобы он смог правильно понять вас.

Вспоминаю одну исключительно добросовестную маму. Она считала, что любой свой поступок ее трехлетний ребенок должен выполнять сознательно. Когда подходило время прогулки и ей следовало бы просто одеть его и вывести на улицу, она спрашивала: «Может быть, наденем пальто?» «Нет», — отвечал малыш. «Но ведь нам нужно выйти на улицу и подышать свежим воздухом». Он так привык к маминым объяснениям любого своего шага, что тут же пускался в пререкания. «Зачем?» — спрашивал мальчик, хотя вовсе не хотел этого знать. «От свежего воздуха ты станешь сильным и не будешь болеть». «Почему?» — снова спрашивал ребенок. И так далее, день за днем. Эти беспредметные споры и нескончаемые объяснения не делали ребенка более послушным и не добавляли матери авторитета в его глазах. Он чувствовал бы себя спокойнее, если бы мать уверенно, без лишних слов заставляла его делать обычные вещи.

Пока ребенок мал, старайтесь сделать все, чтобы предотвратить его контакт с опасными или запрещенными предметами, переключайте его внимание на интересные и безопасные занятия. Потом, став постарше, он будет вполне довольствоваться вашим «Нет, нельзя». Если малыш сам попросит что-нибудь объяснить ему, найдите для этого простые слова. Но не начинайте обосновывать любое свое распоряжение или просьбу. Ребенок и сам понимает, что у него еще недостает опыта, и рассчитывает на вашу защиту от любой опасности. Поэтому он хорошо себя чувствует под вашей опекой, лишь бы она не была чрезмерной и не сопровождалась руганью и нотациями.

486. Вспышки ярости. Почти всех детей в возрасте между годом и тремя изредка охватывают приступы гнева и раздражения. Ребенок уже ощущает себя в некотором роде самостоятельной личностью со своими собственными желаниями и потребностями. Когда эти желания встречают отказ, он начинает сердиться. Однако пока малыш не пытается спорить с тем из родителей, кто его обидел, — как поспоришь со взрослым человеком во много раз сильнее тебя! Да и инстинкт драчуна в ребенке еще не развит.

Когда ярость начинает закипать в нем, малыш хлопается на пол, начинает орать, стучать по полу ногами, руками, а иногда и головой.

Если подобные приступы происходят редко, особого вреда они не приносят и обычно связаны с переживаемым разочарованием. Если же они случаются регулярно, возможно, это связано с переутомлением либо с хроническим физическим недомоганием. Частые приступы ярости, скорее всего, говорят о том, что мать не умеет проявить в воспитании необходимого такта. Чтобы узнать, не способствуете ли вы возникновению приступов, ответьте на несколько вопросов. Есть ли в том месте, где вы гуляете с ребенком, возможность без помех побегать, полазать, поползать? Достаточно ли в доме игрушек, не часто ли вам приходится запрещать малышу брать те или иные вещи? Не подталкиваете ли вы невольно ребенка к сопротивлению, уговаривая надеть рубашку, вместо того чтобы самой натянуть ее, или спрашивая, не хочет ли он в туалет, вместо того чтобы отвести его туда или принести горшок? Когда вы прерываете игру на прогулке, поскольку пришло время отправляться домой, то делаете это со строгой миной или предлагаете ему заманчивую альтернативу? Чувствуя приближение истерики, вы готовы встретить ее или постараетесь перевести внимание ребенка на что-либо приятное ему?

Вам вряд ли удастся полностью избежать приступов ярости у ребенка. Мать имеет право на слабости, и ее терпение и такт небезграничны. Если все же с ребенком случилась истерика, не впадайте в панику — пусть все идет. как идет. Получив одну уступку, в следующий раз он устроит спектакль специально. Спорить с малышом тоже бесполезно — он в это время просто не в состоянии что-либо понимать. А начав сердиться, вы лишь подольете масла в огонь. Лучше всего помочь ребенку отступить, но сохранить при этом свое достоинство. Некоторые дети быстро успокаиваются, стоит матери выйти по своим делам. Другие, более самолюбивые, долго показывают характер, крича и беснуясь по целому часу, дожидаясь, пока мама первой сделает шаг к примирению. Когда самый пик бури пройдет, можете заглянуть к ребенку и сделать какое-нибудь заманчивое предложение.

Бывает весьма неприятно, когда истерика случается с ребенком где-то в людном месте. В этом случае хватайте его и несите прочь, в уединенный уголок, где вы оба могли бы остыть.

Бурные приступы плача, во время которых ребенок задыхается, синеет и может даже на мгновение потерять сознание, лишь свидетельствуют о его темпераменте. Они пугают мать, но ей следует научиться переносить их не теряя головы, хотя бы с помощью мер, описанных выше. В противном случае ребенок сделает их своим оружием.

487. Можно ли обходиться без наказаний? Ответ на этот каверзный вопрос таков: подавляющее большинство родителей считают, что ребенка время от времени надо наказывать. С другой стороны, некоторые родители успешно справляются с проблемами воспитания, вовсе не прибегая к наказаниям. Главное в выборе средств и методов — как воспитывали самих родителей. Если их самих наказывали за дело, то и они не считают грехом наказать своего ребенка в аналогичной ситуации. А если они росли только на положительных примерах взрослых, то попытаются так же обращаться со своими детьми.

Как ни грустно, приходится признать, что многие дети не прочь пошалить. Однако некоторые родители пресекают плохое поведение с помощью наказания, другие этого не делают. Итак, нельзя однозначно сказать, что наказания всегда помогают. Но нельзя утверждать и обратное: отсутствие наказаний полностью решает проблемы детских шалостей. Поведение ребенка зависит от того, что вкладывают родители в само понятие дисциплины.

Прежде чем поразмышлять о самих наказаниях, заметим, что они никогда не были основным элементом обучения дисциплине. Это лишь дополнительный и весьма жесткий способ напомнить ребенку, что родители от своих слов отступаться не намерены. Мы знаем множество детей, которых шлепали, ставили в угол, лишали удовольствий, но это не помешало им вырасти никудышными людьми. Многие рецидивисты половину своей взрослой жизни провели за решеткой, но, как только они освобождаются, тут же оказываются замешанными в новом преступлении.

Дисциплинированные дети растут в семьях, где царит взаимная любовь — они сами любимы и научатся любить других. Мы стараемся быть добрыми с людьми, надеемся сотрудничать с ними, потому что они нам нравятся и мы хотим так же нравиться им. (Преступники вырастают в семьях, где их никто не любил, зато часто унижали.) Примерно с трех лет ребенок перестает отнимать у соседей игрушки и начинает делиться с ними своими сокровищами не потому, что так учит его мать (хотя и это очень важно), а потому, что общение с другими детьми начинает приносить ему удовольствие.

Другим важным фактором формирования характера ребенка является его желание во всем походить на родителей. Между тремя и шестью годами он очень хочет выглядеть вежливым, воспитанным и прилагает к этому немалые усилия (см. пункты 512, 513). Это время, когда мальчик учится быть общительным с мужчинами, храбрым в момент опасности, самоотверженным и благородным в отношениях с женщинами, преданным своей работе, — он приобретает те качества, которые отличают его отца. Так же и девочка старается быть полезной в доме, любить детей (хотя бы и в виде кукол), нежной с остальными членами семьи, как ее мать.

Благодаря любви к родителям и желанию быть на них похожими дети приобретают много хороших качеств, взрослые делают для их воспитания еще очень и очень много. Здесь уместно сравнение с автомобилем: ребенок, как мотор, крутит колеса, но поворачивать руль должен взрослый. Ребенок в своем поведении руководствуется добрыми мотивами, но у него еще нет опыта, поэтому его «машина» может заехать в кювет. Родителям приходится учить малыша: «Не переходи здесь улицу, это очень опасно», «Не играй этой штукой, ты можешь нечаянно кого-нибудь ударить», «Скажи "спасибо" тете», «Надо идти домой, потому что пора обедать», «Ты не можешь взять домой мячик, потому что он не твой», «Чтобы вырасти большим, ты должен много спать» и т. д., и т. п. Ваш успех в воспитании во многом зависит от того, насколько вы последовательны в своих требованиях (людей, совсем не меняющих своих взглядов, на свете не бывает), насколько искренни вы бываете в своих словах (а не попусту сотрясаете воздух), насколько серьезны основания для ваших требований к ребенку или запретов (или это простая демонстрация вашей власти над ним).

Итак, родители должны твердо вести ребенка по правильному пути. Конечно, нельзя спокойно наблюдать, как ребенок что-то ломает, а потом за это его наказывать. К наказанию приходится прибегать, когда система ваших воспитательных мер дает трещину. Возможно, малыш нарушил ваш запрет двухмесячной давности, поддавшись соблазну проверить, действует ли он еще. А может быть, он злится и нарочно ведет себя плохо. Не исключено, что по глупой небрежности он испортил любимую вами вещь или недостаточно вежливо прервал какое-то ваше занятие. Возможно, вам едва удалось выхватить его из-под колес машины, потому что он, переходя улицу, считал ворон. Во всех таких случаях вас охватывает гнев, и вы наказываете ребенка или, по крайней мере, готовы это сделать.

Вы можете считать, что наказание достигло цели, если ребенок выполнил то, чего вы от него добивались, без каких-либо неприятных последствий. Несправедливо наказанный ребенок обычно злится и ведет себя еще хуже, чем прежде. После слишком строгого наказания малыш выглядит расстроенным и подавленным. Каждый ребенок реагирует на наказание по-своему.

Бывает, ребенок случайно или по небрежности разобьет гарелку или порвет одежду. Если у него хорошие отношения с родителями, он переживает случившееся не меньше. В таких случаях наказание окажется излишним (возможно, следует слегка утешить его). Если же вы будете ругать расстроенного ребенка, то на место огорчения придет злость и желание спорить и оправдываться.

Если ребенок постарше постоянно балуется за столом и в результате что-нибудь из посуды оказывается на полу, предложите ему на его карманные деньги купить новую вещь взамен разбитой. После 6 лет дети уже чувствуют определенную ответственность за свои проступки, и справедливое наказание не вызывает у них протеста. Но до 6 лет применять наказание в виде «ответственности за последствия» следует осторожно, а до 3 лет этого и вовсе не следует делать. У малыша нельзя культивировать чувство вины. Обязанность родителей — предотвратить беду, а не выступать строгим судьей после того, как неприятность произошла.

В прошлые времена шлепки по заднему месту были одним из самых распространенных видов наказания, и никто особенно не задумывался о последствиях. Затем это стало считаться слишком унизительным для ребенка. Однако отказ от подобной «меры воспитания» не решил всех проблем. Удержавшись от того, чтобы не нахлопать малыша, рассерженные родители все равно тем или иным способом проявят свое раздражение, например, полдня дуясь на ребенка. Я не агитирую за телесные наказания, но пара шлепков принесет меньше вреда, чем натянутая атмосфера в доме, угнетающе действующая и на родителей, и на ребенка. Возможно, вам приходилось выслушивать советы о том, что нельзя бить ребенка под горячую руку, сначала, мол, нужно самому успокоиться. Мне кажется, что заставить плакать малыша, когда ваша злость уже прошла, чересчур жестоко.

Некоторые родители считают эффективным наказанием запирать малыша на время в его комнате. Против подобных мер можно возразить, поскольку впоследствии ребенок будет воспринимать свою комнату как тюрьму. Лучше поставить его на несколько минут в угол или посадить на специальный стул.

Если можно, старайтесь воздерживаться от угроз. Подобные меры воздействия лишь ухудшают поведение ребенка. Возможно, вам покажется разумной, например, такая реплика: «Если ты не прекратишь кататься по проезжей части, я спрячу твой велосипед». Но этим вы как бы допускаете, что ребенок может вас не послушаться. На него большее впечатление произведет твердое требование уйти с проезжей части, тем более если он знает, что вы не отступитесь от своих слов. Тем не менее, если вы чувствуете необходимость прибегнуть к столь радикальным мерам, как лишение ребенка на несколько дней его любимого велосипеда, честно предупредите его об этом. Сильнее всего, однако, способствуют падению родительского авторитета угрозы, которые вы не собирались выполнять или которые нельзя исполнить. Ни в коем случае не пугайте детей злыми великанами или полицейскими.

488. Родители, которые не справляются со своим ребенком и часто наказывают его, нуждаются в помощи. Некоторые родители порой теряют контроль над поведением ребенка. Они жалуются, что «ребенок их не слушается», что он «просто невыносим». Наблюдая за поведением такой матери, вы первым делом замечаете, что она по-настоящему не пытается заставить ребенка слушаться, хотя и думает, что прилагает для этого все силы. Мать грозит ребенку страшными карами, сердится на него, постоянно наказывает, но никогда не выполняет своих угроз. Другая, на 5—10 минут заставив ребенка слушаться, снова отпускает вожжи. Третья, начав выговор, не заканчивает его из-за приступа смеха. Четвертая, наконец, непрерывно кричит на малыша, призывая в свидетели соседку и спрашивая у той, видела ли она когда-нибудь более непослушного ребенка. Подобные родители и не ждут, что дети начнут их слушаться, и, конечно, не могут придумать эффективного способа изменить их поведение. Более того, они сами провоцируют неподчинение детей, а все их попытки наказать ребенка становятся выражением бессильного отчаяния. Как правило, эти люди в детстве редко слышали похвалы в свой адрес, их редко поощряли за хорошее поведение. В результате они не уверены в себе и не верят в добрую натуру своих детей. Им необходима психологическая помощь со стороны врачей и детских психологов.

Ревность и соперничество

489. Ревность способствует формированию характера ребенка, хотя и доставляет боль. Ревность оказывает сильнейшее эмоциональное воздействие на взрослых, а уж дети страдают еще сильнее, поскольку им непонятно, что их мучит.

Сильная ревность может на некоторое время сделать ребенка несчастным. Но это одна из сторон жизни, и ее невозможно полностью исключить. Поэтому родителям не следует рассчитывать на невозможное. Тем не менее они многое способны сделать, чтобы на смену боли и обиды пришли более светлые чувства. Если ребенок поймет, что не следует бояться соперничества, его характер станет тверже, он научится с честью выходить из ситуаций, где придется бороться за первенство, будь то на работе или в семейной жизни.

490. Помогите ребенку почувствовать себя взрослым. Большинству детей с появлением в доме новорожденного хочется снова оказаться младенцами, и ничего необычного в таком поведении нет. Они готовы питаться из бутылочки, мочатся в кровать и в штанишки, начинают намеренно коверкать слова, притворяются беспомощными и неумелыми. Думаю, родителям надо быть терпеливыми и с юмором отнестись к подобным проявлениям в поведении малыша. Можно, приняв условия игры, взять малыша на руки, отнести к нему в комнату и даже раздеть его. Если ребенок увидит, что его выходки не встречают противодействия, они потеряют для него всю свою прелесть и быстро наскучат.

Однако будет лучше, если родители сумеют раскрыть перед старшим ребенком те преимущества, которые дает его возраст. Почаще напоминайте ему, какой он большой, сильный, умный, каким интересным вещам он уже научился. Разумеется, не надо преувеличивать его возможности, но при любом удобном случае найдите способ искренне похвалить его. Время от времени с сожалением в голосе жалуйтесь старшему ребенку на беспомощность младшего.

Здесь нельзя перебарщивать, поэтому избегайте прямых сравнений, чтобы ребенок не подумал, что вы предпочитаете его младшему брату или сестре. На время это польстит ему, но в перспективе он станет относиться к вам с подозрением — вдруг вы перенесете свои симпатии с него на малыша. Демонстрируйте свою любовь к обоим. Я лишь хотел указать, как важно дать старшему ребенку почувствовать гордость за тот опыт, что он уже приобрел, и понять, что не так уж приятно быть маленьким.

Не переусердствуйте и в другом. Если родители все время будут говорить о вещах, соблазнительных для старшего ребенка, как о доказательстве его «детскости» и в то же время восхвалять то, к чему равнодушен, как о доступном только взрослым, то ему и в самом деле захочется вернуться в ранний возраст.

491. Используйте чувство соперничества себе на пользу. Чтобы заглушить боль от ревности к младшему члену семьи, старший ребенок иногда представляет себя не ровней малышу, а третьим «родителем». Когда он недоволен поведением малыша, он ведет себя как рассерженный отец. Но в хорошем настроении он будет учить маленького делать те или иные вещи, будет давать ему игрушки, будет помогать при кормлении, купании и переодевании, будет успокаивать малыша, когда тот плачет, и защищать от опасностей. Он с головой уходит в эту роль без какого-либо нажима с вашей стороны. Но вы укрепите его дух, если поблагодарите за помощь, когда он этого даже не ожидает, если покажете, как ценны его усилия. Как-то мать двоих близнецов рассказала, что не смогла бы справиться с ними, если бы не помощь ее трехлетней дочери, — женщине даже не надо было притворяться, поскольку ее благодарность была совершенно искренней. Совсем маленький ребенок может сходить за банным полотенцем, принести свежие пеленки, достать бутылочку из холодильника. Он может присмотреть за малышом, если матери нужно на время выйти из комнаты.

Почти всем детям нравится держать младенцев на руках, но мамы опасаются, как бы старший не уронил маленького. Если посадить обоих на пол (подстелив ковер или одеяло), на большое мягкое кресло или на середину широкой кровати, то не страшно, если старший выпустит младшего из рук.

Таким образом родители могут на деле погасить в ребенке ревность и зависть, помочь ему превратить свою неприязнь к новорожденному члену семьи в бескорыстное сотрудничество.

Обычно «родительские» чувства характерны для первенца в семье. До появления младшего ребенка он был центром всеобщего внимания, и у него нет опыта делить любовь мамы и папы с другими детьми. Среднему ребенку нет необходимости выбирать, кем ему быть: «родителем» или «ребенком», когда семья увеличивается еще на одного человека. Он остается просто одним из детей, как было до сих пор. Я думаю, что именно благодаря потребности опекать малыша первенцы впоследствии сами становятся добрыми и чуткими родителями и часто выбирают такие профессии, как педагог, воспитатель, врач, связанные с уходом за другими людьми.

492. Подготовьте ребенка к появлению в доме новорожденного. Для ребенка будет лучше заранее узнать, что у него появится младший братик или сестричка — если, конечно, он уже достаточно большой, чтобы понять, о чем идет речь. Постепенно он привыкнет к этой мысли и менее болезненно переживет первые, самые трудные моменты. Не обещайте ему, кто родится — мальчик или девочка, иначе неоправдавшиеся ожидания подорвут его веру в родителей. Как ответить ребенку на вопрос, откуда берутся дети, вы узнаете из пунктов 530–534. Большинство педагогов и детских психологов высказывают мнение, что ребенку достаточно лишь знать, что младенец растет в теле матери, а потом выходит из него. Ребенку младше двух лет даже это трудно объяснить.

Появление в доме младенца не должно сказаться на укладе жизни старшего ребенка, особенно если других детей в доме нет. Все перемены лучше произвести за несколько месяцев до появления новорожденного. Если маленького собираются поместить в комнату старшего, то в новую комнату надо переехать заранее, чтобы это не выглядело, будто маленький его выжил; представьте дело так, что он стал слишком большим для старого помещения. То же касается его кровати. Если вы намереваетесь отправить ребенка в детский сад, то в первый раз отведите его за пару месяцев до планируемого увеличения семейства. Ничто так не отвращает ребенка от садика, как мысль, что от него просто хотят избавиться. Зато когда он привыкнет к новой обстановке и ему там понравится, то изменения в домашнем укладе не повлияют на него серьезно.

Условия, в которых находится ребенок во время пребывания матери в роддоме, во многом определяют его отношение к ней и новорожденному. Очень важно, кто ухаживает за ним в этот период. Об этом рассказывается в пунктах 501, 773 и 778.

493. Когда мама с младенцем оказываются дома. Возвращение мамы с малюткой из родильного дома обычно сопряжено с изрядной суматохой. Она устала и озабочена. Отец суетится, стараясь быть хоть чем-то полезным. Старший ребенок в одиночестве стоит в сторонке, чувствуя, как в душе растет беспокойство. Так это и есть его новая жизнь?

Чтобы избавить ребенка от переживаний, хорошо бы в первый день организовать для него длительную прогулку. Когда час спустя после прибытия матери все вещи разложены по местам, когда она сама немного отдохнула, ребенок может вернуться. Мамочка обнимет его, немного с ним поговорит, и ничто не будет ее отвлекать. Предварительно подготовив ребенка, можно затронуть и тему новорожденного.

В первые недели постарайтесь проявить такт и не уделяйте младенцу слишком много внимания. Не показывайте своего волнения, не упоминайте о нем слишком часто. По возможности кормите, купайте или переодевайте маленького, когда старший отсутствует, например гуляет или спит после обеда. Многие дети испытывают настоящие приступы ревности, когда мать кормит младенца, особенно грудью. Когда старший ребенок дома, не запрещайте ему входить в комнату, где находятся мать с младенцем. Если же он увлечен игрой в соседнем помещении, делайте свое дело, стараясь не привлекать его внимания.

Если он вдруг выскажет желание попробовать молочной смеси из бутылочки, не отказывайте ему, дайте одну из приготовленных для грудничка. Глядя на старшего ребенка, который от зависти пробует пищу младенца, испытываешь противоречивые чувства. Он-то ведь думает, что маленькому дают райскую пищу. Но, когда ребенок наберется духу и сделает глоток, на его лице появляется откровенное разочарование. Это же обычное молоко, да еще пахнет резиной, а тянуть его из бутылки трудно. Если мать не будет удерживать старшего и поможет ему разными способами избавиться от жгучей ревности к младшему ребенку, он еще несколько раз повторит свои попытки и скоро откажется от них.

Чтобы победить детскую ревность, в игру должны включиться и другие члены семьи. Когда отец возвращается вечером домой, он должен подавить в себе желание первым делом спросить старшего ребенка: «Ну, как сегодня наш маленький?» Лучше притвориться, что он вообще забыл о младенце, сесть в кресло и поделиться со всеми своими новостями. Позже, когда старший отвлечется на свои дела, можно встать и не спеша подойти к колыбельке. Бабушка, которая до этого всей душой была предана старшему ребенку, тоже должна учитывать особенности момента. Если она приходит в гости, прижимая к груди большой пакет, перевязанный шелковой лентой, и вместо приветствия обращается к внуку с вопросом: «Где наша маленькая? Я принесла ей подарок», — то вспыхнувшая в душе ребенка радость от встречи с любимой бабушкой сменится горечью. Когда к матери приходят гости взглянуть на младенца, то она должна иметь наготове коробку с недорогими сувенирами и игрушками и тихонько сунуть гостье какой-нибудь пустячок, чтобы старший ребенок не оказался обойденным вниманием, если посетители сами не догадались принести подарок.

Старший ребенок — не только девочка, но и мальчик — часто копирует уход матери за младенцем в играх с куклой. Он «подогревает» бутылочку с молоком, как делает мама, подбирает вещи, которые заменяют ему одежду и другие предметы ухода за младенцем. Но игра не заменяет настоящей помощи матери, а лишь дополняет ее.

494. Ревность проявляется в различных формах. Если ребенок берет в руку игрушку и бьет ею маленького, мать знает, что такое поведение вызвано ревностью. Ребенок может повести себя иначе. Пару дней он без особой радости наблюдает за младенцем, а потом заявляет родителям: «Отвезите его обратно в больницу». Другой пример ревности к младшему ребенку: чтобы выместить всю свою обиду на матери, старший горстями достает из камина золу и с деловым видом разбрасывает ее по ковру в гостиной. Ребенок иного темперамента начинает грустить, теряет интерес к прежде любимым играм, ходит хвостом за матерью, одной рукой держась за ее юбку, а палец другой засунув в рот. Он снова начинает мочиться ночью в постель, а днем пачкает штанишки. Иногда ревность ребенка как бы вывернута наизнанку. Он принимает близко к сердцу все, что касается младшей сестры. Увидев собаку, он говорит: «Малышке нравится собачка»; заметив своих приятелей на велосипедах, он объясняет им: «У малышки тоже есть велосипед». Он расстроен, но не признается в этом даже самому себе. Такому ребенку помощь взрослых еще более необходима, чем детям, которые знают причину своего плохого настроения.

Некоторые родители радуются: «Нам совсем не приходится сталкиваться с проявлениями ревности: Джонни души не чает в своей сестренке». Это замечательно, когда старший ребенок демонстрирует свою любовь к младшему, но про ревность забывать все равно нельзя. Она может быть скрытой или проявляться лишь в особых обстоятельствах. Старший нежен с маленьким дома, но злится, когда на прогулке посторонние люди умиляются им. Ребенок много месяцев не показывает ни малейших признаков недовольства, пока в один прекрасный день младенец не подползет к его игрушкам и не возьмет одну из них. Иногда перемена отношения к маленькому происходит, когда тот впервые встает на ножки и начинает ходить.

Бывает, слышишь от матери: «Джонни очень любит свою сестричку, иногда он так сильно сжимает ее в объятиях, что она даже начинает плакать». Не следует считать это простой случайностью — ребенка обуревают сложные чувства.

Следует учитывать, что ребенок испытывает одновременно и любовь, и ревность к младшему, показывает ли он свои чувства или скрывает их. Нельзя игнорировать ревность или пытаться открыто подавить ее, например, пристыдив ребенка. Вы должны сделать так, чтобы главное место в отношении старшего к маленькому заняла любовь.

495. Как бороться с различными проявлениями ревности.
Когда старший ребенок нападает на маленького, мать, как

правило, бывает неприятно поражена и старается усовестить его. Ваши усилия не увенчаются успехом по двум причинам. Во-первых, неприязненное отношение ребенка объясняется страхом, как бы мать не отдала маленькому любовь, прежде принадлежавшую ему. Когда мать в сердцах заявляет, что не любит его таким, он лишь сильнее ожесточается на малыша. Во-вторых, после попыток пристыдить ребенка, он прячет ревность, но не избавляется от нее. Скрываемое чувство несет больше вреда душе ребенка и дольше не проходит, чем если бы оно выражалось открыто.

В этот момент вам нужно решить три задачи: защитить младенца, показать старшему ребенку, что вы не дадите волю его злым чувствам и не позволите обижать маленького, и, наконец, успокоить, объяснив, что любите его не меньше, чем прежде. Когда вы увидите, как старший ребенок, вооруженный каким-либо предметом, приближается к малышу с угрозой на лице, быстро схватите его и строго скажите, что он не должен причинять маленькому боль. (Если его застигают в момент совершения плохого поступка, ребенок в душе чувствует себя глубоко виноватым.) Но тут же обнимите его и скажите: «Я знаю, что ты сейчас чувствуешь. Ты жалеешь, что у нас появился маленький, за которым я должна ухаживать. Но ты не должен беспокоиться, я по-прежнему люблю тебя». Осознание того, что мать с пониманием относится к его намерениям (но не действиям) и все так же любит его, лучше всего убедит ребенка в беспочвенности своих страхов и переживаний.

А как поступить с ребенком, который испачкал золой ковер в гостиной? Трудно ждать от матери, что она останется спокойной и не накажет провинившегося. Но если она поймет, что происшедшее стало результатом горького отчаяния, охватившего ее малыша, то она наверняка успокоит его и постарается что-нибудь придумать, чтобы подобное не повторялось.

Самый сложный случай — когда ребенок от ревности впадает в меланхолию. Так реагируют чувствительные натуры, обращенные в себя, и им уверения в любви нужны даже больше, чем детям, склонным к насилию. Малышам, которые не решаются открыто показать, что их что-то беспокоит, возможно, станет легче, если мама ласково скажет: «Я понимаю, что

398

временами ты сердишься на малышку и на меня за то, что я должна уделять ей много времени» и т. д. Если поведение ребенка не изменится, лучше временно нанять няню для младенца, даже если это будет для вас дорого. Чтобы помочь ребенку вновь обрести душевное равновесие, не следует скупиться на расходы.

Ребенка, который носит свои чувства в себе, которому ревность не дает нормально жить, полезно показать детскому психиатру. Возможно, ему удастся сделать так, чтобы ребенок понял, из-за чего он мучится, что теснит его грудь.

Если проявления ревности начинаются только после того, как младший ребенок настолько подрос, что посягает на игрушки старшего, то лучше всего выделить последнему отдельную комнату, где он мог бы держать свои вещи, не опасаясь, что их возьмут без спросу. Если об отдельной комнате речи не идет, пусть отец или столяр сделают комод или шкаф с настоящим замком. Не столько сохранность «сокровищ», сколько ощущение в кармане собственного ключа, которым он, как настоящий взрослый, может открыть свой собственный шкаф, придает ребенку чувство собственной значимости.

Нужно ли заставлять или просить ребенка делиться своими игрушками с младшим членом семьи? Заставлять нельзя ни в коем случае. Предложите отдать малышу старую игрушку, для которой старший стал уже слишком большой. Это польстит ребенку и пробудит его щедрость. Но настоящая щедрость должна идти изнутри, а для этого ребенок прежде должен почувствовать любовь и защиту взрослых. Требования делиться своими вещами лишь усилят переживания ребенка, который чувствует себя брошенным и беззащитным.

Детская ревность ярко проявляется только в относительно раннем возрасте, примерно до 5 лет, ибо в это время ребенок еще сильно зависит от родителей и у него пока нет устойчивых интересов вне семейного круга. После 6 лет ребенок несколько выходит из-под влияния родителей, он больше озабочен тем, чтобы создать себе положение среди друзей. Лишившись в семье первых ролей, он переживает это относительно спокойно. Будет, однако, ошибкой считать, что старшие дети вообще не знакомы с ревностью. Им все равно нужно внимание, нужны проявления вашей любви, тем более в первое время после появления маленького. Слишком чувствительные дети или те, кто еще не нашел себе места во внешнем мире, нуждаются в знаках внимания и любви не меньше, чем малыши. Даже девочка-подросток, которая уже ощущает себя женщиной, может подсознательно завидовать своей новорожденной сестре.

В то же время хочу сделать одну оговорку, которая лишь на первый взгляд идет вразрез с вышесказанным. Многие склонные к рефлексии и переживаниям родители подчас так боятся вызвать ревность своих старших детей и так стараются ее предотвратить, что заставляют их чувствовать себя еще более ущемленными. Взрослые в конце концов начинают мучиться сознанием вины за то, что у них родился второй ребенок, стыдятся, если их застанут в момент, когда они оказывают малышу внимание, бросаются со всех ног удовлетворить любую просьбу старшего. Обнаружив в родителях внутреннюю напряженность, стремление как-то загладить свою воображаемую вину, ребенок тоже теряет покой. Он начинает подозревать какой-то подвох и ведет себя еще более жестоко по отношению как к малышу, так и к родителям. Другими словами, вы должны быть внимательны к старшему ребенку, но не чувствуйте себя виноватыми перед ним и не демонстрируйте своего беспокойства.

496. Насколько нужно ваше внимание младшему ребенку. До сих пор мы говорили о ревности, которая терзает старшего ребенка, и даже упоминали о том, что ради старшего родители временами игнорируют малыша. Новорожденный тоже нуждается в любви и внимании. Однако в первые несколько месяцев он почти все время спит, а минуты, когда ему требуется тепло родительских чувств, достаточно редки. Это помогает матери решить проблемы старшего ребенка. Ведь именно в первое время после появления рядом нового человечка старший особенно хочет удостовериться, что он занимает в семье важное место. Если с самого начала дело поставлено правильно, он постепенно привыкает к малышу и освобождается от связанных с этим тревог. Когда маленький потребует к себе полноценного внимания, старший будет чувствовать себя достаточно уверенно, чтобы безболезненно принять такую перемену в жизни.

497. Ревность между старшими детьми. Ревность почти неизбежна в отношениях между старшими детьми, и если она не примет резких форм, то поможет детям вырасти более терпимыми, независимыми и щедрыми людьми.

Говоря коротко, чем меньше конфликтов происходит между родителями и детьми, тем меньше причин для ревности. Если ребенок не испытывает недостатка в тепле и внимании родителей, то не будет завидовать братьям и сестрам.

Основой душевного равновесия ребенка в семье является его уверенность в том, что родители любят его, принимают его таким, какой он есть: мальчиком или девочкой, умным или глупым, красивым или вовсе непривлекательным. Если кто-то из родителей сравнивает его с братьями или сестрами, вслух или мысленно, он ощущает это, и подобное чувство делает его несчастным, заставляет с неприязнью относиться к другим членам семьи.

Мать, озабоченная соперничеством между братьями и не желающая допускать ссор, порой говорит: «Вот, Джекки, я купила тебе эту красную пожарную машину. И тебе, Томми, я купила такую же машину». Но дети, вместо того чтобы радоваться подарку, тщательно сравнивают обе игрушки, проверяя, нет ли между ними каких-нибудь различий. Замечание матери только дало повод к взаимному соперничеству. С равным успехом она могла заявить: «Я купила вам одинаковые игрушки, чтобы вы не жаловались, что кого-то из вас я люблю больше». А надо было просто сказать: «Я купила эти игрушки, потому что знала, что вы давно о них мечтали».

Чем меньше вы сравниваете детей между собой, чем реже вы ставите в пример одного другому, тем лучше. Если вы говорите сыну: «Почему ты не можешь быть таким же вежливым, как твоя сестра?», — то рождаете в нем неприязнь к сестре, к себе и к самому понятию вежливости. И если вы хотите успокоить одну из дочерей-подростков такими словами: «Не горюй, что у тебя нет поклонников, как у Барбары. Ты гораздо умней ее, и это главное», — то вряд ли добьетесь желаемого.

Вы проявите настоящую мудрость, если не будете **вмешиваться** в стычки между детьми, которые прекрасно сами постоят за себя. Если вы любой ценой постараетесь установить виновного, то один из дерущихся все равно останется в обиде. Все дети, в большей или меньшей степени, прибегают к наушничеству, и причина этого недостойного явления в ревности — каждому хочется завоевать расположение родителей. Когда мать

401

или отец без колебаний готовы принять сторону одного из детей в ссоре, они лишь подливают масла в огонь. Каждый из них надеется, что уж теперь родители похвалят его, а соперника накажут. Если мать решила прекратить драку, то ли боясь, что дети покалечат друг друга, то ли усмотрев явную несправедливость, то ли просто желая покоя для себя, она должна твердо потребовать прекращения «военных действий», отказаться выслушивать взаимные претензии и не наказывать ни одного из провинившихся (за исключением случаев, когда вина одного не вызывает сомнений) и постараться замять это происшествие. В одном случае она может спокойно, но твердо потребовать примирения, в другом — развести соперников по разным углам.

Двухлетний ребенок

Главные особенности двухлетнего возраста

498. Обучение через подражание. В кабинете врача двухлетний малыш сосредоточенно прикладывает мембрану стетоскопа к своей груди. Потом вставляет себе в ухо воронку и теряется в догадках, почему он ничего не видит. Дома он повсюду следует за матерью. Подметает веником пол, когда она занимается уборкой; проводит тряпкой по вещам, когда она вытирает пыль; глядя на нее, чистит зубы. Все это происходит с самым серьезным видом. Семимильными шагами малыш движется вперед, приобретая знания и навыки с помощью постоянного подражания.

В 2 года ребенок еще полностью зависит от матери. Он понимает, от кого исходит его покой и безопасность, и разными способами демонстрирует это. Мать жалуется: «Мой двухлетний мальчик превращается в маменькиного сынка. Он не отпускает моей юбки, когда мы оказываемся на улице. Когда кто-либо заговаривает со мной, он тут же прячется за моей спиной». В этом периоде жизни ребенок часто хнычет с одной целью: показать, как ему плохо без мамочки. Он может вечерами выбираться из кровати, чтобы снова оказаться в кругу семьи, или громко звать маму. Он очень переживает, как только представит, что останется где-то один, без матери, и приходит в полное отчаяние, если она или другой член семьи на несколько дней уедет из дома. Не вызывает в нем радости и известие о переезде в новый дом. Если вы хотите поменять у себя прислугу, старайтесь учесть чувствительность малыша к изменениям в его окружении.

499. В два года ребенок нуждается в обществе сверстников. В этом возрасте у детей еще не приняты коллективные игры. Однако им нравится играть рядом со сверстниками. Очень полезно хотя бы несколько раз в неделю отправляться с малышом в места, где играют другие дети. Если до двух с половиной лет ребенок воспитывался в одиночестве, то он будет несколько месяцев привыкать к компании, пока не научится делиться своими игрушками, не сможет постоять за себя.

Душевные тревоги

500. Боязнь разлуки с матерью. Этот страх охватывает детей в возрасте около 2 лет, особенно если у них нет братьев и сестер. Например, матери пришлось внезапно уехать из дома на пару недель или она решила пойти работать и пригласила приходящую няню для ухода за ребенком. Обычно малыш не проявляет видимого беспокойства в отсутствие матери. Но, когда она возвращается, ребенок может вцепиться в нее как клещ и близко не подпускать никого постороннего. Он безумно боится, что мама опять покинет его. Особенно тяжело переживает ребенок возможную разлуку с мамой, когда ложится спать. Сначала он категорически отказывается лечь в постель, а когда мама выходит из спальни, он может кричать часами. Если она сидит возле кроватки, он успокаивается. Но стоит ей сделать малейшее движение к двери, как ребенок снова оказывается на ногах.

В некоторых случаях возникают проблемы с мочеиспусканием. Ребенок просится на горшок: «Пи-пи». Мама относит его в туалет, он выдавливает из себя несколько капель, но, оказавшись снова в постели, кричит: «Пи-пи!» Резонно объяснить такое его поведение желанием все время быть ближе к маме. Однако дело не только в этом. Дети, которые часто просятся на горшок, очень боятся намочить постель. Иногда тревога по этому поводу заставляет их просыпаться ночью через каждые 2 часа. Ведь в этом возрасте мать подчас демонстрирует свое недовольство мокрыми простынями. И ребенок может вообразить, что, найдя его мокрым, она его разлюбит и захочет бросить. В данном случае у него есть, по крайней мере, две причины, чтобы отказываться ложиться спать.

501. Как избавиться от страха. Дети, с младенчества окруженные людьми, которых поощряли проявлять самостоятельность, в которых развивали общительность, гораздо меньше боятся оказаться в одиночестве.

В возрасте около двух лет старайтесь ограждать своего ребенка от резких перемен. Если можно на полгода отложить длительную поездку или выход на работу, лучше не спешите. Это особенно важно для первенца. Если все же нельзя избежать отъезда, заранее подготовьте вашего ребенка к этому событию. Пусть он как следует привыкнет к женщине, которая будет ухаживать за ним в ваше отсутствие, — не важно, будет ли это ваша родственница, подруга, домработница или няня. Собираясь на это время перевезти ребенка в другой дом, сделайте все, чтобы он привык и к новым людям, и к новому месту. Потратьте на это хотя бы две недели. Пусть ребенок несколько дней проведет с новой няней, но, пока она не завоюет его доверия, не поручайте ей ухаживать за ним. После этого она может выполнять те или иные обязанности по уходу, но объем их должен увеличиваться постепенно. Поначалу не оставляйте малыша на целый день, начните с получасовых отлучек. Ваше скорое возвращение убедит ребенка, что и дальше вы не будете покидать его надолго. Вернувшись из поездки, побудьте с ним не меньше месяца перед следующей отлучкой и не уезжайте, если в это время отсутствует кто-либо еще из его привычного окружения. Ребенку в этом возрасте нужно много времени, чтобы адаптироваться к подобным переменам.

В пунктах 772–778 будет рассказано, как подготовить ребенка к тому, что вы выйдете на работу.

502. Помогите ребенку преодолевать страхи. Если ваш малыш боится лечь в постель, самый простой, но самый трудновыполнимый совет будет таким: тихо сидите возле кроватки, пока малыш не заснет глубоким сном. Не пытайтесь выскользнуть из комнаты раньше времени. Он снова встревожится, и сон окончательно уйдет. Подобные бдения могут продолжаться несколько недель, но в конце концов ваше терпение будет вознаграждено. Если ребенок стал бояться спать из-за вашей долгой отлучки, побудьте дома хотя бы несколько недель. Если вы каждый день должны ходить на работу, на прощание бодро улыбайтесь и оставайтесь совершенно спокойны и уверены в себе. Когда на вашем лице появляется хоть малейшее сомнение в правильности ваших действий, ребенок только укрепится в своих страхах.

Попытки довести ребенка до сильной усталости за счет позднего укладывая в постель или отмены дневного сна частично помогут вам, но не дадут полноценного эффекта, так же как прописанные врачом успокоительные средства. Испуганный малыш может бодрствовать часами даже в состоянии крайнего утомления. Вы должны устранить причину бессонницы — его страх.

Если ребенок боится намочить постель, постарайтесь убедить его в том, что вы не рассердитесь на него за это и будете продолжать крепко любить его.

503. Излишняя опека только усугубляет детские страхи. Ребенок, который боится разлуки с матерью или чего-либо еще, очень чутко подмечает, когда мама тоже обеспокоена. Если она колеблется, чувствует себя в чем-то виноватой, когда вынуждена оставлять его одного, когда она опрометью бежит ночью в его комнату, он как бы получает подтверждение своим опасениям оказаться вдали от нее.

В моих советах нет противоречий. Не отходите от постели засыпающего ребенка, чтобы успокоить его, и отмените на несколько недель возможные поездки. Но ведите **себя** так же, как если бы перед вами был заболевший ребенок. **Мать** должна оставаться веселой, уверенной в себе, не показывать своих волнений и следить, когда в поведении малыша появятся признаки готовности шаг за шагом избавиться от своей чрезмерной зависимости. Всячески поощряйте его усилия в этом направлении, хвалите его при любой возможности. Только так вы позволите ему побороть свои страхи.

Устойчивая связь между гипертрофированным желанием родителей защитить малыша и слишком сильной зависимостью ребенка приводит в младенческом и детском возрасте к различным ситуациям, сопровождаемым страхами, расстройством сна, проявлениями избалованности.

Излишняя опека характерна для родителей с тонкой духовной организацией, которые испытывают вину перед ребенком, даже когда для этого нет никаких реальных предпосылок (см. пункты 27 и 480). Но еще большую роль играет неспособность родителей признаться себе, что временами они испытывают гнев и раздражение по отношению к ребенку (см. пункт 21).

Мать и ребенок, которые сами от себя таят, что в иные моменты питают друг к другу неприязнь, вынуждены искать вне себя воображаемые источники каких-либо неприятностей, всячески преувеличивая их возможные последствия. Ребенок, отрицающий неприязненные чувства в себе и в матери, придумывает для их воплощения колдунов, разбойников, злых привидений, динозавров и других подобных страшилищ в зависимости от своего возраста и фантазии. Он льнет к матери, стараясь найти в ней защиту и одновременно убедиться, что с ней не случилось ничего страшного. Мать в свою очередь подавляет свои черные мысли, выдумывая похитителей детей, различные страшные болезни и несчастные случаи. Она тоже боится отойти от ребенка хотя бы на шаг, чтобы эти опасности миновали ее малыша. Испуганное выражение ее лица показывает ребенку, что его страхи вовсе не лишены оснований.

Разумеется, родители должны искать выход из положения не в том, чтобы всякий раз обрушивать свой гнев на малыша или позволять ему оскорблять их. Ни то ни другое не поможет. Зато наверняка все почувствуют облегчение, если родители осознают неизбежность появления у них мимолетной неприязни к ребенку и законность таких же чувств у малыша и спокойно признаются в них друг другу. Атмосфера в семье станет чище после того, как вы прямо скажете, что разозлились на ребенка — особенно если гнев был несправедлив. Это ни в коем случае не повредит дисциплине, если, конечно, вы не будете переходить разумные рамки. Например, можно сказать: «Я знаю, что ты разозлился на меня, когда я вынуждена была так поступить с тобой».

Стараясь избавить ребенка от страхов, прежде всего научите ребенка их преодолевать. Разумеется, не стоит спешить, когда вы хотите, чтобы ребенок спокойно воспринимал встречных собак, не боялся входить глубоко в воду или самостоятельно ездил в автобусе. Он сам с удовольствием будет все это делать, когда станет старше и смелее. С другой стороны, если он начал посещать детский сад, то, несмотря на его капризы, вы должны настоять, чтобы он не пропускал ни одного дня. Исключение можно сделать, только если он действительно сильно напуган, а не боится остаться без вас. Не позволяйте ему по ночам приходить к вам и залезать в вашу **постель**. Если страх мучит ребенка школьного возраста, то рано или поздно ему все равно надо будет возвращаться в школу, и, чем больше он пропустит занятий, тем труднее ему будет нагонять одноклассников. Когда ребенок боится расстаться с матерью, следует подумать, а не стала ли причиной этого ее излишняя опека, и постараться смягчить последствия. Матери самой это трудно осуществить, поэтому лучше обратиться за консультацией к психологу (см. пункты 577 и 578).

504. Почему малыш плохо засыпает. Мне бы не хотелось создать у вас мнение, что с каждым двухлетним ребенком, который отказывается ложиться в кровать, нужно сидеть, пока он не уснет. Это далеко не так. Сильный страх остаться без матери встречается довольно редко. Обычно это чувство проявляется в довольно легкой форме. Выражается оно двумя способами.

В первом случае ребенок настаивает на мамином присутствии в его спальне. Например, он просится на горшок, хотя был в туалете всего несколько минут назад. Мать, естественно, недоумевает. Она понимает, что это блеф, но, с другой стороны, ей в свое время пришлось потратить много сил, чтобы научить малыша проситься в туалет, и сейчас не хочет нарушать установившийся между ними контакт. Поэтому она говорит: «Ну ладно, в последний раз». Как только он снова оказывается в кровати, а она направляется к двери, раздается новая просьба: «Попить!», причем на лице у ребенка появляется выражение, словно он вот-вот умрет от жажды. Стоит матери уступить, как он будет преследовать ее этими двумя просьбами до поздней ночи. Поведение ребенка говорит о том, что он испытывает **легкое** беспокойство от перспективы остаться в одиночестве. В такой ситуации матери лучше всего спокойно напомнить ему, что он только что справил нужду и попил, и, с улыбкой пожелав ему спокойной ночи, выйти из комнаты. Если мама позволит себе задержаться или будет выглядеть нерешительной, то ее поведение словно даст знать малышу: «Может быть, что-то по-настоящему беспокоит его?» Поэтому не надо возвращаться в спальню, даже если малыш начнет хныкать или кричать, — потерпите, и через несколько минут он затихнет. Пусть он сейчас переживает, зато вам потом не придется бороться с ним.

Со вторым способом выражения детских страхов вы можете столкнуться, когда ребенок научится выбираться из своей кроватки. Малыш лег, и вы уверены, что он уже заснул, как вдруг он появляется в вашей комнате. Будучи уже достаточно сообразительным, в такие моменты ребенок принимает самый невинный вид, который не может не умилить взрослых. Он хочет свернуться калачиком у вас на коленях и поболтать — словно за день у него не хватило на это времени. Понятно, насколько трудно родителям проявить твердость. Однако это необходимо — и немедленно, иначе забава превратится в постоянные стычки, длящиеся иногда часами.

Когда родители не могут справиться с проблемой бегства из кровати, они спрашивают, не лучше ли запирать дверь детской. Мне грустно думать о ребенке, засыпающем в слезах перед запертой дверью. Если на то пошло, то лучше сверху затянуть кроватку сеткой. В магазине спорттоваров можно приобрести сетку для бадминтона. Она длинная и узкая, разрежьте ее и сшейте по длинной стороне. После этого привяжите сетку к перильцам детской кроватки, обращенным к стене, и к спинкам примерно до половины их длины. Свободную часть сетки можно откинуть, прежде чем положить ребенка. Потом натяните сетку и привяжите ее край к ножкам кроватки, чтобы ребенок не мог дотянуться до узлов.

Конечно, с точки зрения психологии это нельзя считать идеальным вариантом. Но я думаю, так будет лучше, чем выносить ежевечерние скандалы. Кроме того, данную меру ни в коем случае нельзя представлять как угрозу или наказание. Натягивание сетки можно сделать игрой: вы скажете малышу, что сооружаете для него домик под крышей, где он будет ночью спать. Уверен, после такого предложения он сам захочет помочь вам. Большинству детей такая идея кажется очень занятной. Когда их положат в постель, они немного повозятся, стараясь вылезти, а через несколько минут поймут тщетность своих попыток и спокойно заснут. Если ребенок испуган вашим сооружением, не настаивайте. Оно также не годится для детей старше 3 лет, поскольку в этом возрасте легко развивается клаустрофобия — боязнь замкнутого пространства.

На мой взгляд, лучше не менять кроватку двухлетнего ребенка на большую. пока он не научится выбираться из нее. Не делайте этого, даже если придется купить другую кроватку для второго малыша. Я знаю много случаев, когда двухлетний ребенок начинал по ночам бродить по квартире, как только его укладывали спать на кровать без ограждения.

Если ребенок боится ложиться спать, попробуйте поставить его кроватку в комнату, где спят его братья или сестры.

505. Ребенок иногда пользуется своими страхами, чтобы шантажировать вас. Малыш льнет к матери, потому что боится остаться без нее навсегда. Но если он заметит, что та в какой-то мере разделяет его страхи и старается его успокоить, то постарается использовать ее озабоченность в своих целях. Например, трехлетние дети, которых отдали в детский сад, часто добиваются не только того, чтобы мать целый день находилась в помещении сада, но и заставляют ее постоянно утешать себя, выполнять различные просьбы и капризы. Через некоторое время такие дети начинают раздувать свои страхи, потому что им приятно командовать мамой. В таком случае вам следует строго предупредить ребенка: «Я думаю, ты уже достаточно взрослый и не должен бояться детского сада. Тебе просто хочется заставлять мамочку выполнять твои прихоти. С завтрашнего дня я не буду здесь находиться».

Дух противоречия

506. Капризы между двумя и тремя годами. В этом возрасте дети часто капризничают и демонстрируют иные признаки внутреннего напряжения. Малыши начинают упрямиться еще годом раньше. Но теперь, после двух лет, ребенок достигает в своем упрямстве новых высот, а его капризы становятся более изощренными. Если годовалый ребенок противоречил матери, то ребенок двух с половиной лет противоречит уже сам себе. Он с трудом вырабатывает свой взгляд на вещи, а затем желает его поменять. Он ведет себя так, словно его замучили поучениями и придирками, хотя на самом деле полностью предоставлен самому себе. Он хочет поступать совершенно определенным образом, только так, как считает нужным и как привык поступать до этого. Ребенка приводит в ярость вмешательство в его дела посторонних лиц, он не терпит, когда кто-нибудь нарушает порядок в его игрушках.

Похоже, основным мотивом действий ребенка между двумя и тремя годами становится стремление к полной самостоятельности решений и противодействие давлению на него извне. Он хочет выиграть обе битвы, но, не имея достаточного опыта, лишь вносит сумятицу в свою душу. Более ярко это проявляется у детей властных родителей. Примерно так ведут себя дети в возрасте 6–9 лет, когда всеми силами стараются выйти из-под влияния родителей, хотят проявить самостоятельность, но боятся в чем-нибудь ошибиться — их неуверенность в себе проявляется в развитии вредных привычек, идущих от расшатанных нервов.

Воспитывать 2–3-летнего ребенка временами просто мучительно. Тем более родители должны проявлять чуткость и понимание. Старайтесь лишний раз не поправлять малыша, не торопить и не подталкивать его. Если ему хочется, пусть пытается одеваться и раздеваться самостоятельно. Начните пораньше купание — пусть у малыша будет время почистить ванну, а потом поиграть в воде. За столом разрешите ему есть самостоятельно, ни в коем случае не проявляйте нетерпения. Если он, не доев, хочет выйти из-за стола, не препятствуйте ему в этом. Когда приходит время идти спать, отправляться на прогулку или возвращаться с нее, говорите ему о разных приятных вещах, которые ждут его. Старайтесь поменьше перечить ему. И, главное, не отчаивайтесь — скоро буря стихнет и вас ожидает приятное плавание.

507. Некоторые дети не выносят одновременного присутствия обоих родителей. Подчас ребенок после двух с половиной лет прекрасно ладит с каждым из родителей в отдельности, но приходит в страшное возбуждение, когда рядом оказываются оба. Отчасти это объясняется ревностью, но есть и иная причина: отвергая попытки командовать собой и стараясь подчинять других своей воле, ребенок вынужден пасовать перед столь явным численным превосходством взрослых. Обычно козлом отпущения становится отец; малыш относится к нему, как к смертельному яду. Но не нужно воспринимать это слишком серьезно. Обстановка разрядится, если временами папа поиграет с ребенком без посторонних, так чтобы малыш увидел в нем не монстра, а человека, который любит его и готов доставить ему удовольствие. Но необходимо дать ребенку понять, что родители любят не только его, но и друг друга, а поэтому не позволят ему поссорить их.

Заикание

508. Между двумя и тремя годами дети часто начинают заикаться. Мы не до конца понимаем природу заикания, но кое-что нам о нем известно. Оно некоторым образом связано с наследственностью и более распространено среди мальчиков. Это означает, что некоторые дети более склонны к нему. Заикание часто возникает у левшей, которых пытаются переучить на правшей. Область мозга, управляющая речью, находится рядом с центром по управлению доминантной рукой. Когда вы насильно заставляете ребенка выполнять основные действия другой рукой, нарушается нервный механизм речи.

Мы также знаем, что на заикание оказывает заметное воздействие эмоциональное состояние ребенка. Часто заикание появляется у нервных детей. Некоторые дети заикаются только в моменты сильного волнения или при разговоре с каким-то конкретным лицом. Позволим себе несколько примеров. Мальчик начал заикаться после того, как в доме появилась его новорожденная сестра. Он никак внешне не проявлял свою ревность, не пытался ударить ее или ущипнуть. Нервное напряжение сказалось таким не совсем обычным образом. У девочки двух с половиной лет появилось заикание после отъезда ее любимого родственника, до этого долго жившего в семье. Через 2 недели заикание прекратилось. Когда семья переехала в другой дом, она ужасно скучала по прежнему месту и опять заикалась некоторое время. Спустя 2 месяца отца призвали в армию. Все были очень расстроены, и заикание возобновилось. Матери делятся наблюдениями, что, когда они чем-либо огорчены, заикание у их детей всякий раз усиливается. Некоторые дети в обычной обстановке нормально разговаривают, но могут заикаться, когда их заставляют выступать перед аудиторией. Иногда заикание начинается у детей, отцы которых ужесточили дисциплину.

Почему же заикание появляется в возрасте между двумя и тремя годами? Есть два возможных объяснения. В это время ребенок очень много работает над развитием своей речи. Пока он был меньше, то пользовался короткими фразами, которые не надо было обдумывать: «Вон едет машина»; «Пойдем гулять» и т. п. Но после двух лет он пытается конструировать более длинные и сложные предложения, чтобы выразить новые мысли. Ребенок по 3–4 раза начинает одну фразу и обрывает ее на середине, потому что не может найти нужного слова. Мама, утомленная его болтовней, не только не пытается помочь ему, но вообще как бы не слышит и, не отрываясь от своих дел, отделывается машинальным: «Угу». Ребенок удрученно замолкает и уходит расстроенный, что не смог заинтересовать аудиторию.

Другой причиной, возможно, является упрямство, характерное для этой очень непростой фазы развития ребенка. Не исключено, что оно влияет и на речь.

509. Что делать при заикании. Заметив, что ваш ребенок заикается, вы, несомненно, расстроитесь, особенно если вы сами или кто-нибудь из ваших близких всю жизнь боролись с этим недугом. Но особых причин для тревоги нет. Девять из десяти ребятишек, у которых заикание появилось между двумя и тремя годами, в течение нескольких месяцев избавляются от него, если дать им для этого шанс. Лишь в самых редких случаях заикание приобретает устойчивый характер. В два с половиной года не пытайтесь поправлять ребенка или учить его, как он должен говорить. Лучше проанализируйте возможные причины, которые могли бы вызвать повышенное напряжение нервной системы ребенка. Если его потрясла длительная разлука с вами, постарайтесь никуда не уезжать от него следующие пару месяцев (см. пункты 501, 502). Если вы предполагаете, что слишком поторопились, заставляя его много говорить, постарайтесь сейчас быть немногословной. Играйте с ним, используя действия вместо слов. Подумайте, достаточно ли у малыша возможностей для игр с другими детьми — со сверстниками дети, как правило, общаются более непринужденно. Достаточно ли у него игрушек дома и на улице, чтобы он мог выдумывать игры без вашей помощи и подсказки? Я отнюдь не считаю, что вы должны в присутствии ребенка молчать, как немая. Когда вы вместе, расслабьтесь и позвольте ему быть лидером. Если малыш говорит вам что-нибудь, внимательно слушайте его, чтобы не обескуражить невпопад сказанным словом. При наличии поводов для ревности сделайте все возможное, чтобы смягчить это чувство.

Заикание, как правило, проходит не сразу, а лишь после нескольких месяцев, причем улучшения будут сменяться обострениями. Так что будьте терпеливы и радуйтесь даже постепенному прогрессу. Если вы не смогли определить, в чем причина заикания, обратитесь к детскому психиатру. Дети бывают косноязычны, но это не имеет никакого отношения к заиканию.

В некоторых школах и клиниках есть логопедические классы и кабинеты, где детям предлагают специальные курсы по исправлению речи. Пребывание там часто оказывается полезным, но не всегда. Такие классы, скорее, подходят для школьников, которые сами понимают необходимость исправить речь и нуждаются всего лишь в некоторой помощи. Ребенка младшего возраста лучше показать детскому психиатру, чтобы тот определил источник нервного напряжения (см. пункт 577).

Обкусывание ногтей

510. Дети грызут ногти при первом напряжении. Обычно этой привычке подвержены легковозбудимые, беспокойные дети. Они начинают обкусывать ногти в моменты сильного волнения, например, ожидая вызова к доске в школе или при просмотре особенно острых эпизодов в приключенческом фильме. Для благополучного в других отношениях ребенка в обкусанных ногтях нет ничего страшного, но задуматься об этом стоит.

Ругая или наказывая ребенка, который грызет ногти, вы не добьетесь успеха больше чем на минуту — ведь он даже не замечает, как начинает этим заниматься. А с точки зрения дальней перспективы репрессии только усиливают нервозность. Так же мало помогает намазывание пальцев горькими составами.

Более действенной может оказаться попытка выяснить, что терзает ребенка в душе, и помочь ему ослабить нервное напряжение. Возможно, вы слишком много ругаете его, возможно, слишком часто делаете замечания, слишком торопите овладеть теми или иными знаниями и навыками. А может, вам не нравится, как он запоминает то, что вы ему говорите. Побеседуйте с учителем об успеваемости ребенка в школе. Если он слишком впечатлителен, не давайте ему смотреть остросюжетные кинофильмы и телепередачи.

Девочке старше 3 лет предложите сделать маникюр. Наверняка это поможет, потому что ей жалко будет портить красивые ноготки.

От трех до шести

Преданность родителям

511. Дети в этом возрасте легко управляемы. Трехлетние мальчики и девочки вступают в ту стадию эмоционального развития, когда отец и мать представляются им самыми замечательными, самыми выдающимися людьми. Эта оценка выражается в том, что ребенок всеми силами старается походить на родителей: делает то же, что и они, подражает им в одежде, включает в свою речь слова, которыми пользуются родители. Двухлетняя девочка, видя, как мать подметает пол, тоже хватается за веник, но ее больше занимает сам процесс. Пятилетняя девочка надевает мамино платье и туфли, но для нее теперь главное не одежда, а то, что внешне она становится похожей на мать, она ощущает себя ею. Малышка действительно становится похожей на мать, даже когда это получается не намеренно. Подобное явление называется идентификацией.

Упрямство, скрытая враждебность по отношению к близким после двух с половиной лет постепенно исчезают. Чувства к родителям теперь становятся не просто дружескими, а наполняются теплотой и нежностью. Но все это отнюдь не мешает детям проявлять непослушание, плохо вести себя. Ребенок не перестает ощущать себя личностью, со своими собственными мыслями и желаниями. Он склонен к самоутверждению, даже если это временами противоречит воле родителей.

Подчеркивая лояльность детей от 3 до 6 лет, я должен сделать некоторую оговорку в отношении четырехлетнего возраста. В этот период в поведении детей преобладает нарочитое стремление к независимости, рисовка, хвастовство, и маме приходится возвращаться к методу твердой руки.

416

512. Мальчик очень хочет походить на отца. В 3 года к мальчику приходит осознание его пола; он понимает, что станет в конце концов мужчиной, как его отец. Это рождает в нем дополнительный интерес не только к папе, но и вообще к мужчинам и мальчикам. Он внимательно наблюдает за лицами мужского пола, подмечает особенности их поведения, внешности, интересов и всячески старается во всем копировать их. Для игр малыш выбирает грузовые машины, поезда, самолеты, «превращает» свой трехколесный велосипед в автомобиль, изображает из себя полицейского, пожарного, строит из кубиков здания и мосты. Он повторяет папины выражения, копируя даже интонацию. Он перенимает стиль общения отца с другими лицами как мужского, так и женского пола. Он готовится играть в будущем роль мужчины со всеми ее особенностями, и поэтому сейчас, относясь с любовью и восхищением к отцу и остальным лицам мужского пола, ловит любые доступные его пониманию особенности их поведения и мировоззрения.

513. Девочка выбирает мать как пример для подражания. Девочка в этом возрасте понимает, что ее судьба — стать женщиной. Мысль об этом волнует и томит ее и заставляет во всем подражать маме и другим женщинам. Девочка переключает свое внимание на уход за домом и заботу о ребенке (кукле), поскольку именно этим в основном занята мама. Играя с куклами, она копирует те же приемы и интонации, которые свойственны маме. Она перенимает отношение матери к мальчикам и мужчинам.

И мальчики, и девочки проявляют теперь повышенный интерес к проблеме своего появления на свет. Когда они узнают, что младенец созревает в чреве матери, и те и другие загораются желанием воспроизвести этот акт создания себе подобных. Им нравится ухаживать за младенцами, всячески выражать свою любовь к ним. Они часами могут играть с младенцем, исполняя роль его отца или матери. Если у ребенка нет ни брата, ни сестры, их заменяет кукла.

Мы, взрослые, обычно недооцениваем тот факт, что мальчик не меньше девочки стремится — и считает себя в состоянии — зачать и родить себе ребенка. Когда родители объясняют ему, что это невозможно, он долгое время отказывается этому верить. «В моем животе тоже созреет маленький ребенок», — утверждает малыш. И он действительно убежден, что если очень захочет, то каким-то чудесным образом у него это получится. В цивилизованных странах мальчиков стыдят и ругают за стремление хоть как-то походить на девочек, поэтому он вынужден подавлять желание родить самому. Считается, что именно эти подавленные желания впоследствии заставляют мужчин выбирать творческие профессии архитекторов, писателей, изобретателей, артистов и музыкантов.

514. Мальчики испытывают любовные чувства к матери, а девочки — к отцу. До сих пор любовь мальчика к матери определялась его сильной зависимостью от нее и мало чем отличалась от чувств младенческого возраста. Но теперь в ней появляются романтические черты, он начинает питать к ней чувства, которые свойственны, скорее, отцу. В 4 года, например, он решает жениться на матери, когда вырастет. Малыш еще не совсем понимает суть брака, но твердо знает, какая из женщин более всего привлекает его на этом свете. У девочки, примером для которой продолжает оставаться мать, развиваются те же чувства к отцу.

Подобная романтическая привязанность способствует духовному росту детей, развивает здоровые чувства к противоположному полу. Все это в будущем поможет детям создать нормальные семьи. Но у этих чувств есть другой аспект, вносящий в жизнь ребенка определенный дискомфорт. Когда мужчина — взрослый или ребенок — сильно любит женщину, он не может избавиться от нежелания делить ее с кем-либо еще. Он не может избавиться от ревности, когда видит, что является частью любовного треугольника. И вот мальчик 3, 4 или 5 лет, обнаружив, что хочет полностью завладеть всеми чувствами матери, одновременно понимает, сколь много из этих чувств принадлежит отцу. И, хотя он любит отца, восхищается им, душу его точит червь ревности. Временами он втайне желает, чтобы отец бесследно исчез, а позже его начинает мучить чувство вины за подобные мысли. Рассуждая как ребенок, он полагает, что и отец должен отвечать ему такой же неприязнью. Он пытается гнать от себя неприятные мысли, поскольку понимает, что отец во всех отношениях более могуществен, но они возвращаются в его снах. Скорее всего, эта гремучая смесь любви, ревности и страха становится причиной ночных кошмаров, в которых его преследуют великаны, разбойники, огромные гориллы и другие чудовища.

Взрослея, девочка также все более хочет стать единственным любимым существом для своего отца. В ней иногда возникает желание, чтобы с матерью, которую он продолжает крепко любить, что-нибудь случилось и они остались с отцом вдвоем. Например, она может заявить матери: «Если хочешь, можешь надолго уехать. Мы с папой отлично управимся сами». Но ей кажется, что мать тоже ревнует ее к отцу, и начинает испытывать глубокие внутренние переживания.

Страх ребенка, что родители сердятся на него за желание покуситься на мужа или жену, смешивается с любопытством по поводу разного телесного устройства мужчин и женщин. Об этом подробнее говорится в пункте 522.

Поскольку все дети проходят в своем развитии эту фазу, вам не стоит беспокоиться. Однако, если ребенок начинает испытывать страх, явную враждебность по отношению к родителю того же пола или, наоборот, желание все время быть близко к нему, следует обратиться за психологической консультацией к специалистам.

515. Любовное влечение к родителям не должно довлеть над всем. Романтические чувства к родителю противоположного пола у детей 3–6 лет позволяют природе сформировать у них позднее чувства, которые понадобятся им во взрослой жизни. Ясно, что было бы противоестественно, если бы эта привязанность тянулась на протяжении всей жизни или даже всего детства. Поэтому в 6 или 7 лет природа дарит ребенку понимание, что ему вовсе не нужно монополизировать права на одного из родителей. Подсознательные страхи по поводу предполагаемого гнева родителей и по поводу половых различий постепенно превращают радость романтических мечтаний в отвращение. С этого времени мальчик начинает сопротивляться, когда мать хочет обнять и поцеловать его. Его интересы переходят на абстрактные объекты, например, на школьные занятия или на увлечение наукой. Он уже не желает походить на папу, а примеры для подражания находит среди сверстников.

Глубокая привязанность к обоим родителям выполнила свою функцию по становлению личности ребенка и теперь безболезненно остается в прошлом. (Фрейд назвал эти изменения разрешением эдипова комплекса.)

Отец, который заметил, что его малолетний сын иногда подсознательно испытывает по отношению к нему неприязнь и страх, не должен пытаться облегчить его страдания, стараясь быть помягче с ребенком, проявляя вседозволенность или притворяясь, что не любит свою жену. Если паче чаяния мальчик увидит, что отец боится проявить силу и твердость, которых ждет от него сын, боится проявить любовь и преданность к его матери, то он согнется под грузом свалившейся на него ответственности за себя и за мать, по-настоящему испугается и начнет испытывать глубокое чувство вины. Ребенку будет не хватать мужественного характера отца, ведь только с его помощью в нем можно воспитать мужественность.

Мать, оказавшись в похожем положении и понимая, что дочь подчас ревнует ее, поможет ей, если будет уверенной в себе, не позволит девочке управлять собой, будет знать, как и когда проявить твердость, и не побоится демонстрировать свою любовь и преданность мужу.

Легко понять, насколько мать усложняет жизнь сыну, если балует его и выражает ему свои чувства более горячо, чем отец. Не легче будет ребенку, если она станет выделять его на фоне мужа. Ведь это способствует возникновению глубокой трещины в отношениях между сыном и отцом и рождает у мальчика страх. Аналогичным образом отец не должен становиться куском мягкой глины в руках дочери, не должен позволять ей делать то, что запрещает мать, и явно предпочитать ее общество обществу жены. Иначе не будет пользы ни матери, ни дочери, поскольку поведение отца разрушит то доверие, которое должно существовать между той и другой и которое поможет девочке стать счастливой в зрелости.

К сожалению, в семье практически невозможно добиться равноправия: отец всегда будет более снисходительным к дочери, а мать — к сыну. В то же время сыну проще с матерью, а дочери с отцом уже хотя бы потому, что между ними нет того соперничества, которое существует между двумя мужчинами или между двумя женщинами.

Мне бы очень не хотелось, чтобы родители излишне углублялись в анализ своих чувств, переживали и мучились. В нормальной семье всегда вырабатывается баланс в отношениях отца, матери, сыновей и дочерей, и благодаря ему все проходят этот этап развития благополучно, без особых усилий и потерь. Я остановился на этой проблеме лишь для того, чтобы немного помочь тем родителям, в семьях которых не складываются отношения, растут противоречия, встает вопрос о дисциплине, растет сын, стесняющийся в компании мальчиков, или дочь, которая не перестает спорить с матерью.

516. Помогите детям пройти этот трудный этап. Дайте ребенку понять, что родители принадлежат друг другу, и сын не должен требовать, чтобы мама любила только его, а дочь не должна заявлять исключительных прав на отца. В то же время успокойте ребенка, сказав, что знаете о его черных мыслях и не сердитесь на него за это.

Когда мальчик заявляет, что хочет жениться на матери, она должна показать, что польщена его предложением. Затем надо объяснит ребенку, что мать и так уже замужем, а он, когда вырастет, найдет себе хорошую девушку, подходящую ему по возрасту.

Находясь вдвоем, родители не должны разрешать ребенку вмешиваться в их разговор. Твердо, но без резкостей скажите, что вам надо обсудить свои проблемы, и предложите ему пока заняться каким-нибудь делом. Имейте достаточно такта, чтобы в его присутствии воздерживаться от слишком бурного проявления взаимных чувств (как вы поступаете в присутствии посторонних людей). Но не следует отталкивать друг друга и краснеть от стыда, если ребенок неожиданно войдет к вам в комнату.

Когда ребенок грубит отцу, потому что испытывает к нему ревность, или матери, видя в ней объект своей ревности, родители должны заставить его быть вежливым. Но одновременно скажите, что понимаете его чувства — этим вы облегчите ему душу (см. пункт 482).

517. Почему ребенок плохо спит. Многие проблемы со сном в возрасте от 3 до 6 лет, как показали исследования в детских клиниках, вызваны романтическим влечением к родителям и мучительной ревностью. Ребенок каждую ночь может приходить в спальню родителей и проситься в их постель, поскольку неосознанно боится оставлять их наедине друг с другом. И для него, и для родителей будет лучше спокойно, но без колебаний вернуть его в собственную постель.

Любознательность и воображение

518. В этом возрасте любознательность ребенка не знает границ. Он хочет узнать обо всем, на что ни упадет его взгляд. Из всего он делает свои заключения. Все увиденное или узнанное он примеряет на себя: например, заметив поезд, он спрашивает: «А я когда-нибудь поеду на поезде?»; услышав о какой-то болезни, хочет знать: «А я могу ею заболеть?»

519. Немного воображения не повредит. Когда ребенок 3—4 лет рассказывает выдуманную им историю, он не лжет в общепринятом смысле, а живет своими фантазиями. Ему самому до конца не ясно, где кончается реальность и где начинается вымысел. Вот почему он любит, когда ему читают или рассказывают сказки. Вот почему он пугается в кино, и вам пока не следует водить его туда.

Не нужно обрывать ребенка, когда он рассказывает свои выдумки, не нужно стыдить его за них. Вообще не придавайте его байкам слишком серьезного значения, если он общителен и не испытывает проблем в общении с другими детьми. Однако если почти весь день он говорит о своих воображаемых приятелях и о происходящих с ними приключениях и, похоже, сам верит в свои байки, значит, скорее всего, малышу чего-то не хватает в реальной жизни. Может быть, достаточно найти ему друзей среди сверстников, с которыми он мог бы играть, и помочь ему наладить с ними контакт. Возможно, ему недостает общения с родителями. Он хочет повозиться с папой, поболтать с ним, посмеяться его шуткам. Если родители замкнуты в себе, ребенок начнет мечтать о веселых и смелых друзьях, как голодный человек мечтает о куске хлеба. Если родители вечно недовольны его поведением, постоянно ворчат на него, ребенок придумывает себе злого непослушного товарища и сваливает на него все недостойные поступки, которые сам совершил или собирался совершить. Если четырехлетний ребенок живет исключительно в выдуманном мире, если он плохо сходится с другими детьми, обратитесь к психологу или психиатру, чтобы тот определил, чего малышу не хватает.

Подчас мать, которая сама наполняла свою жизнь фантазиями и которая рада видеть таким же своего ребенка, постоянно занимает малыша сказками, и они часами блуждают в выдуманном мире. Игры и рассказы приятелей, конечно, тускнеют перед яркими образами, рождаемыми мамой. В конце концов действительность начнет казаться ребенку пресной и скучной, ему будет трудно адаптироваться к реальным людям и реальной жизни. Я не призываю матерей вообще не рассказывать сказки, но все должно иметь разумную меру.

520. Почему ребенок лжет. Намеренная ложь более старших детей — совсем из другой оперы. Первый вопрос: что заставляет его это делать? Все мы, и дети и взрослые, часто попадаем в трудные положения, нормальным выходом из которых нам представляется небольшая ложь. И нам это не кажется страшным.

Дети по своей природе не склонны к обману. Если ребенок регулярно врет, значит, он находится под давлением каких-то обстоятельств. Например, не успевая в школьных занятиях, малыш скрывает это за обманом. Однако ему вовсе не безразличны его школьные дела. Напротив, ложь ясно показывает, что он глубоко переживает свои неуспехи. Может быть, ему трудно усваивать материал? Может быть, какие-то неприятности мешают ему сосредоточиться? Может быть, родители предъявляют к нему слишком высокие требования? Ваша задача — выяснить, в чем дело, призвав в помощь учителя, классного руководителя, психолога или психиатра (см. пункт 577). Вы не должны притворяться, будто ему удалось ввести вас в заблуждение. Лучше мягко скажите: «Тебе ни к чему говорить мне неправду. Расскажи мне о своей беде, и мы вместе посмотрим, что можно сделать». Хотя вряд ли вы получите от него ясный ответ, потому что он и сам этого не знает. Но даже если ребенок осознает, в чем его проблема, он считает неприличным сразу сознаваться. Вам потребуется время и терпение.

Страхи в старшем дошкольном возрасте

521. Придуманные страхи. В предыдущих главах мы обратили внимание, что в каждом периоде жизни ребенка страхи имеют разную природу. В 3–4 года малыш начинает бояться темноты, собак, пожарных машин, смерти, болезней. Детское воображение к этому времени развивается до такой степени, что ребенок может легко представить себя на чужом месте и нарисовать перед собой картину несчастий, которые в реальности с ним не случались. Его любопытство безгранично. Ему хочется не только узнать причины всего сущего, но и то, какое отношение может иметь к нему все его окружение. Он краем уха услышал о смерти — ему тут же надо узнать, а что это такое. Когда он услышит ответ, его голову посещает смутная мысль, и следует новый вопрос: «Я тоже умру?»

Эти страхи чаще встречаются у детей своевольных, не желающих слушаться матери ни за столом, ни в период приучения к горшку; у детей, которым рассказывали страшные сказки или которых постоянно запугивали, добиваясь послушания; у детей, которые находились под жесткой опекой и не смогли стать общительными и незаьисимыми (см. пункт 503). Их воображение трансформирует болезненную скованность в преследующие их страхи. Мои слова не следует понимать так, словно только ребенок, с которым неправильно обращались в раннем возрасте, подвержен фобиям. Сколько бы чуткости и такта ни проявляли родители в воспитании, все дети чего-то боятся. Перечитайте, например, пункт 514 о чувствах детей по отношению к родителям.

Если ваш ребенок стал бояться темноты, постарайтесь успокоить его. Причем на первом месте должны стоять не слова, а поступки. Не смейтесь над ним, будьте внимательны и терпеливы, не спорьте с ним по поводу его беспокойства. Некоторые дети любят поговорить о тревожащих их страхах — пусть себе рассказывают. Сделайте вид, что вас это интригует, но в то же время выскажите уверенность, что ничего плохого с ним не случится. Не бойтесь лишний раз обнять и приласкать малыша, скажите, что любите его и всегда придете на его защиту. Разумеется, ни в коем случае не угрожайте ему полицейскими, злодеями, чертями. Не включайте телевизор, когда там идут страшные программы, поменьше читайте ему волшебных сказок — ребенок и так напуган образами, рождающимися в его собственном воображении. Прекратите ссориться с ребенком по поводу его поведения за столом или по поводу мокрой постели. Проявите твердость и не допускайте его проступков — это лучше, чем ругать его за совершенное и тем самым вызывать в нем чувство вины. Сделайте жизнь ребенка насыщенной, он должен ежедневно общаться со сверстниками. Чем больше он будет вовлечен в общие игры, тем меньше его будут терзать внутренние страхи. Если малыш попросит оставить дверь открытой, выполните его просьбу. Можете также зажечь ночник. Это не слишком высокая цена за устранение с арены чудовищ и призраков. Свет или доносящийся из гостиной разговор не разбудят его, зато он окажется избавлен от кошмаров. Страх постепенно исчезнет, и ребенок сможет спать в темноте.

Заранее приготовьтесь, что в этом возрасте ребенок спросит вас о смерти. Постарайтесь, чтобы ваше объяснение не пугало его. Можно сказать ему так: «Все люди когда-нибудь умирают. Но это обычно происходит, когда им уже очень много лет, когда они становятся усталыми и слабыми. Тогда они просто прекращают жить». Некоторые родители призывают на помощь религию: «Он долго-долго болел, и Бог взял его на небо, чтобы там позаботиться о нем». Не забудьте обнять малыша и улыбнуться ему, после чего успокойте, сказав, что еще очень долго не покинете его.

Все нормальные люди, независимо от возраста, испытывают в большей или меньшей степени страх и грусть при мысли о смерти. Невозможно рассказать ребенку о смерти, чтобы у него совсем не возникло подобных чувств. Но, если вы думаете о смерти как о чем-то неизбежном и готовы встретить ее спокойно, с достоинством, вам удастся создать такое настроение и у ребенка.

Страх перед животными неизбежен, даже если у ребенка не было печального опыта общения с ними. Не тащите его силой к собаке, чтобы показать, что это совсем неопасно. Чем вы будете настойчивее, тем больше будет его желание броситься в противоположную сторону. Но если вы спокойно подождете, то спустя месяцы страх станет гораздо слабее и любопытство заставит ребенка самого подойти к животному. Это случится раньше, если вы не будете уговаривать его перестать трусить. То же касается страха перед обширными водными пространствами. Не пытайтесь затащить кричащего от ужаса ребенка в море или в бассейн. Бывает, что малыш, которого насильно заставили окунуться, находит это занятие забавным и тут же теряет страх, но в большинстве случаев вы получите обратный эффект. Учтите, что, несмотря на страх, ребенка тянет в воду.

Дайте ему возможность самому набраться храбрости, хотя это и займет некоторое время.

Привыкнуть к собакам, пожарным машинам, полицейским и другим конкретным объектам и быстрее избавиться от страха к ним можно с помощью игр в собачек, пожарных, полицейских и т.п. Преодоление страха через действие очень эффективно. Ведь страх требует от нас действия, наша кровь насыщается адреналином, который заставляет быстрее биться сердце и увеличивает поступление в кровь сахара для возобновления энергетических затрат организма. В результате мы готовы нестись со скоростью ветра и сражаться с яростью льва. В движении сгорает беспокойство и неуверенность. Сидя на месте, мы так и останемся с нашими переживаниями. Если ребенок, который боится собак, начнет во время игры вытряхивать набивку из своей игрушечной собаки, страх станет меньше.

Если ребенок подвержен сильным страхам, частым ночным кошмарам, сомнамбулизму, вам необходимо обратиться к детскому психиатру (см. пункт 577).

522. Страх перед увечьями. Я бы хотел особо выделить вопрос о присущей детям от двух с половиной до пяти лет боязни телесных увечий, ибо преодолеть ее можно с помощью особых приемов. Ребенок в этом возрасте хочет докопаться до причин любого явления. Кроме того, он легко поддается страху, относя к себе все возможные несчастья. Когда малыш видит инвалида, ему прежде всего хочется узнать, что с тем случилось, потом он представляет себя на его месте и начинает переживать, боясь, как бы подобное не произошло с ним самим. Ребенка волнуют не только страхи по поводу реальных увечий, он сам часто придумывает их. Дети охотно принимают анатомические различия между мальчиками и девочками за результаты какого-то несчастного случая. Если мальчик примерно 3 лет увидит голенькую девочку, он будет поражен, не обнаружив у нее полового члена. «Где у нее пиписка?» — в ужасе спрашивает он. Не получив удовлетворительного ответа, он заключает, что перед ним жертва болезни или несчастного случая. Моментально в голову ему приходит мысль, что и он, видимо, от этого не застрахован. То же заблуждение характерно и для девочки, впервые понявшей, что мальчики устроены по-другому. Первым ее вопросом будет: «А это что у него?» Затем ей хочется узнать: «А почему у меня нет такой штуки? Это у него опухоль?» Примерно в таком ключе работает ум трехлетнего человека. Однако увиденное может настолько потрясти и расстроить ребенка, что он даже побоится расспрашивать мать.

Беспокойство по поводу разного строения тел мальчиков и девочек проявляется по-разному. Я слышал о мальчике, чуть младше 3 лет, который, увидев, как мать купает его новорожденную сестру, волнуясь, пытался привлечь внимание мамы: «Малышке бо-бо». Та же никак не могла сообразить, о чем хочет сказать сын, пока мальчик не показал пальцем. Примерно в это же время он стал с пристальным вниманием относиться к своему половому члену. Мать уже было решила, что он приобретает дурную привычку. Ей и в голову не могло прийти, что между его неожиданным открытием и дальнейшими действиями существует связь. Мне говорили о девочке, которая, узнав о различии между ней и мальчиками, просила других детей раздеваться, чтобы проверить, кто и как устроен. Она это делала не из шалости, ее по-настоящему мучил страх. Позже она начала трогать свои половые органы руками и мастурбировать. Мальчик трех с половиной лет очень расстроился, не заметив у своей маленькой сестры полового члена. После этого он всякий раз беспокоился, видя разбитые или сломанные вещи. «Зачем сломали этого оловянного солдатика?» — взволнованно спрашивал он у матери. На вопрос он не получал ответа, потому что накануне испортил игрушку сам. Но зрелище сломанных предметов постоянно напоминало ему о возможности лишиться своего полового члена, что и произошло, по его мнению, с сестрой.

Вам следует заранее подготовиться к вопросам ребенка о некоторых особенностях строения человеческого тела. Эти вопросы последуют, когда ребенку будет от двух с половиной до трех с половиной лет. Если он не получит на них ответов, которые его успокоят, то придет к собственным умозаключениям, а они почти наверняка будут тревожить его, наполнять страхом. Вы не должны ожидать от него вполне определенных вопросов типа: «Скажи, почему мальчики устроены иначе, чем девочки?» Он может задать какой-нибудь окольный вопрос или просто вскользь намекнуть, а может и вовсе промолчать, мучась в душе. Не думайте, что малыш проявляет особый и нездоровый интерес к проблемам секса. Для него это обычный, хотя и важный, вопрос. Вы только испортите дело, если зашикаете на него, начнете **ругать** или, вспыхнув, вообще откажетесь отвечать. **Ребенок пой**мет, что вступил на минное поле, на котором **вам страшно** находиться. С другой стороны, нет смысла читать **ему по** этому поводу целую лекцию. Все гораздо проще и **легче.** Прежде всего нужно вытащить скрытый страх ребенка на поверхность, а для этого предположите вслух, что он (или она), по-видимому, думает, что у девочки тоже должен быть половой член, но она потеряла его в результате болезни или травмы. Затем спокойно объясните, что девочки и женщины **созданы** такими, непохожими на мальчиков и мужчин, что это **нормально.** Хорошо, если вы приведете маленькому ребенку примеры. Вы можете объяснить ему, что он такой же, как папа, дядя Гарри, Дэвид, а Мэри устроена как мама, миссис Дженкинс, Хелен (перечислите лиц, с которыми ребенок хорошо знаком).

Маленькой девочке требуются дополнительные объяснения, которые должны ее успокоить, поскольку ей хочется самой иметь то, что она увидела у других. (Мне рассказывали о девочке, которая жаловалась матери: «Он такой красивый, а я себе не нравлюсь».) Вы поднимете ее дух, если скажете, что мама сама устроена так же и мама любит ее именно такой, какая она есть. Можете воспользоваться моментом и рассказать дочери, что, повзрослев, она, как и остальные женщины, сможет носить в себе ребенка, потом родить его и что у нее будут груди, она сможет кормить малыша.

Некоторые причины интереса к половым органам

523. В младенческом возрасте главную роль играет обычное любопытство. В конце первого года жизни младенцы узнают о том, что у них есть половые органы. Это происходит так же, как в случае с пальцами на руках или на ногах, и так же они пытаются рассмотреть и пощупать их. Ребенок пятнадцати месяцев, сидя на горшке, каждый раз по нескольку минут с любопытством исследует свое тело. Не волнуйтесь, это не перерастет в дурную привычку и скоро закончится без всяких последствий. Если вам неприятно смотреть, отвлеките его чем-нибудь интересным, но не думайте, что в этом есть какая-либо необходимость. Лучше не допускать у него мысли, что он делает нечто неприличное или некоторые части его тела неприличны. Он должен любить все свое тело, должен гордиться им и радоваться его возможностям. Если вы напугаете его относительно тех или иных органов, если привлечете к ним его внимание, в будущем вас ждут неприятности. Кроме того, попытавшись остановить годовалого малыша, например, крикнув: «Нет, нельзя!» — или шлепнув его по руке, или отрывая его руку от половых органов, вы спровоцируете более настойчивые попытки заниматься этим в следующий раз.

524. Три года — пора романтических чувств. Дети между 3 и 6 годами удивительно быстро взрослеют. Они начинают испытывать к близким, чаще всего к родителям, своего рода любовное влечение.

Теперь практически все понимают, что подобные романтические чувства характерны для данного периода жизни ребенка; более того, они играют во всем процессе развития существенную роль. (В прошлом, однако, родители и врачи считали, что никакой сексуальности в детях быть не может, что ее первые проявления наступают лишь в период полового созревания. Это объясняется тем, что родители, будучи сами воспитаны в пуританском духе, с изрядным налетом ханжества, сколько могли, старались не видеть этого в детях.) В 3–5 лет дети очень ласковы. Они хватаются за свой предмет обожания руками, пытаются прильнуть к нему. В них просыпается интерес к обнаженному телу, им нравится рассматривать и трогать друг друга. Вот почему среди детишек так популярна игра в больницу.

Если вы поймете, что ранний сексуальный интерес — всего лишь составная часть процесса взросления, что он в той или иной мере свойствен любому нормально развивающемуся ребенку, то сможете отнестись к нему разумно. Если ребенок не сосредоточен только на сексе, если он общителен, если у него есть друзья, если ему всё интересно, у вас нет причин для тревоги. В противном случае ребенок нуждается в помощи.

Застав ребенка, одного или в компании сверстников, за неприличной, с вашей точки зрения, игрой, вы наверняка испытаете некоторый шок. Выражая свое неодобрение его действиями, старайтесь оставаться хладнокровной, не показывайте своего возмущения или испуга. Покажите ему, что вам было неприятно, но не заставляйте его чувствовать себя преступником. Например, вы можете сказать: «Я бы не хотела снова увидеть это» или «Это неприличное занятие». Затем переключите их внимание на что-либо другое. Обычным детям этого будет достаточно, чтобы на долгое время отбить у них охоту к играм с половыми органами. Было бы неплохо наблюдать издали за группой детишек, находящихся в возрасте, когда появляется интерес к сексу, и следить, чтобы у них было достаточно игрушек и прочих вещей, которые бы могли отвлекать их от таких забав. Это важно потому, что некоторые дети бывают напуганы и расстроены, увидев непривычные для себя действия и услышав некоторые выражения, особенно если среди них есть озабоченные сексом подростки, которые в компании выполняют роль лидеров. Но это не значит, что вы должны шпионить за своим ребенком или становиться для него прокурором.

525. Кое-что в этом возрасте должно вас насторожить. В пункте 522 рассказывалось о детях примерно 3 лет, которые, узнав об анатомических различиях между мальчиками и девочками и сделав ложные заключения о природе этого различия, начинали проявлять повышенный интерес к половым органам. Родителям необходимо знать, что страх перед возможной катастрофой с их половыми органами часто приводит к мастурбации в раннем возрасте.

Сказав ребенку, что так он покалечит себя, вы сделаете ему только хуже. Если вы дадите ему понять, что он дурной ребенок и вы не будете его любить, вы дадите ему повод для нового страха. В этой ситуации самым мудрым будет избавить его от волнений, как только для них появилась причина. Если бы мать мальчика, который сказал: «Малышке бо-бо», — знала, что подобная ошибка и рождаемые ею страхи довольно распространены, она бы сразу успокоила малыша. То же самое можно отнести и на счет матери девочки, которая заставляла раздеваться других детей.

526. После шести лет ребенок старается контролировать свое поведение. Между 6 годами и периодом полового созревания сама натура ребенка заставляет его подавлять желание играть своими половыми органами или оказаться втянутым в игры с сексуальным подтекстом. Дети знают, что мастурбация считается дурным занятием, даже если родители им об этом не говорили. Кроме того, в этом возрасте они очень стеснительны. Но бывают исключения. Иногда ребенок вынужден заниматься онанизмом, потому что оказался в компании, где остальные не считают это пороком. Дело в том, что в этом возрасте ребенок старается не выделяться среди окружающих и заслужить право называться «своим парнем».

527. Мастурбация — признак того, что у ребенка не в порядке нервы. Есть дети любого возраста, которые постоянно держат руки у половых органов. Иногда это делается даже в присутствии посторонних. Похоже, они даже не осознают, чем занимаются. Эти дети, как правило, страдают нервным расстройством. Однако не мастурбация становится причиной расстройства, а напротив, дети мастурбируют, потому что у них что-то не в порядке с нервами. Поэтому необходимо в первую очередь установить, чем ребенок обеспокоен, а не пытаться отучать его от дурной привычки. Некий восьмилетний мальчик страшно переживал, что его больная мать может умереть. Эти мысли мешали ему сосредоточиться на занятиях в классе, и, глядя в окно, он машинально начинал трогать свой половой член. Другой мальчик страдал от одиночества: он плохо сходился с другими детьми, с трудом адаптировался к окружающей обстановке. Отрезанный от внешнего мира, он жил целиком погруженным в себя. Такие дети и их родители нуждаются в помощи специалистов по детской психологии и психиатрии (см. пункт 577).

Некоторые дети держатся за свои половые органы, когда у них переполнен мочевой пузырь. Такие случаи нельзя считать чем-то выходящим из нормы.

528. Угрозы не принесут пользы. Многим из нас в детстве внушали, что мастурбация ведет к умопомешательству. Но это мнение не имеет под собой реальной основы и сформировалось потому, что многие подростки и юноши, страдавшие серьезными психическими заболеваниями, интенсивно занимались мастурбацией. Но они заболели совсем по другим причинам, а мастурбация была лишь одним из симптомов их недуга. Это всего лишь один пример, когда на мастурбацию списывают различные нарушения физического и духовного состояния детей. Проблема же в том, чтобы найти истинную причину, которая вызвала нервное расстройство.

Почему нельзя пугать ребенка, говоря, что его привычка приведет к болезни или травме половых органов, а также пометит его печатью дьявола? Прежде всего потому, что это неправда. Но главное в другом: в мозгу ребенка возникнут устойчивые страхи, а это никогда не ведет к добру. Уверенных в себе, не склонных к предрассудкам подростков вы не напугаете. Но дети, легко поддающиеся внушению, могут принять ваши слова близко к сердцу. У них разовьется страх перед всем, что связано с сексом, они вырастут замкнутыми, необщительными людьми, панически избегающими женщин. Из-за этого под вопросом окажутся их будущая семейная жизнь и возможность иметь детей.

Хотя сама по себе мастурбация не ведет к нервным расстройствам, но внушенные по ее поводу страхи могут вызывать различные болезненные состояния. Я слышал об одном юноше, родители которого панически боялись, что их сын начнет мастурбировать. Они наняли для него компаньона, который находился рядом с молодым человеком круглые сутки. Присутствие надзирателя постоянно переводило мысли парня на мастурбацию и   то же время рождало жуткий страх по ее поводу. Этот случай выходит за все рамки, но все же может служить примером, насколько глупо считать мастурбацию причиной всех бед. Родители не только должны избегать угроз по поводу онанизма, но вообще не должны по своей инициативе затевать разговоры на эту тему.

Отказ от угроз и наказаний вовсе не означает, что родителям не следует обращать внимание на мастурбацию и другие игры сексуального характера. Мы все были воспитаны с отрицательным отношением к этой привычке, и нас не переделаешь. Мы не сможем легко и непринужденно чувствовать себя с нашими детьми, если будем знать, что они этим занимаются. Даже если мы каким-то чудесным образом поменяем наше отношение к подобным вещам (хотя не думаю, что это надо делать), все равно наши дети будут жить в обществе, которое не приемлет онанизма, и должны приспосабливаться к мнению этого общества. Кроме того, есть масса доказательств, что без всякого вмешательства родителей, без их поучений и угроз дети, занимаясь онанизмом, чувствуют вину. Поэтому можно только радоваться, если мать, застав ребенка за непристойными играми, выберет такой тон разговора и такие слова, которые помогут ему отказаться от вредных привычек. Утешьте ребенка, объясните ему, что многие мальчики и девочки испытывают желание мастурбировать, но находят в себе силы справиться с ним.

529. Мастурбация в юношеском возрасте. Назовем несколько очевидных причин, вызывающих в юношеском возрасте обострение интереса к мастурбации. В организме подростков происходят гормональные изменения, в результате которых мальчик превращается в мужчину, а девочка — в женщину. Более интенсивная работа желез внутренней секреции влияет не только на внешний вид подростка, но и на его эмоциональную сферу. Ребенка все сильнее начинают занимать сексуальные и романтические чувства. Это происходит не по его воле — всему причиной гормоны. Но на ранних стадиях полового созревания молодой человек пока не знает, как выразить свои чувства. Позже он найдет для этого способы, встречаясь со знакомыми противоположного пола в компаниях, на танцах. Пройдет время, и юноша или девушка по-настоящему полюбят и вступят в брак.

Некоторые очень ранимые подростки начинают чувствовать себя виноватыми даже не прибегая к онанизму, а при одной мысли о нем. Они нуждаются в поддержке. Если юноша весел и бодр, если он хорошо учится, если не имеет проблем в общении с окружающими, ему достаточно объяснить, что все нормальные молодые люди испытывают подобное желание, но стараются справиться с ним. Эта мера не устранит чувства вины, но заметно облегчит жизнь подростка. Если

433

же молодой человек замыкается в себе, не получает радости в компании друзей, сталкивается с трудностями в учебе, надо подумать о том, чтобы позвать на помощь специалистов — лучше всего детского психиатра. Если это невозможно, побеседуйте со школьным психологом или педагогом-воспитателем.

«Правда жизни», или откуда берутся дети

530. Половое воспитание начинается в самом раннем возрасте, даже если вы этого не желаете. Принято считать, что половое воспитание предполагает занятия в школе или специальные беседы родителей с ребенком дома. Это слишком узкий взгляд на предмет. На самом деле ребенок узнает о своем происхождении и обо всем, что сопутствует этому, в течение всего детства — если не дома, то в компании сверстников. Секс гораздо более широкое понятие, чем просто продолжение рода. В него входит и комплекс отношений между мужчиной и женщиной, и роль мужчин и женщин во всех сферах жизни. Позвольте мне привести пару негативных примеров. Представьте себе мальчика, отец которого все время недовольно ворчит на жену, помыкает ею. Такого ребенка никакие лекции и беседы не убедят, что брак воплощает взаимную любовь и взаимное уважение. Его собственный опыт говорит совсем о другом. Когда он узнает о физической стороне секса — от учителя или от приятелей, он включит ее в привычную для него картину, где мужчина всегда хмур и неприветлив. Второй пример — девочка, которая чувствует себя парией в семье, поскольку считает. что родители все внимание и любовь отдают ее младшему брату. Она начнет ненавидеть мужчин за то, что те всегда имеют преимущества. Женщины в глазах девочки превращаются в несчастные жертвы. Никакого значения не имеет, сколько книг о сексе она потом прочитает, сколько историй услышит. Все известное ей будет уложено в модель, сформировавшуюся у нее в мозгу: мужчина всегда угнетает женщину. Даже выйдя замуж, она не сможет перестроиться.

Итак, первые уроки по половым вопросам ребенок получает, как только начинает замечать, как отец и мать относятся друг к другу и к своим детям.

531. Ребенок начинает задавать вопросы «об этом» в три года. Осознанный интерес к вещам, каким-то образом связанным с сексом, появляется у него между двумя с половиной и тремя с половиной годами. Это возраст «почемучек», когда интересы ребенка направлены буквально на все вокруг. В частности, он бывает весьма заинтригован телесными различиями между мальчиками и девочками (см. пункт 522). Пока он не связывает этот вопрос с сексом, и он стоит в ряду с вопросами, на которые ему хочется получить ответы. Но, если в раннем возрасте ребенок сделает на сей счет неверное заключение, позже у него возникнет превратное мнение обо всем, что касается взаимоотношений полов.

532. Откуда берутся дети. В 3 года практически любого ребенка начинает мучить вопрос о своем происхождении. Не кормите его байками — лучше сразу выдайте ему правдивую версию, чтобы потом вас не уличили во лжи или некомпетентности. Отвечайте на вопрос возможно проще. Например, вы можете сказать: «До своего рождения ты рос в особом месте внутри мамы». Если он остался доволен, не углубляйтесь в лишние подробности. Но через несколько минут, а может быть, через несколько месяцев малышу захочется узнать еще кое о чем, а именно, как он попал в маму и как потом оказался снаружи. Первый вопрос обычно ставит мать (или отца) в тупик. Ей кажется, что дальше последуют вопросы о зачатии и половых отношениях. Разумеется, ни о чем таком ребенок и не думает. Он знает, что все предметы попадают внутрь через рот, и ему интересно, не попал ли он в маму таким же способом. Вам достаточно сказать, что ребенок развился из маленького семечка, которое уже находилось в маме. Могут пройти еще месяцы, пока у ребенка созреет вопрос, а зачем для этого нужен был папа. Некоторые считают, что не стоит дожидаться этого вопроса и лучше раньше объяснить, что папа тоже вносит определенный вклад, помещая в маму свое семечко. Возможно, это и правильно, особенно в разговоре с мальчиком, который может почувствовать

435

обиду, что мужской пол оказался в стороне. Однако большинство специалистов считают, что в 3 или 4 года перед детьми еще рано раскрывать полную картину физических и эмоциональных аспектов половой связи. Отвечая ребенку, скажите, что он узнает обо всем чуть позже. Вам лишь надо удовлетворить его любопытство, причем на том уровне, на котором задаются вопросы.

На вопрос о родах проще всего сказать, что когда он стал достаточно большим, то появился на свет через особое отверстие, специально для этого предназначенное. Можно также уточнить, что это не то отверстие, с помощью которого справляют большую или малую нужду.

533. Почему не аист и не капуста? Вы вправе считать, что рассказ об аисте, приносящем младенцев, хуже правдивого объяснения щекотливых вопросов. Я не могу с этим согласиться по нескольким причинам. Трехлетнего ребенка, увидевшего беременную мать или другую женщину или услышавшего обрывки разговора, вполне может посетить смутная догадка, как появляются на свет дети. Его насторожит и обеспокоит вид смущенной матери, сбивчиво рассказывающей ему о чем-то, по его подозрению, вовсе не соответствующем истине. Даже если в этом возрасте он удовольствуется вашими объяснениями, то в 5 или 7 лет все равно узнает правду или хотя бы половину правды. А стоит ребенку обнаружить, что по какой-либо причине вы не осмеливаетесь быть с ним искренней, как между вами возникнет барьер, и восстановить доверие будет трудно. Ребенку не захочется задавать вам вопросы, как бы он ни хотел узнать ответы на них. Кроме того, лучше сразу быть правдивой, потому что ребенка устраивают простые ответы. После них вас не испугают более сложные вопросы, которые последуют в будущем.

Иногда малыш, получив исчерпывающий и правдивый ответ родителей, сбивает их с толку, рассуждая так, словно считает истинной «теорию аиста». Или он смешивает в кучу несколько теорий. Это нормально. Маленькие дети верят всему, что слышат, и в этом им помогает чрезвычайно живое воображение. Они не пытаются, как мы, взрослые, найти единственный верный ответ и отбросить все остальные. Кроме того, вы должны все время помнить, что ребенок не удовлетворится одним-единственным объяснением. **Узнав немного**, он через некоторое время возвращается к теме еще и еще, пока не удостоверится, что все понял правильно. **На каждой последующей стадии своего развития он готов принять новую точку зрения.**

534. Двигайтесь вперед небольшими шагами. Будьте готовы к тому, что вопросы ребенка почти всегда неожиданны по форме и задавать он их будет, когда вы меньше всего ожидаете. Родители представляют себе такую идиллическую картину: ребенок перед сном, спокойный и умиротворенный, расспрашивает их, а они так же спокойно и рассудительно отвечают на его вопросы. На деле же вопрос настигает вас в очереди в магазине или во время разговора с беременной соседкой. Первым импульсом будет оборвать ребенка. Но как раз этого делать не следует. Если сможете, ответьте ему тут же. В противном случае просто скажите: «Есть вещи, о которых лучше говорить наедине». И не принимайте при этом таинственного и заговорщицкого вида. Ведь когда малыш спрашивает, почему трава зеленая или почему у собаки есть хвост, вы спокойно отвечаете, и он понимает, что в этом нет ничего стыдного. Постарайтесь так же непринужденно отвечать и на вопросы о происхождении детей. Если вам тема разговора кажется пикантной, то для ребенка она вполне заурядна; он хочет не смутить вас, а удовлетворить свое любопытство. Вопросы типа: «Почему дети не появляются, пока люди не поженятся?» или «Нужен ли папа, чтобы родился ребенок?» — вам, скорее всего, будут заданы пятилетним ребенком, который уже достаточно знаком с жизнью животных. Вы можете объяснить, что семя попадает из папиного пениса в то место, где ребенок будет расти до своего рождения. Пройдет некоторое время, пока малыш сможет представить себе эту картину. Когда это произойдет, попытайтесь простыми словами рассказать ему о любовных объятиях.

Маленького ребенка удивляют и пугают признаки менструации у матери — он склонен трактовать их как результат травмы или увечья. Мать должна суметь объяснить, что такие периоды бывают один раз в месяц у каждой женщины и что они не связаны с опасной болезнью. О значении месячных лучше рассказывать ребенку после четырех лет.

535. Как быть с ребенком, который не задает вопросов. Бывает, что родители не слышат ожидаемых вопросов от ребенка ни в 4 года, ни в 5 лет. Им кажется это признаком невинности их чада. Большинство специалистов, работающих с детьми, не склонны так думать. Скорее, родители дали понять ребенку, может быть даже неосознанно, что эта тема постыдная. В подобных случаях старайтесь уловить скрытый вопрос, намек, полушутливое замечание. с помощью которых ребенок как бы проверяет родителей. Попробую пояснить, что я имею в виду. Мальчик семи лет, которому родители ничего не говорили о беременности, полусмущенно, полушутливо обратил внимание на большой мамин живот. У вас появилась хорошая возможность все объяснить ему. Другой пример: девочка, которая только что узнала о разном устройстве половых органов у нее и у мальчиков, пытается мочиться стоя. Матери, таким образом, предоставлен шанс спокойно рассказать о различии полов, даже не ожидая вопросов. Почти каждый день если вы не будете пропускать мимо ушей скрытые вопросы ребенка, то сможете воспользоваться случаем и удовлетворить его интерес, рассказывая ему, например, о животных, птицах.

536. Вам помогут и в детских учреждениях. Если родители ребенка в свое время удовлетворили его любопытство, то им самим успокаиваться еще рано. Чем старше становится ребенок, тем более подробные и точные сведения ему нужны. Вас может выручить школа или детский сад. В детских садах и в начальных классах стараются дать детям возможность ухаживать за животными — кроликами, морскими свинками, белыми мышами. В процессе ухода они знакомятся с разными сторонами жизни своих братьев меньших: наблюдают, как те едят, дерутся, спариваются, как у них происходят роды и кормление детенышей материнским молоком. С определенной точки зрения даже лучше, когда дети узнают о некоторых вещах в такой отвлеченной ситуации. Новые знания становятся дополнением к рассказам родителей, и, возможно, ребенок дома захочет поделиться своими открытиями. Так что будьте к этому готовы.

В пятом классе дети обычно приступают к изучению основ биологии, включая и вопросы репродукции. В то же время некоторые девочки уже вступили в период полового созревания и нуждаются в знаниях о процессах, происходящих у них в организме. Рассмотрение этих аспектов с научной точки зрения поможет детям менее болезненно перейти дома к обсуждению их собственных проблем.

537. Выберите верный тон в разговоре с дочерью. Из заметок, опубликованных на эту тему, можно сделать вывод, что здравомыслящие родители не имеют проблем в беседе со своими детьми. Это заблуждение. Осознание подростком своей сексуальности, потребность отстаивать в споре с родителями собственную точку зрения делают разговор очень сложным. Особенно трудно найти взаимопонимание отцу и сыну. Но и не всем матерям удается установить хорошие контакты с дочерями. Таким образом, информация — или дезинформация — приходит к подросткам другими путями: от друзей, старших братьев и сестер, из книг. Книги, пожалуй, могут оказаться наиболее полезным источником необходимых сведений, а еще лучше было бы дополнить печатное слово своими ответами на вопросы детей.

Девочке в начале периода полового созревания надо объяснить, что в ближайшие два года у нее будет развиваться грудь, появятся волосы на лобке и под мышками, что она будет быстро расти и прибавлять в весе, что другой станет кожа, могут появиться прыщи, что через некоторое время произойдет первая менструация. Наиболее важно правильно донести до нее смысл месячных. Некоторые матери преподносят это физиологическое явление как проклятие, висящее над женщиной. Ни к чему делать на этом упор в разговоре с неопытной и впечатлительной девушкой. Другие матери предупреждают о том, какой осторожной нужно быть в эти периоды, чтобы не подвергать опасности свой хрупкий организм. Я бы тоже не приветствовал подобный уклон в разговоре, тем более когда перед вами мнительная барышня или девочка, страдающая от того, что не родилась мальчиком. Чем лучше врачи и воспитатели знакомятся с различными сторонами менструального цикла, тем крепче их убеждение, что и в критические дни женщины и девушки могут вести нормальную полноценную жизнь. Лишь в редких случаях они испытывают в это время боль и спазмы, которые мешают им вести себя как обычно. К сожалению, хуже всего переносят месячные те девушки, которые слишком озабочены мыслями о своем здоровье.

Момент превращения в женщину девочка должна ожидать с предвкушением радости и счастья, а не со страхом и отвращением. В разговоре о менструациях расскажите дочери, что таким образом происходит подготовка матки к будущему деторождению.

Вы сможете создать у девочки хорошее настроение в ожидании первых месячных, если подарите ей пояс и пакет прокладок. Она почувствует себя взрослой и будет готова к активному восприятию жизни, а не станет ожидать, пока все само собой образуется.

538. Найдите подход к сыну. К наступлению полового созревания мальчики должны знать, что эрекция и ночное семяизвержение — обычные явления, а не симптомы болезни. Отцы иногда успокаивают сыновей, что в поллюциях нет ничего опасного, если они не происходят очень часто. Мне кажется, что не стоит в этом деле устанавливать какие-либо критерии, хотя бы даже они выглядели разумными. Беда в том, что в переходном возрасте мальчики очень настороженно относятся ко всему, что связано с их сексуальностью, и легко приходят к заключению о своей «ненормальности». Если вы скажете сыну: «Так часто — нормально, а так — ненормально», — то он будет постоянно проверять, насколько его самочувствие соотносится с вашими словами.

539. Не следует слишком пугать ребенка. Обычно на щепетильные темы с сыном говорит отец, а с дочерью мать. Это правило не стоит возводить в абсолют. Если отношения в семье складываются так, что матери легче общаться с сыном, а отцу с дочерью, то им и карты в руки. Хорошо, как вы делали это в раннем возрасте, время от времени касаться вопроса, обсуждая ту или другую его сторону, а не устраивать длинную лекцию. Родителям лучше не ждать, что ребенок сам начнет разговор на интересующую его тему, поскольку в начале периода полового созревания дети очень стыдливы.

Многих нынешних родителей с детства учили видеть в сексе лишь темные стороны. Такие же представления они пытаются внушить своим детям. Экзальтированная мамаша пугает свою дочь возможной беременностью, и бедная девушка после подобного внушения начинает видеть в лицах противоположного пола исчадия ада. Или пример отца, который из всего многообразия проявлений сексуальной жизни выбирает для рассказа сыну лишь мучения человека, заразившегося венерической болезнью. Разумеется, подростки должны знать, как и когда происходит зачатие, и ясно представлять себе опасность венерических болезней, но не это должно заполнять их головы. Для подростка секс должен олицетворять здоровье и радость.

Закомплексованные родители не понимают того, что предельно ясно любому специалисту, работающему с подростками: жизнерадостные, нормально воспитанные юноши и девушки не попадут в беду лишь потому, что не были предупреждены о темной стороне сексуальных отношений. Здравый смысл, уверенность в себе, доброта к окружающим будут надежным компасом в плавании по просторам взрослой жизни. Конечно, бывают печальные исключения, но среди пострадавших оказываются подростки, которые ничего не знали о себе и других и свои знания почерпнули из разговоров в дурных компаниях.

Запугивать детей не стоит потому, что, во-первых, они вынуждены будут постоянно жить под гнетом страха, а во-вторых, впоследствии не смогут найти себя в браке.

540. Можно ли дома ходить раздетыми. За полвека в Америке произошел крутой поворот от пуританства викторианской эпохи к терпимому восприятию тела. На спортивных площадках вид полуобнаженных атлетов уже не шокирует публику, а в некоторых семьях предпочитают находиться дома совершенно без одежды. Большинство населения (и я среди их числа) находит нынешний взгляд на проблему обнаженного тела более здравым. Воспитатели детских садов, детские психологи и психиатры в общем согласны с тем, что маленьким детям полезно видеть друг друга в голом виде дома или на пляже.

Тем не менее имеются свидетельства, что дети, которые регулярно видят родителей обнаженными, испытывают определенную неловкость. Основная причина этого в обостренности чувств ребенка к отцу и матери. Мальчик любит мать гораздо сильнее, чем любую девочку. Он видит в отце более сильного соперника, чем в других лицах мужского пола. Обнаженное тело матери возбуждает его, а каждый день видя себя рядом с отцом и понимая, что во всем ему проигрывает, мальчик иногда испытывает желание совершить над взрослым что-то сродни насилию. Гнев у детей сменяется чувством вины и страха. Маленькая девочка, видя отца обнаженным, сильно возбуждается.

Я вовсе не утверждаю, что на любого ребенка нагота родителей производит столь глубокое впечатление. На этот счет не проводилось специальных исследований. Но, поскольку не исключена возможность эмоциональной травмы ребенка, родителям следует взять за правило накидывать что-нибудь на себя и не позволять детям заходить в ванную, когда там кто-либо моется. Подобную политику не стоит доводить до крайностей: если ребенок случайно увидел вас обнаженным, не вскрикивайте в ужасе и не осыпайте его руганью. Вам достаточно сказать: «Подожди, пожалуйста, снаружи, пока я оденусь». После 6–7 лет у детей появляется потребность время от времени побыть в уединении, и вы должны уважать подобные их желания.

Детский сад

541. Детский сад не заменит домашней обстановки. Большинству детей пребывание в детском саду, несомненно, идет на пользу, но считать посещение такого учреждения обязательным для всех детей без исключения не стоит. Целесообразно водить в детский сад единственного ребенка в семье, у которого мало возможностей играть со сверстниками, которому нельзя предоставить дома достаточно места для игр, наконец, с которым мать не может справиться. Всем детям трехлетнего возраста необходима компания одногодков, причем не только для того, чтобы получать удовольствие от совместных игр, но и чтобы они научились правильно вести себя друг с другом. Научиться взаимному общению со сверстниками — главная задача ребенка в этом возрасте. Кроме того, сейчас ему необходимо пространство, где бы он мог побегать и покричать, никому не мешая; нужны спортивные снаряды, доски и коробки, из которых он мог бы строить дома и крепости, нужны куклы, игрушечные машины и поезда. Ему необходимо научиться общаться с другими взрослыми, не только с родителями. Мало кому из современных детей предоставлены дома такие возможности. Детский сад хорош не вместо дома, а вместе с ним.

542. Обычные детские сады и сады с обучением. В течение многих лет работающие матери отдавали младенцев и маленьких детей в детские сады. Одни сады были лучше, другие хуже. Лучшими детскими садами руководят люди, которые учитывают интересы ребенка, любят детей, дарят им свое внимание. Там у детей много игрушек; играя вместе, они начинают дружить. Работники худших детских садов считают своей основной обязанностью поддерживать строгую дисциплину, а из всех нужд ребенка признают только чистоту и достаточное питание.

В свое время появилась идея организовать детские сады с обучением. Ее родоначальники были убеждены, что не только дети работающих матерей, но все дети должны иметь возможность общаться друг с другом. Всем детям нужно много пространства для живых игр, всем нужно петь, рисовать, лепить — только так ребенок сможет как следует духовно развиваться. Кроме того, они считали, что человеку, работающему с детьми, недостаточно только любить их, он должен их понимать. Поэтому воспитатель обязан иметь специальное педагогическое образование.

Но не обольщайтесь, отнюдь не все детские сады с образованием оправдывают свое название. Подчас среди них встречаются второразрядные заведения, у которых хороша лишь вывеска. В то же время во многих обычных садах работают весьма образованные воспитатели, использующие в своей деятельности все достижения педагогической науки. Отдавая ребенка в обычный детский сад или в сад с обучением, в первую очередь обращайте внимание на то, как там воспитатели относятся к детям. Кроме того, важно знать, имеют ли сотрудники педагогическое образование. Далее выясните количество детей в группе — трудно ждать успеха, если на одного воспитателя приходится больше 8–10 детей. Наконец, имеет значение, достаточно ли места в здании и во дворе для игр, имеется ли в наличии спортивный инвентарь, игрушки, краски, пластилин и т. д.

543. В каком возрасте лучше отдавать ребенка в сад. Большинство детских садов с обучением принимают детей в возрасте от 3 лет. Это действительно самый подходящий возраст. Однако некоторые родители ждут, чтобы в детском саду их ребятишек научили лишь чисто практическим навыкам, например считать или вырезать картинки из бумаги. Мне приходилось слышать такое мнение матерей: «Я подожду до 4 лет, прежде чем отдам малыша в садик, чтобы он лучше подготовился к школе». Такие мамы ошибаются, поскольку сильно сужают круг задач, в решении которых поможет детский сад. Гораздо важнее, что в саду дети учатся вести себя в коллективе, они помогают друг другу, вместе составляют различные проекты и потом так же вместе их осуществляют; в детском саду им позволяют возиться, петь, танцевать. А научиться всему этому так же просто в 3, как и в 4 года. Напротив, чем позже вы отдадите ребенка в садик, тем труднее ему будет влиться в компанию других детей.

В отдельные детские сады принимают двухлетних детей. Там все складывается у ребенка нормально, если он достаточно независим и общителен (многие дети все еще сильно зависят от матери и в два с половиной, и в три года), если группа не превышает 8 человек и если воспитательница может создать такую теплую обстановку, что ребенок чувствует себя с ней в безопасности.

Но, как правило, двухлетний ребенок с большим трудом привыкает к детскому саду. Он сильно зависит от мамы, стесняется других детей и взрослых. Это, разумеется, не значит, что он навсегда останется привязан к матери неразрывными узами. Просто надо дать ему привыкнуть к обстановке детского сада, позволяя время от времени играть со сверстниками, — таким образом он станет более общительным и менее зависимым. Если вы сомневаетесь в готовности ребенка находиться в саду, посоветуйтесь с опытной воспитательницей.

Есть немногочисленная категория детей, которых матери боятся пускать в садик, поскольку они часто болеют или быстро устают в коллективе. Приходится признать, что ребенок, находящийся в помещении в окружении других детей, более подвержен инфекционными заболеваниями, чем тот, кто в ком-

444

пании двух-трех приятелей проводит время на свежем воздухе. Но не преувеличивайте опасность простуды — нормальному, крепкому ребенку она не принесет особого вреда, в то время как преимущества детского сада очевидны заведомо. То же можно сказать по поводу утомляемости: дети излишне возбуждаются и быстро устают, только пока не привыкнут к новому распорядку. Через несколько недель почти все привыкают и чувствуют себя прекрасно. Ослабленных детей можно забирать из садика пораньше.

544. Первые дни. Четырехлетний общительный ребенок чувствует себя в детском саду как рыба в воде. Ему даже не нужно время, чтобы вписаться в новую компанию. По-другому обстоят дела с трехлетним ребенком, который еще испытывает сильную зависимость от матери. Когда она в первый день оставит его в саду, он, возможно, не станет сразу плакать, но очень скоро начнет скучать. Не обнаружив рядом матери, малыш может испугаться. На следующий день он просто не захочет идти в садик. В таких случаях нужна постепенность. В течение нескольких дней мать должна находиться рядом с малышом, пока он играет, и потом забирать его домой. С каждым днем нужно увеличивать срок его пребывания в саду. Скоро ребенок начнет привязываться к воспитательнице и другим детям, и, когда мамы уже не будет около него, чувство безопасности его не оставит. Иногда ребенок целыми днями прекрасно обходится без матери, но потом вдруг начинает тосковать по ней. В зависимости от обстоятельств воспитательница решает, не стоит ли матери еще немного побыть в саду с малышом. В этом случае она должна находиться в отдалении, чтобы не отвлекать ребенка от его занятий. Важно, чтобы ребенок **сам** захотел быть в группе и забыл, как он прежде не мог обходиться без матери.

Бывает, что мать, расставаясь с ребенком, переживает сильнее, чем он. Она по нескольку раз прощается с ним, в глазах у нее стоят слезы. Все это заставляет ребенка думать: «По маме видно, что со мной может случиться нечто ужасное после того, как она уйдет. Лучше я не отпущу ее». Женщине с мягким сердцем, конечно, трудно оставить ребенка одного, но послушайте совета воспитательницы — она имеет достаточный опыт подобных ситуаций.

Если ребенок отказывается ходить в детский сад, хотя к нему там очень хорошо относятся, я думаю, родители должны уверенным и твердым тоном объяснить ему, что надо ходить в сад каждый день. Малышу надо избавляться от зависимости, а не холить ее в себе. Будет разумно, если ребенка, который трудно переносит разлуку с матерью, будет забирать из садика отец. В особенно острых ситуациях проконсультируйтесь с детским психиатром. Об излишней опеке и рождаемых ею страхах можно прочесть в пункте 503.

545. В детском саду и дома. Некоторым детям первое время в саду приходится трудно. Большая группа, новые товарищи, новые вещи — все это волнует и утомляет. Если поначалу ребенок быстро устает, это еще не значит, что детский сад ему противопоказан. Требуется лишь на время создать малышу щадящий режим. Обсудите все проблемы с воспитательницей и попробуйте отдавать его в сад на неполный день. Лучше попозже приводить туда ребенка, а не досрочно забирать, поскольку ему, возможно, не захочется уходить, бросив на середине игру. Малыш сильно устает еще и потому, что, возбужденный новой обстановкой, он отказывается засыпать днем. В этом случае выберите день-два в неделю, когда вы будете оставлять его дома. Маленькие дети, несмотря на усталость, пытаются всеми силами контролировать свое поведение в саду, а накопившееся напряжение выплескивают дома на родителей. Если вам трудно сохранять терпение, посоветуйтесь с воспитательницей.

Опытные воспитатели детских садов должны хорошо разбираться в детской психологии, и в большинстве случаев они оправдывают свою репутацию. Матери не нужно бояться говорить с воспитательницей о детских проблемах, даже если они не касаются пребывания ребенка в саду. Возможно, педагог предложит вам совсем иной выход из положения, поскольку уже сталкивалась с подобными проблемами в своей практике.

546. Как устроить ребенка в детский сад? Некоторые матери говорят: «Я понимаю, как важно для моего ребенка посещать садик, но в нашем районе такого нет». В самом деле, организовать хороший детский сад — трудная задача. Подготовленные воспитатели, помещение и площадка на свежем воздухе, мебель и инвентарь — все это стоит немалых денег. Хорошие детские учреждения никогда не бывают дешевыми, поскольку там на каждого воспитателя приходится всего несколько детишек. В США обычно детские сады бывают частными, где все расходы несут родители; часто их организуют церкви, предоставляя свои помещения; иногда сады создаются при педагогических колледжах, и студентки набираются там практического опыта. Во многих городах работают кооперативные детские сады, которые финансируются за счет взносов родителей. Родители же нанимают опытную заведующую, а сами под ее руководством выполняют роль воспитателей.

От шести до одиннадцати

Ребенок ищет свое место в окружающем мире

547. После шести лет в характере ребенка происходит много изменений. В этом возрасте ребенок становится еще более независимым от родителей, иногда он даже демонстративно отстраняется от них. Теперь он ориентируется в основном на слова и поступки сверстников. Он очень ответственно относится к делам, которые считает важными для себя. Его поведение подчиняется внутреннему голосу, который зачастую звучит так громко, что заставляет ребенка делать бессмысленные вещи: например, ходит по тротуару, стараясь наступать на трещины в асфальте. Его все больше занимают абстрактные предметы: математика, устройство различных механизмов и т.п. Короче говоря, он постепенно начинает выходить из-под опеки семьи и становиться равноправным гражданином в окружающем его мире.

Выше, в пункте 515, я уже касался объяснений З. Фрейда по поводу неосознанных чувств, которые заставляют ребенка так заметно меняться. Между тремя и пятью годами это был нежный и добрый, совершенно домашний ребенок, который старался в своем поведении, манерах, речи копировать родителей. Мальчик все время хотел быть похожим на своего глубоко чтимого отца и испытывал любовное влечение к матери. То же касалось и девочки, но роли матери и отца при этом менялись. Желание завладеть родителем противоположного пола вызывало чувство соперничества с другим родителем. Бессознательный страх, рожденный этим неприязненным отношением к родителю, беспокойство по поводу различий в строении половых

448

органов приводят впоследствии к резкой перемене чувств ребенка. Прежняя радость романтических мечтаний сменяется отвращением. Мальчик теперь с неудовольствием морщится, когда мать пытается его поцеловать. Причем неприязнь распространяется и на всех девочек. Иначе как глупыми и противными он их не называет. Любовные сцены в кино раздражают его и наводят скуку. Все это, мы полагаем, и заставляет его обратиться к абстрактным предметам: чтению, письму, арифметике, механике, изучению природы. Частично это объясняет и просыпающееся в ребенке сильное желание учиться.

Иначе можно пояснить изменения в психологии ребенка в возрасте около 7 лет, сравнив их с эволюцией человечества на ранней стадии развития. Каждый человек в возрасте между шестью и двенадцатью годами как бы повторяет определенный этап в развитии человеческой цивилизации. Миллионы лет назад наши предки достигали полной зрелости примерно в 5 лет. В своих отношениях с семьей они напоминали нынешних пятилетних детей: испытывали ту же радость от жизни в семье, хотя и стали взрослыми, оказывали всемерное уважение старшим, хотели быть похожими на них, учились у них. Другими словами, жизнь наших далеких предков определялась тесными семейными узами. Лишь много позднее в процессе эволюции древние люди стали более независимыми от старших членов семьи и смогли организоваться в крупные сообщества благодаря взаимопомощи, выполнению особых правил общежития, самоконтролю и планированию своих действий. Человеку же требуется несколько лет, чтобы научиться жить «по-взрослому». Возможно, поэтому на этот срок немного замедляется физическое развитие человека. Младенец растет очень быстро, помногу прибавляя в весе, и этим он напоминает животное. Быстро растет он и в период полового созревания. В промежутке между этапами быстрого развития рост и вес человека меняется незначительно, особенно в течение двух лет, предшествующих началу полового созревания. Природа как бы предупреждает: «Погоди! Прежде чем получить в свое распоряжение могучее тело и развитые инстинкты, научись думать, научись управлять своими желаниями и инстинктами ради других людей, научись вести себя должным образом с твоими товарищами, разберись в законах, по которым устроена жизнь за пределами твоей семьи, приобрети навыки, которые выработали люди до тебя».

548. Независимость от родителей. После 6 лет ребенок продолжает искренне любить родителей, но держит свои чувства глубоко в себе, внешне стараясь их не показывать. Он более прохладно относится и к остальным взрослым, пока не удостоверится, что перед ним выдающаяся личность. Он больше не хочет, чтобы любовь к нему носила собственнический характер, не приемлет он и отношения к себе как к умилительному малышу. В нем просыпается чувство собственного достоинства, он начинает ощущать себя личностью и требует к себе соответствующего отношения.

Пытаясь укрепить свою независимость от родителей, ребенок ищет в других взрослых новые источники знаний и идей. Если любимый и уважаемый учитель естествознания по ошибке сообщит ему, что красные кровяные тельца крупнее белых, то отцу не хватит никакого авторитета, чтобы переубедить его.

Но представления о том, что такое хорошо и что такое плохо, которые внушили ему родители, не забыты. Они уже так укоренились в нем, что ребенок считает их своими собственными. Малыш огрызается, когда родители напоминают, что он должен сделать, — ему и так это известно и потому неприятно, когда его считают безответственным человеком.

549. Плохие манеры. Ребенок больше не использует в разговоре многие «взрослые» слова, зато речь его наполнена жаргонными словечками, распространенными среди его сверстников. Он предпочитает не выделяться среди других детей одеждой и прической. Он распускает галстук и ходит с развязанными шнурками с таким же апломбом, как члены политической партии носят на лацкане ее значки. Складывается впечатление, что ребенок не умеет вести себя за столом, не моет рук перед едой, низко наклоняется над тарелкой, набивает рот. В рассеянности он может болтать под столом ногами. Снимая пальто, он бросает его на пол. Выходя из комнаты, он либо забывает закрывать за собой дверь, либо делает это со страшным грохотом. Ребенок, хотя он сам и не подозревает об этом, решает сразу три задачи: во-первых, он вырабатывает для себя новые модели поведения, во-вторых, он заявляет о своем праве на независимость от родителей и, наконец, он соотносит происходящее с требованиями совести и не совершает ничего по-настоящему дурного.

«Плохие манеры» и «плохие привычки» ребенка удручают родителей. Им кажется, что малыш забыл все, что ему так настойчиво внушали. На самом деле он отлично знает, какого поведения от него ждут, — иначе он не восставал бы против установленных правил так демонстративно. Его выходки прекратятся, когда он поймет, что окружающие признали его независимость. Можем успокоить родителей: идет нормальный процесс роста.

Не могу утверждать, что любой ребенок в этом возрасте становится сорвиголовой. Воспитывающийся в дружной семье, веселый и общительный ребенок, возможно, и не будет открыто бунтовать. Девочки обычно не так склонны к эпатажу, как мальчики. Но, внимательно приглядевшись к ребенку, вы обязательно заметите, что его отношение к миру меняется.

Что же вам делать? Кое-что в семейном укладе должно оставаться незыблемым: ребенок время от времени все же должен принимать ванну, по воскресеньям он должен приводить в порядок себя и свои вещи. Не реагируйте на любую мелочь, но не оставляйте без внимания поступки, которые идут вразрез с вашими принципами. Посылая малыша вымыть руки, старайтесь избегать назидательного или раздраженного тона. Именно это больше всего возмущает ребенка и толкает на новые проявления упрямства.

550. Команды и тайные общества. В этом возрасте мальчишки и девчонки начинают собираться в компании. Объединившись, дети окружают свою деятельность ореолом тайны. Они объявляют себя командой или тайным обществом, усердно занимаются атрибутикой: изготовляют отличительные знаки, устанавливают место встреч (обычно спрятанное от посторонних глаз), вырабатывают устав. Ничего по-настоящему тайного в их деятельности может и не быть, но таким образом они хотят доказать, что подчиняются сами себе, выходят из-под ига взрослых, не имеют ничего общего с другими детьми, которых считают неженками и маменькиными сынками.

С помощью тайных обществ дети, которые хотят выглядеть взрослыми, ищут себе единомышленников. Затем команда начинает демонстрировать свою обособленность по отношению к остальным детям: посторонних не допускают в игры, дразнят и т. п. Нам, взрослым, поведение детей может показаться надменным и жестоким, но это происходит лишь потому, что сами мы приучены более мягким способом выражать свое отношение к другим людям. Дети же охвачены одним чувством: жизнь общины должна регулироваться. Именно благодаря этой идее и существует наша цивилизация.

551. Помогите детям приобрести авторитет у товарищей. Чтобы сделать своего ребенка общительным, чтобы он уверенно чувствовал себя в коллективе, не дергайте его своими замечаниями; позволяйте ему уже с годовалого возраста находиться среди других детей; предоставляйте ему больше свободы, чтобы он мог чувствовать себя независимым; если возможно, не меняйте место жительства и место его учебы; не ругайте его, если он одевается, говорит, играет, как другие дети по соседству; разрешайте ему делать то, что разрешено остальным детям, даже если вы считаете их плохо воспитанными.

Успех взрослого в отношениях с другими людьми во многом зависит от того, как он в детстве общался со сверстниками. Если родители предъявляют ребенку высокие требования и воспитывают его на высоких идеалах, это проявится со временем, даже если в подростковом возрасте он говорил на жаргоне или много озорничал. Но когда родители недовольны своими соседями; им не нравится компания их ребенка и они всячески подчеркивают, что он не таков, как остальные; если советуют не водить дружбы с «неподходящими детьми», — то ребенок вырастет нелюдимым, не научится сходиться с людьми и все, что с таким старанием вкладывали в него родители, не принесет пользы ни ему, ни другим.

Если ребенку трудно завести себе друзей, отдайте его в школу с гибкой программой и большим количеством факультативов. Там учитель поможет ребенку раскрыть свои способности и в полной мере поучаствовать в осуществлении различных классных проектов (см. пункт 564). Оценив его вклад в общее дело, дети начнут относиться к нему с симпатией. Уважаемый классом учитель может поднять авторитет ребенка у соучеников, показав, что высоко ценит его. Он также может посадить его вместе со всеобщим любимцем или поставить его с ним в пару во время прогулки, дать им совместное поручение и т. д.

Многое могут сделать и родители. Будьте дружелюбны и гостеприимны, когда вашего ребенка навещают товарищи. Предложите ему позвать их к столу и подайте что-нибудь из блюд, которые популярны в их среде. Собираясь в выходные на пикник или на экскурсию, в кино или на выставку, пригласите с собой подростка, с кем ваш ребенок хотел бы завязать дружбу (совсем необязательно, чтобы это был тот, с которым вы бы хотели сдружить своего ребенка). Дети, как и взрослые, любят полакомиться и готовы видеть хорошее в том, кому они обязаны удовольствием. Разумеется, вам не хотелось бы, чтобы ваш ребенок довольствовался только «купленным» авторитетом, — его очень легко потерять. Важно хотя бы сделать шаг, чтобы ребенок попал в компанию, которая прежде отвергала его. Тогда если он действительно обладает привлекательными чертами характера, он сможет найти себе настоящих друзей.

Самоконтроль

552. Ребенка привлекает строгий порядок. Задумайтесь над играми детей в этом возрасте. Они совсем не похожи на прежние его импровизации, не имевшие никакого плана. Теперь детям нравятся игры с четкими и строгими планами. В таких играх, как классы, ножички, чоки-чоки, требуется выполнять действия в определенном порядке, причем сложность их возрастает. При неудаче следует наказание: ошибившийся должен начинать все сначала. Именно строгость правил привлекает ребенка в этих забавах.

Другим увлечением в этом возрасте становится коллекционирование марок, открыток, минералов. Главное удовольствие ребенок получает, располагая экземпляры в определенном порядке.

Другой характерной чертой становится желание ребенка **иногда** привести в порядок свои вещи. Он вдруг начинает убираться на письменном столе, раскладывает книги на свои места на полках, а игрушки — в коробки. Конечно, через короткое время в комнате вновь наступает хаос, но желание должно быть очень сильным, чтобы подвигнуть его на такой шаг.

553. Непроизвольные поступки. Страсть к порядку в 8–10 лет становится такой сильной, что у ребенка развиваются нервные привычки. Вы сами, пожалуй, помните кое-какие из них по своему детству. Самая распространенная — ходить по тротуару, наступая на все трещины и стыки плит. В этом нет никакого смысла, но какое-то суеверное чувство заставляет вас делать это. Такого рода поступки можно назвать непроизвольными. Другой пример: проходя мимо забора, вы непременно дотрагиваетесь до каждой третьей по счету доски, причем число касаний должно быть четным, иначе не будет удачи. Если вы сбились, то должны вернуться в начало или хотя бы к той доске, номер которой вы помните наверняка.

Скрытое значение непроизвольных поступков обнаруживается в бессмысленной детской присказке: «Шаг на трещину — бабушке затрещина». Все мы временами испытываем раздражение по отношению к близким, но наша совесть протестует против возможности причинить им реальный вред и заставляет выбросить эти мысли из головы. Но если у человека обостренное чувство совести, оно продолжает мучить его, даже когда он загнал «черные» мысли в подсознание. Он ощущает себя виноватым, хотя и не знает почему. Муки совести притупятся, только если человек выполнит наложенную на него «епитимью», состоящую, например, в том, чтобы не пропустить ни одной трещины на асфальте.

Причина, заставляющая девятилетних детей совершать непроизвольные поступки, заключается не в том, что мысли их стали слишком злыми, а в том, что совесть их стала более строгой. Теперь ребенка беспокоит подавленное желание ударить брата, сестру, отца или бабушку, когда те донимают его. Мы знаем, что в этом возрасте ребенок старается подавить мысли о сексе, и это тоже играет свою роль в непроизвольных поступках.

Непроизвольные поступки — такое обыденное явление, что порой трудно решить, нужно ли считать их нормой или признаком нервного расстройства. Я бы не обращал особого внимания на такие непроизвольные поступки девятилетнего ребенка, как наступание на трещины в асфальте. Тем более если он весел, общителен и хорошо успевает в школе. С другой стороны, я бы обратился за помощью к психиатру (см. пункт 577), если непроизвольные поступки отнимают у ребенка много времени (например, бесконечное мытье рук из опасения заразиться болезнью) или он выглядит подавленным и замкнутым.

454

554. Нервный тик. Это расстройство проявляется в непроизвольном моргании, подергивании плечом, покашливании, всхрапывании. Нервный тик, как и непроизвольные поступки, чаще встречается у детей примерно девятилетнего возраста. Правда, тик может случаться и раньше — начиная с двухлетнего возраста. Движения при нервном тике резкие, регулярно повторяются и всегда одинаковы. Сильнее он проявляется, когда ребенок подавлен. Тик может длиться с временными улучшениями по нескольку недель или месяцев. Потом он исчезает, а иногда вместо одного тика появляется другой. Моргание, всхрапывание, покашливание обычно возникают при простуде, но продолжаются и после того, как ребенок выздоровел. Подергивание плечом начинается с облачения в слишком свободную одежду, которая, кажется, вот-вот упадет. Иногда ребенок как бы копирует тик у приятеля, но все равно он появляется только при нервном расстройстве.

Нервный тик часто возникает у детей очень строгих родителей. В таких семьях всегда в воздухе висит напряжение. Мать или отец без конца дают ребенку указания, поправляют его, делают замечания. Бывает, что они выражают свое неодобрение, хотя и более мягким способом, но зато постоянно. То же происходит, если родители предъявляют к ребенку слишком высокие требования или заставляют его заниматься и музыкой, и спортом, и танцами. Если у ребенка хватает смелости сопротивляться, он не будет так внутренне напряжен. Однако чаще его приучают во всем слушаться родителей, и он копит внутри себя раздражение, которое наконец выходит в виде тика.

Ребенка ни в коем случае нельзя ругать или наказывать за нервный тик, поскольку он просто не может им управлять. Надо приложить усилия, чтобы его жизнь дома стала спокойнее, чтобы не слышались все время ворчание и нотации. Внимания требуют и его учеба, и отношения с товарищами. Не путайте нервный тик с хореей (см. пункт 693).

Телевидение, кино, комиксы

555. Жестокость на экране и на страницах комиксов. Выше, в пункте 462, я высказывал пожелание, чтобы родители берегли детей от сцен насилия на телеэкране и в кино. Книжки комиксов не действуют столь же сильно, поскольку изображения в них не так реальны, но и к ним надо относиться с осторожностью.

Несмотря на то что в комиксах не так много насилия и непристойностей, все равно родителей — особенно высокодуховных — будет волновать вопрос, не отвратит ли их детей от высокой литературы иное чтиво, вульгарное, полное описаний схваток и нелепого героизма. Я не думаю, что здесь есть повод для беспокойства. Мне известны сотни детей, которые прошли через увлечение подобными комиксами и в конце концов переросли их.

556. Непристойности. Когда у ребенка появляются карманные деньги на комиксы и другие книжки, на кино, появляется проблема непристойностей. Считается, что дети защищены от неприличных изображений благодаря предварительной цензуре фильмов, а также благодаря законам, касающимся кинопроката и книжной торговли. Родители должны быть всегда настороже.

В пункте 13 я объяснял, что тяга человека к творчеству возникает вследствие подавления и сублимации сексуального влечения в детском возрасте. Особенную остроту эти процессы получают между 6 и 12 годами в семьях, где родители предъявляют детям высокие требования. Я полагаю, что творческий потенциал, накапливаемый ребенком, и способность создания насыщенного высокой духовностью брака будут ниже, хотя и ненамного, если ему доводилось в детстве видеть натуралистические картины секса. Речь не идет о случайно подсмотренных сценах в спальне родителей — такое случается со всеми, несмотря на все предосторожности взрослых. Я имею в виду родителей, которые не стесняются детей и не заботятся о том, что и как узнают дети о сексе из других источников.

Я полагаю, что родители должны разрешать детям смотреть фильмы или читать книги, предварительно познакомившись с содержанием — из аннотации или со слов знакомых — и удостоверившись, что просмотр или чтение не принесут детям вреда.

557. Время, проводимое у телевизора, надо ограничить. Сплошь и рядом можно встретить детей, которые припадают к телевизору, как только возвращаются из школы, и сидят у экрана, пока их силой не отправят спать. Ребенок не отрывается даже чтобы поужинать, сделать уроки или просто поздороваться с другими членами семьи. Во избежание этого родители и ребенок должны прийти к взаимоприемлемому, но твердому соглашению о том, сколько времени ребенок должен гулять, заниматься, тратить на еду и проводить у телевизора. Иначе, застав ребенка перед телевизором, родители тут же ворчливым тоном станут напоминать ему о его обязанностях, а ребенок в свою очередь снова включит телевизор, как только взрослые отвлекутся. Некоторые люди, как молодые, так и взрослые, могут работать при включенном радио (они даже говорят, что это им помогает), когда транслируется музыкальная программа. Если у ребенка нет проблем с выполнением домашних заданий, то спокойно оставляйте его наедине со звучащим радиоприемником.

558. Страхи, связанные с кино и телевизором. До 7 лет ребенку лучше не показывать кино. Отправившись в кино с малышом, вы в трех случаях из четырех увидите в фильме эпизод, который напугает ребенка до слез. Не следует забывать, что ребенок 4–5 лет еще не может провести четкую грань между реальным и воображаемым. Козни экранной ведьмы заставляют его переживать так же, как вас встреча в темном закоулке с настоящим хулиганом. На вашем месте я бы вообще не ходил в кино с ребенком младше 7 лет. В крайнем случае можно отправиться на фильм, если вы или кто-то, хорошо осведомленный в психологии маленьких детей, видели картину и уверены, что в ней нет сцен, которые могут травмировать детскую психику. Если ребенок старше 7 лет подвержен страхам, водить его в кино нельзя.

Особо впечатлительные дети пугаются даже при чтении волшебных сказок, приключенческих историй и при просмотре по телевизору вестернов. Старайтесь оградить таких детей от потрясений.

Детское воровство

559. Дети начинают таскать вещи еще в раннем детстве. Маленькие дети 1–3 лет иногда берут не принадлежащие им вещи, хотя это нельзя считать настоящим воровством. У них

457

отсутствует чувство собственности, они хватают любую вещь, какая им нравится. Ругать их за это бесполезно. Мать должна просто объяснить, что малыш взял игрушку брата и она тому скоро понадобится. Кроме того, можно напомнить, что у малыша самого есть много игрушек.

560. Почему крадут вещи дети старшего возраста. Осознанное детское воровство встречается в возрасте от 6 лет до периода отрочества. Ребенок, беря чужую вещь, понимает, что совершает дурной поступок. Он старается спрятать ворованное и всячески отрицает свою причастность к краже.

Когда мать или учительница узнают, что ребенок без спроса взял чужое, они бывают потрясены. Первым делом им хотелось бы заставить ребенка испытать стыд за свой поступок. Это естественно, поскольку всех нас учили, что воровство — это преступление, и достаточно серьезное. Нам становится страшно, когда наше чадо оказывается замешанным в подобном деле.

Очень важно дать ребенку понять, что воровство вам омерзительно и вы обязательно заставите его вернуть украденную вещь. С другой стороны, нельзя переборщить, иначе свет станет ребенку не мил или он подумает, что навеки лишился вашей любви.

Рассмотрим, например, поведение семилетнего мальчика, воспитанного добрыми и совестливыми родителями, у которого много своих игрушек и которому дают деньги на карманные расходы. Если он начинает воровать, то, скорее всего, небольшие суммы денег у матери или одноклассников, ручку со стола учительницы и т.п. Часто кражи нельзя объяснить — ведь все это он мог бы получить законным путем. Ребенок просто запутался в своих чувствах. Он так хочет получить ту или иную вещь, которая, возможно, ему не особенно и нужна, что забывает обо всем. Так чего же он на самом деле хочет?

В большинстве подобных случаев ребенку не хватает человеческого тепла, он одинок. Может быть, в этом отчасти виноваты родители, может быть, у него не получается настоящей дружбы со сверстниками. (Ребенок иногда ощущает внутреннее одиночество, даже если он весьма популярен среди товарищей.) Кражи, совершаемые семилетними детьми, объясняются еще и тем, что в этом возрасте они особенно отдаляются от родителей. Если при этом ребенку не везет в дружбе и он не может благодаря ей компенсировать недостаток тепла, то оказывается в эмоциональной пустыне, чувствует свою полную изолированность от мира. Тогда становится понятным, почему, украв деньги, ребенок пытается купить на них дружбу. Один раздает одноклассникам мелкие монетки, другой покупает на весь класс сладости. Но причина не только в ребенке; родители тоже бывают излишне строги с ним, поскольку в этом возрасте он уже не вызывает прежнего умиления. Одиночество вновь настигает ребенка на пороге отрочества — в это время подростки не уверены в себе, очень впечатлительны и страстно желают большей независимости.

Стремление получить побольше человеческого тепла играет определенную роль в попытках воровства независимо от возраста. Но нельзя упускать из виду и другие факторы: страхи, ревность, неприязнь. Девочка, сильно завидующая своему брату, ворует предметы, которые у нее в подсознании ассоциируются с мальчиками.

561. Как поступать, если ребенок ворует. Удостоверившись, что ваш ребенок (или ученик) совершил кражу, скажите ему об этом, добейтесь от него ответа, где спрятана украденная вещь и заставьте вернуть ее. Иначе говоря, убедите его в бесперспективности попыток обмануть вас. (Если родители снисходительно относятся ко лжи, то это равнозначно оправданию воровства.) Ребенок должен вернуть украденное владельцу, будь то его товарищ или продавец в магазине. Если вещь украдена в магазине, вам лучше отправиться туда вместе с ребенком и объяснить продавцу, что он взял вещь, не заплатив, и хочет положить ее на место. Учитель может сам отдать украденную вещь пострадавшему и таким образом избавить ребенка от публичного позора. Итак, ясно, что нет нужды унижать ребенка, но у него не должно оставаться сомнений, что вы не допустите воровства.

Вам необходимо также задуматься, не уделять ли ребенку больше внимания, не помочь ли ему установить более теплые отношения с друзьями (см. пункт 551). Возможно, вам следует давать ему столько денег на карманные расходы, сколько получают его приятели. Тогда он не будет чувствовать себя белой вороной. Если кражи продолжаются или вы видите, что ребенок не может приспособиться к окружающей обстановке, обратитесь к психиатру (см. пункт 577).

Есть еще один вид краж, который не имеет ничего общего с описанным выше. Во многих детских компаниях считается проявлением мужественности и отваги стянуть что-нибудь по соседству. Это, конечно, нельзя приветствовать, но и ничего ужасного в таком поведении нет. Каким-либо образом узнав о краже, поговорите с ребенком по душам, но не обращайтесь с ним как с преступником только потому, что он любит приключения или следует инстинкту не выделяться из группы. Решение проблемы лежит в улучшении экономических условий, в создании хороших школ, в организации детского досуга.

Наконец, несколько слов о кражах, совершаемых агрессивными юнцами, уже потерявшими и совесть, и чувство ответственности. Эти люди в детстве не знали любви, никогда не чувствовали безопасности в семье и тепла родительского крова. Для таких подростков есть один выход — тщательное лечение у психиатра и жизнь в окружении добрых, внимательных людей.

Школа

Для чего нужны школы

562. Главный предмет в любой школе — правила общежития в окружающем мире. Все остальное должно помогать ребенку эти правила уяснить. В прежние времена считалось, что в школе ребенок учится читать, писать, считать и получает определенные знания об окружающем мире. Один известный школьный учитель рассказывал мне, как в школьные годы должен был выучить примерно такое определение предлога: «Предлог — это слово, обычно указывающее на положение, направление, время или иное абстрактное отношение и использующееся для связи существительного или местоимения, употребленных в значении прилагательного или наречия, с другим словом». Вызубрив все это наизусть, он мало что понял. Вы можете понять какое-либо явление, только если оно что-то значит для вас. Поэтому задача школы — сделать предметы живыми и интересными, чтобы детям хотелось изучать их и чтобы они оставались в их памяти на всю жизнь.

Вы немногого добьетесь только с помощью лекций и учебников. Гораздо плодотворнее изучать предметы в их непосредственной связи с жизнью. Дети за неделю лучше усвоят арифметические действия, работая в школьном киоске, продавая книги, получая деньги и давая сдачу, чем корпя целый месяц над учебником с холодными цифрами.

В знаниях нет пользы, если они не принесут вам счастья, если не научат вас жить среди людей, если не помогут приобрести любимую профессию. Хороший учитель должен стараться понять каждого ученика, разобраться в его характере, достоинствах и недостатках. Только тогда он в состоянии будет помочь ему преодолеть слабые стороны и стать разносторонней личностью. Ребенку, страдающему комплексом неполноценности, надо дать возможность в чем-то преуспеть; задиру и хвастуна надо научить завоевывать признание, которого он всеми силами добивается, хорошими делами; стеснительного ребенка надо сделать общительным и интересным для окружающих; у лентяя надо пробудить энтузиазм.

Школе вряд ли будет сопутствовать успех, если каждый ученик за урок должен будет прочесть учебник с 17-й по 23-ю страницы и решить примеры на 128-й странице задачника. Это годится для среднего ребенка. Способному ученику все это будет скучно, а слабому не по силам. Такой метод преподавания позволит мальчику, который терпеть не может книг, тратить время на то, чтобы приклеивать бумажки к косичке сидящей впереди девочки. В такой школе никакой помощи не получит девочка, которая чувствует себя одинокой, или мальчик, которому нужно научиться работать в коллективе.

563. Как сделать уроки интересными. Если вы выберете живую и интересную тему, то на ее основе можно изучить весь комплекс школьных предметов. Например, в третьем классе лейтмотивом может стать жизнь индейцев. Чем больше дети будут о ней узнавать, тем интереснее им будет учиться. На уроке литературы они прочитают рассказ об индейцах. На арифметике они узнают, какой системой счета пользовались индейцы, что им служило деньгами. Теперь арифметика станет для них не отвлеченным предметом, а частью их жизни. На уроках географии за цветными пятнами на картах ученики увидят широкие просторы, где жили индейцы, и узнают, чем отличалась жизнь индейцев в прериях и в лесах. На уроке естествознания ученики добудут краску из ягод и покрасят кусок ткани. На труде они изготовят индейские луки и стрелы.

Люди иногда относятся с подозрением к идее, что учеба должна доставлять удовольствие: они считают, что детей надо прежде всего научить делать неприятную работу. Но если вы вспомните своих знакомых, добившихся необыкновенных успехов, то обнаружите, что эти люди страстно любят свое дело. В любой деятельности много скучной рутины, но вы не отказываетесь от нее, поскольку она напрямую связана с последующим приятным занятием. Чарлз Дарвин не успевал в школе практически по всем предметам. Но потом он увлекся естественной историей, проделал невиданное количество исследований и разработал теорию эволюции. Школьник старших классов может не любить геометрию, поскольку не знает, для чего она нужна. Однако, готовясь стать летчиком, он поймет, что без хорошего знания геометрии подвергнет риску жизни членов экипажа, поэтому будет сидеть над ней днями и ночами. Любой учитель знает, что школьники должны стать дисциплинированными, иначе от них потом будет мало пользы. Однако он понимает, что дисциплину не набросишь на ученика, как аркан; дисциплина должна развиваться изнутри, должна стать основой личности, и прежде всего ребенок должен осознать, кому и зачем нужна его работа, и почувствовать ответственность перед окружающими за ее успешное выполнение.

564. Как школа помогает отстающим детям. Гибкие программы не только делают учебный процесс более увлекательным. Их можно подстроить под каждого ученика в отдельности. Один мальчик первые два года провел в школе, где каждый предмет преподавали без связи с остальными. Этому мальчику трудно давались чтение и письмо, и он оказался в хвосте у всего класса. В глубине души он стыдился своих неудач, но на словах объяснял это тем, что ненавидит учиться. Ему с самого начала не удавалось установить контакт с одноклассниками. Мысли о том, что он выглядит в глазах класса бестолочью, только ухудшали ситуацию. Ощущая свою неполноценность, он вел себя вызывающе, постоянно затевал драки. Учительница считала его просто хулиганом. На самом деле таким неудачным способом он хотел всего лишь привлечь к себе внимание класса, чтобы окончательно не превратиться в изгоя.

Потом его перевели в школу, где учительница помогла ему не только овладеть чтением и письмом, но и занять подобающее положение в классе. Во время собеседования с матерью своего ученика она выяснила, что у него умелые руки и он любит рисовать. Учительница нашла способ продемонстрировать детям его сильные стороны. Ученикам было поручено нарисовать большую картину из жизни индейцев, чтобы повесить на стену класса. Все вместе они работали и над макетом индейской деревни. Учительница предложила мальчику участвовать в обоих проектах. Ему пришлось заниматься тем, что он хорошо умел делать, поэтому он был спокоен и уверен в себе. Шли дни, и он все больше и больше начинал интересоваться всеми сторонами жизни индейцев. Чтобы правильно выполнить свою часть работы, он вынужден был искать некоторые подробности в книгах об индейцах, и ему захотелось как следует научиться читать. Он прикладывал к этому все силы. Его новые товарищи не думали о нем как о тупице из-за его проблем с чтением; для них он был умелым художником и мастером на все руки. Они постоянно хвалили его работу и часто обращались за помощью. Видя, что нужен всем, мальчик начал оттаивать. Ведь он так долго хотел добиться признания и дружеского к себе отношения. Чем лучше его принимали в коллективе, тем более общительным и дружелюбным он становился.

565. Связь школьных предметов с окружающей жизнью. В школах стараются поближе познакомить учеников с окружающим миром, чтобы они из первых рук узнавали о деятельности местных фермеров, рабочих, бизнесменов. Таким образом перед ними раскрывается связь между школьными дисциплинами и реальной жизнью. Учителя проводят экскурсии на расположенные неподалеку промышленные предприятия, приглашают интересных людей в школы для бесед, организуют дискуссии. В процессе изучения пищевых продуктов ребята посещают молочную ферму, где наблюдают все этапы производства молока: доение, пастеризацию, разлив в бутылки. Ученикам интересно побывать и на предприятии, занятом обработкой фруктов и овощей.

У старшеклассников и студентов колледжей есть возможность многое узнать летом, в трудовых лагерях. Школьники под руководством учителей работают на предприятиях и на фермерских полях. После обсуждений им становятся более понятны проблемы, существующие в различных областях человеческой деятельности, и пути их разрешения.

566. Демократия — краеугольный камень дисциплины. Школа стремится научить детей принципам демократии и воплощению этих принципов в повседневную практику. Настоящий учитель понимает, что его миссия не увенчается успехом, если, произнося правильные слова из книг, он сам будет вести себя словно диктатор. Педагог должен предложить детям самим решить, как они будут осуществлять общие проекты, как они будут преодолевать различные проблемы, помочь им подобрать кандидатуры руководителей на каждый участок работы. Только так они научатся ценить вклад каждого в общее дело. Только так они получат навыки, которые будут им подспорьем и в школе, и во взрослой жизни.

Я убедился, что у учителя, контролирующего каждый шаг детей, занятия идут успешно, пока он находится в классе. Стоит ему выйти из комнаты, как ученики начинают бездельничать. Они делают для себя вывод, что за работу класса отвечает педагог, а не они сами. Зато теперь, без надзора, они могут заниматься тем, чем хотят. Но если дети сами выбирают себе дело, если для его выполнения они должны работать сообща, то интенсивность учебного процесса практически не снижается, когда дети остаются в классе одни. Почему? Потому что им понятна цель работы и ясны шаги, которые им надо предпринять, чтобы добиться этой цели. Они чувствуют, что это их обязанность, а не учителя. Каждый стремится преуспеть на своем участке и испытывает настоящую гордость, заслужив уважение класса; каждый чувствует ответственность за остальных членов команды.

Это высший тип дисциплины. Такое воспитание делает из ребенка настоящего гражданина, хорошего труженика, прекрасного солдата.

567. Взаимодействие школы с родителями и врачами. Даже самый опытный педагог не сможет сам разобраться со всеми проблемами своих учеников. Учителя должны сотрудничать с родительскими комитетами, должны проводить родительские собрания и собеседования с отдельными родителями. Эти меры помогут и родителям, и педагогам узнать проблемы друг друга, поделиться своими знаниями о ребенке. Учителю следует поддерживать связь и с руководителями детских организаций, священниками, врачами, причем эта связь должна быть двусторонней. Настоящий успех придет только при совместной работе всех, кто занимается детьми. Особенно важно сотрудничество, когда речь идет о ребенке, страдающем хроническими заболеваниями, — ведь учителю необходимо знать как можно больше о болезни, о методах лечения, о том, что он может сделать или за чем следить, пока ребенок находится под его опекой. Врач заинтересован в информации, как заболевание влияет на успеваемость, какую помощь может оказать школа и какое ему следует назначать лечение, чтобы не противодействовать усилиям работников образования.

Проблемы некоторых детей не сможет решить даже союз учителя с родителями, сколь опытными и чуткими они бы ни были. К сожалению, лишь в отдельных школах работают психиатры. Чаще можно встретить в школах психологов и консультантов, специально подготовленных, чтобы помочь родителям и учителям распознавать и преодолевать преследующие детей трудности в учебе. Если таких специалистов в школе нет или учитель считает случай сложным и запущенным, то желательно обратиться в обычную или психиатрическую клинику.

568. Как улучшить работу школ. Родители подчас сетуют: «Конечно, очень просто рассуждать об идеальной школе, где занятия интересны и найден подход к каждому ученику. Но вот в школе, где учится мой ребенок, предметы преподают сухо, и я ничего не могу сделать, чтобы изменить ситуацию». Это неправда. В каждом городе и поселке школа такая, какую хотят видеть его граждане. Если они знают, что такое хорошая школа, хотят, чтобы их дети учились именно в такой школе, и могут настоять на своих требованиях, они получат по-настоящему образцовое заведение. Иначе и не может быть в демократическом обществе.

Родители имеют возможность объединяться в ассоциации, обсуждать проблемы образования с учителями и чиновниками. Они могут агитировать за избрание в органы местного самоуправления, в законодательные органы лиц, которые будут защищать их интересы и способствовать улучшению деятельности школ. Не существует идеальной системы образования, и даже лучшие школы не удержат своих позиций, если граждане не будут проявлять постоянной заботы по их совершенствованию.

Многие люди до сих пор не осознали, какой вклад способны внести образцовые школы в формирование молодых, духовно здоровых, полезных для общества граждан. Они возражают против увеличения бюджета школ, без чего невозможно уменьшить численность учеников в классах, повысить зарплату учителям, создать мастерские и лаборатории, внедрить программы отдыха школьников после занятий. Не понимая ценности и важности подобных начинаний, они считают их «ненужными излишествами», которые лишь развратят школьников и учителей. Но при этом они забывают народную мудрость: «Скупой платит дважды». Деньги, **с толком** потраченные на образование, вернутся обществу сторицей. Образцовые школы, прививая детям ощущение своей полезности, чувство самоуважения и способность к сотрудничеству, во много раз уменьшат число бездельников и преступников. Но польза грамотного подхода к образованию еще лучше видна на примере **остальных** детей, которые, возможно, ни при каких обстоятельствах не стали бы преступниками и которые находят себе достойное место в обществе как отличные работники, активные граждане, уверенно стоящие на ногах и счастливые в своей частной жизни люди. Какое лучшее применение может найти общество своим деньгам?

Трудности в учебе

569. У школьных неудач бывают самые разные причины. Проблемы с учебой обычно возникают в школах, где преподавание ведется по стандартным программам, где все действия учителя и школьников строго регламентированы, где классы слишком велики, чтобы хватало времени на поиск индивидуального подхода к ученикам.

У каждого ребенка есть свои трудности, которые мешают ему приспособиться к школьной обстановке. Они часто связаны со здоровьем: одни дети плохо видят, другие плохо слышат, третьи быстро устают или страдают хроническим заболеванием. Следует учитывать психологические аспекты: некоторым школьникам, например, не дается чтение из-за особого свойства их психики, не позволяющего им воспринимать слова целиком; нервные дети не способны сосредоточиться на предмете, их голова все время занята посторонними мыслями; озорники своими выходками мешают учителю и товарищам. В каждом классе есть отличники и дети, чей уровень умственного развития невысок. (О детях с задержкой в развитии речь идет в пункте 799.)

Не браните и наказывайте ученика за плохие отметки. Попытайтесь найти корень проблемы. Посоветуйтесь с учителем или директором школы, пойдите на прием к консультанту по детским проблемам. Пусть вашего ребенка протестирует школьный психолог. Наконец, есть возможность обратиться в детскую психиатрическую клинику или к частному врачу, если в школе нет соответствующих специалистов (см. пункт 577). Желательно проверить и физическое состояние ребенка, включая зрение и слух.

570. Одаренные дети. Ребенок, которому учеба дается легко, начинает скучать в классе, где все поголовно ученики должны выполнять одинаковые по сложности задания. Казалось бы, решить проблему можно, переведя ребенка в следующий класс. Это действительно хороший выход из положения, но только в том случае, если способный ребенок хорошо развит физически и легко адаптируется к новому коллективу. Иначе он окажется в одиночестве. Особенно остро это проявляется в коллективе, где большинство школьников уже вступило в период полового созревания. Младший ребенок может оказаться слишком маленьким и неловким, чтобы на равных участвовать в спортивных играх или в танцах. Его не волнуют интересы большинства, поскольку он до них еще не дорос, и ему поэтому бывает очень трудно влиться в общую компанию. Так стоит ли спешить с переводом в старший класс или в колледж, чтобы обречь ребенка на одиночество?

Более разумным представляется вариант, когда способного ребенка переводят в класс, соответствующий ему по возрасту, но в школу с гибкой программой, где способным ученикам предоставлена возможность самим пополнять багаж своих знаний, например пользоваться библиотекой с богатым набором различных справочников и энциклопедических изданий. Если вундеркинд проявляет усердие, желая получить хорошую отметку или понравиться учителю, то он непременно получит от товарищей прозвище Зубрила или Умник. Но если он участвует в общих проектах, дети начинают ценить его за помощь, которую он им оказывает.

Даже если вы считаете, что ваш ребенок обладает исключительным талантом, не переводите его в старший класс, пока вам этого не посоветуют учителя. Им виднее, где будет лучше школьнику. Слишком жестоким будет удар, если окажется, что он не справляется с более сложной программой и либо перейдет в разряд отстающих, либо вынужден будет вернуться в свой старый класс.

А может, следует начать обучение способных детей чтению и счету дома, еще до поступления в школу? Сплошь и рядом матери говорят, что дети засыпают их вопросами о буквах и цифрах и просят научить их читать и считать. По отношению к некоторым детям это действительно так, и не будет вреда, если вы удовлетворите их любопытство.

Но во многих случаях дело обстоит несколько иначе. Оказывается, что честолюбивые родители, сами того не сознавая, желают найти у своих детей выдающиеся способности. Когда ребенок играет или возится в песке, родители не уделяют ему слишком много внимания. Зато когда он проявляет еще в младшем возрасте интерес к чтению, их глаза загораются и они с радостью бросаются к нему с объяснениями. Ребенок чувствует, что родители довольны, и отвечает им еще большей заинтересованностью. После этого, случается, его отрывают от естественных для его возраста занятий и до срока начинают пичкать знаниями.

Конечно, родители не были бы родителями, если бы не обрадовались, обнаружив в своем ребенке талант. Но нужно научиться не выдавать желаемое за действительное и не путать заинтересованность ребенка и свое тщеславие. Если родители смогут честно признаться самим себе в честолюбивых устремлениях и перебороть соблазн вмешаться в жизнь малыша, тот вырастет счастливым, разносторонне развитым и, главное, навсегда сохранит к родителям чувство благодарности. Сказанное относится не только к чтению, но и к другим попыткам давить на детей, будь то школа, занятия спортом, музыкой, танцами.

571. Нервозность мешает учебе. Любые переживания, неприятности, трения в семье мешают ребенку хорошо учиться. Ниже приведено несколько примеров, которые, разумеется, не в состоянии охватить все нюансы проблемы.

Шестилетняя девочка сгорает от ревности к младшему брату. Она все время «на взводе», не в состоянии сосредоточиться, внезапно и без причины нападает на других детей.

Ребенок расстроен болезнью домашних, угрозой развода родителей. Будучи в младших классах, по дороге в школу он

469

пугается бродячих собак, в школе он боится сердитого дежурного, учителя, стесняется попроситься в туалет или отвечать перед классом. Для взрослого это мелочи, но ребенка 6–7 лет это доводит до такого исступления, что он не может ни на чем сосредоточиться.

Девятилетнего ребенка дома постоянно попрекают, делают замечания. Он становится беспокойным, постоянно находится в движении, и ничего не удерживается в памяти.

Ребенок неохотно садится за уроки. Но дело не во врожденной лени. Детеныш любого животного рождается любопытным и энергичным. Если ребенок теряет эти качества, значит, их «вытравили» неправильным воспитанием. Дети выглядят в школе ленивыми в силу ряда причин. Одному надоели постоянные понукания, он бы с большим удовольствием занялся своим хобби. Иногда ребенок пассивен в школе (или в другом месте) из страха перед неудачей. Это состояние является следствием чрезмерной критики его способностей или предъявленных к нему завышенных требований.

На первый взгляд может показаться странным, но некоторые дети не в состоянии добиться успеха из-за своей мнительности. Ученик повторяет и повторяет уже хорошо выученный урок или продолжает сидеть над сделанным упражнением. Он боится, что еще что-то упустил или в чем-то допустил ошибку. Он все время опаздывает, нервничает.

Ребенок в ранние годы был лишен любви и заботы. К школьному возрасту он превращается в беспокойное, почти невменяемое создание. Его мало интересуют занятия, он не может наладить контакт ни с педагогом, ни с товарищами.

Чем бы ни было вызвано отставание в учебе, не нужно наваливаться на проблему с двух сторон. Попытайтесь выявить первопричину неудач ребенка, используя средства, о которых говорится в пункте 569. Помимо этого педагоги и родители, узнав все что можно о ребенке, совместными усилиями должны использовать его увлечения и интересы, его сильные стороны, чтобы постепенно втянуть его в коллектив и в работу класса.

572. Проблемы с чтением из-за слабой зрительной памяти. Для нас с вами слово «кот» и слово «ток» выглядят по-разному. Маленьким детям, начинающим осваивать азбуку, эти слова кажутся очень похожими, потому что содержат те же буквы, расположенные в другом порядке. Бывает, они путают такие слова и вместо «сев» читают «вес», вместо «одобрить» читают «ободрить». Со временем они начинают различать похожие слова и запоминают их. К концу второго класса такого рода ошибки почти исчезают.

Но примерно у 10 % детей — преимущественно мальчиков — проблемы остаются, поскольку они не могут распознать и запомнить слова по их внешнему виду. Они переворачивают слова и пишут с ошибками очень долго — несколько лет. У некоторых сложности с чтением остаются на всю жизнь, сколько бы они ни старались.

Дети быстро привыкают к мысли, что они глупые и непонятливые, и начинают ненавидеть школу, поскольку у них не получается как у всех. Учителя и родители должны успокоить и ободрить их, объяснить, что дело в особой проблеме с памятью, что таким же образом многие люди не могут запомнить услышанную мелодию, что они не тупые и не ленивые, что они в конце концов научатся читать и писать правильно.

Многим невнимательным детям поможет чтение вслух, когда они произносят слова и слоги и одновременно указывают на них пальцем. Таким образом они быстрее их запоминают. Если в школе нет условий для дополнительных занятий, родителям стоит посоветоваться с учителем или директором о помощи репетитора во внеклассное время. Роль репетитора может выполнить терпеливый родитель. Есть смысл проверить ребенка у психиатра, особенно если наблюдаются другие проблемы с эмоциональной сферой, которые также могут играть свою роль в неспособности к чтению.

573. Помощь ребенку в занятиях. Иногда учитель сообщает родителям, что ребенок нуждается в дополнительных занятиях по предмету, с которым у него не ладится. Такая мысль иногда приходит в голову и самим родителям. В этом случае нельзя поступать сгоряча. Если в школе вам предложат хорошего репетитора и вы сможете с ним договориться, то все в порядке. Сами же родители подчас оказываются никудышными педагогами. И не потому, что они мало знают, не потому, что занимаются с ребенком спустя рукава, а потому, что слишком сильно при этом переживают, слишком быстро выходят из себя, если ребенок чего-либо не понимает. Для малыша, который и так с трудом разбирается в предмете, крик родителей станет последней каплей. Кроме того, родители иногда излагают материал иначе, чем это делал в классе учитель. Если ребенок не понял чего-либо в классе, то, скорее всего, он окончательно запутается, услышав дома совершенно иное объяснение.

Я, конечно, не хочу сказать, что родители вообще не должны ничего объяснять ребенку, не должны помогать ему. Подчас родительская помощь приходит вовремя и бывает на редкость эффективной. Но родителям предварительно стоило бы подробно обсудить свои намерения с учителем и, если от занятий будет мало толку, немедленно прекратить их.

Так что же вам делать, если ребенок обратился за помощью? Если он чего-то не понимает и пришел к вам за разъяснением, не отказывайте ему в этом — для отца, например, нет большего удовольствия, чем показать, что он тоже что-то знает и помнит. Однако, если ребенок просит сделать работу за него, потому что не разобрался в вопросе, вам лучше сначала узнать мнение учителя. В хорошей школе учитель лучше еще раз объяснит материал ученику, но потребует, чтобы тот рассчитывал только на себя. Если у преподавателя нет времени или возможности для дополнительных занятий, не бросайте ребенка в беде. Помогите ему разобраться в непонятном материале, но не делайте его работу.

574. Страх школы. Изредка и совершенно неожиданно ребенок начинает бояться идти в школу. Обычно это происходит после того, как он пропустит несколько дней занятий по болезни. Ребенок не может сказать, что именно, связанное со школой, пугает его. Врачи, которые наблюдали подобные случаи, также считают, что причина страхов лежит вне школы. Ребенок становится более зависимым от матери из-за чувства вины, вызванного подсознательной неприязнью по отношению к ней (см. пункт 503). Болезнь и пребывание дома рядом с матерью обостряют это чувство. Если вы без возражений оставите его дома, боязнь идти в школу усугубится, поскольку добавится страх, что он отстанет в учебе, а учитель и одноклассники будут порицать его за отсутствие. Лучше всего проявить твердость и настоять, чтобы ребенок немедленно отправлялся в школу. Не обращайте внимания на его жалобы по поводу здоровья и на просьбы попросить врача продлить пребывание дома. (Разумеется, доктор перед тем должен проверить его самочувствие.) Если можно, обратитесь в детскую психиатрическую клинику. Там подобные случаи считают не терпящими отлагательства, поскольку понимают, что промедление резко ухудшает положение.

575. О детях, которым кусок не лезет в горло перед уходом в школу. С этой проблемой иногда сталкиваются родители учеников 1–2-х классов в самом начале учебного года. Впечатлительный ребенок оказывается подавленным огромным классным помещением, строгим видом учительницы. Стоит ему утром представить себе, что скоро он вновь очутится в этой волнующей остановке, как он чувствует себя не в силах проглотить за завтраком ни кусочка. Если мать силой будет заставлять его есть, то по дороге или уже в школе его стошнит. Ко всем его бедам добавится и этот позор.

Лучше за завтраком оставить его одного; пусть выпьет хотя бы сока или молока, если сможет. В крайнем случае отправьте его в школу натощак. Конечно, не слишком хорошо начинать день голодным, но он скорее сможет расслабиться и поесть, если вас не будет рядом за столом. Ребенок компенсирует недостаток калорий за обедом и ужином — к этому времени к детям возвращается отменный аппетит. По мере того как ребенок будет привыкать к школе и своим новым товарищам, его желудок постепенно прекратит бунтовать по утрам, если, конечно, ему не приходится сражаться с матерью, которая кормит его насильно.

Я бы посоветовал матери застенчивого ребенка обязательно переговорить с учительницей, чтобы та, вникнув в ситуацию, помогла малышу преодолеть излишнее волнение. Возможно, она постарается быть с ним помягче, предложит ему активнее участвовать в общей работе, чтобы занять достойное место в коллективе.

576. Родители и учитель. Приятно иметь дело с учительницей, если ваш ребенок хорошо учится, если он радует ее и заставляет гордиться им. Однако если у них отношения не складываются, ситуация становится весьма деликатной. Хороших учителей и хороших родителей всегда отличает уважение к другим людям. И те и другие гордятся, как они выполняют свои обязанности. И те и другие относятся к ребенку с теплом и вниманием. И те и другие думают про себя, что ребенок будет учиться лучше, если оппонент будет вести себя с ним немного иначе. Родители должны понимать, что у педагога тоже ранимая душа, и во время совместных бесед лучше выбрать дружелюбный тон и подчеркнуть свое стремление к сотрудничеству. Некоторые родители вынуждены признаться себе, что побаиваются учителя, но они не учитывают, что и учитель относится к родителям с опаской. В первом же разговоре с учителем надо рассказать о прошлом ребенка, о его увлечениях и интересах, на что он реагирует хорошо и на что плохо. А дальше пусть учитель сам решает, как использовать эту информацию. Не забудьте поблагодарить учителя за те разделы программы, которые больше всего понравились вашему ребенку и в которых он достиг наибольших успехов.

Психологическая и психиатрическая помощь детям

577. Психиатры, психологи, детские клиники. Родители зачастую не понимают, для чего существуют психиатры и психологи и какая между ними разница. **Психиатр** — это врач, специализирующийся на диагностике и лечении самых разных нарушений в поведении и эмоциональной сфере ребенка. В прошлом психиатры обычно занимались уходом за умалишенными, поэтому до сих пор к ним сохранилось предвзятое отношение — люди боятся обращаться к психиатру. Однако, как только психиатры поняли, что из небольшого расстройства со временем может развиться серьезное заболевание, они стали обращать все больше и больше внимания на повседневные проблемы. Благодаря вовремя принятым мерам врачам удается во многих случаях помочь людям, причем на это уходит совсем немного времени. Поэтому не стоит откладывать визит к врачу до тех пор, пока у ребенка не разовьется тяжелый недуг; ведь вы не будете дожидаться последней стадии пневмонии, чтобы обратиться за врачебной помощью. В больших городах практикуют частные детские психиатры. О подобного рода лечении вы можете больше узнать у вашего семейного врача.

Психологи — это не врачи; так называют специалистов, которые занимаются различными областями психологии. Психологи, работающие с детьми, хорошо разбираются в тестировании интеллектуального развития и способностей ребенка. Они также могут установить и устранить причины плохой успеваемости школьников.

В детских психиатрических клиниках врачи наблюдают детей, близко знакомятся с ними, выясняют природу их тревог и страхов, помогают понять причину и учат, как их преодолеть. При необходимости врач клиники приглашает психолога, а тот проводит тесты умственного развития и помогает врачу разобраться в сильных и слабых сторонах ребенка. Затем психолог может предложить специальную корректирующую учебную программу, например, если у ребенка есть проблемы с чтением. Клиника может послать своего сотрудника в школу, чтобы тот узнал у педагогов, с какими трудностями сталкивался ребенок, и в свою очередь рассказал им, чего удалось добиться врачам. Этот сотрудник или сам врач беседуют с родителями, стараясь побольше выяснить о ребенке и научить их, как с ним обращаться в дальнейшем.

Я надеюсь, что когда-нибудь у нас будут психологи и психиатры во всех учебных заведениях. Дети, родители, учителя тогда смогут обращаться за советом и помощью при самых незначительных проблемах так же легко и просто, как ныне справляются у врачей о прививках или диете.

578. Социальные агентства помощи семье. Практически в каждом американском городе есть хотя бы одно агентство социальной помощи семье, а в крупных городах такие агентства организуют католическая, протестантская и иудаистская церкви. Их штат состоит из людей, которых специально обучали помогать родителям в обычных семейных проблемах, таких как воспитание детей, улаживание супружеских ссор, планирование бюджета, решение жилищных проблем, поиски работы, предоставление медицинской помощи.

Большинство людей ограниченно понимают задачи агентств, считая, что они занимаются лишь благотворительностью и помощью беднейшим слоям населения. Ныне такой взгляд в корне неверен. Современные агентства помощи семье будут одинаково рады помочь вам и в самом мелком недоразумении, и в большой беде; они имеют дело и с теми, кто в состоянии сделать взнос в их фонд (благодаря чему они могут расширять свою деятельность), и с теми, кто такой возможности не имеет.

При возникновении трудностей с ребенком лучше всего напрямую связаться с детскими психологами или психиатрами. Но если поблизости нет клиники или, чтобы попасть туда, надо выстоять долгую очередь, то разумнее обратиться в агентство. Когда решение проблемы в их силах, они помогут вам. Если в вашем случае все же необходимы специалисты, они поспособствуют скорейшему решению вопроса.

Период полового созревания

Физические изменения в организме

579. Половое созревание девочек. Период полового созревания — это примерно 2 года, в течение которых происходит интенсивный рост, развитие органов и систем организма и которые заканчиваются собственно зрелостью. Для девочки таким моментом можно считать первую менструацию. Для мальчиков четкий рубеж определить сложнее. Поэтому сначала обсудим проблемы полового созревания девочек.

Прежде всего нужно учесть, что начало периода полового созревания у девочек приходится на разный возраст. У большинства девочек он начинается примерно в 10 лет, а первые месячные происходят через два года, в 12 лет. Но у значительного числа подростков пубертатный период длится с 8 до 10 лет, тогда как у поздно развивающихся девочек его начало задерживается до 12 лет. Известны редкие случаи раннего и позднего созревания, когда даты начала составляли соответственно 7 и 14 лет.

Довольно значительные отклонения в ту или иную сторону отнюдь не говорят о том, что у девочек не в порядке железы внутренней секреции. Просто у каждой из них процесс идет по своему расписанию, с самого начала заложенному природой в ее организм. У родителей с поздним развитием дети обычно созревают позже, и наоборот.

Давайте проследим за всеми изменениями на примере девочки, у которой период полового созревания начинается с 10 лет. Когда ей было 7, ее рост увеличивался за год примерно на 5–6 см. В восьмилетнем возрасте она прибавила в росте всего 4,5 см. Природа словно нажала на тормоза. И вдруг в возрасте около 10 лет тормоза были отпущены. В течение следующих двух лет девочка вырастала в год на 7–8 см. То же касается и веса. Даже не набирая лишнего жира, она тяжелела за год от 4 до 8 кг вместо 2–3 кг в предыдущие годы. Причиной такой прибавки был волчий аппетит.

Помимо этих изменений с девочкой происходили и другие. Вместе с началом бурного роста у нее стали развиваться молочные железы. Околососковые кружки немного увеличились в диаметре и слегка выпятились над поверхностью кожи. Потом железы начали увеличиваться. В первые полтора года они имели коническую форму, но с приближением первых менструаций стали напоминать полусферы. Почти одновременно с увеличением молочных желез на лобке появились волосы. Чуть позже волосы стали расти и под мышками. Шире стали бедра. Другой стала структура кожи.

В 12 лет прошла первая менструация. К этому времени фигура девушки стала напоминать женскую. Ее нынешний рост и вес сохранятся почти без изменений надолго, может быть, на всю жизнь. С этого момента она почти перестает тянуться вверх. За год после первых месячных она прибавила от силы 3 см, а за следующий год — не больше двух. После первой менструации прошло год-полтора, пока они стали регулярными. До этого они случались довольно редко и через разные промежутки времени. Это не признак какого-либо заболевания, просто организм девушки еще не адаптировался или не перестроился.

580. Половое созревание начинается у каждого в свое время. Мы говорили о среднестатистической девушке, но по точно такому сценарию события развиваются далеко не всегда. У одних половое созревание происходит раньше, у других — позже. Вдруг вытянувшаяся, восьмилетняя девочка, конечно, чувствует себя неловко, глядя на одноклассниц сверху вниз; кроме того, она стесняется все более явных признаков взрослой женщины в своей фигуре. Правда, обычно «скороспелки» переживают происходящее с ними не слишком болезненно. Во многом характер и глубина чувств девушки зависят от того, насколько она общительна и насколько готова к изменениям, происходящим в ней. Девочка, которая сохранила хорошие отношения с матерью, мечтает быть похожей на нее, радуется всему новому в своем облике. На другом конце спектра находятся девочки, недовольные своим полом, например, ревнующие своего младшего брата, а также девочки, которые боятся стать взрослыми. У таких подростков признаки женственности вызывают тревогу и отвращение.

Сильные отрицательные эмоции присущи и девочкам с задержками полового развития. Представьте двенадцатилетнюю школьницу, которая видит, как вытягиваются ее подруги, как округляются их фигуры, а сама она остается маленькой и субтильной, ее рост словно затормозил накануне спурта. Ей кажется, что она навсегда останется карлицей, что она серьезно больна. Такую девочку надо успокоить, надо объяснить ей, что она будет расти и развиваться, что со временем она ничем не будет отличаться от сверстниц и произойдет это непременно, как непременно всходит по утрам солнце. Если мать или кто-нибудь из родни девочки развивался с опозданием, надо рассказать ей об этом в качестве подтверждения своих слов. Можно пообещать ей, что она станет выше на 15–20 см, прежде чем совсем остановится в росте.

Кроме сроков начала полового созревания случаются и другие отклонения от описанной нами модели. У некоторых девочек сначала появляются волосы на лобке, а потом увеличиваются молочные железы. В других случаях первым признаком начавшихся процессов становятся волосы в подмышечных впадинах. Длительность периода полового созревания составляет, как мы говорили, около двух лет, но у девочек с ранним развитием он короче и может не превышать полутора лет. У девочек с поздним развитием половое созревание продолжается дольше двух лет. Иногда начинает развиваться одна молочная железа и лишь через несколько месяцев — другая. Подобные явления довольно часты и не должны вас беспокоить. Молочная железа, которая начала развиваться первой, может навсегда остаться более крупной.

581. Мальчики отстают в половом развитии от девочек в среднем на два года. Надо знать, что половое развитие у мальчиков в среднем начинается не в 10, а в 12 лет. Раннее развитие может происходить с 10 лет или даже еще до того. Позднее развитие отодвинуто по срокам тоже примерно на два года, а некоторым мальчикам приходится ждать еще дольше. В этот период скорость их роста увеличивается в два раза по сравнению с предшествующими годами. Быстро растут пенис, яички, мошонка (кожный мешок, в котором расположены яички). Довольно рано появляются волосы на лобке, несколько позже — в подмышечных впадинах и на лице. Голос ломается и становится ниже.

В конце периода полового созревания пропорции тела юноши почти не отличаются от тела взрослого мужчины. В последующие два года он еще прибавит 4–5 см, после чего рост практически прекратится.

Как и девушки, юноши с трудом учатся управлять своим новым телом и новыми чувствами. Разговаривая, юноша иногда «пускает петуха», однако не только голос, но и все говорит о том, что в нем сейчас живут и мужчина и мальчик. Это уже не мальчик и еще не мужчина.

Сейчас как раз подходящий момент, чтобы подробнее поговорить о сложностях в жизни класса во время перехода школьников от детства к юности. В классе собраны дети примерно одного возраста. После 10 лет на протяжении четырех лет девочки обгоняют мальчиков в развитии. Они становятся более взрослыми не только физически, но и их интересы обновляются. Девочек влечет на танцы, они хотят выглядеть привлекательными. А мальчики все еще стыдятся проявлять к одноклассницам что-либо, похожее на симпатию. В это время следует устраивать школьные мероприятия, в которых девочки участвовали бы наравне с мальчиками более старших классов.

Мальчик, который в 14 лет остается «недоростком» среди крупных и сильных сверстников, нуждается в утешении гораздо сильнее, чем задержавшаяся в развитии девочка. Ведь рост и физические данные имеют в это время для подростка очень большое значение. Однако вместо того, чтобы просто успокоить парня, сказать ему, что со временем он вырастет, станет крепким и сильным, родители предпочитают обратиться к эндокринологу, надеясь добиться желаемого результата с помощью лечения. Ребенок при этом лишь укрепляется во мнении, что с ним что-то не в порядке. Разумеется, есть гормональные препараты, которые могут привести к появлению вторичных половых признаков, но, если ребенок здоров, мудрее понадеяться на природу и дать ей позаботиться обо всем.

582. Проблемы с кожей. В период полового созревания меняется состояние и строение кожи. Ее поры укрупняются, усиливается секреция жира. На поверхности кожи жир смешивается с пылью и грязью, угри с черными головками закупоривают протоки сальных желез. Поры еще больше расширяются, и в них могут попасть микробы. В этом месте происходит воспаление и образуются прыщи.

Подростки в этом возрасте большое внимание уделяют своей внешности, и пороки кожи весьма их тревожат. Они постоянно трогают пальцами прыщи и угри, пытаются их выдавливать. Но беда в том, что вместе с гноем из раздавленных прыщей на кожу лица и на пальцы попадают микробы. Когда подросток трогает лицо, он заносит микробы на другие участки кожи, вызывая все новые и новые воспаления. На месте выдавленных прыщей иногда остаются глубокие шрамы. А некоторые подростки, которым привили страх перед всем, что связано с сексом, считают, что прыщи становятся результатом их «греховных» мыслей или вызваны мастурбацией.

Родители обычно воспринимают появление прыщей как печальную необходимость, считая, что лучшим лекарем станет время. Этот пессимистический взгляд не вполне оправдан. С помощью современных средств в большинстве случаев можно достичь значительного улучшения. Подросток, который заботится о внешности и здоровье, должен обращаться за помощью как к обычному врачу, так и к дерматологу.

Кроме прописанного врачом лечения есть общедоступные меры гигиены, которые наверняка окажутся полезными. Ежедневная зарядка по утрам, свежий воздух, солнечные лучи многих избавили от неприятных ощущений и помогли сохранить кожу гладкой, без рябин и шрамов. Говорят, что в борьбе с угрями помогает отказ от шоколада и конфет, но экспериментальных доказательств подобное утверждение не получило. Обычно для ухода за кожей рекомендуют тщательно мыть лицо дважды в день, хотя дерматологи подчас выражают сомнение в целесообразности этой меры. Скорее, успех может принести использование для умывания бактерицидного мыла с последующим ополаскиванием горячей и холодной водой. Очень важно объяснить подростку, почему нельзя трогать лицо руками и почему нельзя выдавливать угри и прыщи. Если на вершине прыща образовалась белая головка, следует промокнуть ее салфеткой, смоченной дезинфицирующей жидкостью, и проследить, чтобы остатки гноя не попали на окружающую кожу.

Другим изменением, связанным с функциями кожи, становится повышенное отделение сильно пахнущего пота в подмышках. Дети и их родители иногда не замечают запаха, но одноклассники начинают сторониться таких подростков. Всем подросткам необходимо ежедневно мыться с мылом и пользоваться подходящим дезодорантом.

Психология и поведение подростков

583. Стеснительность и обидчивость. Физические изменения в организме подростка заставляют его сильнее ощущать неуверенность в себе. Он может переживать и тревожиться по поводу любых недостатков своей внешности. Так, безумно огорчают девушку веснушки на лице; она признается, что из-за них «выглядит ужасно». Малейшее незнакомое прежде ощущение подростка наводит его на мысль, что с ним творится что-то ненормальное.

Он становится неловким и неуклюжим — растущее тело требует иной координации движений. То же касается перестройки эмоциональной сферы. Подросток легко обижается даже на легкую критику. То он чувствует себя совсем взрослым и хочет, чтобы с ним соответственно обращались, то он снова ощущает себя ребенком и требует мягкой заботы.

584. Соперничество с родителями. Родители не всегда ясно представляют, что подростковое бунтарство лишь продолжение того соперничества с родителями, которое впервые появилось в возрасте 4—6 лет. Особенно обостряются отношения у отца с сыном и у матери с дочерью. Происходит это потому, что эмоции у подростков сейчас очень сильны и, кроме того, они чувствуют себя почти взрослыми и готовыми соревноваться с родителями в одной лиге, если говорить спортивным языком. Подросток ощущает себя готовым войти во взрослый мир, завязать отношения с лицами другого пола, стать главой семьи. Он стремится сбросить отца с трона власти. В глубине души отец чувствует это и не слишком расположен терпеть посягательства.

Мятеж может принимать разные формы. Где-нибудь на заброшенной ферме юноша 16 лет во время спора с отцом, сам того не желая, в порыве гнева ударом сбивает его с ног. Потом он понимает, что после случившегося не имеет права оставаться в доме и уходит на заработки. Другой парень может оставаться спокойным в семье, но сплошь и рядом выражает протест в школе и на улице.

Высокообразованный отец и его сын практически никогда не выходят за рамки корректных отношений. Если в душе парня поднимается ярость, он не дает ей выхода в открытой форме. В подобных семьях чувство соперничества находит подсознательное выражение: у юноши в старших классах школы, в колледже или в университете неожиданно возникают серьезные проблемы с учебой, хотя он ранее проявлял прекрасные способности и желание учиться. Он искренне недоумевает, не в силах понять причины своих неудач. При обращении к психоаналитику выясняется, что, если юноша хочет выбрать для себя отцовскую стезю, он подсознательно боится опозориться, не достигнув профессионального уровня отца, или, напротив, боится, старается не огорчать его, добившись более крупных успехов. В обоих случаях плохая учеба становится ударом для родителей, но в этом нет вины молодого человека, поскольку на сознательном уровне он не может управлять ситуацией. (Не все, но многие юноши, бросившие школу из-за неожиданного провала на экзаменах, обнаруживают в себе способности и желание продолжить учебу после нескольких лет работы или службы в армии. Это значит, что они преодолели подсознательный страх. Иной способ избавиться от страха — курс психоанализа.)

Другие юноши, охваченные желанием соперничать с отцом, отказываются следовать ему в выборе профессии, хотя впоследствии, став опытнее и преодолев иррациональные страхи, приходят к решению продолжить семейную традицию.

С помощью психоанализа было установлено, что мальчики, испытывающие к отцу одновременно ужас и восхищение, подавляют свою неприязнь к нему и выплескивают ее на мать, резко отвечая ей в ответ на самые обычные просьбы или на якобы проявленное к подростку невнимание.

Если бы у подростков не было бунтарских настроений, они никогда не захотели бы покинуть дом и найти свой собственный путь в жизни. Чувство соперничества также толкает молодых людей к попыткам изменить мир, взамен привычных жизненных стереотипов отыскать новые, сделать научные открытия и создать произведения искусства, ниспровергнуть авторитеты и уничтожить зло на земле. Удивительно, как заметно двинули вперед науку, как изменили взгляд на искусство совсем молодые люди. Они не были талантливее представителей старшего поколения и уж тем паче не обладали их опытом. Но они не хотели идти проторенной дорогой, а двинулись неведомыми тропами, и этого оказалось достаточно для успеха. Именно с ними связан прогресс всего человечества.

Девушки не испытывают такого пиетета к матерям, как юноши к отцам. Их протест чаще, как правило, выражен открыто — в семейных ссорах; намного реже они терпят неудачи в учебе. Девушка может на глазах у матери флиртовать с отцом или упрекать мать за плохую заботу о муже. Юноши почти не прибегают к подобным способам дразнить отца.

585. Поиск индивидуальности. Юноша перед вступлением в зрелый возраст хочет решить для себя, каким он будет человеком, чем будет заниматься, каким принципам будет следовать в жизни. Его самоопределение лишь частично подвластно сознанию; во многом же это подсознательный процесс.

Чтобы выяснить, кто он есть и чего хочет, молодой человек должен отделить себя от родителей — не в физическом смысле, ведь в нем слились гены отца и матери, а в эмоциональном. Он должен осознать, что независимо от себя все время пытался «списать» с них свою личность, копировал их поступки, их привычки. Он должен взглянуть на себя со стороны. Результат такого пересмотра жизненных позиций зависит от трех факторов: степени зависимости от родителей, силы протеста против них, видения внешнего мира и своего места в нем.

Двигаясь ощупью в поисках своей индивидуальности, подросток может опробовать несколько ролей: мечтателя, циника, мудреца, аскета.

Освобождаясь от влияния родителей, подросток должен компенсировать потерю, чтобы не чувствовать себя абсолютно одиноким. Поэтому он ищет близости со сверстниками — обычно того же пола, поскольку в нем еще живут внутренние табу по отношению к представителям противоположного пола.

На тот период, пока юноша, отказавшись быть копией родителей, еще не приобрел собственного мировоззрения, подобные дружеские связи поддерживают его извне, выполняют роль подпорок, которыми укрепляют дома при ремонте, когда заменяют сгнившие бревна новыми.

Подросток ищет в друзьях свои собственные черты. Например, он рассказывает приятелю о своей любимой песне, жалуется на придирчивого педагога, делится желанием приобрести футболку или кроссовки и с изумлением обнаруживает, что того волнуют совершенно такие же мысли. Оба довольны и счастливы. Каждый избавился от ощущения собственного одиночества, понял, что его интересы разделяют, осознал свою причастность к остальному человечеству.

Те же чувства движут двумя подружками, которые, не умолкая ни на секунду, болтают всю дорогу из школы, потом еще полчаса стоят, не в силах расстаться, перед дверями дома, а переступив порог, тут же хватают телефонную трубку и продолжают делиться своими секретами.

Большинство подростков стараются избежать одиночества, слепо следуя моде на одежду, прически, музыкальные пристрастия, круг чтения, способы проведения досуга, жаргон и т.п. Разумеется, во всем этом они должны отличаться от родителей. А уж если их вкусы раздражают старших, то здесь срабатывает принцип: «чем больше, тем лучше». Но даже самые экстравагантные выходки подростков, которыми они подчеркивают свое пренебрежение к мнению родителей, наверняка не изобретены ими, а где-то подсмотрены.

Подростки стесняются родителей, особенно в присутствии своих приятелей. Отчасти это связано со сложным процессом самоопределения личности, отчасти — с переходным возрастом. Но главным мотивом становится желание походить на своих друзей и принадлежать только им. Попытки подростков найти отрицательные черты во всем, что бы ни делали и ни говорили родители, подчас выглядят смехотворными. Но терпеть грубости со стороны детей все же не стоит. В присутствии друзей своего ребенка будьте дружелюбны, но не навязчивы. С точки зрения молодежи, родители не должны вести себя так, словно они все еще сами молоды.

В попытках стать эмоционально независимыми от родителей подростки особенно стараются подловить взрослых на лицемерии. Пока ребенок видит, что родители искренни в своих поступках, что они неуклонно следуют своим идеалам, он и сам не отречется от них. Но, заметив малейшие проявления лицемерия, подросток считает себя свободным от всех обязательств оставаться лояльным по отношению к родителям и их взглядам. Кроме того, это дает ему повод открыто выражать свое недовольство «предками».

586. Стремление к свободе и страх перед ней. Одним из основных упреков, обращенных подростками к родителям, становится нежелание последних дать юной смене побольше свободы. Вполне естественно для юноши, стоящего на пороге взрослой жизни, настаивать на своих правах и напоминать старшим, что он сильно изменился. Но родителям не стоит принимать все подобные заявления за чистую монету. Не секрет, что подросток в глубине души с трепетом и опаской ждет наступления зрелости. Он не уверен, что на самом деле обладает теми знаниями, талантом, мастерством, обаянием, как он себе представляет. Но гордость не позволяет ему в этом признаться. Когда в его подсознании поселяется неуверенность в своих способностях, он находит оправдание в нежелании родителей выпустить его из-под опеки. Он открыто возмущается тиранией взрослых, жалуется на родителей своим приятелям. Родители без труда угадают подобный маневр, услышав неожиданную просьбу отпустить его вместе с приятелями, скажем, на вечеринку в пригородном ресторане, чего прежде он никогда не делал. Возможно, он только и ждет, чтобы его не пустили.

587. Нигилизм, эксцентричность, радикализм. Становление личности молодого человека иногда занимает 5–10 лет. Этот процесс идет не постоянно, в нем бывают рывки, перерывы и остановки. Часто юноши задерживаются на полпути — на стадии пассивного сопротивления обществу (которое в глазах подростков олицетворяется его родителями), отказа следовать его правилам и установкам, откровенного радикализма.

Молодой человек не желает работать, старается выделиться среди окружающих своей манерой одеваться, своими знакомствами, занятиями. Похоже, таким образом он подчеркивает свою независимость. Однако его поведение не несет в себе ничего позитивного, направлено лишь на отрицание, на протест против устоев и традиций его семьи. И все же попытку утвердить свою независимость эксцентричностью во внешности следует считать шагом в правильном направлении. На смену ей придет этап конструктивных действий, этап созидания и творчества. Кстати, молодежь, которая в самых вызывающих формах демонстрирует свободу от всего и вся, как правило, воспитывалась в семьях, исповедующих высокие идеалы и прочность родственных уз.

Другие представители молодого поколения, преданные идеалам добра и справедливости, на несколько лет переходят на радикальные позиции в политике, искусстве, иных областях. Связанные с возрастом изменения в психологии образуют будоражащую смесь, толкают на ожесточенную критику лицемерия, на неприятие компромиссов, на самопожертвование. Через несколько лет, когда юноша по-настоящему станет духовно независимым от родителей, когда найдет себя в какой-либо области деятельности, он сможет более терпимо относиться к недостаткам своих близких, сможет ради дела идти на уступки.

588. Любовь плотская и романтическая. (Я употребляю слово «плотская», когда хочу указать на чувства, в основе которых лежат деятельность желез внутренней секреции и врожденные инстинкты. Под «романтической» любовью я понимаю высокие, нежные чувства, питаемые к конкретному человеку, чувства, с которыми мы знакомы с детства, — ведь родительская любовь как раз такого рода. Я отдаю себе отчет, что подобное разделение не вполне корректно, а использовать нынче слово «романтический» немодно и многим оно покажется до зевоты скучным.) Есть несколько причин, которые осложняют чувства к противоположному полу, делают их неоднозначными. Подросток уже миновал ранее два противоположных по сути этапа развития отношений полов. Они были кратко описаны в пункте 13 и затем детализированы в разделах «От трех до шести» и «От шести до одиннадцати». Между 3 и 6 годами ребенок духовно растет благодаря преклонению перед родителями; в это время в нем возникает интерес к таким вопросам, как принадлежность к тому или иному полу, происхождение детей и т. п. В последующий период, вплоть до начала полового созревания, он подавляет свою романтическую любовь к родителям, отдаляется от них; теперь его влекут абстрактные, не связанные с определенным лицом объекты и отношения: обучение в школе, связи в обществе, законы, литература, наука.

Усиленная работа желез внутренней секреции в период полового созревания снова рождает в подростке плотские и романтические чувства. Но возобновленный интерес к противоположному полу в течение нескольких лет находится в конфликте с остающимися в нем табу периода детства. Конфликт выражается во внутреннем беспокойстве, тревоге, ощущении вины, а также во внешней неловкости и неуклюжести. В качестве примера можно указать на застенчивость подростков при общении с лицами другого пола.

Противоречивые чувства ухудшают и отношение детей с родителями. Когда появляется потребность романтической любви, то ее первым объектом становится родитель противоположного пола, хотя подросток подсознательно чувствует, что этого быть не должно. Он делает попытку перенести свой любовный интерес с родителя на другое лицо вне семьи. Кроме того, свою любовь подросток прячет за грубостью. Этим отчасти объясняются частые стычки сына с матерью и неожиданные приступы враждебности дочери по отношению к отцу.

Поначалу подросток не выделяет предмета своей любви. Сильные романтические чувства направлены на разных людей. Он не признается в этих чувствах даже самому себе, не говоря уже о лицах одного с ним возраста, но другого пола. Он может восхищаться учителем одного с ним пола или героем литературного произведения. Постепенно рушится барьер между полами. Возможно, подросток найдет свой первый идеал среди звезд Голливуда. Потом мальчики и девочки начинают грезить одноклассниками, но придется еще долго ждать, пока они решатся тем или иным способом выразить свои чувства.

После того как половые инстинкты сломают внутренние запреты, оставшиеся в сознании подростков с детства, и они начнут встречаться с представителями противоположного пола, в своем воображении они по-прежнему будут рисовать идеальный образ любимого. Благодаря этому любовное чувство будет оставаться под флером романтики и рыцарства. Отчасти эмоции позднего этапа развития сублимируются в стремления, на первый взгляд даже не связанные непосредственно с сексом или любовью, — им хочется писать стихи, хочется облагодетельствовать все человечество.

В самом начале увлечения лицами противоположного пола подросток не находит в своем чувстве ничего сексуального — предмет интереса вызывает в нем лишь уважение и нежность. (К сожалению, подобное разделение чувства на плотское и романтическое у некоторых остается на всю жизнь.)

Пока подросток не привыкнет к плотским желаниям, пока они не станут частью его личности, эти чувства будут тревожить его как нечто привнесенное, как жестокий, грозный, неодолимый инстинкт. Он пытается понять, куда ведет его зов плоти, испытывает сильное стремление испробовать его на практике. Плотское и романтическое чувства разрывают его в разные стороны; более того, одно лицо вызывает в нем сладкую нежность, а к другому он испытывает — смутно или вполне определенно — вожделение.

На пороге юности подросток несколько раз влюбляется, причем каждый раз довольно глубоко. Но чувство влюбленности проходит так же легко и быстро, как появляется. Он понимает, что у него самого и у предмета его любви мало общего. Подчас любовь проходит потому, что один или оба просто меняются с возрастом. Часто подростки обнаруживают, что они создают из любимого идеал, который очень далек от действительности. С годами подростки становятся не такими безоглядными в чувствах, они начинают понимать, кто им подходит, с кем им легче общаться. Они также учатся больше давать друг другу, без чего настоящая любовь невозможна.

589. Подросток и родители. Положение родителей подростка очень сложно и даже щекотливо. Ребенок с нормальными задатками в этом возрасте будет спорить с родителями, будет бунтовать против них, какими бы выдержанными те ни были. В наше время родителям труднее еще и потому, что они все в той или иной мере теоретически подкованы в детской и подростковой психологии и знают, что могут причинить своему ребенку вред иногда из самых лучших побуждений. Это никуда не годится, поскольку лучше сделать что-либо не так, но не сомневаться в своем праве на поступок, чем идти хотя и правильным путем, но колеблясь и сомневаясь. Нельзя не учитывать и детского своеволия и упрямства, которое в последнее время выросло до немыслимых размеров.

Тем не менее большинство подростков не видят в родителях врагов и в своих отношениях чаще руководствуются разумом, а не эмоциями. Это весьма примечательно, если принять во внимание, какие штормы бушуют в их душе, перед каким сложным выбором они ежечасно оказываются, когда вынуждены согласовывать свои новые ощущения с требованиями жизни, в которую только вступают.

Первое и главное правило: подросток еще долго будет нуждаться в руководстве со стороны родителей — пусть он даже на словах отчаянно ему сопротивляется. Безропотно следовать советам старших ему просто не позволяет гордость.

Учителя и воспитатели часто слышат от подростков: «Предки моего приятеля всегда знают, чего хотят. А мои — то так, то эдак». Они понимают, что родительская любовь призвана удержать их от ошибок в сложных ситуациях, помочь им приспособиться к сложностям внешнего мира, предотвратить возможный урон для их репутации, вызволить из беды, в которую молодежь может попасть по неопытности.

Но это отнюдь не значит, что юноша позволит родителям судить свои поступки или командовать им. Его болезненное самолюбие требует разговора только на равных. Если взаимные аргументы в споре не могут убедить ни младшего, ни старшего, родители вправе проявить авторитаризм — все же опыт взрослого многого стоит. В конце концов, родители могут заставить ребенка послушаться своего совета, выполнить их просьбу и даже приказ.

Иногда родители спрашивают, как им поступать, если дети открыто выступают против них или тихо их игнорируют. В семьях со здоровым климатом в начале периода полового созревания конфликтов на этой почве не происходит, да и позже они редки. Отдельные родители даже считают за благо, когда их чада поступают против их желания, хотя это не значит, что родители не уверены в правильности своей точки зрения.

Отношение родителей должно показывать без слов: они понимают, что молодой человек теперь большую часть времени находится в «автономном плавании», и его никто не заставляет слушаться старших, никто за ним не следит — он делает это лишь из уважения к отцу и матери.

490

Если подросток отказывается следовать указаниям родителей, это еще не значит, что родители плохо ему объяснили свою позицию или что их позиция неверна. Из подобных поступков можно вывести лишь одно: молодой человек, не имея еще большого собственного опыта, прислушивается к разным мнениям. Не последовав совету родителей, юноша тем не менее может оказаться прав — например, разум или интуиция подсказывают ему то, о чем не подозревают старшие. Чем старше он будет становиться, тем более он должен быть готов взять на себя ответственность за свои решения, если пойдет против мнения родителей. Когда, не согласившись со старшими и поступив по своей воле, подросток попадет в беду, его уважение к родителям только возрастет, хотя прямо этого он, видимо, не признает.

590. Непреложные истины. У меня сложилось твердое мнение о роли родителей в воспитании подростков. Но я не решился бы приводить его как истину в последней инстанции. Меняются времена, меняются нравы; в разных районах страны бытуют свои традиции. Даже в одной общине люди смотрят на предметы по-разному. Каждый ребенок не похож на другого.

Но есть правила, одинаковые для всех.

Подростки, независимо от того, как они относятся к себе и другим, а равно и взрослые должны периодически принимать ванну, носить выстиранную и вычищенную одежду. Фасоны одежды и прически можно оставить на усмотрение самих подростков, лишь бы они не вызывали абсолютного неприятия со стороны родителей, школы, властей.

Поодиночке и в группе подростки не должны эпатировать окружающих, а к родителям, друзьям семьи, учителям, людям, которые их обслуживают, отношение должно быть теплым и сердечным. Нельзя отрицать, что к некоторым людям подростки испытывают в душе неприязнь, поскольку видят в них соперников. Но необходимо держать себя в руках и, скрывая свои чувства, всегда быть вежливым. Кстати, это заставит и взрослых отвечать взаимностью.

Молодежь обязана помогать членам семьи в рутинных делах; подростки не должны отвечать отказом и на отдельные просьбы старших. Подобное поведение лишь поможет становлению чувства достоинства, не даст им почувствовать себя одинокими и оторванными от семьи, принесет им радость от сознания собственной полезности.

591. Первые свидания. Я полагаю, поскольку сам был воспитан в строгом старомодном духе, что по крайней мере до 16—17 лет подросток не должен ходить на свидания с лицами другого пола. Но в последние десятилетия возраст молодых людей, прибегающих к флирту, постоянно снижался. Я вижу этому несколько причин. На переломе XX века отношение к сексу стало более либеральным; это изменение в общественной морали затронуло все возрасты. В то же время возникла и стала развиваться тенденция подвергать сомнению незыблемость религиозных и моральных норм; их место стали занимать результаты исследований биологов и психологов, словно в данной области единственным проводником является только природа. Многие родители, ориентируясь на собственное понимание проблем детской психологии, не решались применять в своей практике те правила, на которых воспитывались сами, — они боялись прослыть ретроградами, боялись лишить своих детей счастья. Многие матери были не слишком строги с дочерьми прежде всего потому, что желали девушкам успеха не только в семейной жизни, но и на общественном поприще. Некоторые даже наставляли дочек, как вести себя с молодыми людьми, а потом выспрашивали о результатах.

Мне кажется, что ранний флирт, свидания и гуляния обедняют любовное чувство, придают ему более биологический, нежели духовный смысл. Молодые неопытные подростки не в состоянии наполнить свои отношения нежностью, преданностью любимому, душевной щедростью. Они излишне склонны видеть в своем партнере лишь объект для удовлетворения своего любопытства, чувственности и для проверки своей способности исполнять роль юных влюбленных. Когда встречи становятся регулярными, на первое место выходят физические стороны сексуальных отношений в ущерб общению духовному.

Встречи совсем юных подростков стали модными, и многие девушки заводят себе приятелей не ради любви, а для того, чтобы иметь постоянных партнеров на вечеринках и не выглядеть белой вороной среди подруг. Стараясь сохранить к себе интерес парней, они позволяют им достичь физической близости. Это в свою очередь часто приводит к беременностям, которые становятся настоящей драмой не только для девушек, но и для их приятелей. (Число добрачных беременностей в США за последние 20 лет увеличилось в 3 раза.)

Напротив, более искушенные в жизни юноши и девушки если полюбят, то глубоко и искренне, потому что видят и чувствуют, что подходят друг другу. Любовь делает их физическое влечение сильнее, но оно не противоречит обоюдной приязни, теплоте и нежности, а дополняет их. Более того, эмоции духовного порядка не дают вожделению полностью завладеть влюбленными.

Высокодуховная девушка хочет сохранить свою чистоту до встречи с человеком, которого полюбит всем сердцем и навсегда, — пусть даже ее осторожность входит в конфликт с естественными любопытством и страстным желанием физической близости. Многие воспитанные юноши придерживаются тех же взглядов. Когда любовь вспыхивает между совсем юными созданиями, именно девушка следит, чтобы вожделение не перехлестнуло через край. Уважая ее чувства, испытывая к ней нежность и желая избавить от неприятных переживаний, молодой человек также старается контролировать свои чувства.

592. Контроль со стороны родителей. Когда подросток собирается на вечеринку или на свидание, родители должны в мягкой манере уточнить, где он предполагает быть и когда собирается вернуться. Вы должны знать, кто еще будет в компании и кто поведет машину. Вас не должен устроить ответ, что, мол, не все ли равно, ведь попасть в беду можно как до полуночи, так и после. Уже сам факт, что родители оговаривают час возвращения и ждут ребенка к этому времени домой, должен свидетельствовать, что им не все равно, чем он занимается и какое впечатление производит на окружающих. Они должны, не повышая тона, объяснить, что живут не на необитаемом острове, что соседи видят, когда он возвращается, и судят по этому о его воспитанности и что от репутации семьи многое зависит. Если же подросток устраивает вечеринку дома, родители не должны оставлять компанию совсем без присмотра.

Конечно, родителям не стоит устраивать допрос с пристрастием по поводу планов ребенка и списочного состава компании, но они не должны оставаться в неведении. До 13—15 лет это совершенно необходимо; позже можно проявлять свой интерес намеками и косвенными вопросами. Если на прямой вопрос подросток отвечает вопросом, зачем, мол, им об этом знать, объясните ему, что родители несут за него полную меру ответственности, пока тот не поступит на работу или в высшее учебное заведение, и общество рассчитывает, что они будут надлежащим образом выполнять свой долг по его воспитанию. «Представь, — могут сказать они, — с тобой случилась беда, а мы и не знаем, где тебя искать». Есть и другой вариант: «Предположим, нам звонят родители Тома и говорят, что он не вернулся к назначенному часу. Мы покажем себя не в лучшем свете, если сообщим, что понятия не имеем о времени твоего возвращения». Если планы подростков меняются или что-то мешает им выполнить обещание, они должны позвонить домой и объяснить родителям причину задержки.

Это совсем не означает, будто родители не должны доверять своему ребенку и вынуждены ему в этом признаваться. Недоверие глубоко ранит подростков. С вашей стороны будет большой ошибкой, если вы дадите ребенку понять, что ставите под сомнение соблюдение им принятых правил поведения. Тем самым вы как бы сами предполагаете дурные черты в его характере. Он может подумать: «Если они считают, что я способен на плохой поступок, какой смысл стараться быть хорошим?» Установлено, что многие правонарушения малолетних начинаются с того, что родители постоянно обвиняют ребенка в недопустимом поведении, хотя ничего подобного нет и в помине.

Однако желание родителей знать о том, как, с кем и где проводит время их ребенок, вовсе не означает недоверия к нему. Подростку просто дают понять, что он не подозревает обо всех подводных камнях, на которые может наткнуться во взрослой жизни, что им еще нужно руководить, хотя его возраст не позволяет открыто в этом признаться. Чтобы убедить ребенка, родители должны быть готовы выслушать упреки в отсутствии доверия и моментально отвергнуть их, ибо любые колебания позволят ему продолжать спор и еще более настойчиво обвинять родителей в несправедливом к нему отношении.

Страстность чувств юных влюбленных и многочисленные примеры ранних браков ныне ставят родителей перед серьезным выбором. Будь у меня дочь 16–17 лет, которая собралась бы замуж за парня, которого знает всего несколько месяцев, вряд ли я смог бы ее убедить в несерьезности ее чувств или в том, что избранник ее не стоит. Любые мои аргументы подверглись бы яростной атаке, в которой участвовали бы и преданность любимому, и весь юношеский максимализм. Но я попробовал бы уговорить ее подождать хотя бы год, чтобы проверить за это время силу и постоянство их чувства.

Некоторые родители и профессиональные воспитатели имеют отличный от моего взгляд на современные проблемы сексуальности подростков. Они отказались от старомодного, пуританского отношения к сексу и считают, что молодым необходимо обрести сексуальный опыт до брака, а широкая гамма эффективных противозачаточных средств, по их мнению, снимает последние поводы для беспокойства и порицания. В частности, они считают, что всех девушек накануне двадцатилетия нужно научить пользоваться влагалищными диафрагмами и пилюлями, чтобы те могли избежать нежелательной беременности.

Все это звучит заманчиво, но, полагаю, слишком просто, чтобы быть полной правдой. Желание молодых людей сохранить невинность до брака с любимым человеком нельзя назвать американским пуританством; оно до сих пор живуче и в странах Западной Европы. Доказано, кстати, что лучшие достижения человеческой цивилизации — шедевры искусства, науки и техники — обязаны своим рождением подавлению и сублимации сексуальных влечений в детском и юношеском возрасте.

Повод для столь подробного изложения своих взглядов мне дали психиатры, практикующие в среде университетской молодежи. Они сообщают, что юноши и девушки, которые не считают себя готовыми участвовать в сексуальных экспериментах, становятся предметом насмешек своих более раскрепощенных товарищей: их считают ущербными. Кроме того, если школьников в обычном порядке обучать пользованию контрацептивами — будь то инициатива родителей или учителей, — то это станет лишь призывом к безответственности в сексуальных отношениях. (В течение последних пятидесяти лет молодые люди, вступившие в половую связь, но не желающие связывать себя брачными обязательствами, тем или иным способом пользовались противозачаточными средствами.)

Когда психолог или врач говорит о воздержании молодых людей, воспитанных на высоких идеалах, то он уверен, что кроме чисто физического влечения такие пары связывают общие интересы, взаимная нежность, желание делиться душевным теплом. Такие браки существуют дольше, и статистика это надежно подтверждает.

593. Подростковая преступность. Эта проблема много сложнее, чтобы просто дать ей определение и привести пару примеров. Используемый термин не дает четкого представления о предмете, поскольку под него можно подвести любой проступок — от прогулов уроков до убийства. В переходном возрасте мальчики очень агрессивны, и большинство из них в той или иной мере отлынивают от школы, совершают мелкое воровство (например, колпаков с колес автомобилей), причиняют материальный ущерб (например, бьют стекла в пустующих домах), хотя редко кто из них бывает пойман. Подобные проказы не заслуживают пристального внимания, если происходят редко или в них участвует группа ребят. Но общество не может поощрять беззаконие, и так же должны поступать родители. Если же в хулиганстве неоднократно замечен подросток, выросший в условиях строгого воспитания и муштры, то либо это свидетельствует о неврозе (речь идет, в частности, о клептомании), либо о недостатке тепла и заботы со стороны родителей и общества, либо, наконец, о том, что у его родителей подсознательная склонность к преступлениям и, несмотря на проявления гнева, в душе они радуются поведению ребенка. Подобные проступки могут быть вызваны влиянием окружения, когда, бросая вызов силам правопорядка, ребенок доказывает свою отвагу и пренебрежение опасностью.

Проступки, которые несут печать корысти (ограбления), вандализма (ночной разгром в классной комнате), жестокости (беспричинные избиения людей), означают, что ко всему прочему подросток в детстве подвергался жестокому обращению.

Девушки обычно не столь агрессивны, как парни, и своими выходками они не ставят целью вызов властям или насилие над людьми. Как правило, жертвой они выбирают родителей, а слабой формой протеста — побег из дома. Эта мера характерна для наивных девочек с неустойчивой психикой и становится следствием натянутых отношений с близкими.

Примером более серьезного вызова становятся беспорядочные половые связи, как правило, с лицами из близкого окружения родителей. Это делается из желания «навредить» взрослым и лишить всю семью доброго имени. В результате дело заканчивается вызовом полиции и просьбой арестовать малолетнюю преступницу, поскольку родители не могут справиться с ней. Неправильное поведение вызвано бесконечными скандалами в семье и дефицитом любви к дочери.

У любой девушки есть способ эпатировать семью и общество. Для этого ей достаточно забеременеть. Правда, в большинстве случаев она не хочет расставаться с отцом ребенка и старается скрыть результаты своего легкомыслия. Узнав о ее проступке, родители, разумеется, не звонят в полицейский участок. Тем не менее исследования психиатров показывают, что довольно часто девушка не испытывает подлинной любви к партнеру, намеренно вступает с ним в связь, не заботясь о предосторожности, лишь для того, чтобы насолить родителям. Девушки, не питающие неприязни к родителям, тоже часто вступают в добрачные связи, но испытывают при этом пылкую страсть и стараются избежать нежелательной беременности, которая может принести всем много неприятностей.

Что касается серьезных преступлений, совершенных подростками, то можно во всех случаях уверенно говорить, что они не являются неожиданными, что их не совершают лица, жизнь которых до этого текла безмятежно. На преступления идут дети из неблагополучных семей, где не утихают конфликты между родителями, а также между родителями и детьми, где не приходится говорить о взаимной любви и где отклонения в поведении ребенка появились задолго до отрочества. Профилактика правонарушений заключается в коррекции поведения ребенка еще в раннем возрасте, если замечено, что он не может нормально адаптироваться к окружающему миру.

594. Наркотики. Люди впервые пробуют наркотики чаще всего начиная со среднеподросткового возраста и почти до 30 лет. Это самый активный период в жизни человека, когда он ищет свое место в мире.

К наркотикам приобщаются неискушенные, эгоцентричные, пассивные по характеру люди, не выбравшие еще своей дороги. Но и у обычных подростков есть черты, толкающие их на эксперименты с наркотиками.

Им непременно хочется узнать как можно больше обо всех сторонах жизни, и особенно их привлекают ее таинственные стороны.

Многие подростки, чаще юноши, готовы на любые жертвы — они берут на себя опасные миссии, очертя голову бросаются в омут. (Эта черта подвигает их начать курить, тогда как взрослым людям больше всего хочется бросить эту привычку.)

В то же время, не признаваясь никому, они боятся новых, незнакомых ситуаций. Наркотики, как и алкоголь, могут притушить страх, придать смелости сделать решающий шаг — например, лечь в постель с девушкой.

У подростков очень сильно развито стадное чувство, им не хочется выделяться, они готовы во всем подражать приятелям, а если это не нравится родителям — тем лучше.

Среди наркотиков наименее опасным с точки зрения привыкания и вызываемых психических расстройств считают марихуану, или гашиш. Подростки успокаивают себя тем, что гашиш приносит не больше вреда, чем алкоголь, который употребляют их родители. Но алкоголизм — очень распространенный и отнюдь не безобидный недуг.

Если бы у меня был ребенок подросткового возраста и он завел бы речь об употреблении наркотиков, возможно, чтобы узнать мою реакцию, я бы твердо указал ему на смертельную опасность этой привычки, на причиняемый наркотиками вред как физическому, так и духовному здоровью. Но ни в коем случае не надо постоянно возвращаться к этой теме, чтобы ребенок подумал, будто я не уверен, что меня правильно поняли.

Комплекция ребенка и некоторые проблемы развития

Худой ребенок

595. Худобу вызывают разные причины. Некоторые дети худы по своей природе. Это случается, если один или оба родителя имеют изящные фигуры. Сколько бы таких детей ни кормили с самого младенчества, они медленно прибавляют в весе, хотя не чувствуют себя больными или очень нервными. Просто им мало нужно, и особенно это касается высококалорийной пищи.

Недостаток веса у других детей можно объяснить потерей аппетита после попыток родителей накормить их силой (см. пункт 597). Часто теряют аппетит нервные, возбудимые дети. Например, ребенку, поглощенному мыслями о злых чудовищах, о смерти, о возможной разлуке с мамой, кусок не лезет в рот. Младшая сестра, которая ревнует к старшей, теряет массу энергии. Но она и за столом не успокаивается — смотрит не в свою тарелку, а в тарелку сестры. Итак, худоба детей с повышенной возбудимостью связана с двумя причинами: от нервного напряжения снижается аппетит, а постоянное движение истощает ребенка.

Во всем мире многие дети плохо едят, потому что родители либо не могут предложить им достаточно еды, либо кормят едой невысокого качества. Кроме того, дети худеют во время болезней. Но по выздоровлении они быстро набирают обычный вес — если только их не пытаются в это время перекармливать.

596. Особенности ухода за худым ребенком. Прежде всего худой ребенок должен регулярно проходить медицинский осмотр. Это тем более важно, если он выглядит утомленным, теряет вес или не может набрать нужного веса.

Худоба, утомляемость чаще вызваны проблемами скорее эмоционального здоровья, нежели физического. Если ребенок нервничает, если он подавлен, обратитесь в детскую психиатрическую клинику или в социальное агентство помощи семье. Обсудите ситуацию с его учителем. В любом случае полезно проанализировать отношения ребенка с родителями, братьями и сестрами, друзьями и товарищами по школе. Если возникла проблема с аппетитом, попытайтесь устранить факторы, которые ее вызвали.

Кормить худого ребенка между регулярными приемами следует в тех случаях, когда его желудок не принимает много пищи за один раз, но готов работать чаще.

Многие здоровые дети не отличаются полнотой, несмотря на отменный аппетит, — скорее всего, такова их конституция. Как правило, такие дети предпочитают низкокалорийную пищу, мясо, овощи, фрукты. А вот богатые калориями десерты им не нравятся.

Если вы не замечаете ничего настораживающего в своем худом ребенке, если он не полнеет с самого младенчества, но с каждым годом все же прибавляет в весе, не переживайте и оставьте его в покое — такова, видимо, его натура.

Плохой аппетит

597. Отчего возникают проблемы с питанием. Почему так много детей плохо едят? Потому что их матери слишком озабочены тем, чтобы они ели хорошо. Во многих местах на земле мамы ничего не знают ни о рационах, ни о диетах, но от них не услышишь жалоб на плохой аппетит своих отпрысков. В шутку можно сказать, что проблему можно создать, только если очень стараться.

Один ребенок рождается с отменным аппетитом, который не становится меньше, даже когда малыш не в духе или болен. У другого аппетит более умеренный и зависит от эмоционального и физического состояния. Первому вроде бы судьбой написано стать упитанным, если не толстым; второму как бы уготована судьба всегда оставаться в меру изящным. Но на самом деле в каждом младенце есть внутренний регулятор, который так воздействует на аппетит, чтобы ребенок оставался здоровым и прибавлял в весе столько, сколько ему положено.

Беда в том, что при попытке перекормить малыша у него срабатывает инстинкт, заставляющий его капризничать и упрямиться; другой инстинкт вызывает в нем надолго отвращение к пище, после которой у него были неприятности. Далее дело осложняется тем, что постоянно любимых блюд у человека не бывает. Например, он неделю с удовольствием ест за завтраком шпинат или кашу, а на следующей неделе смотреть на них не может. Наконец, некоторые люди из всего разнообразия блюд выбирают те, что содержат много сахара и углеводов, другие же остаются к ним более чем равнодушны. Приняв все это во внимание, вы легко поймете, как на разных стадиях развития ребенка у него возникают проблемы с питанием. В самом раннем возрасте ребенок начинает капризничать за едой, если мать пытается заставить его допить из бутылочки, хотя он к этому времени уже насытился; чуть позже он может невзлюбить твердую пищу, если ему не дали к ней привыкнуть постепенно. Многие дети становятся привередливы и разборчивы в еде после года, потому что к этому времени темп их роста снижается, а иногда еще и потому, что у них режутся зубы. Если мать не берет в расчет эти факторы и старается кормить малыша в прежних количествах, тот скоро потеряет аппетит. Очень часто появляются проблемы, когда ребенок начинает восстанавливаться после болезни. В это время аппетит возвращается, но если пытаться обгонять события, то у ребенка установится стойкое отвращение к еде.

Ухудшение аппетита не связано только с кормлением «через не хочу». Плохо едят дети, испытывающие ревность к новорожденному братику или сестренке, а также дети, чем-то встревоженные. Но, чем бы ни было вызвано снижение аппетита, желание матери накормить малыша через силу только обострят ситуацию.

Поставьте себя на минуту на место ребенка. Для этого вспомните ситуацию, когда вы сами вдруг потеряли аппетит.

Может быть, в тот день было очень душно, может быть, вас терзало беспокойство, может быть, был расстроен желудок. То же самое испытывает и малыш. И вот представьте суетящуюся вокруг вас великаншу, которая следит за каждым куском, который вы кладете в рот. Вы с трудом впихнули в себя самый вкусный кусок и отложили вилку — вам больше не хочется. Но великанша смотрит на вас с беспокойством и произносит: «Но ты даже не притронулась к репе». Вы пытаетесь объяснить, что в вас ничего не лезет, но на великаншу мольбы не действуют, она и не собирается вникать в ваши ощущения. Она ведет себя так, словно вы нарочно хотите ее разозлить. Когда она заявляет, что вы не встанете из-за стола, пока не очистите тарелку, вы пытаетесь проглотить кусочек репы, но испытываете тошноту и спазмы в желудке. Она сама наполняет ложку и сует ее вам в рот, отчего вы начинаете давиться.

598. Чтобы восстановить аппетит, нужно время и терпение. Коли случилось, что ребенок потерял аппетит, запаситесь знаниями и терпением, иначе проблему будет трудно преодолеть. Заметив, что ребенок плохо ест, мать обычно начинает нервничать. И это будет продолжаться, пока аппетит к ребенку не возвратится полностью. А ведь навязчивая забота о малыше больше всего мешает делу. Но даже если мать возьмет себя в руки, пройдут недели, прежде чем ребенок станет смотреть на еду с удовольствием. Необходимо, чтобы неприятные воспоминания о кормлении ушли из его памяти.

Аппетит малыша можно сравнить с мышкой, а мать — с кошкой, которая не позволяет мышке выглянуть из своей норки. Вряд ли мышку можно убедить, что ей не нужно опасаться кошки только потому, что кошка смотрит в другую сторону. Кошке просто надо уйти и оставить мышку в покое.

Доктор Клара Дэвис выяснила, что дети, у которых еще нет предубеждения в отношении пищи, способны обеспечить для себя сбалансированное питание, если дать им на выбор разные блюда (см. пункт 416). Но этого нельзя ожидать от ребенка, который видеть не может каких-либо продуктов, например овощей. Причем он будет отвергать эти продукты в течение месяцев и даже лет. Возможно, вам будет сопутствовать успех где-нибудь на отдыхе, в кемпинге, когда все вокруг едят то или иное блюдо, когда ребенок голоден и когда никто не обращает внимания, ест их малыш или нет. Но стоит вам вернуться домой, как срабатывают прежние стереотипы, и, увидев на знакомой тарелке знакомое кушанье, все в нем начинает кричать: «Нет!»

599. У мамы тоже нервы не железные. Трудно ожидать хладнокровия от матери, чей ребенок почти ничего не ест. Она очень обеспокоена, переживает, боится истощения, авитаминоза, потери иммунитета против инфекционных болезней. Доктор снова и снова пытается убедить ее, что сытые дети не менее подвержены опасности заболеть, чем голодные, но она ему не верит.

Мать чувствует себя виноватой, ей кажется, что ее родственники, родственники мужа, соседи, врач считают ее плохой хозяйкой. Но, конечно, у них и в мыслях такого нет. Скорее, они ей сочувствуют, потому что у каждого из них есть хотя бы один малыш, который доставляет им те же неприятности своим отношением к еде.

Далее расстройство сменяется гневом на маленького негодяя, который пустил насмарку все усилия матери быть с ним доброй и ласковой. Хуже этого уже ничего не может быть, потому что к злости добавляются угрызения совести и стыд за свою слабость.

Самое интересное, что родители, столкнувшиеся с проблемой кормления ребенка, воссоздают с полной точностью ситуацию из своего детства. Они помнят, как их самих мучили за столом, но, став родителями, не в состоянии поступать по-другому. Беспокойство, чувство вины, раздражение — все это отголоски эмоций, испытанных ими в детстве.

600. Голодание не вредит ребенку. Важно иметь в виду, что механизм, который с самого рождения помогает ребенку определять, сколько и какой пищи ему требуется для нормального роста и развития, работает безотказно. Проблемы с питанием чрезвычайно редко приводят к истощению, авитаминозу или инфекционному заболеванию. Тем не менее рацион ребенка, его поведение за столом стоит обсудить с врачом во время регулярных осмотров.

601. За столом пусть царит радость. Вам не нужно заставлять ребенка есть. Лучше сделайте так, чтобы вызвать у него аппетит.

Ни в коем случае не заводите с ним разговоров о еде, не грозите ему и не просите его поесть. Я бы не хвалил его за то, что он съел много и не показывал своего разочарования, если он чуть-чуть поклюет из тарелки. Приложив некоторые усилия, вы сможете заставить себя не думать об этом, что уже само по себе прогресс. Поняв, что его оставили в покое, ребенок сам начнет заботиться о своем аппетите.

Возможно, вам давали благоразумный совет: «Поставьте перед ним еду, а через полчаса уберите то, что осталось, и не давайте ему есть до следующего приема пищи». Следовать этому совету надо соответствующим образом: не давайте волю эмоциям, оставайтесь спокойной и доброжелательной. Случается, мать понимает свою задачу совсем иным образом. За обедом она швыряет ребенку тарелку и с грозным видом заявляет: «Если через полчаса ты все не съешь, я заберу тарелку, и ты ничего не получишь до ужина». Потом она встает как надсмотрщица и полчаса не спускает с него глаз. Угрозы заставляют ребенка нервничать и лишают его остатков аппетита. Упрямый малыш на вызов ответит вызовом, и будьте уверены — последнее слово останется за ним.

Ведь вы не желаете, чтобы ребенок ел только потому, что потерпел поражение в борьбе с вами, будь то кормление через силу или угроза забрать еду? Вам хочется, чтобы он ел с удовольствием и чувством благодарности к вам за полученное ощущение сытости.

Борьбу за аппетит малыша начните с его самых любимых блюд. Пусть при виде еды у него потекут слюнки и он будет сгорать от нетерпения взять в руки ложку. В течение 2–3 месяцев его рацион должен быть по возможности сбалансированным, но не вызывать в нем раздражения, и это будет первым шагом по восстановлению аппетита.

Если ребенок отказывается лишь от узкого круга продуктов, а в целом ест хорошо, прочтите пункты 437–447. Там рассказано, как можно безболезненно для здоровья ребенка заменить одни продукты другими, пока аппетит ребенка не восстановится и у него не исчезнет идиосинкразия к отдельным продуктам.

602. Ребенок, который почти ничего не ест. Некоторые мамы могли бы возразить мне: «Дети, о которых говорят, что они отказываются от одного или нескольких видов продуктов, — это не проблема, а почти радость. Вот мой согласен только на гамбургеры, бананы, апельсиновый сок и газированную воду. Больше он ни к чему не притрагивается».

Конечно, этот случай более тяжелый, но выход из положения тот же. Подайте ребенку на завтрак порезанные на ломтики бананы и кусочек хлеба, на обед гамбургер, две чайные ложки горошка и апельсиновый сок, снова к ужину бананы и хлеб. Если он просит, дайте ему добавки того блюда, которое ему нравится. Кормите его несколько дней комбинациями из указанных продуктов, однако твердо откажитесь поить его сладкой газированной водой — это убьет остатки аппетита.

Через пару месяцев к обычным блюдам добавляйте по паре чайных ложек (не больше) других продуктов, но не тех, к которым он испытывает отвращение. Не сообщайте об этом ребенку. Не пытайтесь настаивать, если он откажется есть новую пищу. Попробуйте повторить попытку через неделю-другую, а заодно предложите ему что-нибудь другое. Давайте ему тем больше еды, чем быстрее восстанавливается аппетит и чем больше ему нравятся новые блюда.

603. Не заставляйте есть нелюбимые продукты. Пусть он хоть четыре раза в день ест одно и то же, если ему так нравится и его пища при этом содержит максимум необходимых организму веществ. Если он отказывается от первого и второго блюда и сразу хочет получить десерт, пойдите ему навстречу, причем без каких-либо оговорок. Сказав: «Не дам тебе ни кусочка мяса, пока не съешь овощи» или «Не будет тебе третьего, пока твоя тарелка не станет чистой», вы еще больше отвратите ребенка от овощей или вторых блюд и еще больше возбудите его желание получить мясо или сладкое, т. е. результаты окажутся обратными ожидаемым.

Разумеется, вам не следует навсегда лишать ребенка разнообразного рациона. Но, если у него проблемы с аппетитом и какие-то продукты ему не нравятся, самый лучший способ возвратить малыша на путь истинный — это сделать вид, что вас интересует, чем он питается.

Большой ошибкой со стороны родителей было бы заставлять ребенка, потерявшего аппетит, «съесть ну хоть чуточку» продукта, к которому он относится с подозрением, объясняя ему, что «так надо». Если малыш через силу вынужден будет проглотить еду, к которой он не расположен, очень мало шансов, что когда-нибудь она ему понравится. Он будет испытывать за столом еще меньше радости, а аппетит к любой другой еде снизится у него еще больше.

Разумеется, нельзя предлагать ребенку то, от чего он отказался во время предыдущего кормления.

604. Кладите на тарелку меньше, чем хочет съесть ребенок. Детям, которые плохо едят, делайте самые маленькие порции. Если вы поставите перед ним полную тарелку, вы лишь напугаете его количеством еды, а его аппетит станет только хуже. Получив крошечную порцию, он вынужден будет признать, что такого количества ему не хватит, а именно это вам и требуется. Вам надо выработать у ребенка отношение к еде как чему-то очень желанному. Если он очень плохо ест, давайте ему всего по чайной ложке: ложку мяса, ложку овощей, ложку каши. Когда он закончит есть, не спрашивайте, хочет ли он еще. Пусть он попросит добавки сам, даже если потребуется несколько дней, чтобы подвести его к этой мысли.

605. Ребенок должен есть сам. Нужно ли кормить с ложечки ребенка, у которого плохой аппетит? Малыш, которого не слишком сильно опекали (см. пункт 423), начинает есть самостоятельно между двенадцатым и восемнадцатым месяцами. Но если чересчур заботливая мать будет продолжать сама кормить его до 2, 3 и даже 4 лет (причем подчас насильно впихивая в ребенка еду), то проблема зайдет слишком далеко, чтобы решить ее, сказав: «Хватит!» Ребенок уже потерял желание питаться самостоятельно и воспринимает ложку в маминой руке как должное. Для него это стало признаком ее любви и заботы. Если мать вдруг откажется кормить его, он расстроится, решив, что она разлюбила его. 2 или 3 дня он вообще ничего не будет есть, и этого достаточно, чтобы разбить сердце бедной матери. Когда она снова возьмет в руку ложку, в ребенке уже созреют по отношению к ней черные чувства, и ей уже не удастся заставить его есть самостоятельно, потому что он понял, в чем ее сила и ее слабость.

Ребенка старше 2 лет надо как можно быстрее научить есть самостоятельно. В любом случае выполнение этой деликатной задачи займет несколько недель. Не внушайте ему, что таким образом он лишается одной из своих привилегий; наоборот, вы должны представить дело так, что, передав ему ложку, вы облагодетельствовали его.

Готовьте малышу его любимые блюда — раз за разом и день за днем. Поставив перед ним тарелку, выйдите на несколько минут на кухню или в другую комнату, словно вы там что-то забыли. Каждый следующий раз пусть ваше отсутствие длится дольше. Потом возвращайтесь и кормите его, не обращая внимания на то, съел ли он что-либо или дожидался вас. Если ребенок проявляет нетерпение и зовет вас из соседней комнаты, подойдите к нему и, произнеся легкие извинения, покормите. Возможно, прогресс не будет непрерывным. Через одну-две недели он попробует съедать почти целиком одно блюдо, но будет проявлять желание, чтобы дальше за дело брались вы. На этом этапе не спорьте с ним. После того как он съест одно блюдо, не предлагайте ему браться за следующее. Если он будет доволен своими успехами, похвалите его, но не выражайте свою радость очень бурно, иначе он почувствует подвох.

Положим, через неделю вас нет рядом с малышом около 10–15 минут, а он все равно ничего за это время не съедает. Тогда сделайте так, чтобы он садился за стол более голодным. Постепенно — за 3 или 4 дня — уменьшите порции наполовину. Это заставит его начать есть самостоятельно, не дожидаясь вас. Только все время держитесь спокойно и дружелюбно.

Когда придет время и ребенок будет съедать примерно половину всего, что ему дают, выпускайте его из-за стола, но не пытайтесь сами накормить его оставшимся. Не ругайте малыша, если он что-нибудь оставит на тарелке. Голод не тетка, и скоро он будет есть больше. Если же вы попытаетесь предложить ему оставшееся, вам не удастся достичь поставленной цели. В подобном случае скажите лишь: «Наверное, тебе достаточно?» В ответ он попросит вас покормить его. Но, дав ему съесть пару ложек, заканчивайте.

Еще через пару недель ребенок будет съедать свой обед целиком, и после этого не делайте попыток кормить его с ложечки. Если иногда он будет выглядеть очень усталым и попросит: «Покорми меня», — дайте ему немного, а потом небрежно скажите, что он уже, наверное, сыт. Я обращаю на это ваше внимание потому, что мать, которая постоянно переживает от мысли, что ребенок голодает, которая слишком долго кормила его с ложечки и которая наконец приучила его есть самостоятельно, все время испытывает соблазн перехватить инициативу при первой же возможности, стоит малышу заболеть или потерять аппетит. Тогда вам придется начинать все с самого начала.

606. Нужно ли находиться рядом, когда ребенок обедает. Все зависит от того, нравится ли ребенку ваше присутствие, а также насколько вы можете скрывать свое беспокойство по поводу его аппетита. Если мать все время сидит рядом с ребенком, она не может вдруг исчезнуть, чтобы это не огорчило малыша. Если она общительна, спокойна и не думает только о еде, то ничего страшного в ее присутствии нет. При этом не важно, сидит ли она рядом просто так или ест сама. Однако если мать чувствует, что все ее внимание приковано к тарелке малыша, если она не в силах удержаться и не впихнуть в него силой еще немного еды, то ей лучше покинуть сцену, но не резко и внезапно. Лучше постепенно увеличивать время отсутствия изо дня в день, так чтобы ребенок к этому привык.

607. Не пытайтесь заигрывать с ребенком. Разумеется, родители не должны превращать обед в спектакль, рассказывать ребенку сказку после каждой съеденной ложки и обещать, что папа встанет на голову, если малыш доест шпинат. Все эти меры помогут вам заставить малыша съесть пару лишних ложек, но чем дальше, тем аппетит у него будет становиться все хуже и хуже. Родителям придется платить все более высокую цену, пока пять ложек каши не превратятся в изнуряющий часовой водевиль с песнями и танцами.

Не предлагайте ребенку есть, чтобы он скорее получил свой десерт, конфету, игрушку или другой приз. Не уговаривайте его съесть ложечку за маму, ложечку за папу и так далее с участием всех членов семьи. Не говорите ему, что следующий глоток принесет счастье его маме, поможет ему вырасти большим и сильным, послужит лекарством для выздоровления. Поставьте себе за правило **никогда не просить ребенка есть.**

Нет ничего плохого, если мать за ужином рассказывает ребенку сказку или включает радио — возможно, так у них принято. Но это никоим образом не должно быть связано с едой.

608. Не унижайтесь перед ребенком. Я с таким жаром рассказывал о недопустимости заставлять ребенка есть, о возможности дать ему самому выбирать, чего и сколько есть, что, возможно, впал в преувеличения. Я знал одну мать, которая годами не переставала ворчать на дочь во время еды, но и к семи годам не добилась хорошего результата. Наконец она узнала, что любой ребенок обладает вполне достаточным аппетитом и не отказывается от сбалансированного рациона, лишь бы за столом царила спокойная обстановка. Тогда эта мать впала в другую крайность: во всем ее поведении стали заметны извиняющиеся нотки. К этому времени в результате бесконечных схваток за столом дочь начала испытывать к матери серьезную неприязнь. Как только девочка почувствовала, что мать поддается, она воспользовалась ситуацией. Вместо того чтобы чуть подсластить себе кашу, она высыпала в тарелку всю сахарницу, краем глаза наблюдая за матерью и наслаждаясь выражением ужаса на ее лице. Мать стала каждый раз спрашивать, чего дочка хочет на обед. Если та соглашалась на гамбургер, мать послушно отправлялась в магазин. Когда же гамбургер оказывался на столе, девочка с невинным лицом могла заявить, что гамбургер она есть не будет, а предпочтет сосиски. Матери ничего не оставалось, как вновь бежать в магазин, теперь уже за сосисками.

Во всем должна быть золотая середина. Хорошо, если ребенок знает, что есть надо в определенное время, что он должен быть вежливым с остальными сидящими за столом, что нельзя высказывать недовольство поданным ему блюдом или заявлять, что он его не будет есть. Кроме того, он должен соблюдать за столом хорошие манеры в том объеме, в каком позволяет ему его возраст. Прекрасно, если мать учитывает вкусы малыша — в той мере, в какой это не противоречит интересам остальных членов семьи. Чтобы доставить ему удовольствие, она может иногда позволить ему самому заказать блюдо на обед. Однако очень плохо, если ребенок чувствует себя центром Вселенной. Ну и наконец, мать должна ограничить потребление ребенком сахара, конфет, пирожных и газированной воды — продуктов, несущих мало пользы организму. Всего этого можно добиться без ссор и споров, если мать ясно дает понять, что она полностью уверена в своих поступках.

609. Почему ребенок давится. Годовалого ребенка, который не желает есть пищу кусочками, предпочитая протертые блюда, наверняка прежде кормили через силу. Если дать ему обычную еду, он начинает давиться. Происходит это не потому, что он не в состоянии пережевывать кусочки, а потому, что их впихивают ему в рот. Мать такого ребенка удивляется: «Не могу понять: ведь он спокойно проглатывает пищу, которую любит. Он даже проглатывает целые куски мяса, которые сгрызает с косточки». Избавить ребенка от неприятных ощущений можно в три этапа. На первом этапе надо предоставить ему возможность питаться только самостоятельно (см. пункт 423). На втором этапе избавьте его от предубеждения против еды вообще (см. пункты 601–607). На третьем этапе постепенно приучайте его к более грубой по консистенции пище. Если необходимо, недели, а то и месяцы кормите его протертыми продуктами, пока он не перестанет бояться есть и не начнет получать от пищи удовольствие. Исключите из рациона мясо, если ребенок не хочет есть его тонко перемолотым.

Другими словами, двигайтесь вперед с той скоростью, которую вам предлагает ребенок.

У некоторых детей очень нежная гортань, и они давятся даже вязкими пюреобразными продуктами. В таких случаях выходом является пища в виде жидкой кашицы. Разводите пюре молоком или водой. Овощи мелко рубите, но не разминайте их после этого.

Полные дети

610. Способы борьбы с полнотой зависят от ее причин. Многие считают избыточный вес следствием нарушения обмена веществ, но в реальной жизни подобное случается довольно редко. Чаще полнота определяется другими факторами: наследственностью, темпераментом, аппетитом, настроением. Если в роду ребенка с обеих сторон были полные родственники, то высока вероятность, что и он будет страдать излишним весом. Флегматичный ребенок, который мало двигается, не успевает сжигать калории, поступающие с пищей, и нерастраченная энергия копится в организме в виде жира. Главным фактором остается все же аппетит. Ребенок с отменным аппетитом тяготеет к высококалорийной пище — пирогам, печенью, сладостям. Он, как правило, обгоняет в весе ребенка, чье меню состоит из овощей, фруктов, мяса. Но сам этот факт еще не дает ответа на вопрос, **почему** ребенок из всех удовольствий в жизни на первое место ставит полный желудок. До конца эта проблема не выяснена, но известно, что отменный аппетит — врожденная особенность характера. Она присуща человеку с самого рождения, и позже аппетит не покидает его, причем не имеет значения, здоров он или болен, взволнован или спокоен, хорошо приготовлена еда или нет. Уже в 2–3 месяца малыш отличается полнотой и остается таким по крайней мере в течение всего детства.

611. Неудовлетворенность жизнью ведет к полноте. Полными становятся не только дети с повышенным аппетитом, но и те, кому жизнь приносит мало радости. Например, набирает вес семилетний ребенок, которому не хватает друзей. В этом возрасте ребенок отчасти теряет свою духовную зависимость от родителей, и, если ему не удается подружиться со сверстниками, в душе у него воцаряется холод одиночества. Согреть душу от холода помогают сладости и другие высококалорийные продукты. Ребенок за едой пытается спрятаться и от других неприятностей, в частности проблем со школой. Часто излишний вес появляется у подростков в период полового созревания. В это время аппетит растет, чтобы ребенок с помощью дополнительной пищи покрыл издержки ускоренного роста. Но и здесь играет свою роль одиночество — ведь в этом возрасте подросток замкнут: новые, незнакомые ощущения пугают его, лишают уверенности в себе и способности легко общаться с товарищами.

Какие бы факторы ни привели к ожирению, оно обычно превращается в замкнутый круг: чем толще ребенок, тем труднее ему принимать участие в подвижных играх и забавах, чем меньше он двигается, тем меньше затрачивает энергии, тем толще становятся жировые отложения. Вырваться из круга трудно еще и потому, что полный ребенок стесняется своей неловкости, неохотно играет с другими детьми, становится объектом насмешек, а это вовсе не способствует его душевному спокойствию.

Итак, излишняя полнота иногда становится самой серьезной проблемой в жизни ребенка. Поскольку вырваться из заколдованного круга очень трудно, родителям надо бороться с ней при появлении первых же признаков. Упитанный младенец кажется окружающим забавным и трогательным. Но во избежание грустных последствий необходимо уже тогда принимать меры, например изменить его рацион. В меню должно быть больше овощей, фруктов, мяса и совсем мало сахара, крахмала, жиров.

612. Ребенок набирает лишний вес между семью и двенадцатью годами. Я вовсе не собираюсь утверждать, что любой полный ребенок не испытывает полноценной радости жизни. Вполне обычным явлением бывает излишняя полнота у детей между 7 и 12 годами. Причем к ней склонны жизнерадостные и бодрые ребятишки. Правда, очень грузными они почти не становятся — скорее, их можно назвать плотными. Большинство из них остается такими и в период полового созревания, а потом, вступая в юность, сбрасывают лишний вес. Например, фигуры у многих девушек приобретают стройность в пятнадцать лет, причем девушки не прилагают к этому никаких усилий. Родители должны знать, что полнота школьников — не признак нарушения обмена веществ и со временем пройдет сама собой. Поэтому не стоит тратить лишних нервов на борьбу с ней.

613. Соблюдать диету — непростое дело. Так что же делать с полным ребенком? Вполне закономерный ответ: «Соблюдать диету». Это легко сказать, но очень нелегко сделать. Вспомните-ка своих взрослых знакомых, которые ужасно страдают от лишнего веса и которые тем не менее не находят в себе сил подолгу сидеть на диете. А ведь у ребенка сила воли не такая, как у взрослого. Если мать готовит ребенку нежирную пищу, то и вся семья остается без высококалорийных продуктов. Или ребенку остается только глядеть, как остальные наслаждаются его любимыми блюдами, тогда как перед ним стоит тарелка с овощным салатом. Лишь немногие полные дети способны убедить себя, что это делается для их же блага. Остальные же страдают от несправедливости и компенсируют свое унижение за столом тем, что таскают продукты из холодильника или конфеты из вазочки.

Но, несмотря на нарисованную мною мрачную картину, диета все же может иметь успех. Добрая и внимательная мать избавит ребенка от ненужных соблазнов и не допустит обострения отношений. Для этого она не должна оставлять на виду сладкое печенье и конфеты, а вместо них ставить на стол блюдо с фруктами, чтобы ребенок лакомился ими между приемами пищи. Она должна готовить ему любимые блюда, где содержится поменьше калорий. Увидев, что ребенок серьезно относится к ее мерам по соблюдению диеты, мать должна уговорить его сходить к врачу. Лучше всего, если беседа ребенка с врачом будет происходить наедине, — ощущение, что с ним обращаются, как со взрослым, придаст ребенку дополнительные силы. Кроме того, рекомендации по диете лучше воспринимаются из уст постороннего человека.

Давать ребенку какие-либо лекарства, способствующие снижению веса, можно только по совету врача и при постоянном наблюдении за его здоровьем.

Поскольку переедание часто вызвано одиночеством, необщительностью малыша, вам нужно постоянно следить, чтобы дома, в школе, на улице он не чувствовал себя покинутым, чтобы жизнь его была как можно полнее (пункт 551).

Если ваши усилия не приносят успеха, если полноту не удается преодолеть, если ребенок постоянно прибавляет в весе, вам потребуется помощь и обычного врача, и психиатра. Ожирение — очень серьезная проблема для любого человека.

614. Диета — только под наблюдением врача. Попытки подростков самостоятельно выбирать себе диету и следовать ей очень часто приводят к печальным результатам. Несколько подружек, возбужденно обсудив умопомрачительную диету, о которой услышала одна из них, совместно решают ею воспользоваться. Через несколько дней голод заставляет почти всех отказаться от опрометчивого решения, но одна или две решаются фанатично следовать своей цели. Однако случается, что, потеряв изрядный вес, девушка не может вернуться к нормальному рациону, даже если захочет. Ее взвинченное состояние, вызванное страстным желанием похудеть, высвобождает из глубин подсознания отвращение к пище; это, как правило, является следствием тревог, подавленных в раннем детстве.

Другая девочка в начале периода полового созревания ужасается: «Какая же я толстая!», хотя у нее все ребра торчат наружу. Это говорит лишь о том, что она еще не готова к происходящим в ее организме изменениям, в частности, к развитию молочных желез.

Ребенку, у которого диета стала навязчивой идеей, нужна помощь психиатра.

Если вы или ваш ребенок считаете, что ему нужно соблюдать диету, обратитесь к врачу. Для этого шага есть несколько веских причин. Во-первых, врач определит, нужна ли ребенку диета и поможет ли она ему. Во-вторых, совет постороннего в этом вопросе более значим для ребенка, чем мнение родителей. Если окажется, что переход на диету разумен и полезен, то ее должен разработать доктор. Он примет во внимание вкусы ребенка, обычный рацион семьи и предложит вариант, который не только поможет сбросить вес, но и окажется наиболее рациональным именно для вашей семьи. Поскольку похудание становится огромной нагрузкой на организм, любой ребенок, соблюдающий диету, должен регулярно проходить медицинский осмотр. Во время обследования врач определяет, не слишком ли быстро падает вес, и проверяет, не вредит ли диета здоровью.

Если вы не в состоянии периодически водить ребенка к врачу, то должны настоять, чтобы ребенок, озабоченный своей комплекцией, в свое ежедневное меню включал около одного литра молока, мясо, рыбу или птицу, яйцо, овощи и дважды в день фрукты. Малыша нетрудно убедить, что эти продукты не способствуют полноте, но зато помогают сохранить в нормальном состоянии мышцы, кости и другие органы.

Без всякого риска можно и нужно отказаться от высококалорийных десертов. Продукты, богатые углеводами (каша, хлеб, картофель), следует употреблять по мере того, как растет или снижается вес. В определенном количестве углеводов нуждается **любой** растущий организм. Наконец, темп снижения веса не должен превышать 500 г за неделю.

Железы внутренней секреции

615. Расстройства эндокринной системы. Есть несколько заболеваний желез внутренней секреции и несколько гормональных препаратов, которые существенно влияют на внешность человека. Например, если снижена функция щитовидной железы, физическое и умственное развитие ребенка замедляется. Он становится вялым, кожа у него сухая, волосы ломкие, голос тихий, лицо одутловатое. Недостаток гормонов этой железы не ведет к избыточной полноте. Метаболизм, т.е. расход энергии в состоянии покоя, у больных ниже нормы. Применение препаратов, содержащих гормон щитовидной железы, приводит к заметному улучшению.

Некоторые люди, начитавшись заметок и статей в научно-популярных изданиях, считают, что любой невысокий человек, любой неуспевающий ученик, любая экзальтированная девушка, любой полный мальчик с маленьким пенисом нуждаются в лечении эндокринной системы и свои проблемы могут решить с помощью пилюль и инъекций. Такой взгляд на вещи имеет мало общего с тем, что известно профессионалам. Никакое эндокринное заболевание нельзя диагностировать по одному-единственному симптому.

Очень часто у полных мальчиков, не достигших периода полового созревания, пенис **кажется** меньше, чем он есть на самом деле. Он представляется крошечным на фоне толстых бедер, а складка жира в его основании закрывает до трех четвертей его длины. Все эти мальчики позже нормально развиваются, а в конце периода полового созревания теряют лишний вес. Прочтите пункты 522 и 616 о вреде страхов по поводу половых органов.

Разумеется, полезно показать опытному специалисту ребенка, который медленно растет, у которого есть отклонения в комплекции, которому трудно дается учеба или который ведет себя не совсем так, как другие. Но если доктор найдет, что рост и комплекция ребенка нормальны для его конституции или его умственное развитие связано с условиями жизни, что ему просто надо помочь адаптироваться, примите это на веру и не ищите чуда.

Неопустившиеся яички

616. У некоторых новорожденных одно или оба яичка находятся не в мошонке, а выше — в паху или в животе. Вскоре после рождения они, как правило, попадают на место. У подавляющего большинства детей, с которыми этого не произошло, яички опускаются в мошонку в период полового созревания, который начинается у мальчиков в возрасте около 13 лет. Лишь в крайне редких случаях яички не могут опуститься самостоятельно из-за врожденных дефектов строения организма.

Яички первоначально формируются в животе, а незадолго до рождения ребенка опускаются в мошонку. К ним прикреплены мышцы, которые вытягивают их в область паха или еще выше, чтобы защитить от травмы, например при ударе. У многих мальчиков яички уходят вовнутрь даже от самых незначительных причин — небольшого охлаждения кожи или попытки доктора обследовать их. Поэтому родители не должны приходить к заключению, что яички не опустились только потому, что они их не видят. Вы можете проверить свою догадку, когда ребенок находится в горячей ванне и к нему никто не прикасается.

Яички, которые попадают в мошонку хотя бы изредка, не требуют лечения. Они опустятся туда насовсем, когда наступит период полового созревания.

Иногда становится ясно, что одно яичко точно не опустилось. В таких случаях требуется вмешательство врача, но у вас нет повода для беспокойства: одного яичка хватит, чтобы мальчик превратился в полноценного мужчину и стал отцом, даже если второе яичко паче чаяния останется в животе.

Если до 2 лет вы ни разу не заметили в мошонке одно или оба яичка, вам следует обратиться к врачу.

Если уж так произошло, что у вашего ребенка не опустились яички, не изводите волнениями себя и мальчика. Не бросайте на него испуганных взглядов, не проверяйте постоянно мошонку. Его эмоциональному развитию будет нанесен громадный вред, если вы внушите ему мысль, что у него что-то не в порядке. В том случае, когда доктор пропишет инъекции гормональных препаратов, отнеситесь к этому как можно спокойнее, чтобы не зародить сомнения у ребенка.

Осанка

617. Приемы исправления осанки зависят от причин ее ухудшения. Осанка ребенка зависит от многих факторов. Первый — и самый главный — это наследственное строение скелета. Один ребенок сутулится с самого раннего детства — такая же фигура была и у его отца. Другой родился со слабой мускулатурой и связками. У таких обычно бывают кривые ноги, независимо от того, сколько витамина D им дают. Некоторым детям не хватает гибкости — они с трудом сгибаются. Существует и ряд болезней, влияющих на осанку: рахит, детский церебральный паралич, туберкулез костей и суставов. Хронические заболевания, постоянная усталость, плохое самочувствие могут вызвать искривление позвоночника. К тому же приводит избыточный вес. Кроме того, у полных людей чаще бывают кривые ноги и плоскостопие. Очень высокие подростки от застенчивости наклоняют голову, и со временем это становится привычкой. Ребенок с плохой осанкой нуждается в периодических осмотрах у врача, чтобы можно было вовремя выявить то или иное заболевание.

Многие дети горбятся из-за недостатка уверенности в себе. Причиной этого бывают постоянные придирки дома, неудачи в школе или в отношениях с товарищами. Жизнерадостного, бодрого ребенка сразу видно по походке. Когда родители узнают, сколько человеческих чувств выражено в осанке, они лучше смогут бороться с ее дефектами.

Родители, которые следят за внешним видом ребенка, часто делают замечания типа: «Выпрями спину» или «Ради всех святых, не горбись». Но ребенка как раз и согнул постоянный пресс родителей, и вряд ли ему помогут подобные призывы. Гораздо более успешной является работа над осанкой в школе или в кабинете у врача. Там царит более деловая, чем дома, атмосфера. Родители же должны помогать малышу выполнять положенные упражнения — если он, конечно, попросит их об этом и они сделают это без проявлений недовольства. Но главной задачей родителей должно стать укрепление духа ребенка, помощь в приобретении им навыков общения с детьми и взрослыми, создание в доме климата взаимного уважения и любви.

Детские болезни

Повышенная температура

618. Температура тела и ее измерение. Для многих матерей измерение температуры представляется темным лесом. Они не знают, как определить температуру на термометре, и не понимают разницы между температурой во рту, под мышкой и в прямой кишке.

Будет лучше, если кто-нибудь научит вас пользоваться термометром и читать на нем показания. Но на всякий случай это попробуем сделать мы. Большинство термометров размечены одинаково. Длинные черточки с числами отмечают целые градусы, более короткие черточки соответствуют половинкам градуса, а самые короткие черточки — десятым долям градуса. На многих термометрах есть красная точка, за которой температура считается повышенной.

Прежде всего вам надо знать, что температура здорового ребенка не всегда равна 37° С, что считается нормальной. Она бывает чуть выше или чуть ниже и зависит от времени дня и от того, чем занимается ребенок. Ниже всего температура бывает утром, самая высокая — ближе к вечеру. Но разница между утренними и вечерними значениями очень невелика. Сильно различается температура, когда ребенок спокоен или двигается. У совершенно здорового ребенка после бега температура может быть равна 37,5° С и даже 37,8° С. В то же время температура 38,3° считается повышенной, независимо от того, двигался ребенок или нет. Чем ребенок старше, тем меньше различие в температуре при активном движении и в покое. Значит, если вы хотите узнать, не повысилась ли у ребенка температура в связи с болезнью, измерить ее надо через час после того, как ребенок успокоится.

При всех болезнях, которые сопровождаются повышенной температурой, она достигает максимума ранним вечером, и меньше всего она утром. Но вас не должно удивлять, если все будет наоборот: утром температура будет очень высокой, а в течение дня снизится. Есть несколько заболеваний, при которых температура не изменяется, а остается все время постоянной. Таково, например, воспаление легких. Пониженная температура (около 36° C) характерна для последней стадии болезни; понижается температура также у здоровых младенцев и детей младшего возраста в холодные зимние ночи. Если ребенок чувствует себя хорошо, то и беспокоиться нечего.

Теперь несколько слов о разнице в температурах при измерении во рту, под мышкой и в прямой кишке. Ректальная температура (измеренная через задний проход) самая высокая, потому что при измерении градусник находится внутри тела больного ребенка. Во рту температура самая низкая, поскольку ротовая полость охлаждается вдыхаемым воздухом. Разница температур во рту и в прямой кишке обычно не превышает одного градуса. Температура в подмышечной впадине находится где-то между этими значениями.

619. Термометр. Ректальный термометр отличается от ротового только формой оконечника. У ректального термометра он закругленный, чтобы не повредить слизистую оболочку кишечника. У ротового термометра окончание удлиненное, чтобы ртуть быстрее нагревалась и время измерения можно было сократить. Отметки на шкалах совершенно одинаковы. Вымытым ректальным термометром можно измерять температуру во рту, а ротовой термометр, если аккуратно вставлять его в задний проход, можно использовать для измерения температуры в прямой кишке.

Время измерения ректальной температуры составляет около 1 минуты. Если вы, поставив градусник, посмотрите на ртутный столбик, то заметите, что сначала он будет подниматься очень быстро. Через 20 секунд ртутный столб остановится в пределах одного градуса от температуры тела. Далее его подъем замедлится. Это означает, что если ребенок беспокоен и вам трудно удерживать его, то можно вынуть градусник, не дожидаясь положенной минуты. Правда, температура в этом случае будет определена приблизительно.

Достаточно точно измерить температуру во рту можно за 1,5–2 минуты. Большее время объясняется тем, что ротовая полость должна немного прогреться, поскольку до этого в ней находился прохладный воздух. Под мышкой надо держать термометр около 4 минут. Примерно оценить температуру тела можно и за 2 минуты.

620. Как ставить термометр. Перед измерением температуры термометр нужно встряхнуть. Для этого крепко сожмите большим и указательным пальцем верхний конец градусника. Потом сделайте несколько резких круговых движений рукой сверху вниз. Столбик ртути должен опуститься ниже 36° С. Если этого не произошло, значит, ваши движения были недостаточно резкими. Пока вы не приобретете навыка, встряхивайте термометр над кроватью или диваном: если вы нечаянно выпустите его из рук, он не разобьется. Ванная комната — наименее подходящее место для этого, поскольку вас там окружают только твердые поверхности.

Измеряя температуру в заднем проходе, предварительно смажьте кончик термометра кремом или вазелином. Ребенка положите животом к себе на колени. Так ему трудно будет вырваться, а его ноги не будут вам мешать. Осторожно введите термометр в задний проход и слегка толкайте его внутрь — он сам пойдет в нужном направлении. Если вы будете жестко держать термометр, то он может уткнуться в стенку кишки. Вставив термометр, отпустите руку, потому что ребенок будет вертеться и вы можете сделать ему больно. Лучше положите ему ладонь на ягодицы, слегка прижимая термометр пальцами — примерно так, как вы держите сигарету.

Второй способ измерить ректальную температуру — положить ребенка на бок на кровать и слегка подогнуть колени к груди. Труднее найти отверстие заднего прохода, если ребенок лежит на животе на плоской поверхности. Наименее удобное положение — лежа на спине. Так очень трудно добраться до заднего прохода, а свободными ногами ребенок может случайно или намеренно ударить вас по руке с термометром.

Годовалому ребенку ставят градусник под мышку — с психологической точки зрения это даже предпочтительней. Малыш уже немного знаком со своим телом, в нем просыпается чувство собственного достоинства, он начинает заботиться о своей безопасности. Его беспокоит и тревожит инородное тело в заднем проходе. Вам не составит проблемы измерить температуру, поместив кончик градусника в подмышечную впадину и придерживая его руку прижатой к груди. Разумеется, градусник должен касаться кожи, а не рубашки. Под мышкой можно измерять температуру и ректальным, и ротовым термометрами.

Когда ребенку исполнится 5 или 6 лет, его можно уговорить держать градусник во рту под языком, сомкнув губы. С этого времени измеряйте температуру во рту или в подмышечной впадине — как считаете удобнее для себя.

Читать показания термометра нетрудно научиться уже после первых тренировок. Большинство термометров имеют овальное поперечное сечение. Поверните его к себе стороной, где видна шкала. Медленно поворачивайте термометр вокруг оси, пока не увидите темную полоску столбика ртути. Десятые доли градуса отсчитывайте от меньшего из чисел, между которыми остановился столбик. Сообщая о температуре врачу, скажите ему число градусов с десятыми и поясните, где вы ее измеряли: в заднем проходе, во рту или под мышкой. Я упоминаю об этом потому, что некоторые матери ошибочно считают, что истинную температуру тела можно измерить лишь во рту. Они измеряют температуру в заднем проходе, а доктору называют значение, которое, по их мнению, должно быть во рту. Лучшее время для измерения температуры — утро или начало вечера.

Теперь остановимся на вопросе, сколько дней подряд нужно измерять температуру. Я обращаю на это ваше внимание, чтобы не происходили недоразумения вроде описанного ниже. Ребенок сильно простудился, и у него поднялась температура. Врач обследовал малыша, назначил лечение. После этого мать измеряла температуру дважды в день и сообщала результаты врачу по телефону. Наконец, болезнь пошла на убыль — ребенка тревожили только кашель и насморк. Доктор посоветовал выпускать ребенка гулять, как только болезнь совсем закончится. Две недели спустя мать позвонила доктору и сказала, что они все еще не выходят, поскольку насморк и кашель прошли, ребенок выглядит здоровым и хорошо ест, но после обеда у него поднимается температура до 37,5° С. Как я уже объяснял, у подвижного ребенка температура бывает чуть выше, но это вовсе не говорит о каком-либо заболевании. Десять дней дома, без свежего воздуха, постоянные волнения — и все от элементарного непонимания. Когда температура два дня подряд не превышает 38,3° С, можно забыть о граднике, пока доктор не попросит вас продолжать измерять ее или вы заметите ухудшение в состоянии ребенка. Кроме того, не заводите привычку измерять температуру у здорового ребенка.

621. Первая помощь при очень высокой температуре. Между годом и пятью температура у ребенка иногда поднимается до 40° С и выше. Это иногда является признаком среднего по тяжести инфекционного заболевания — простуды, ангины, гриппа, хотя не исключено, что речь идет и о более серьезной болезни. С другой стороны, при некоторых тяжелых недугах температура не превышает 38° С. Поэтому, если поднялась температура или ребенок выглядит нездоровым, не воображайте себе самое худшее, а просто вызовите врача.

Предположим, у ребенка внезапно поднялась температура, скажем, до 40° С, а с врачом связаться сразу не представляется возможным. Попытайтесь немного сбить ее с помощью влажного обтирания; кроме того, если ребенку не исполнился год, дайте ему таблетку детского аспирина (0,08 г), если ему от года до 6 — 2 таблетки, а если ему от 6 до 12 — 3. (Не давайте ребенку таблетки в качестве игрушек.)

Обтирая ребенка, вы усиливаете приток крови к поверхности кожи, и она охлаждается за счет испаряющейся жидкости. (Для этой процедуры часто используют спирт или водку. Но при обильном смачивании в маленькой комнате ребенок может надышаться парами. В таких случаях не менее успешно можно применять обычную воду.)

Разденьте ребенка и прикройте его простыней или легким одеялом. Смочите ладони в тазике с водой и, вытащив одну руку ребенка из-под одеяла, аккуратно растирайте ее пару минут, периодически опуская свои ладони в тазик, когда кожа становится совсем сухой. Затем уберите руку ребенка под одеяло. Последовательно сделайте то же с другой рукой, с обеими ногами, спиной и грудью. Через полчаса вновь измерьте температуру, и если она не опустится ниже 40° С, дайте малышу прохладное питье, а потом подержите примерно 15 минут в ванне с теплой водой. До прихода врача постарайтесь немного сбить температуру, потому что у ребенка при внезапном повышении температуры в первый день заболевания могут даже возникнуть судороги (см. пункт 716). Если у ребенка жар или у него покраснело лицо, то накройте его простыней или легким одеялом, а не стремитесь укутать, иначе снизить температуру не удастся.

Многие родители считают, что высокая температура сама по себе является заболеванием и, не обращая внимания на показания термометра, стараются дать ребенку лекарство, чтобы сбить ее. На самом деле повышенная температура тела — всего лишь признак того, что организм борется с инфекцией. Следя за ней, можно проследить, как развивается заболевание. В одних случаях, когда температура вызывает бессонницу или изнеможение, доктор принимает меры, чтобы снизить ее. В других случаях, напротив, доктор рад высокой температуре, поскольку считает, что она даже без помощи лекарств поможет ребенку выздороветь.

Лекарства и клизмы

622. Как давать лекарства. Иногда приходится использовать всю свою изобретательность, чтобы заставить ребенка принять лекарство. Первое правило: давайте ему лекарство, словно это нечто совершенно обыденное и у вас нет ни малейшего сомнения, что он его проглотит. Если вы начнете извиняться перед малышом, он заранее будет готов к тому, что лекарство ему не понравится. Говорите о каких-нибудь посторонних вещах, поднося ложку с микстурой к его рту. Большинство маленьких детей при этом автоматически открывают рот, словно птенцы в гнезде.

Таблетки, которые нельзя растворить в воде, попробуйте растолочь в порошок и смешать с чем-нибудь вкусным, например яблочным пюре. Много пюре не берите, не больше чайной ложки: вдруг он решит, что не голоден. Горькие пилюли можно смешать с чайной ложкой сладкой воды, меда, кленового сиропа или варенья. Глазные капли удобно закапывать во сне.

Давая жидкое лекарство, смешивайте его с напитком непривычного вкуса, например с виноградным или сливовым соком. Если вы добавите микстуру к молоку или апельсиновому соку, то, почувствовав изменившийся вкус, он несколько месяцев после этого будет относиться к нему с подозрением.

Заставить маленького ребенка проглотить таблетку или капсулу с лекарством довольно трудно. Вложите ее в кусочек липкой, вязкой пищи, например в банан, и быстренько дайте его ребенку. Тут же предложите ему запить все это чем-нибудь вкусным.

623. Не давайте лекарств, пока их не пропишет врач. Кроме того, прекращайте лечение ими как только, по мнению доктора, необходимость в них отпадет. Я могу привести много примеров, подтверждающих эту мысль. Скажем, ребенок простудился и начал кашлять. Врач прописал лекарство от кашля. Ребенок выздоровел, но через два месяца кашель возобновился. Мать, не посоветовавшись с врачом, снова начала давать те же медикаменты. Поначалу наступило облегчение, но через неделю кашель стал таким сильным, что пришлось обратиться к врачу. Он тут же определил, что у ребенка не простуда, а коклюш. Было потеряно много времени, в течение которого малыш общался с окружающими и мог заразить много других детей.

Мать, которая лечила ребенка несколько раз от простуды, головной боли, боли в животе, считает себя специалистом в выборе средств лечения. Конечно, какой-то опыт она приобрела, но у нее нет знаний профессионала, который, прежде чем назначить лечение, тщательно устанавливает диагноз. Для нее головная боль или боль в животе — всего лишь боль. Для доктора важно установить причины боли, каковых может быть несколько, и, естественно, устранять их нужно разными средствами. Люди, излечившиеся с помощью прописанных врачом сульфаниламидов или антибиотиков, не задумываясь, прибегают к ним вновь, почувствовав сходные симптомы. Они по прошлому знают, как прекрасно действуют эти лекарства, как их применять и в каких дозах — так почему бы не воспользоваться чудесными медикаментами и на сей раз?

Но в ответ на прием достаточно сильнодействующих препаратов организм реагирует очень остро — повышается температура, появляется сыпь, развивается малокровие, в моче обнаруживается кровь, происходит закупорка мочевыводящих путей. К счастью, такие осложнения нечасты, но больше вероятность столкнуться с ними у тех людей, которые постоянно принимают лекарства, причем делают это неправильно. Именно поэтому требуется предельная осторожность с сильнодействующими лекарствами — принимать их можно лишь тогда, когда врач решит, что польза от них превышает риск возможных осложнений. Кстати, осторожность нужна и при приеме таких распространенных лекарств, как аспирин. Длительное его употребление может привести к серьезным нарушениям в организме.

Ни в коем случае без назначения врача нельзя давать слабительное — особенно при болях в животе. Некоторые люди ошибочно считают, что живот болит только при запорах, и прежде всего обращаются к слабительным. На самом деле боль в животе может свидетельствовать о самых разных заболеваниях (см. пункты 704–706). Например, при аппендиците или непроходимости кишечника слабительное только осложняет течение болезни. Поэтому, если вы не знаете, от чего у ребенка болит животик, не давайте ему слабительного.

624. Клизмы и свечи. Во время болезни у детей часто случаются запоры, и в этом случае доктор обычно прописывает клизму или свечи. При некоторых заболеваниях они менее вредны, чем слабительное, принимаемое через рот, ибо не вызывают рвоты и раздражения стенок тонкого кишечника.

Пока доктор не поставит диагноз и не назначит лечение, вам не следует самостоятельно применять эти средства при запорах или болях в животе. Кроме того, частое их применение как раз способствует запорам, потому что концентрирует внимание ребенка на работе кишечника.

Свечу необходимо целиком ввести в прямую кишку, где она растворится. В ней содержатся вещества, слегка раздражающие стенки кишечника, смягчающие и увлажняющие кожу в области заднего прохода и стимулирующие дефекацию.

Доктор также должен вам объяснить, как приготовить клизму. Обычно для этого используется мыльный раствор. Его получают, разводя кусок туалетного мыла в воде, пока раствор не станет напоминать молоко. Поскольку мыло раздражает стенки кишечника, такие клизмы не рекомендуют ставить младенцам. Есть и другой рецепт для клизмы: один стакан воды, половина чайной ложки поваренной соли или одна чайная ложка питьевой соды. Вода должна быть нагрета примерно до температуры тела. Для маленького ребенка достаточно ввести в виде клизмы полстакана воды, для годовалого ребенка — один стакан, а для пятилетнего нужно пол-литра воды.

Постелите на кровать клеенку, а сверху накройте ее полотенцем. Положите ребенка на бок с подтянутыми к груди коленями. Рядом поставьте ночной горшок.

Для совсем маленьких детей проще и безопаснее использовать резиновую спринцовку для промывания ушей с наконечником из того же материала. Наполните всю грушу раствором, чтобы в прямую кишку не попадал воздух. Смажьте наконечник вазелином, кремом или мылом; аккуратно вставьте его на 2–5 см в отверстие заднего прохода. Медленно и без особого усилия сожмите грушу. Чем медленнее вы будете это делать, тем меньше неприятных ощущений доставите ребенку и тем меньше вероятность, что он вытолкнет наконечник. Кишечник сокращается и расслабляется волнами, поэтому если вы почувствуете сопротивление, подождите, пока он «впустит» жидкость, но не пытайтесь сильнее сжимать грушу. К сожалению, у ребенка срабатывает рефлекс, и он начинает тужиться, как только ощущает в заднем проходе посторонний предмет. Скорее всего вам не удастся влить много раствора.

Как только вы вытащите наконечник, сожмите ягодицы, чтобы удержать воду в кишечнике хотя бы на несколько минут. За это время она размягчит каловые массы. Если вода не выйдет после 15–20 мин или выйдет чистой, без кала, повторите клизму.

Ставя клизму ребенку постарше, который готов помочь вам, можно использовать резиновую грушу или кружку Эсмарха с резиновой трубкой и твердым наконечником. Уровень воды в кружке не должен находиться выше полуметра над отверстием заднего прохода (от высоты зависит напор воды). Чем ниже напор, тем медленнее течет вода, тем меньше неудобств испытывает ребенок и тем больше вероятность успеха.

Уход за лежачим больным

625. В это время легко избаловать ребенка. Когда ребенок серьезно заболеет, внимание к нему со стороны родителей неизмеримо возрастает. Более тщательным становится уход — и не только потому, что это оправдано с медицинской точки зрения, но и потому, что вам просто жалко его. Вы все время готовите его любимые блюда, часто поите его вкусными напитками. Если он отказывается от чего-то, вы тут же готовы сделать что-нибудь другое. Вы с удовольствием дарите ему новые игрушки, чтобы он успокоился и повеселел. Вы постоянно интересуетесь его самочувствием.

Ребенок быстро привыкает к этим изменениям в распорядке жизни. Если заболевание сопровождается повышенной раздражительностью, то ребенок может превратиться в настоящего тирана.

К счастью, большинство детских болезней проходит в течение нескольких дней. Как только мать видит, что страдания малыша пошли на убыль, она становится более строгой и в общении с ним. Однако через пару дней взаимное недовольство проходит.

Но если болезнь затягивается или ее приступы повторяются, а родители слишком открыто переживают нездоровье своего малыша, то сохраняющаяся атмосфера готовности исполнить любой каприз больного может неблагоприятно сказаться на его душевном состоянии. Ребенок заражается беспокойством окружающих, готов требовать у них все, вплоть до птичьего молока. Если он достаточно воспитан, чтобы не выражать свои пожелания напрямую, то становится капризным и легковозбудимым, как избалованный актер. Ему вскоре начинает нравиться положение больного, окруженного всеобщим сочувствием. Его способность разумно подходить к решению любых проблем ослабевает, как мускулы, надолго лишенные тренировки.

626. Старайтесь, чтобы ребенок не оставался без дела. Родители должны постараться вести себя с больным так же, как вели бы себя со здоровым. Для этого нужно не так уж много. Когда входите в комнату ребенка, сохраняйте на лице спокойное выражение, не показывайте свою обеспокоенность его состоянием; спрашивайте его о самочувствии таким тоном, словно вы уверены, что услышите самые приятные вести (не затрагивайте эту тему чаще одного раза в день). Если вы видите, что он хочет поесть или попить, спокойно дайте ему необходимое. Не спрашивайте извиняющимся голосом, поправилась ли ему еда, не выражайте бурную радость по поводу каждого съеденного кусочка. Не кормите его через силу, если только врач не считает, что ребенку нужно много есть для выздоровления. Аппетит у больного ребенка еще более неустойчив, чем у здорового.

Приобретая для малыша новые игрушки, старайтесь, чтобы они будили его фантазию. Это могут быть кубики, наборы для шитья, вышивания, нанизывания бус, карандаши и краски для рисования, марки для его коллекции. Они заинтересуют его и надолго займут его внимание. Игрушки, пусть более красивые, но бесполезные, скоро надоедают и лишь разжигают страсть к новым подаркам. Не дарите более одной игрушки за один раз. Но и без новых вещей можно увлечь ребенка. Дайте ему, например, старые журналы, и пусть он вырезает из них картинки и наклеивает в альбом. Можете предложить ему сделать из картона домик для куклы или игрушечную ферму.

Если ребенок вынужден лежать, но чувствует себя неплохо, пригласите репетитора или сами помогите ему нагнать школьный материал. Занимайтесь учебой определенное время каждый день.

Как любому человеку, больному ребенку хочется общения. Вы можете принять участие в его занятиях, например можете посидеть рядом и почитать ему книгу. Если же он с каждым днем требует к себе все большего и большего внимания, постарайтесь избегать с ним споров и не идите на какие-либо сделки. Выберите определенные часы, которые вы целиком посвящаете ему, и дайте понять, что в остальное время вам нужно заниматься своими делами. Если болезнь ребенка не заразна и врач не возражает, чтобы он проводил время в компании, приглашайте его приятелей поиграть с ним или разделить трапезу.

Все это поможет ему по возможности вести обычный образ жизни как только позволят обстоятельства, поддерживать ровные отношения с остальными членами семьи, избежать нервных разговоров, злых взглядов и тревожных мыслей.

Ребенок в больнице

627. Как помочь ребенку переносить больничный режим? Трудно придумать способ, как вести себя родителям, когда они вынуждены отправить ребенка в больницу. Ведь их волнение и тревога вполне оправданы.

Между годом и четырьмя ребенок очень боится разлуки с родителями. Когда они впервые оставляют его в чужих стенах или уходят после посещений больного, ребенку кажется, что они исчезнут навсегда. В промежутках между визитами ребенок нервничает, постоянно находится в подавленном состоянии. Когда родители приходят, он может бросить им молчаливый упрек, отказавшись поначалу даже здороваться с ними.

Старшие дети больше боятся лечения в больнице, которое в их представлении связано с болью и возможностью причинения вреда их телу. Нельзя назвать удачной попытку родителей представить больницу как земной рай: ведь если лечебные процедуры все же окажутся болезненными, родители потеряют доверие ребенка. С другой стороны, не надо и предупреждать его обо **всем** неприятном, что может с ним случиться, потому что ожидание для него станет более нестерпимым, чем само пребывание в больнице.

Родителям крайне важно в этой ситуации собраться и демонстрировать спокойную уверенность. Но важно и не переусердствовать, чтобы в ваших словах не звучала фальшь. У ребенка, не попадавшего еще в больницу, буйно разыгрывается фантазия, и он пытается нарисовать свое будущее там, причем обычно в самых мрачных красках. Родителям нужно отвлечь его рассказами о больничном режиме и поменьше касаться вопросов, сделают ли ему там больно или нет. Опишите ему, как утром его разбудит медсестра и умоет прямо в кровати; как ему будут приносить еду в постель на подносе; в какие игры он там сможет поиграть; как пользоваться больничным судном вместо уборной; как надо поступать, чтобы вызвать сестру. Сообщите ему о днях посещений, объясните, что он будет не один, и посоветуйте подружиться с соседями по палате.

Если он будет лежать в отдельной палате, спросите, какие свои любимые игрушки и книжки он хотел бы захватить с собой. Поинтересуйтесь, не взять ли для него напрокат телевизор или радиоприемник. Опишите, как он будет звать сестру, нажимая кнопку возле кровати.

Останавливаясь на всех этих подробностях, вы не возьмете на душу греха лжи, поскольку какие бы процедуры ни проводили ребенку в больнице, большая часть дня будет проходить в играх и забавах. Разумеется, вы можете упомянуть о лечении, но дайте малышу понять, что это будет всего лишь малая часть его времяпрепровождения.

Если ему будут удалять в больнице миндалины, можете рассказать о маске, которую па него наденут, и как он будет дышать сквозь нее, пока не заснет. Скажите, что через час он проснется и рядом будет мама (если вы твердо уверены, что так будет; в противном случае предупредите, что обязательно придете на следующий день), что он будет чувствовать боль в горле, как в прошлую зиму, когда болел ангиной.

628. Не мешайте ребенку делиться с вами своими страхами. Вам не только следует рассказать ребенку все, что вы знаете о больнице, но и дать ему возможность расспросить вас о том, что его ждет, поделиться своими тревогами. Маленьким детям приходят в голову по этому поводу такие мысли, до которых взрослый человек не додумается при всем напряжении своей фантазии. Прежде всего он боится, что в больнице его будут оперировать. Он также предполагает, что его кладут туда за плохое поведение — за то, что он отказывался тепло одеваться, выходя на прогулку, за **то**, что не хотел лежать в постели во время своей болезни, за то, что кричал на близких, обижал их. Он уверен, что ему разрежут горло, чтобы удалить миндалины, или он останется без носа при операции на аденоидах. Дети между тремя и шестью годами, которых преследуют мысли об анатомических различиях между мальчиками и девочками, боятся, что им сделают операцию и на половых органах в наказание за попытки мастурбировать. Не ругайте ребенка за кажущиеся глупыми вопросы, а постарайтесь успокоить его, прогнать страхи.

629. Предупредите ребенка заранее. Если вы уже знаете, что ребенка придется положить в больницу, вас наверняка тревожит вопрос, когда ему об этом сказать. Если вы уверены что он сам ничего не заподозрит, я думаю, что маленького ребенка нужно ставить в известность как можно позже — зачем ему мучиться долгим и тревожным ожиданием? Семилетнего ребенка лучше предупредить за несколько недель, особенно если он о чем-то догадывается, — в этом возрасте дети уже могут трезво смотреть на вещи. Разумеется, не надо лгать, если ребенок задает прямой вопрос, и уж никуда не годится обманывать малыша, когда вы собираетесь ехать в больницу, а ему говорите, что поедете совсем в другое место.

Если ребенку предстоит операция, при возможности постарайтесь обсудить с анестезиологом проблему наркоза. Ведь от того, как ребенок воспринимает наркоз, во многом зависит его самочувствие после операции — испытает ли он эмоциональный стресс или все пройдет прекрасно. Обычно в больницах есть специалисты, которым особенно хорошо удается внушить ребенку уверенность и избавить его от страха. Если вам предоставят возможность выбора, постарайтесь заполучить именно такого анестезиолога. Иногда можно выбрать и способ обезболивания, что также играет роль в психологическом плане. Что же касается введения обезболивающего с помощью небольшой клизмы — еще до перевода ребенка в операционную, то хотя это наименее пугающий метод, но с медицинской точки зрения он неприемлем. В конце концов вам лучше согласиться с тем, что предлагает врач — ведь ему как специалисту виднее. Лишь в том случае, когда по медицинским показаниям различные способы могут дать тот же результат, можно учитывать и фактор психологии.

630. Посещения ребенка в больнице. Родители ребенка от года до пяти должны постоянно находиться в больнице вместе с ним, если это возможно, если нет, то хотя бы в дневное время. В самом крайнем случае они должны ежедневно навещать его. Визиты создают определенные проблемы в отношениях ребенка с родителями. Когда он видит их, он понимает, как скучает по ним. Малыш горько плачет в момент расставания. Бывает, что у него глаза остаются мокрыми в течение всей встречи. Родителям, естественно, кажется, что он постоянно чувствует себя здесь несчастным. На самом же деле дети на удивление быстро привыкают к больничной обстановке и в отсутствие родителей не проявляют никакого беспокойства, даже несмотря на болезнь и не всегда приятные лечебные процедуры. Но не думайте, что я возражаю против посещений. Напротив, каждый ваш визит дает ребенку заряд храбрости, хотя он всегда связан и с грустными переживаниями. Задача родителей — выглядеть бодрыми и уверенными. Если на вашем лице будет написано соболезнование, вы лишь напугаете этим малыша.

Страх перед хирургическим вмешательством наиболее силен у детей младше пяти лет. Если по мнению врача операция не является срочной, ее следует отложить, особенно когда ребенок испытывает сильную зависимость от родителей, излишне впечатлителен и склонен к ночным кошмарам.

Диета во время болезни

О диете при поносе рассказано в пункте 316.

Рекомендации по диете должен дать лечащий врач. Он учитывает природу болезни, состояние и вкусы ребенка. Ниже приведены лишь общие принципы, которыми можно руководствоваться в экстренных случаях, когда вы не можете получить медицинскую помощь.

631. Диета при простуде, протекающей с нормальной температурой. При слабой простуде, если не повысилась температура, можно не ограничивать рацион ребенка. Однако даже при таком заболевании обычно снижается аппетит. Это происходит потому, что ребенок все время находится дома, лишен возможности двигаться, чувствует недомогание и, наконец, в его желудок попадает много проглатываемой слизи. В этой ситуации вам не следует настаивать, чтобы он ничего не оставлял на тарелке — пусть съест, сколько захочет. Между приемами пищи давайте ему все, к чему у него лежит душа. Многие врачи даже считают, что большое количество выпитой жидкости помогает выздоровлению. Но вы должны понимать, что все хорошо в меру.

632. Диета при повышенной температуре. (Придерживайтесь этих рекомендаций только до прихода врача, который сам укажет вам, как кормить ребенка.) При некоторых инфекционных заболеваниях, гриппе, простуде, ангине температура с самого начала может подняться до 39° С. Ребенок в это время часто почти совсем теряет аппетит, особенно к твердой пище. Поэтому в первые день-два ограничьте его рацион только напитками, причем давайте их ему каждые полчаса в период бодрствования. Лучше всего подходят апельсиновый и ананасовый соки, а также вода. В воде, конечно, нет питательных веществ, но в данном случае это и неважно. Больной ребенок чаще предпочитает ее всему остальному. Интерес к остальным напиткам зависит от вкусов ребенка и рода болезни. Некоторым детям нравятся грейпфрутовый, сливовый, виноградный соки, жидкий чай с сахаром. Другие любят газированные напитки типа лимонада и кока-колы. В некоторых газированных напитках содержится немного кофеина, который оказывает стимулирующее действие. Поэтому воздержитесь давать их ребенку позже, чем за два часа до сна.

А вот с употреблением молока иногда возникают проблемы. С одной стороны, больные дети пьют молока больше, чем обычно. Если ребенка потом не вырвет, то не ограничивайте его. Но старшие дети обычно отказываются пить молоко или их после него тошнит. При температуре выше 39° С предпочтительнее давать нежирное молоко — желудок с ним лучше справляется.

Если температура не падает, то на второй или третий день аппетит частично возвращается. Несмотря на лихорадку, ребенок чувствует голод. Он даже может съесть немного легкой твердой пищи — тост, печенье, кашу, желе, мороженое, яблочное пюре, яйцо всмятку.

Продукты, которые при повышенной температуре плохо усваиваются и от которых ребенок часто отказывается, — это овощи (сырые и вареные), мясо, птица, рыба, жиры (масло, маргарин, сливочный крем). Тем не менее Клара Дэвис во время своих экспериментов установила, что, когда температура упадет и начнется выздоровление, именно эти продукты вызывают наибольший интерес у малыша.

Самое главное правило гласит: во время болезни не заставляйте ребенка есть то, от чего он отказывается, если только врач не настаивает на включении этих продуктов в рацион больного. В остальных случаях ребенка может вырвать либо у него начнется расстройство пищеварения.

633. Диета при приступах рвоты. (Придерживайтесь этих рекомендаций только до прихода врача, который сам укажет вам, как кормить ребенка.) Во время многих заболеваний, особенно в их начале, когда резко повышается температура, возникает рвота в связи с тем, что желудок оказывается не в состоянии переваривать пищу.

В течение двух часов после приступа рвоты лучше дать желудку полный покой. Затем, **если ребенок вас попросит**, дайте ему выпить пару глотков воды. Если рвота не повторится, а малыш захочет еще попить, через 15–20 минут дайте ему еще три-четыре глотка. Постепенно увеличьте дозу до 100 мл, если ребенка продолжает мучить жажда. Когда пройдет несколько часов и ребенок почувствует голод, предложите ему что-нибудь легкое, например крекер, одну столовую ложку каши или яблочного пюре. Молоко давайте только снятое.

При повторении приступа рвоты диета должна быть более строгой. Через два часа дайте чайную ложку воды или накрошенного льда. Спустя 20 мин можно позволить две чайных ложки воды. Количество выпиваемого увеличивайте медленно. Если ребенок после приступа рвоты ничего не просит, **не предлагайте** ему сами, иначе его наверняка снова вырвет. Учтите, что со рвотой он теряет больше, чем выпил до того.

Рвота, вызванная повышением температуры, **мучит** ребенка, как правило, всего один день. Далее, даже если высокая температура сохранится, рвота прекратится.

При очень сильных спазмах желудка в рвотных массах может появляться кровь. Само по себе это не опасно.

634. Как избежать проблем с кормлением в конце болезни? Потеря аппетита во время лихорадки, естественно, ведет к быстрой потере веса. Когда это происходит впервые, мать бывает очень встревожена. После снижения температуры доктор разрешает вернуться к обычному рациону, и матери не терпится накормить ребенка как следует. Но часто он поначалу отказывается от пищи. Если мать начинает настаивать, аппетит может совсем не вернуться.

Ребенок вовсе не разучился есть, и он не так уж слаб, чтобы не донести ложку до рта. Просто к моменту спада температуры в его организме еще остается инфекция, и ею поражены желудок и кишечник. Когда он видит перед собой яства, пищеварительная система предупреждает его, что время лакомиться ими еще не пришло. Если измученному рвотой ребенку продолжать настойчиво предлагать еду, его отвращение к ней укрепится еще быстрее, чем когда ребенок здоров. За несколько дней возникнут проблемы, бороться с которыми вам придется долгие месяцы.

Как только желудок и кишечник оправятся от болезни и смогут нормально переваривать пищу, у ребенка внезапно просыпается волчий аппетит — он готов есть все подряд, даже то, от чего прежде отказывался. Так продолжается неделю или две — организм как бы наверстывает упущенное во время болезни. Ребенок начинает просить что-нибудь поесть уже через два часа после полноценного приема пищи. В трехлетнем возрасте он особенно настаивает на определенных продуктах — именно тех, в которых больше нуждается организм.

Итак, в конце болезни родители должны предлагать ребенку только ту пищу и в таких количествах, как ему самому захочется. Спокойно и терпеливо ждите сигнала, когда он сможет осилить больше. Если аппетит не возвращается в течение недели, посоветуйтесь с врачом.

Простудные заболевания

635. Вирусы, вызывающие осложнения. Простудные заболевания поражают ребенка в десять раз чаще, чем все остальные болезни вместе взятые. Но до сих пор эти заболевания до конца не изучены. Их причиной являются так называемые фильтрующиеся вирусы — это мельчайшие организмы, которые проникают (фильтруются) даже сквозь поры неглазированного фарфора. Они так малы, что их нельзя увидеть в обычный микроскоп. Считается, что в результате попадания в организм вирусов возникают легкие простудные явления: насморк и боль в горле. Вирусная простуда может пройти через три дня, но так бывает редко. Вирус повышает восприимчивость носоглотки к микробам — стрептококкам, пневмококкам и многим другим, которые приносят еще больший вред. Эти бактерии постоянно находятся в носоглотке здоровых людей, но не приносят вреда, поскольку не могут преодолеть защитный барьер организма. Но вирусы понижают этот барьер, микробы начинают размножаться и распространяться в организме человека. Данный процесс называют «вторичной инфекцией». Микробы могут вызвать такие тяжелые заболевания, как бронхит, пневмония, воспаление уха, синусит. Поэтому за простудившимся ребенком необходим самый тщательный уход.

Защитить ребенка от простуд легче всего, держа его подальше от заболевших членов семьи.

636. Сопротивляемость простудным заболеваниям. Многие люди считают, что простудам способствуют усталость и переохлаждение. Подобное утверждение не подтверждается фактами, но доказано, что реже болеют люди, закаленные регулярными прогулками на свежем воздухе в холодную погоду. Банковский клерк простужается чаще, чем фермер, вынужденный основную часть времени проводить под открытым небом. Вот почему дети всех возрастов должны зимой гулять по нескольку часов. По этой же причине нельзя сильно укутывать ребенка и накрывать его на ночь толстой периной.

В зимнее время чем выше температура воздуха в доме, тем меньше он содержит влаги и сильнее высушивает слизистую оболочку носоглотки, что способствует проникновению микробов в организм. При 24° С воздух становится слишком сухим. Многие пытаются увлажнить воздух, ставя на радиаторы отопления миски с водой или накрывая их влажными тряпками, но подобные меры малоэффективны. Более разумно снизить комнатную температуру до 21° С или еще ниже (оптимально поддерживать в доме температуру 20° С) — тогда влажность будет достаточной. Купите надежный комнатный термометр. В магазине проверьте, чтобы показания на нем совпадали с показаниями лучших из выставленных там образцов. Приучите себя проверять значения несколько раз в день. Когда температура превысит 20° С, выключите на время отопление. Сначала вам будет неуютно, но через несколько недель вы привыкнете и в более жаркой комнате будете испытывать дискомфорт. Если отопление в вашем доме не регулируется, откройте окно или поставьте кондиционер.

Влияет ли диета на сопротивляемость организма? В любом случае рацион ребенка должен быть сбалансированным. Но нет надежных доказательств, что ребенок, в меню которого преобладают те или иные продукты, простужается чаще.

А как насчет витаминов? Установлено, что явно недостаточное содержание в рационе витамина А повышает вероятность простудных и других инфекционных заболеваний. Это не относится к детям, поскольку в продуктах, которые они постоянно едят, — в молоке, масле, яйцах, овощах — витамина А довольно много.

Считается, что дети, больные рахитом, вызванным дефицитом витамина D, страдают от осложнений после простуды, в частности бронхитом. Но если у ребенка нет рахита и он получает с пищей достаточно витамина D, это не значит, что он не простудится, если вы дадите ему дополнительную дозу витамина. Большое значение для повышения сопротивляемости организма имеет витамин С (см. пункт 428).

637. Чем ребенок старше, тем меньше он подвержен заболеваниям. Дети между 2 и 6 годами болеют довольно часто: в городах на севере США ребенок в среднем заболевает 7 раз в год. (В основном это случается со школьниками.) После 6 лет частота заболеваний заметно уменьшается и протекают они легче. В 9 лет дети по болезни проводят в постели вдвое меньше времени, чем в 6 лет, а в 12 — вдвое меньше, чем в 9. Эти цифры должны успокоить родителей тех маленьких детей, которые порой болеют очень часто.

638. Влияние психологического фактора. Психиатры обратили внимание, что нервные стрессы отрицательно сказываются на физическом здоровье детей и взрослых, в частности, на их предрасположенности к простудам. Представьте себе шестилетнего мальчика, который подавлен тем, что отстает от сверстников в умении читать. Утром каждого понедельника его мучит кашель. Сначала вам кажется, что он притворяется, но нет, его кашель не производит впечатления натужного, искусственного. Напротив, он такой, как бывает при простуде. С каждым днем он кашляет меньше, а к пятнице кашель совсем проходит, чтобы возобновиться в воскресенье вечером или в понедельник утром. Лично я ничего мистического здесь не вижу. Все мы замечали, что у нервного человека руки становятся влажными и холодными; у спортсмена перед стартом иногда внезапно возникает понос. Поэтому вовсе не исключено, что нервное напряжение нарушает кровообращение в носоглотке, и микробы получают свободный доступ.

639. Распространение инфекции. Есть еще один фактор, который влияет на частоту детских заболеваний. Это — количество детей, с которыми контактирует ваш ребенок, особенно в помещении. В среднем ребенок, живущий на отдаленной ферме, меньше болеет, поскольку в его организм попадает меньше микробов. Напротив, ребенок, посещающий детский сад или школу, болеет очень часто, даже если там стараются изолировать детей с симптомами простудного заболевания. Заболевший может распространять вокруг себя бактерии еще за день до появления первых признаков простуды; иногда болезнь проходит так легко, что человек ее не замечает, но заражает окружающих. Однако есть дети, которым повезло, и они невосприимчивы к вирусам, сколько бы ни вращались среди больных.

640. Можно ли предотвратить распространение простудных заболеваний внутри семьи? Когда в семье кто-то заболевает простудой, годовалые дети заражаются почти наверняка и в лучшем случае переносят болезнь в легкой форме. Вероятность заражения выше в семьях, живущих в тесных помещениях с общими комнатами. Микробы выделяются в воздух в больших количествах не только при кашле и чихании, но и при обычном дыхании. Испытания показали, что до конца не помогает даже марлевая повязка, закрывающая рот и нос. Младенцы менее восприимчивы к простудам, и матери, у которой болит горло, достаточно при кашле закрывать рот рукой и дышать в сторону. Кроме того, ей необходимо мыть руки всякий раз, когда она берет вещи, которые могут попасть ребенку в рот: ложку, соску, колечко, которым дети чешут десны.

Если позволяют обстоятельства: ваш дом достаточно просторен, чтобы поместить ребенка в отдельной комнате, или среди членов семьи есть здоровые взрослые, которые могли бы ухаживать за подверженным простуде ребенком, — лучше находиться от малыша подальше. Поскольку здоровый взрослый все же вынужден общаться с заболевшими, ему лучше не спать с ребенком в одной комнате и не оставаться там, когда ребенок не нуждается в непосредственном уходе.

Посторонних, у которых имеются признаки заболевания, не следует вообще приглашать в дом, где есть маленький ребенок. На улице не подпускайте их ближе чем на два метра к коляске. Чтобы не показаться невежливой, скажите, что на подобных мерах настаивает врач.

Хотя хронический насморк или синусит через две недели после обострения не очень опасны с точки зрения возможности заражения, тем не менее необходимо соблюдать некоторые меры предосторожности: мыть руки и отворачивать лицо, когда вы находитесь в непосредственной близости от ребенка.

641. Рентгеновское обследование лиц с хроническим кашлем. Членам семьи, страдающим хроническим кашлем, следует пройти рентгеновское обследование, чтобы исключить заболевание туберкулезом. Это особенно важно в семьях с маленькими детьми или где еще только ждут ребенка. Если вы собираетесь пригласить к своему ребенку няню, она также должна сделать рентгеновский снимок легких, прежде чем прийти работать.

642. Простуда в младенческом возрасте. Если ребенок заболевает на первом году жизни, велика вероятность, что он легко перенесет простуду. Вначале у него закладывает нос, он чихает, а иногда покашливает. Температура повышается редко. Слыша, как малыш с трудом дышит, издавая хлюпающие звуки, родители страдают, что не могут высморкаться вместо него. Не надо беспокоиться — ребенка это не слишком беспокоит. Более неприятные ощущения вызывает в нем нос, забитый сухой слизью. Малыш пытается закрыть рот и злится, что не может вздохнуть. Заложенный нос мешает ему сосать грудь или бутылочку, причем иногда так сильно, что он отказывается от пищи.

Очистить нос можно резиновой спринцовкой. Сожмите грушу, поместите наконечник в ноздрю и отпустите грушу.

В помещении с повышенной влажностью (см. пункт 646) ребенок дышит свободнее. Если нос у него все же заложен, доктор обычно прописывает капли, которые следует закапывать в нос перед кормлением, или лекарства, принимаемые через рот. Все это не сказывается на его аппетите. Обычно простудные явления исчезают через неделю, но в некоторых случаях они длятся довольно долго, хотя протекают в легкой форме.

Конечно, бывают и тяжелые простудные заболевания. После них может возникнуть бронхит или другие осложнения. Хотя в возрасте до одного года это случается редко, при частом и хриплом кашле ребенка нужно показать врачу, пусть у него и не повышена температура. Обращайтесь к врачу и в тех случаях, когда при простуде ребенок вялый и плохо выглядит, поскольку заболевания в младенческом возрасте иногда протекают без повышенной температуры.

643. Простуда и повышение температуры у детей после года. Некоторые дети переносят простуду так же легко, без температуры и осложнений, как прежде, в младенческом возрасте. Более распространена другая клиническая картина простудных заболеваний у детей 2–3 лет. Вот типичный случай. Ребенок 2 лет утром чувствовал себя как обычно. За обедом он плохо ел и выглядел немного усталым. После дневного сна он раскапризничался, и мать заметила, что у него начался жар. Она измерила ему температуру, и термометр показал 39° С. До прихода врача температура повысилась до 40° С. Щеки у ребенка пылали, взгляд стал тусклым, но других признаков болезни не наблюдалось. В таком состоянии ребенок может совсем отказаться от ужина, а может и с аппетитом поесть. У малыша не было никаких симптомов простуды, однако врач обнаружил легкое покраснение горла. На следующий день температура несколько упала, но начался насморк. В ряде случаев насморк сопровождается кашлем. Далее болезнь течет привычным образом и заканчивается через один-два дня, хотя иногда затягивается на две недели.

Разумеется, возможно и другое течение болезни. Например, при повышении температуры у ребенка часто появляются приступы рвоты. Это тем более вероятно, если мать окажется недостаточно дальновидной и попытается накормить ребенка помимо его воли. (Поэтому когда ребенок теряет аппетит, не пытайтесь заставить его съесть больше, чем он сам хочет.) Иногда высокая температура держится несколько дней, и уже потом появляются прочие симптомы простуды. Кстати, насморк часто отсутствует именно из-за высокой температуры, которая высушивает слизистую оболочку носа. Бывает, что через несколько дней температура становится нормальной, но ни кашля, ни насморка не появляется. В таких случаях следует подозревать не простудное заболевание, а грипп. У него нет **местных** симптомов — таких, например, как насморк или понос. Грипп характеризуется лишь **общими** признаками: высокой температурой и недомоганием. Он напоминает простуду, при которой температура повышается на один день, а затем после нескольких дней нормального самочувствия появляется насморк или кашель, стоит вам вывести ребенка из дома на холод.

Я намеренно упомянул о резком повышении температуры в начале простудного заболевания, чтобы вы не тревожились сверх меры в таких случаях. Но доктора вызвать нужно непременно, поскольку болезнь может оказаться более серьезной.

После 5–6 лет простуда у ребенка редко сопровождается высокой температурой.

Повышение температуры в конце простудного заболевания указывает, что инфекция распространилась на другие органы. Может быть, ничем серьезным это и не грозит, но врача пригласить нужно. Он проверит, не оказались ли вовлечены в воспалительный процесс уши, бронхи или почки.

Уход за простуженным ребенком

644. Вызов врача. Когда ребенок впервые простудится, необходимо вызвать врача,. Доктор решит, нужно ли ему наблюдать ребенка, и назначит курс лечения. При повторных легких простудах звать врача необязательно, но это нужно сделать при появлении неизвестных вам симптомов или при температуре свыше 38° С. Если, например, у ребенка ночью температура поднялась до 38,5° С, но симптомы характерны для обычного простудного заболевания, вы можете подождать до утра и лишь тогда связаться с врачом.

645. Оберегайте ребенка от переохлаждения. Холод при простуде вызывает ухудшение состояния. Поэтому заболевший ребенок должен оставаться дома и не попадать на сквозняки. Это не так актуально в теплое время года, но все же соблюдать данное правило надо, особенно пока ребенок еще мал. Поток воздуха остужает одни части тела и не затрагивает другие — неравномерное охлаждение наиболее неблагоприятно при простуде.

Мать обычно торопится вынести ребенка на свежий воздух, и доктору часто приходится выслушивать потом ее жалобы: «Малыш уже чувствовал себя хорошо, а день был такой чудесный, что я позволила взять его на прогулку. Но к вечеру он начал кашлять и жаловаться на боль в ухе». Пока не получено доказательств, что солнечные лучи излечивают простуду, но точно известно, что холод приносит вред.

Многих ребятишек раньше времени выводят на улицу после болезни, и ничего плохого с ними не случается, но полной гарантии для всех детей дать нельзя. Докторам известны случаи, когда после прогулки дети чувствуют себя хуже. Возможно поэтому врачи стараются перестраховаться. Риск будет меньше, если ребенок 1–2 дня после выздоровления побудет дома, чем проведет полчаса на улице даже в укрытом от ветра месте. Если за первой после болезни прогулки не последует ухудшения самочувствия, на второй день время прогулки может быть обычным. С детьми постарше такие меры предосторожности излишни.

Большинство врачей сегодня не настаивают на строгом постельном режиме. (Есть некоторые исключения, в частности, ортопедические заболевания или гепатит.)

Во время простуды очень важное значение приобретает одежда ребенка. Ваша цель — создать для его тела равномерное тепло. Если малыш сидит в постели, наденьте поверх пижамы легкий свитер или фуфайку, чтобы груди было так же тепло, как ногам, укрытым одеялом. Не кладите на ноги много одеял — в теплой комнате достаточно одного. Если ребенку будет жарко, он вспотеет, но пот будет испаряться только на верхней половине тела, и вам не удастся сохранить равномерную температуру. Тот же принцип действует, когда ребенок не лежит в постели, а свободно передвигается по дому: его ноги должны быть в тепле так же, как туловище. (Самый холодный воздух и сквозняки циркулируют на уровне пола. Поэтому лучше всего одевать малыша в комбинезон. Подойдет и пара длинных чулок или теплое белье.)

Температура воздуха в комнате, где играет ребенок, должна составлять примерно 22° С (когда ребенок здоров, оптимальная температура помещения не должна превышать 20° С). Хорошо, если и ночью там будет достаточно тепло, поэтому окна должны быть закрыты. В этом случае можно не бояться сквозняков, если малыш во сне раскроется. Прохладный воздух полезен для здорового человека, простуженному он может повредить. Чтобы в спальне не было душно, лучше оставьте открытой дверь или проветрите комнату в течение нескольких минут.

646. Воздух в жаркой комнате надо увлажнять. При простудных заболеваниях врачи иногда рекомендуют увлажнять воздух в комнате ребенка. Дополнительная влага смягчает воспаленную поверхность носоглотки. Особенно полезен влажный воздух при сухом кашле и при крупе. Когда на улице тепло и отопление выключено, увлажнять воздух не нужно.

В продаже имеются специальные кондиционеры-увлажнители. Они довольно дороги, но удобны в использовании и оправдывают расходы на них.

Повысить влажность можно и с помощью электрического кипятильника, опущенного в сосуд с водой. Кипятильник, конечно, дешевле, но он не так эффективен, поскольку не только увлажняет, но и нагревает воздух в комнате. Кроме того, он небезопасен: ребенок может случайно дотронуться до него или опрокинуть. Покупайте большой кипятильник, рассчитанный на объем воды более литра.

В крайнем случае вскипятите кастрюлю с водой на плите и принесите ребенка на кухню или развесьте влажные полотенца на радиаторах отопления или на веревках, натянутых поперек комнаты. При экстренной необходимости, например при крупе, перенесите ребенка в ванную и включите горячую воду или душ. Пусть ребенок дышит паром, только следите, чтобы не обжечь его кипятком.

647. Капли от насморка. При насморке доктор обычно прописывает капли в нос. Капли бывают двух типов. Одни обладают слабым бактерицидным свойством, т.е. убивают болезнетворные бактерии. Их полезное действие ограничено, поскольку они действуют только на микроорганизмы, расположенные на поверхности слизистой оболочки, но не в глубине ее. Лекарства второго типа сужают сосуды слизистой оболочки, в результате чего она уменьшается в объеме, давая проход воздуху. После этого нос легче очистить от слизи. Однако вскоре действие капель заканчивается, и слизистая набухает еще сильнее. Кроме того, если такие капли применять часто, они будут раздражать нежную слизистую на внутренней поверхности носа. Можно назвать три ситуации, в которых применение капель этого типа приносит пользу. Первая: младенец капризничает и негодует, поскольку вынужден дышать ртом; он задыхается, когда начинает сосать, у него нарушается сон (в подобном случае ему поможет и отсасывание слизи спринцовкой). Вторая: после жестокой простуды или синусита (воспаления придаточных пазух носа) вся носовая полость забита густой слизью, которую трудно высморкать. Третья: доктор хочет открыть отверстие евстахиевой трубы, чтобы воздух из носоглотки попадал в среднее ухо; это бывает необходимо при воспалении уха.

Эффект от капель будет гораздо больше, если они попадут в средний и верхний ходы носа. Для этого отсосите слизь спринцовкой из передней части носа. Положите ребенка на кровать, чтобы его голова была немного запрокинута. Закапайте капли и дайте ему полежать в такой позе примерно полминуты, чтобы капли проникли в верхние ходы.

В настоящее время в продаже имеются лекарства, которые принимают внутрь для сужения кровеносных сосудов носа.

Не применяйте капли от насморка без рекомендации врача. Перерыв между процедурами должен быть не менее 4 часов. Курс лечения заканчивайте через неделю, если доктор не настаивает на продолжении. К сожалению, детям процедура с каплями очень не нравится, поэтому применяйте их только в ситуациях, описанных выше.

В аптеках продаются различные мази, которые надо втирать в кожу груди. Это должно облегчить кашель, а ароматные масла, испаряясь, попадают в нос. Полезный эффект подобного лечения не доказан, но и вреда в нем нет. Если вам кажется, что ребенку становится легче, то никаких возражений не последует.

648. Средства от кашля. Микстуры от кашля не излечивают простуду, поскольку не убивают бактерии. С их помощью можно лишь устранить першение в горле, облегчить отхождение слизи из дыхательных путей и сделать кашель не таким частым. Человек с инфекцией в трахее и бронхах должен время от времени откашливаться, чтобы удалить из дыхательных путей скапливающуюся там слизь. Следовательно, подавление кашля приносит вред. Поэтому врач прописывает такое лекарство, которое не позволяет кашлю мучить ребенка до изнеможения, мешать ему спать, раздражать горло. Любой ребенок, а равно и взрослый, страдающие от кашля, должны находиться под наблюдением врача, и только последний может назначить ту или иную микстуру или таблетки.

Воспаления уха

649. Легкие инфекционные заболевания уха у детей. У некоторых малышей любая простуда почти неизбежно осложняется воспалением уха, а у других малышей уши никогда не болят. Наиболее подвержены инфекционным болезням уха дети до 4 лет. На самом деле после большинства простуд уши воспаляются, но процесс протекает легко, практически без симптомов.

Обычно ухо начинает болеть лишь после того, как прошла простуда. Ребенок старше 2 лет сам скажет вам об этом. Младенец либо трет ухо рукой, либо громко плачет несколько часов. Температура иногда повышается, а иногда остается нормальной. На этой стадии заболевания доктор обнаруживает несильное воспаление верхней части барабанной перепонки. Если назначено правильное лечение, то заболевание через несколько дней проходит без следа. Кстати, очень часто воспаление уха вызывает боль и припухлость в заушной области, но это не значит, что воспаление перекинулось и туда, так что пусть эти симптомы вас не тревожат. Я упоминаю об этом лишь затем, чтобы вы не нервничали напрасно, подозревая абсцесс в ухе или заушной области, как только ребенок пожалуется на боль.

Если без промедления провести лечение современными лекарственными средствами, то абсцесс вообще не развивается; очень редки и воспаления заушной области — мастоидиты.

Если ребенок жалуется на боль в ухе, особенно когда одновременно повысилась температура, в тот же день свяжитесь с врачом. Лекарства, которые применяют при воспалениях, на ранних стадиях болезней уха действуют более эффективно.

Положим, визит врача откладывается на несколько часов. Какие меры следует предпринять, чтобы уменьшить боль? Хорошо помогают бутылочка с теплой водой или электрогрелка. Правда, маленькие дети нетерпеливы и не всегда способны выдержать долгую процедуру. Из лекарств можете дать аспирин (см. пункт 621). Еще лучше помогает средство от кашля, содержащее кодеин — сильное обезболивающее. Но, во-первых, оно не всегда находится под рукой и, во-вторых, доктор прописывает его именно заболевшему ребенку (если этот препарат был прописан старшим детям или взрослому члену семьи, там может оказаться слишком большое количество кодеина). Если боль очень сильна, дайте ребенку комбинацию указанных средств.

Иногда воспалившаяся барабанная перепонка лопается и выделяется жидкий гной. Его следы вы можете найти утром на подушке. Сам ребенок часто не жалуется на боль или лихорадку. Чаще, однако, прободение барабанной перепонки происходит через несколько дней с начала развития абсцесса, или нарыва. Все это время ребенок чувствует боль, у него повышена температура. При появлении гноя из ушей вам до прихода врача не следует предпринимать ничего; вы можете лишь свернуть фитилек из стерильной ваты и очистить ушной проход от гноя, а также вымыть с мылом кожу вокруг ушной раковины. Если гной продолжает вытекать и раздражать кожу, вымойте ее и смажьте вазелином.

Обычно даже при среднетяжелых воспалениях уха, ребенок глохнет после нескольких дней болезни. Однако если быстро и правильно провести лечение, слух восстанавливается.

Бронхит и пневмония

650. Бронхит. Это заболевание протекает с разной степенью тяжести. Возникает оно, когда простудные явления распространяется на бронхи. Болезнь сопровождается сильным кашлем. Иногда даже слышны шумы в глубине груди ребенка;

дотронувшись до его тела, вы можете почувствовать вибрацию — это дрожит слизь в потоке вдыхаемого воздуха.

Легкие формы бронхита без повышения температуры, без потери аппетита, с незначительным кашлем — не более серьезное заболевание, чем насморк. Однако если ребенок плохо выглядит, его мучит сильный кашель, температура поднимается до 38,5° С, вызывайте срочно врача, потому что он может прописать какое-либо из очень эффективных современных лекарств.

Младенца, который кашляет, надо в любом случае показать врачу, даже если у него нормальная температура. Уже было сказано, что в первые месяцы жизни ребенок даже серьезные инфекционные заболевания переносит без лихорадки. В то же время, если у заболевшего малыша сохраняется хороший аппетит и он выглядит как обычно, особых причин для беспокойства нет.

651. Пневмония. Болезнь обычно начинается после нескольких дней простуды, но может возникнуть и внезапно. Вы распознаете ее, если температура повысилась до 39,5° или до 40° С, дыхание ребенка стало частым и прерывается кашлем. Начало заболевания сопровождается рвотой, а у маленьких детей — судорогами. Если без промедления начать лечение, современные средства приносят быстрое выздоровление. Отсюда вывод: вызывайте врача при повышении температуры и появлении кашля у ребенка.

Есть несколько необычных видов пневмонии, вызываемых фильтрующимися вирусами. При подобных заболеваниях течение болезни не такое острое, но выздоровление наступает позже.

Круп

652. Ложный круп без повышения температуры. Словом «круп» обычно обозначают различные заболевания гортани у ребенка. Круп сопровождается резким, лающим (крупозным) кашлем, дыхание затруднено.

Чаще встречается самая легкая разновидность заболевания — ложный круп с нормальной температурой. Он начинается резко, обычно ночью. В течение дня ребенок был совершенно здоров или слегка простужен, не кашлял. Внезапно он просыпается от приступа крупозного кашля, старается вдохнуть воздух — и не может. Картина пугающая, когда встречаешься с ней впервые. Но на деле все не так страшно. Тем не менее немедленно вызывайте доктора.

До прихода врача окажите ребенку экстренную помощь. Лучше всего облегчит его состояние влажный воздух. Можете воспользоваться искусственными увлажнителями (см. пункт 646). Для этого подойдет маленькое помещение, поскольку оно быстрее заполняется паром. Если в вашем доме есть горячая вода, отнесите ребенка в ванную и включите кран или душ. (Опускать ребенка в воду не надо — пусть дышит влажным воздухом.)

При вдыхании влажного воздуха ребенок быстро почувствует облегчение. Тем временем увлажните воздух и в его спальне. Кто-нибудь из взрослых должен остаться с ребенком и бодрствовать, пока не исчезнут последние симптомы. Следующие три ночи проведите в комнате малыша и каждые 2–3 часа проверяйте его дыхание.

Приступ может повториться на следующую или на третью ночь. Поэтому все это время воздух в спальне должен быть увлажнен. Данную форму заболевания провоцирует сочетание разных причин: простуда ребенка, нежность гортани и сухой воздух.

653. Ложный круп с повышением температуры (ларинго-бронхит). Это более тяжелая форма болезни. Ее сопровождают простудные явления в бронхах. Крупозный кашель и затрудненное дыхание иногда развиваются постепенно, а иногда настигают ребенка внезапно не только ночью, но и днем. Водяной пар помогает лишь отчасти. **Если ребенок при повышенной температуре начинает резко кашлять или задыхаться, его немедленно надо перевести под непрерывный контроль врача.** Если нельзя связаться со своим врачом, попробуйте вызвать любого другого. Если и это окажется невозможным, везите ребенка в ближайшую больницу.

654. Дифтерия гортани (истинный круп). Воспалительные процессы в гортани, кашель, затруднения дыхания нарастают постепенно при незначительном повышении температуры. Если ребенку была сделана противодифтерийная прививка, эта форма крупа ничем серьезным ему не угрожает.

Однако при любой форме крупа ребенка следует срочно показать врачу. Это нужно сделать особенно быстро, если не удается снять приступ или температура повысилась до 38,5° С.

Синуситы, ангина, лимфаденит

655. Синуситы (воспаления придаточных пазух носа). Пазухи — это полости в костях, окружающих нос. Каждая пазуха соединена с носом небольшим отверстием. Гайморовы пазухи расположены в скулах. Лобные пазухи находятся над бровями. Решетчатый лабиринт примыкает к верхним носовым ходам. Клиновидные пазухи помещаются дальше, за носовыми ходами. В раннем возрасте у ребенка достаточно развиты только гайморовы пазухи и решетчатый лабиринт, поэтому воспаляются только они. Лобные и клиновидные пазухи начинают постепенно увеличиваться только после 6 лет. При тяжелом или затянувшемся насморке инфекция может попасть в пазухи. Синуситы более продолжительны, чем насморк, поскольку отверстия пазух малы и их трудно очистить от слизи и гноя. Воспаления пазух иногда протекают легко и проявляют себя незначительными гнойно-слизистыми выделениями в носоглотку. Из-за них ребенок кашляет, когда лежит в кровати или встает после сна. Но гайморит и этмоидит бывают и острыми, с высокой температурой и болями. Подозревая воспаление пазух, врач обычно направляет больного на рентген. Для лечения применяются самые разные средства: капли в нос, тампоны, промывание пазух, лекарства.

Какой бы способ лечения ни прописал врач, очень важен общий уход за больным ребенком. В конце концов синуситы — это более тяжелые формы простуды. Значит, нужно избегать появления на улице в холодную погоду, дома не должно быть сквозняков, воздух в помещении желательно увлажнять. Ребенка следует одевать равномерно тепло, а окна по ночам держать закрытыми.

656. Ангина. Болезнь обычно вызывается стрептококками. У ребенка несколько дней держится высокая температура, он плохо себя чувствует. Часто заболевание сопровождается рвотой и головной болью. Миндалины увеличиваются и становятся ярко-красными; через 1–2 дня на них появляются белые налеты. Старшие дети жалуются на сильную боль в горле — они с трудом глотают даже жидкую пищу. Маленьких детей, похоже, боль в горле почти не беспокоит.

При ангине, даже легкой, необходимо вызвать врача, поскольку вовремя надо начать лечение антибиотиками, которые не только борются с инфекцией, но и предупреждают осложнения. Препараты дают в течение десяти дней. Выздоровление идет довольно медленно. Если у ребенка увеличатся лимфатические узлы на шее, он выглядит изможденным, у него не снижается температура, уложите его в постель и вызовите врача. Если болезнь не лечить, то могут возникнуть другие осложнения: воспаления уха, малокровие, ревматизм, воспаление почек.

657. Другие инфекционные болезни горла. Существует целый спектр инфекционных заболеваний горла, вызываемых различными микробами. Для них в медицине есть общее название: катар верхних дыхательных путей. В начале любой простуды многие люди чувствуют резь в горле. Доктор, осматривая ребенка, у которого повышена температура, находит единственный признак заболевания: слабое покраснение слизистой оболочки гортани. Ребенок может даже не испытывать боли. Вскоре и этот симптом проходит. Однако малыш, пока горло не прошло, должен оставаться дома. Если у ребенка повышается температура, он вял, жалуется на боль в горле (даже при нормальной температуре), вам следует обратиться к врачу за помощью. При подозрении на стрептококковую инфекцию доктор должен взять мазок на исследование и назначить лечение одним из эффективных лекарственных препаратов, дабы предотвратить возможные осложнения.

658. Лимфаденит. Лимфатические узлы, или, как их еще называют, лимфатические железы, находятся по обеим сторонам шеи. При попадании в узлы инфекции из горла они опухают. Чаще всего это бывает при ангине. Опухание лимфатических узлов наблюдается в середине болезни или через 1–2 недели по ее окончании. Если узлы видны даже без ощупывания или температура повысилась до 38° С, нужно вызвать врача. Возможно, он пропишет специальное лекарство, эффект от которого будет тем больше, чем раньше начато лечение.

Некоторое увеличение узлов иногда продолжается несколько недель и даже месяцев после вызвавшей его простуды. Причиной заболевания могут стать также больные зубы и некоторые инфекционные болезни, например, краснуха. Если врач не найдет никакого сопутствующего заболевания, не обращайте внимания на опухшие лимфатические узлы.

Миндалины и аденоиды

659. Не следует удалять миндалины и аденоиды, пока они не беспокоят. На миндалины и аденоиды в свое время возлагали вину за многие беды. Люди считали их присутствие в организме злой шуткой природы и желали избавиться от них как можно скорей, что было явной ошибкой. У этих образований есть своя задача: они помогают бороться с инфекцией и восстанавливают сопротивляемость организма.

Миндалины и аденоиды состоят из так называемой лимфоидной ткани и напоминают лимфатические узлы на шее, в подмышечных впадинах и в паху. Если вблизи этих образований появляются болезнетворные микробы, лимфоидная ткань увеличивается в объеме, и в ней происходит работа по уничтожению бактерий и увеличению сопротивляемости болезням.

660. Миндалины. У здоровых детей миндалины растут до 7–9 лет, после чего медленно уменьшаются в размерах. Прежде увеличенные миндалины принимали за признак болезни и рекомендовали их удалить. Теперь на их размеры не обращают никакого внимания. Случаи, когда миндалины (или аденоиды) советуют удалять, стали очень редкими.

Поводом для удаления миндалин не могут служить даже повторяющиеся ангины, частые простуды, хорея. То же следует сказать и об увеличенных миндалинах у ребенка, который мало подвержен простудам носоглотки. Разумеется, удаление миндалин не поможет решить проблемы с аппетитом, заиканием, повышенной нервозностью. Напротив, операция иногда даже ухудшает ситуацию.

661. Аденоиды. Это образования из лимфоидной ткани на мягком небе, где носовые ходы соединяются с глоткой. Увеличиваясь в размерах, они мешают воздуху двигаться из носа в легкие. Человек вынужден дышать через рот, у него появляется храп во сне. Кроме того, аденоиды препятствуют отхождению гноя и слизи из носа; из-за этого насморки протекают более тяжело и осложняются воспалениями придаточных пазух. Прежде считалось, что в таких случаях облегчить жизнь человеку может только удаление аденоидов. Однако сегодня есть масса способов лечения лекарственными препаратами как наружного, так и внутреннего применения. Под их действием происходит «сжимание» лимфоидной ткани. Для борьбы с микробами больному дают еще и антибиотики.

Удаление аденоидов не дает гарантии, что ребенок начнет дышать носом. Некоторые дети дышат через рот с самого рождения, хотя никаких препятствий у них в носоглотке нет. Путь для воздуха может быть перекрыт не аденоидами, а набухшими тканями в передней зоне носа (например, при сенной лихорадке или иных формах аллергии). Аденэктомия не приведет и к уменьшению частоты воспалений уха.

При удалении миндалин заодно удаляют и аденоиды. С другой стороны, удалять миндалины во время операции на аденоидах нет смысла, если ее делают, только чтобы освободить путь воздуху.

После операции аденоиды вновь немного вырастают; то же происходит с лимфоидной тканью на месте удаленной миндалины. Это вовсе не значит, что операция была сделана плохо и что ее надо повторить. Дело в том, что организму в носоглотке требуется лимфоидная ткань, и он пытается ее восстановить.

О подготовке к операции рассказано в пунктах 627–630.

Аллергии

662. Аллергические насморки и сенная лихорадка. Некоторые люди обладают повышенной чувствительностью к пыльце определенных растений, тогда как другие никак на нее не реагируют. Вы почти наверняка знаете лиц, которые страдают сенной лихорадкой во время цветения полыни. Когда ее пыльца попадает в воздух — а это происходит где-то в середине августа, больные начинают чихать, у них закладывает нос, слезятся глаза. Это явление называется аллергическим насморком. У других людей сенная лихорадка появляется весной во время цветения деревьев; случается она и летом, и виновником является та или иная трава. Если у вашего ребенка начинается насморк каждый год в одно и то же время, вам надо обратиться с ним к врачу. Проведя исследования с различными сортами пыльцы, по состоянию носа и кожи он определит, страдает ли малыш сенной лихорадкой. Лечение предполагает частые инъекции в течение длительного периода. Облегчение на короткое время приносят и некоторые лекарства.

Бывают аллергические насморки, не связанные с сезонными цветениями растений. Они, возможно, проявляются не так ярко, но доставляют отнюдь не меньше беспокойства. Есть лица, слизистая оболочка носа у которых бурно реагирует на пух из подушек, на собачью шерсть, на домашнюю пыль и на многие другие вещества. Такая круглогодичная аллергия заставляет ребенка дышать ртом. Постоянно заложенный нос становится источником синуситов. Если ваш ребенок подвержен подобному заболеванию, то определить его причину может педиатр или специалист-аллерголог. Лечение в каждом случае различно и зависит от рода аллергена. Если насморк вызван гусиным пером, поменяйте ребенку подушку. Если он страдает от собачьей шерсти, то скорее всего вам придется избавиться от животного, заменив его игрушками. Если причину аллергии, например комнатную пыль, трудно устранить, врач, возможно, посоветует очистить комнату совсем от мебели, чтобы снизить в ней количество пыли. Особенно актуален такой совет, если приступы следуют ночью или по утрам. В первую очередь надо снять занавески, ковры и прочие «склады» пыли, ежедневно проводить влажную уборку. Уберите из комнаты даже мягкие игрушки. На матрасы и подушки наденьте пылезащитные чехлы либо замените их поролоновыми изделиями. В крайнем случае пользуйтесь раскладушкой, где подушка вовсе не нужна.

От аллергии полностью излечиться невозможно, поэтому радуйтесь даже частичному облегчению.

663. Астма. Это еще одна из форм аллергии, при которой чувствительным органом является не нос, как при сенной лихорадке, а бронхи. Когда раздражающие вещества попадают в мелкие бронхи, на их внутренних стенках выделяется густая слизь, просвет сужается настолько, что не хватает воздуха, дыхание становится натужным и хриплым, появляется кашель.

Старшие дети, страдающие хронической формой болезни, реагируют на взвешенные в воздухе раздражители, например лошадиную перхоть, собачью шерсть, плесень и т. д. Аллергологи называют эти вещества «ингалянтами». У самых маленьких детей аллергия чаще возникает на различные продукты питания.

Детей с тяжелыми формами хронической астмы обычно проверяют на раздражающие вещества, а затем назначают лечение. Если не обращать на болезнь внимания, повторяющиеся приступы неблагоприятно воздействуют на состояние легочной ткани. Лечение зависит от рода аллергена и особенности больного. Продукты, вызывающие аллергическую реакцию, надо исключить из рациона. Если аллергенами являются ингалянты, лечение ведут так же, как при круглогодичном аллергическом насморке (см. пункт 662).

Астма — это не обычная аллергическая реакция организма на некоторые вещества. При одних и тех же внешних обстоятельствах у больного может случиться приступ, а может и нет. Обычно больной астмой испытывает трудности с дыханием ночью. Играют роль также время года, климат, погода, температура, настроение больного. Часто приступ бывает спровоцирован простудой. Некоторые дети более расположены к приступам астмы (и другим аллергическим проявлениям), когда они обеспокоены реальной или воображаемой разлукой с родителями, переживают по поводу ссоры с родителями или по поводу ссоры родителей между собой. Зато у них заметно улучшается состояние, когда они избавляются от тревог, возможно, с помощью психиатра. Другими словами, нужно лечить больного, а не болезнь.

Способы снять приступ зависят от его тяжести, и выбирать их должен врач. В его распоряжении есть лекарства, вводимые через рот или с помощью инъекций, если у ребенка возникают серьезные проблемы с дыханием.

Во время первого приступа, не успев быстро связаться с врачом, не впадайте в панику. Положение, как правило, не столь серьезно, как выглядит со стороны. Уложите ребенка в постель, а если дело происходит зимой, когда воздух в помещении очень сух, увлажните его (пункт 646). Если ребенка мучит кашель, используйте прописанное ранее лекарство, дав обычную дозу. Займите ребенка игрой или чтением, а если у вас есть время, сами почитайте ему. Не показывайте своего беспокойства, иначе он испугается, разволнуется и положение станет только хуже. При продолжении приступа очистите комнату от лишних вещей (см. пункт 662) и тщательно вытрите пыль.

Предотвратить заболевание астмой невозможно. Если болезнь началась в раннем возрасте, с ней проще справиться, хотя на это уйдет несколько лет. Иногда приступы прекращаются с началом периода полового созревания. Бывает, что вместо астмы у ребенка развивается сенная лихорадка.

664. Астматический бронхит. Об этой болезни надо говорить отдельно. У некоторых маленьких детей хриплое, затрудненное дыхание — как при приступе астмы — появляется только при сильной простуде. Обычно это характерно для первых 3 лет жизни. Разумеется, родителям не доставляет радости видеть, как мучается их ребенок при каждой простуде, но они не должны отчаиваться. Приступы астматического бронхита обычно прекращаются через 2 года после начала болезни. Тем не менее, когда они случаются, надо вызывать врача. Ведь лечения требуют не только хрипы, но и сама простуда. Если в помещении слишком сухой воздух, увлажните его (см. пункт 646), и ребенку станет легче. Лекарства, способствующие расширению бронхов при обычной астме, при астматическом бронхите, как правило, не помогают.

665. Крапивница. Считается, что крапивница представляет собой аллергическую реакцию кожи. Обычно она проявляется в виде припухлостей бледного цвета на коже, напоминающих ожог от крапивы, которые очень сильно зудят. У некоторых больных крапивница повторяется часто или вообще почти не проходит. Но большинство людей страдают от нее раз или два за всю жизнь. Вызывают крапивницу некоторые продукты. Она может возникать также после инъекций сыворотки и в конце некоторых инфекционных заболеваний. Во многих случаях причину установить не удается.

556

Для уменьшения зуда можно применить домашние средства — горячую ванну с растворенной в воде питьевой содой. На небольшой таз нужен стакан соды, на обычную ванну — два стакана. Доктор может выписать лекарства, которые облегчат страдания больного.

666. Экзема. Как сенная лихорадка и астма, это аллергическое заболевание. Оно представляет собой красную сыпь в виде пятен неправильной формы. В случае сенной лихорадки чувствительным органом является нос, реагирующий на цветочную пыльцу. При экземе реагирует кожа, а раздражающим фактором становятся некоторые продукты питания. Попадая в организм, они разносятся кровью и вызывают воспаление кожи. Бывают случаи, когда кожа реагируют на материалы, касающиеся ее снаружи: на шерсть, шелк, кроличий пух. Ребенок чаще страдает экземой, если его родители аллергики.

Хотя экзема своим появлением в первую очередь обязана некоторым продуктам питания, определенную роль играют и два других фактора. Первый — внешнее раздражение кожи. Так, у одних детей экзема появляется, когда на кожу действует холодный воздух; других, напротив, она посещает только в жаркое время, когда кожа потеет; у третьих экзема появляется на коже под мокрыми пеленками. Если экзема возникает в местах, где кожа соседствует с шерстью, то возможны два варианта: либо аллергеном является именно шерсть, либо она только раздражает кожу, а экзему вызывают продукты питания.

Вторым фактором является полнота ребенка. У полных детей экзема наблюдается чаще, а у худых почти совсем не появляется.

Поставить диагноз и назначить лечение, разумеется, должен врач. Самая распространенная клиническая картина экземы — это пятна грубой кожи красного цвета. При экземе средней тяжести, а также в момент ее появления пятна светло-красные или розовые. При более тяжелом течении они становятся темнее, появляется зуд. Дети трут и расчесывают их. На поверхности расчесов выступает сукровица. Высыхая, она образует корку. После экземы, когда проходит краснота, кожа на ее месте еще долго остается уплотненной, с грубой поверхностью.

Обычно у маленьких детей экзема появляется на лбу и щеках. Далее она распространяется на уши и на шею. Поверхность пятен, особенно на ушах, выглядит так, словно там выпаривали соль. После года экзема может образовываться где угодно — на плечах, на ягодицах, на руках и груди. Между годом и тремя пятна располагаются в складках локтевых и коленных сгибов. Тяжелые случаи экземы лечить очень трудно, поскольку детей донимает зуд. Несмотря на все усилия матери предотвратить расчесывание, процесс может длиться месяцами.

667. Некоторые советы по уходу и лечению. Назначая лечение, врач учитывает множество факторов: возраст ребенка; величину и расположение пятен; упитанность больного, скорость, с которой он прибавляет в весе; новые продукты, которые были включены в меню в последнее время; реакция больного на те или иные способы лечения. Очень часто достаточно бывает протирать пятна лосьоном и смазывать их мазью. При устойчивых формах попытайтесь выяснить, какие продукты вызывают аллергию. У грудных детей это часто бывает коровье молоко. Постарайтесь перейти на сгущенное молоко, поскольку продукты, подвергнутые тепловой обработке, меньше вызывают аллергию. Попробуйте заменить коровье молоко сгущенным козьим молоком. Некоторых детей спасает только замена любого животного молока искусственным молоком из сои. Часто помогает исключение из рациона апельсинового сока.

Если экзема появляется в старшем возрасте, врач последовательно изымает из меню одни виды продуктов за другими и следит за результатом. В крайних случаях он может пойти на «кожную» провокацию, делая инъекции различных питательных веществ. Если на те или иные продукты у ребенка есть аллергия, то в местах инъекций возникает крапивница. При экземе у полных детей исключите из рациона сахар и крахмал или уменьшите их количество.

Надо обратить внимание и на возможность раздражения кожи снаружи. Например, это может быть шерсть, и тогда вам придется обойтись без шерстяных предметов одежды. Если экзема появляется на ягодицах и в паху, то примите меры, о которых подробно написано в пункте 319, посвященном опрелости. При появлении экземы в холодную и ветреную погоду найдите для прогулок место, укрытое от ветра. Иногда раздражающими кожу веществами становятся вода и мыло. В этом случае проводите туалет с помощью пропитанного жидким маслом куска ваты.

Если вы не можете показать грудного ребенка врачу, а у него появилась экзема, сопровождающаяся зудом, добавляйте в смесь сгущенное молоко вместо цельного. Также откажитесь от сахара и давайте малышу меньше каши, чтобы он не слишком быстро прибавлял в весе. Если то же произошло с ребенком чуть постарше, когда вы включили в его рацион яйца, отмените их, пока не посоветуетесь с врачом. Потребуется одна или две недели, чтобы заметить улучшение. К вызывающим аллергию продуктам причисляют и манную крупу. Тем не менее не следует самостоятельно исключать из рациона ребенка один или сразу **несколько** видов продуктов, если можно получить квалифицированный совет доктора. Ведь степень развития экземы меняется от недели к неделе даже при постоянном рационе. Когда вы пытаетесь изменить меню, вы «подозреваете» сначала один вид продуктов, потом другой. Но экзема не исчезает, и вы приходите в недоумение. Продолжая ту же тактику последовательного отказа от продуктов, вы в конце концов придете к такому ограниченному меню, что ребенку буквально нечего будет есть. Если экзема не слишком беспокоит малыша, вообще не меняйте рацион, пока ребенок не пройдет обследования у врача.

Родителям больно смотреть на своего несчастного ребенка, расчесывающего сыпь, и они знают, что этого нужно избежать всеми доступными способами. Они даже боятся брать его на руки и укачивать, чтобы не задеть зудящие места. А ведь ребенку так необходимы любые знаки любви и внимания.

Вам надо помнить об экземе главное: ее причина — в свойствах организма ребенка, а не во внешней инфекции, как, например, в случае заболевания импетиго, от которого вы можете избавиться с помощью лекарств. Скорее всего вам придется удовлетвориться тем, что она примет более легкую форму. К счастью, экзема, появляясь в раннем возрасте, совсем исчезает или принимает легкие формы в последующие 1–2 года.

Кожные болезни

668. Сыпь. Прочитав этот пункт, вы не научитесь ставить диагноз. Если у ребенка появилась сыпь, вам обязательно нужно добиться помощи врача. Даже при одном и том же заболевании сыпи могут так различаться, что не всякий опытный дерматолог определит их причины. Менее сведущих людей сыпи тем более ставят в тупик. Главное при высыпаниях на коже — сохранять спокойствие, пока вас не посетит доктор.

Корь. За 3–4 дня до появления сыпи у ребенка повышается температура и наблюдаются признаки простуды. Выступает сыпь в виде розовых пятен вокруг ушей; затем сыпь распространяется вниз. В это время температура очень высокая (см. пункт 677).

Краснуха. Розовые пятна, иногда плохо различимые на коже, быстро распространяются по всему телу. Температура нормальная или слегка повышенная. Затылочные лимфатические узлы припухают (см. пункт 678).

Ветряная оспа. На теле, лице и коже головы появляется сыпь в виде прыщиков; на некоторых из них образуются маленькие волдыри, лопающиеся в течение нескольких часов. На месте лопнувших волдырей остаются корочки. Проводя диагноз, врач ищет среди прыщей, покрытых коркой, вновь образовавшиеся (см. пункт 681).

Скарлатина. За день до появления сыпи ребенок жалуется на головную боль и першение в горле, у него поднимается температура, начинается рвота. Сыпь красного цвета сначала появляется в подмышечной области, в паху, на спине, а затем распространяется по всему телу (см. пункт 684).

Потница. С наступлением жары у грудных детей появляется на шее и плечах сыпь в виде групп темно-розовых прыщиков. На некоторых прыщиках образуются головки (см. пункт 321).

Опрелость. Захватывает области, где кожа контактирует с мокрыми пеленками. Представляет собой красные прыщи разного размера и участки покрасневшей кожи (см. пункт 319).

Экзема. Участки красной воспаленной кожи, которые в начале заболевания то появляются, то исчезают. При тяжелой форме кожа шелушится, зудит, покрывается коркой. В грудном возрасте в первую очередь поражаются щеки и лоб. Затем экзема охватывает туловище. После года обычно локализуется на локтевых и коленных сгибах (см. пункт 666).

Крапивница. Многочисленные волдыри, равномерно распределенные по всему телу. Сыпь сопровождается сильным зудом (см. пункт 665).

669. Укусы насекомых. Следы от укусов остаются самые разные — от припухлостей диаметром 3 см до пятнышек запекшейся крови. Но все они характеризуются двумя общими чертами: во-первых, в середине у них есть маленькое отверстие или выпуклость а, во-вторых, все они располагаются на открытых участках кожи.

Жжение или зуд от укуса (например, комариного) можно облегчить, наложив на место укуса пасту из чайной ложки питьевой соды с несколькими каплями воды. Если ребенка ужалила пчела, пинцетом вытащите жало и приложите к ужаленному месту питьевую соду. При укусе шершня протрите пораженное место несколькими каплями уксуса.

670. Чесотка. Сыпь представляет собой группы прыщиков, покрытых струпьями, и следы расчесов, поскольку ребенка мучит постоянный зуд. Прыщики расположены в местах, доступных для прикосновения рук: на тыльных сторонах ладоней, на запястьях, на пенисе, на животе. На спине их не бывает. Болезнь заразна и требует лечения.

671. Стригущий лишай. Круглые пятна воспаленной кожи диаметром примерно 1,5 см. По периметру пятна окружены валиком. На голове пятна покрыты шелушащейся кожей; волос почти нет — отсюда и название. Это грибковое заболевание; оно заразно и требует лечения.

672. Импетиго. В конце грудного периода кожа малыша бывает покрыта корками и струпьями коричневого или желто-коричневого цвета. Вообще говоря, при появлении любых струпьев на лице необходимо срочно провести анализ на импетиго. В начале заболевания чаще всего на лице появляется прыщик с желтоватой или белой головкой. Но ребенок расчесывает прыщик, и на его месте появляется струп. Рядом с первым прыщиком и на других местах, где ребенок касается руками кожи и заносит инфекцию, появляются новые. Вам нужно как можно быстрее показать ребенка врачу, чтобы он поставил диагноз и назначил лечение. Болезнь очень заразная, и, если не обращать на нее внимания, ребенок может разнести ее по всей округе.

В раннем грудном возрасте наблюдается другая клиническая картина. Болезнь начинается с маленького волдыря на коже, наполненного желтоватой жидкостью или светлым гноем. Кожа вокруг краснеет. Волдырь легко лопается, и на его месте остается открытая ранка. Струп на ранке, как у старших детей, не образуется. Первые волдыри появляются на участках, где кожа постоянно влажная: под пеленкой, в паху, под мышками. Рядом появляются новые волдыри и ранки. Нужно срочно связаться с врачом. До его прихода аккуратно промокайте содержимое волдырей кусочком ваты (чтобы гной не попадал на окружающую кожу), оставляя ранки подсыхать на воздухе. Нательное и постельное белье не должно соприкасаться с поверхностью ранки. Постарайтесь нагреть воздух в комнате, чтобы можно было держать ребенка раздетым. Во время болезни ежедневно дезинфицируйте пеленки, простыни, нижнее белье, ночные рубашки, полотенца. Для этого годится хлорная известь.

673. Ядовитый плющ. Сок этого растения попадает на открытую кожу ребенка весной и летом. Кожа краснеет, становится блестящей, на ней появляются небольшие волдыри, которые донимают ребенка зудом. Если волдырей много, посоветуйтесь с врачом по поводу ухода и лечения.

674. Вшивость. Насекомых в волосах найти труднее, чем гниды. Это маленькие белые яйцеобразные образования, прочно прикрепленные к волосу. На шее, на линии начала роста волос иногда наблюдаются красные прыщики.

675. Родимые пятна. У большинства новорожденных на спине и шее разбросаны скопления красных пятнышек. Они также часто появляются между бровями и на верхних веках. Пятна постепенно исчезают сами и не требуют особого лечения.

Участки кожи, окрашенные в темно-красный цвет, называют «винными пятнами». «Винные пятна» внешне похожи на родимые, но они крупнее, темнее, располагаются в других местах тела и дольше сохраняются. Со временем пятна (в первую очередь те, что светлее) исчезают. Они тоже не требуют ухода.

Довольно распространены «клубничные метки». Эти родимые пятна возвышаются над окружающей кожей и окрашены в ярко-алый цвет. Похоже, что к коже как бы прилипла кожура от ягод клубники. При рождении они невелики, но постепенно могут увеличиться в размерах; иногда после рождения они появляются на чистом месте. Постепенно их рост замедляется, останавливается, затем они начинают сокращаться, пока не исчезнут без следа. Вы можете лечить их, если доктор посоветует вам это.

Кавернозные гемангиомы — довольно большие пятна сине-багрового цвета, несколько выступающие над поверхностью кожи. Они образуются из-за расширения венозных сосудов в подкожной клетчатке. Их можно удалить, если они расположены на лице и уродуют его.

Родинки бывают гладкие и волосатые, большие и маленькие. Их можно удалить хирургическим путем, если они портят внешность человека или расположены в таком месте, где их натирает белье.

676. Бородавки. Обычные бородавки появляются на ладонях, ступнях и на лице. Они не очень заразны, но все равно их следует лечить под наблюдением врача. Есть еще один тип бородавок, которые называют «заразными». В начале заболевания они имеют размер булавочной головки, гладкие на ощупь, белого или розового цвета. Затем их число и размеры увеличиваются, а в середине каждой появляется углубление. Чтобы избежать распространения, заразные бородавки надо лечить.

Корь, краснуха, розеола

677. Корь. Первые 3—4 дня заболевание проходит без сыпи. Оно напоминает сильную простуду, и с течением времени состояние больного ухудшается. Глаза краснеют и слезятся. Оттянув нижнее веко, вы увидите, что оно изнутри ярко-красное. Появляется тяжелый, сухой кашель, который мучит ребенка все чаще. Температура с каждым днем повышается. На четвертый день на фоне высокой температуры появляется сыпь в виде неясных розовых пятен за ушами. Постепенно сыпь распространяется на все лицо и далее на тело. Пятна становятся крупнее и приобретают более темную окраску. Накануне появления сыпи у нижних коренных зубов можно увидеть так называемые пятна Коплика. Это белесые пятна на фоне покраснения слизистой. Однако неспециалисту их трудно распознать.

Сыпь продолжает распространяться по телу 1—2 дня. Все это время сохраняются высокая температура и кашель; самочувствие ребенка не улучшается, несмотря на проводимое медикаментозное лечение. Затем наступает резкое улучшение.

Если температура держится дольше двух дней после появления сыпи или, упав на время, снова повышается, значит, возможно какое-то осложнение. Чаще всего корь осложняется абсцессом в ухе, бронхитом или пневмонией. Вы наверняка свяжетесь с врачом, даже не зная, что у ребенка корь — кашель и высокая температура заставят вас сделать это. Если температура не упадет на третий день после появления сыпи, обязательно вызовите врача. Осложнения бывают серьезными и в отличие от самой кори требуют лечения современными средствами.

В период лихорадки ребенок почти совсем теряет аппетит. Обычно он только пьет, и в этом его надо поощрять. Трижды в день ребенок должен тщательно прополаскивать рот. Раньше считали, что комната с больным должна быть погружена в темноту, чтобы защитить глаза. Ныне установлено, что подобная мера излишня. Можно лишь уменьшить освещение, чтобы свет не раздражал ребенка. Кроме того, в помещении должно быть тепло, поскольку в холодной комнате ребенок скорее получит осложнение. Ребенка поднимают с постели через 2 дня после установления нормальной температуры. Через неделю его уже можно выпускать на прогулку. Надо лишь удостовериться, что кашель и остальные симптомы простуды окончательно исчезли.

Инкубационный период (время от заражения до появления первых симптомов) при заболевании корью длится от 9 до 16 дней. Заразиться ребенок может с появлением у больного симптомов простуды. К заболевшему корью ребенку нельзя пускать детей с насморком или воспаленным горлом, поскольку именно микробы простудных заболеваний вызывают осложнения. Корью человек болеет один раз в жизни.

Кори можно избежать, если до конца первого года жизни сделать прививку. Но даже если непривитый ребенок заразился, болезнь можно предотвратить или облегчить ее течение, вовремя дав ребенку гамма-глобулин. Особенно опасна корь у детей до 4 лет, потому что в этом возрасте осложнения наиболее часты и протекают очень тяжело. Но и детей старшего возраста желательно уберечь от болезни, если их общее здоровье ослаблено. Проконсультируйтесь с врачом, не упустили ли вы срок применения гамма-глобулина. Этот препарат защитит ребенка от болезни примерно на 2 недели.

678. Краснуха. Сыпи при кори и краснухе очень похожи, хотя это два разных заболевания. При краснухе у ребенка нет ни насморка, ни кашля, хотя может побаливать горло. Температура не поднимается выше 39° С. Ребенок вообще почти не чувствует себя больным. Сыпь в виде плоских розовых пятен появляется в первый день сразу на всем теле. На второй день пятна бледнеют и сливаются — тело кажется не пятнистым, а равномерно красным. Характерным признаком краснухи являются сильно увеличенные затылочные лимфатические узлы, расположенные на шее за ушами. Узлы распухают еще до появления сыпи и остаются увеличенными некоторое время уже по окончании болезни. В отдельных случаях сыпь такая бледная, что ее даже не замечают.

Инкубационный период при краснухе длится от 12 до 21 дня. Во время болезни постельный режим не обязателен. Диагноз должен ставить врач, поскольку симптомы схожи с корью, скарлатиной и некоторыми вирусными заболеваниями.

Для женщины крайне нежелательно заболеть краснухой в первые 3 месяца беременности, ибо это может негативно сказаться на развитии плода. В случае заражения необходимо посоветоваться с врачом по поводу применения гамма-глобулина, хотя его лечебный эффект при краснухе не доказан. Многие врачи даже считают, что девочек надо намеренно инфицировать краснухой, чтобы они переболели ею до вступления в брак. Сегодня существует тест, показывающий, переболел ли человек краснухой или нет.

679. Розеола. По латыни название этого заболевания звучит exanthem subitum, но среди врачей больше привилось название, данное в заголовке. Это довольно редкое инфекционное заболевание. Им болеют дети от года до трех; в более позднем возрасте оно практически не встречается. В течение 3–4 дней у ребенка держится повышенная температура, но никаких признаков простуды не наблюдается, и на ухудшение самочувствия он не жалуется. (Изредка в первый день возможны судороги от высокой температуры.) Внезапно температура приходит в норму, а на теле выступает сыпь, напоминающая коревую. В это время ребенок не выглядит больным, но он вял и слегка капризен. Через пару дней сыпь проходит, не давая никаких осложнений.

680. Другие инфекционные болезни, сопровождаемые сыпью. В последние годы открыто несколько новых респираторных заболеваний, вызываемых вирусами. При некоторых из них на теле появляется сыпь, похожая на коревую.

Ветряная оспа, коклюш, свинка

681. Ветряная оспа. Первым признаком ветряной оспы считается появление нескольких характерных прыщиков на лице и теле ребенка. Высыпания имеют выпуклую форму и почти ничем не отличаются от обычных прыщей, разве что головки некоторых из них наполнены желтоватой жидкостью. Основания прыщиков и кожа вокруг них выглядят покрасневшими. Нежные головки через несколько часов лопаются, и их содержимое высыхает, образуя корочки. Когда доктор пытается поставить диагноз, ему нужно разыскать среди засохших корочек свежие прыщики с неповрежденными головками. Новые высыпания продолжаются 3–4 дня.

Старшие дети и взрослые, заболевшие ветряной оспой, накануне первых высыпаний жалуются на головную боль, а у маленьких детей этих симптомов не проявляется. Температура вначале повышается, хотя и не сильно, а в последующие несколько дней продолжает расти. Некоторых детей вообще ничто не беспокоит, температура у них не выходит за пределы 38° С. Другие ощущают недомогание и зуд, причем температура держится довольно высокая.

Когда у ребенка появилась сыпь, поднялась высокая температура и он плохо себя чувствует, обязательно пригласите врача, чтобы он поставил диагноз и назначил лечение. (Ветряную оспу легко спутать с обычной оспой и другими болезнями.) Пока продолжаются высыпания, ребенка лучше держать в постели. Зуд снимают с помощью теплых ванн с добавлением крахмала или питьевой соды. Ванны делают 2–3 раза в день и держат в них ребенка по 10 минут. Используйте растворимый в воде крахмал, а питьевую соду добавляйте в следующих количествах: на таз — один стакан соды, на обычную ванну — два стакана. Не сковыривайте засохшие корочки во избежание нарывов, которые являются единственным осложнением ветряной оспы. Кроме того, ребенок должен не менее 3 раз в день мыть руки бактерицидным мылом. Не забывайте коротко остригать ему ногти.

Инкубационный период ветряной оспы длится от 11 до 19 дней. Через 2 недели после начала высыпаний или через 2 дня после того, как перестали появляться новые прыщики, ребенка можно выпускать гулять и отправлять в школу. Сухие корочки не заразны, и нет нужды держать ребенка на карантине. Правда, в некоторых школах настаивают, чтобы ребенок оставался дома, пока не отвалятся последние струпья.

682. Коклюш. В первую неделю после начала коклюша вы вряд ли заподозрите, что ваш ребенок серьезно заболел. Картина напоминает обычную простуду с небольшим насморком и сухим кашлем. К концу недели мать полагает, что близится выздоровление, и отправляет ребенка в школу. И лишь к середине следующей недели у ребенка по ночам появляются длительные приступы кашля — он кашляет по 8–10 раз на один вдох. Наконец однажды ночью он не выдерживает напряжения, и его начинает тошнить или у него развивается реприз — свистящий протяжный звук, образующийся при прохождении воздуха сквозь замкнутую голосовую щель.

В настоящее время, когда повсеместными стали прививки, в большинстве случаев дело не доходит до стадии реприза, а иногда не бывает и рвоты. Диагноз можно поставить на вторую неделю заболевания по характеру кашля — длинным сериям (по 8–10) судорожных кашляющих звуков без вдоха между ними. Дополнительным аргументом при подозрении на коклюш могут быть случаи болезни по соседству.

Вряд ли можно предположить коклюш у ребенка, если он сильно кашляет в первые дни простуды — это как раз говорит об обратном.

Кашель может длиться неделями. В среднем продолжительность болезни составляет четыре недели, а в тяжелых случаях — 2 и даже 3 месяца. Врач ставит диагноз коклюша, если сухой кашель у ребенка не проходит в течение месяца.

В сомнительных случаях производят лабораторные исследования с помощью трех методов. Первый — это «кашлевые пластинки». Доктор во время кашля подставляет ребенку чашку Петри со специальным гелем, на котором хорошо растут бациллы коклюша. Если затем на геле появятся колонии коклюшных палочек, врач подтвердит свой диагноз. Но и отсутствие колоний не исключает коклюша. Этот метод дает хорошие результаты на первой и второй неделях болезни. Второй метод заключается в подсчете кровяных телец. С его помощью можно уверенно подтвердить диагноз на третьей и четвертой неделе. Для третьего метода, получившего название «светящихся антител», используют мазок из горла. Однако выполнить это исследование возможно только в лабораториях, оснащенных современным оборудованием.

Коклюш — достаточно серьезное заболевание, особенно если оно поражает ребенка в возрасте до 2 лет. Его стараются избежать, как чумы. Основную опасность при нем представляют измождение и возможность осложнения в форме воспаления легких.

Лечение прописывает врач, ориентируясь на возраст больного и тяжесть течения. Применяют лекарства от кашля, но они практически не дают эффекта. Помогает холодный воздух — лучше дышать им постоянно, днем и ночью. Правда, при этом надо следить, чтобы ребенок не простудился. Крепким ребятишкам, если температура у них не повышена, можно позволить играть на улице — разумеется, без контактов с другими детьми. Некоторые дети легче переносят приступы, находясь в постели. Если больного мучит рвота, кормите его почаще и маленькими порциями. Самый подходящий момент — сразу после приступа, поскольку до следующего пройдет некоторое время. Можно наложить на живот плотную повязку, чтобы дать отдохнуть брюшным мышцам.

Поскольку коклюш относится к тяжелым болезням, при малейшем подозрении надо вызвать врача. Для этого есть по крайней мере два основания: во-первых, если возможно, поставить однозначный диагноз, и, во-вторых, назначить правильное лечение и получить рекомендации по уходу за больным ребенком. Особенно это важно грудным детям.

В разных местах страны принимают свои меры по карантину. Обычно ребенка не пускают в школу в течение 5 недель после начала заболевания или по крайней мере пока не прекратится рвота. Опасность заражения коклюшем не проходит сразу и вдруг; она постепенно уменьшается, причем в легких случаях это происходит быстрее. Вы можете считать ребенка безопасным для домашних после двух недель, как кашель стал ослабевать. Инкубационный период коклюша составляет от 5 до 14 дней. Если заразился грудной ребенок, которому не успели сделать прививку АКДС, то предотвратить заболевание или значительно облегчить его поможет сыворотка.

683. Свинка. Эта болезнь, которая называется также эпидемическим паротитом, представляет собой вирусное заболевание слюнных желез, чаще всего околоушных. Железы расположены в углублении, как раз под мочкой уха. Сначала железа заполняет все углубление, потом начинает выпячиваться из него, занимая всю боковую сторону лица. Опухоль сдвигает мочку вверх. Если вы проведете пальцами взад и вперед по нижней челюсти, вы почувствуете, как уплотнение сдвигается вперед.

При появлении припухлости на шее всегда возникает вопрос о вызвавших ее причинах. Это может быть не только свинка, но и другая более редкая болезнь околоушной железы (которая характерна тем, что ею болеют по нескольку раз), а также, наконец, увеличение шейных лимфатических узлов. Последний случай легко исключить: лимфатические узлы, которые опухают в результате болезни горла, расположены ниже и не сдвигают мочку уха; кроме того, уплотнение не перемещается вдоль челюсти.

У самых маленьких детей единственным симптомом может быть припухлость под ухом; дети постарше обычно жалуются на боль, отдающую в ухо, при жевании и глотании, и лишь через день вы можете заметить внешние признаки болезни. Ребенок чувствует недомогание, у него слегка повышается температура, а на 2 или 3-й день она становится высокой. Как правило, сначала опухает железа с одной стороны, и лишь через 1–2 дня появляется припухлость с другой. Иногда на вторую сторону болезнь не распространяется вообще.

Кроме околоушных желез есть и другие слюнные железы, болезнь может перейти и на них. Так, иногда поражаются подчелюстные и подъязычные железы. Бывают случаи, когда ребенок болеет свинкой, даже получает осложнение, а железы у него при этом не увеличиваются в размерах.

Опухоль при легком течении спадает через 3–4 дня, а в среднем держится около 10 дней.

У мужчин и мальчиков, достигших полового созревания, свинка может распространиться на яички. Обычно поражается одно яичко. Но даже если в процесс втянуты оба, это не означает, что непременно наступит мужское бесплодие. Тем не менее мальчику лучше переболеть свинкой в детстве, некоторые врачи даже считают желательным намеренное инфицирование. Юношам и взрослым мужчинам следует остерегаться заражения.

Свинка иногда осложняется особой формой менингита. У ребенка повышается температура, напрягаются мышцы шеи, начинается бред. Однако к тяжелым последствиям это заболевание приводит редко. Может оказаться инфицированной и поджелудочная железа. Осложнение сопровождается болями в животе и рвотой.

Иногда у человека, который считает, что ранее переболел свинкой, опухают околоушные слюнные железы. В этом случае доктора считают, что болезнь вызвана не вирусом свинки, а другими микробами или произошла закупорка слюнных протоков мелкими камнями. Дело в том, что у переболевших свинкой вырабатывается пожизненный иммунитет. Неважно, наблюдал ли кто-нибудь вторично заболевшего свинкой или нет, но человек не застрахован от нее только лишь потому, что он **думает**, что переболел ею. Поэтому я советовал бы и отцам, и старшим братьям не подвергать себя риску заразиться, если в семье появился больной.

Иногда применяют иммуноглобулин, но его действенность остается под сомнением. Существует также кожная проба, достаточно надежно показывающая, есть ли у испытуемого иммунитет или он может заразиться. Результаты пробы помогут решить вопрос о целесообразности применения зараженным родителем иммуноглобулина.

При подозрении на свинку необходимо вызвать доктора, чтобы тот уточнил диагноз. Ведь при лимфадените, который имеет схожие симптомы, лечение должно быть совсем другим.

Во время свинки необходимо соблюдать постельный режим, пока не спадет припухлость желез. Некоторые больные чувствуют резкую боль при употреблении продуктов, вызывающих обильное слюнотечение. К таким продуктам относится, например, лимонный сок. Однако другие пьют его с удовольствием. Следовательно, ни лимон, ни маринованные огурцы не помогут определить свинку.

Инкубационный период составляет от 2 до 3 недель.

Скарлатина, дифтерия, полиомиелит

684. Скарлатина. Заболевание начинается с появления следующих симптомов: рези в горле, рвоты, повышения температуры, головной боли. Еще через 1–2 дня появляется сыпь. Первыми покрываются сыпью участки с теплой, влажной кожей на боковых поверхностях туловища, в паху, на спине. На расстоянии эти места кажутся равномерно красными, но вблизи видны темные пятнышки на покрасневшей коже. Сыпь постепенно распространяется по всему телу и обеим сторонам лица. Лишь область вокруг рта остается бледной. Горло сильно краснеет, через некоторое время то же происходит с языком, начиная с кончика. Заметив, что у ребенка повысилась температура и он жалуется на боль в горле, вызовите врача.

Сегодня скарлатина не отличается тем тяжелым течением, которое было свойственно ей прежде. Кроме того, эта болезнь не имеет своего собственного возбудителя, как, например, корь. Скарлатину вызывает определенный вид стрептококков, у других лиц эти микробы могут стать причиной ангины, лимфаденита, гнойного воспаления уха. Как одна из форм стрептококковой инфекции скарлатина поражает детей между 2 и 8 годами. Пока врачи не узнали о стрептококковой природе скарлатины, эта болезнь казалась всепроникающей, поскольку заражения происходили на больших расстояниях и с большими интервалами времени. Справедливо полагая, что болезнь передается от одного ребенка к другому, в качестве источника заражения считали даже игрушку ребенка, заболевшего год назад. Теперь мы понимаем, что скарлатину вызывают микробы, попавшие в организм ребенка от носителя стрептококков, страдавшего, скажем, ангиной или вообще не испытывавшего недомогания.

Скарлатину лечат с помощью современных антибиотиков, которые ускоряют выздоровление, снижают тяжесть течения и оберегают от осложнений. Препараты дают в течение 10 дней. Обычно скарлатина осложняется воспалением уха, лимфаденитом, нефритом (воспалением почечных лоханок, признак которого — кровь в моче), ревматизмом. Осложнения могут начаться в любое время, хотя чаще это происходит через 10–15 дней после того, как спадет температура. Именно поэтому заболевших детей наблюдают по крайней мере 3 недели. При появлении новых симптомов необходимо тут же известить врача.

Хотя скарлатина быстро распространяется в детских коллективах, заражение не является фатальным. Не следует особенно путаться, получив известие из школы о случае скарлатины. Риск, что ваш ребенок заболеет, не так уж велик. (По совету врача сделайте анализ мазка из глотки и выясните особенности ухода за ребенком в это время.) Обычно болезнь проявляется в течение недели после заражения. Карантинные мероприятия в каждом районе страны разные.

685. Дифтерия. Это очень серьезное заболевание, но его можно избежать. Если вашему ребенку сделали три инъекции вакцины в грудном возрасте, вспомогательный укол в годовалом возрасте, а потом по одному уколу каждые четыре года, он почти наверняка не заболеет. Дифтерия начинается с сильного недомогания, болей в горле, высокой температуры. На миндалинах образуются грязно-белые налеты, которые могут распространиться на всю глотку. Иногда первой поражается гортань, о чем говорит резкий лающий кашель; дыхание становится затрудненным. Независимо от своих подозрений надо вызвать врача, как только ребенок почувствовал боль в горле и у него поднялась температура. Сделайте это обязательно, потому что такие же симптомы бывают и при крупе. В первую очередь при подозрении на дифтерию вводят сыворотку, хотя не исключены и иные средства. Инкубационный период дифтерии составляет не больше недели.

686. Полиомиелит. Заболеваемость полиомиелитом практически снизилась до нуля там, где систематически проводятся вакцинации. Если сразу после рождения дать младенцу вакцину Сэйбина, он будет защищен от трех типов полиомиелита.

Заболевание начинается так же, как большинство инфекционных болезней: с общего недомогания, высокой температуры и головной боли. У заболевших могут наблюдаться рвота, запоры или понос. Паралич наступает далеко не в каждом случае, многие дети полностью выздоравливают. Если же активная форма заканчивается параличами, очень важно, чтобы ребенок продолжал оставаться под контролем опытных специалистов.

Если поблизости от вашего жилья зарегистрированы заболевания полиомиелитом, постарайтесь избегать больших скоплений людей, особенно в закрытых помещениях. Такими местами в первую очередь являются магазины и кинотеатры. Хорошо держаться подальше и от мест массового купания. Тем не менее, учитывая все, что мы знаем об этой болезни, вряд ли разумно запрещать ребенку встречаться со своими друзьями. Если вы станете оберегать его таким способом, то со временем запретите ему и дорогу переходить. Врачи считают, что способствуют заболеванию охлаждение организма и переутомление, но их следует и так по возможности избегать.

Карантин

687. Изоляция инфекционных больных. Вполне разумно отделить заболевшего ребенка от остальных домашних и выделить для ухода за ним одного человека. С помощью такой меры вы предотвратите заражение других членов семьи — не только детей, но и взрослых. Если здоровые дети контактировали с больным, пока вы не заподозрили неладного и не изолировали заболевшего, они тоже могут заболеть, но вероятность заражения увеличится, если все будут, как прежде, находиться вместе. Кроме того, изолировав больного, вы не выпустите инфекцию за пределы дома, не позволите заболеть соседям, друзьям и знакомым ваших детей. Через бациллоносительство плохо передаются корь, ветряная оспа, коклюш, хотя наблюдались случаи заражения, когда контакт ребенка со здоровым бациллоносителем не превышал получаса. Другое дело — скарлатина, в этом случае карантин должен быть очень строгим, потому что стрептококки живут в глотке здорового человека довольно долго. Чем меньше людей находилось рядом с больным, тем меньше риска разнести болезнь по округе. Пользу от карантина получает и больной: в его организм не попадут микробы от других людей и, соответственно, уменьшится вероятность осложнений.

Как же организовать карантин? Выделите для больного отдельную комнату и не разрешайте туда входить никому, кроме сиделки, которой поручен уход. У двери должен висеть больничный халат, который надевает сиделка, входя в комнату, и снимает на выходе из нее. Таким образом она защищает от микробов одежду, в которой ходит по дому. Всякий раз, выйдя от больного, она должна мыть руки. Посуду, которой пользуется больной, нужно относить на кухню в тазу и кипятить, прежде чем продолжать ею пользоваться.

В случае скарлатины, дифтерии и иных серьезных заболеваний в карантинных мероприятиях участвуют органы здравоохранения.

На большей части территории США членам семей, где болен ребенок (исключая школьных учителей, поваров, официантов), не запрещено выходить из дома и заниматься основной работой. Причем род болезни ребенка не играет роли. Не собирайте у себя гостей, повремените приглашать знакомых, у которых дети восприимчивы к болезням. Риск заразить других детей практически отсутствует, пока вы не общаетесь с ними непосредственно. Вы сами также должны воздерживаться от визитов в семьи с маленькими детьми, особенно если ваш ребенок болен свинкой (тем более, если среди приглашенных есть мужчины), коклюшем, скарлатиной. Хозяйка дома наверняка посчитает вас виноватой, если в ее семье кто-нибудь заболеет хотя бы через год после вашей встречи. С другой стороны, не стоит особенно опасаться, если в вашем доме корь, краснуха или ветряная оспа. Тем более нечего беспокоиться, получив приглашение провести вечерок с друзьями, если вы переболели этими болезнями и если вам не придется иметь близкого контакта с детьми ваших приятелей.

Братьям и сестрам заболевшего ребенка можно ходить в школу во время карантина, если эта болезнь не считается очень заразной и если сами они ею переболели. Более жесткие правила действуют в отношении таких заболеваний, как скарлатина, дифтерия, менингит, полиомиелит и т. п. Различные школы устанавливают свои правила карантина для здоровых детей, которые еще не переболели обнаружившимся в их семье инфекционным заболеванием. Ради здоровья соседских малышей и ради вашего собственного спокойствия не подпускайте к ним своего больного ребенка, если вам пришлось оказаться с ним на улице.

Туберкулез

688. Туберкулез у младенцев, детей, взрослых. Многие представляют себе туберкулез только в той форме, в какой он проявляется у взрослых: «затемнения», или каверны, в легких, быстрая утомляемость, потеря аппетита, резкое похудание, кашель, мокрота.

Однако в детстве туберкулез принимает совсем другие формы. В первые 2 года сопротивляемость туберкулезу со стороны детского организма очень мала, но позже она возрастает. В раннем возрасте инфекция попадает не только в легкие, но и в другие органы. Поэтому ни в коем случае нельзя подвергать младенца опасности заражения. Не допускайте, чтобы ваш ребенок контактировал с людьми, у которых подозревается туберкулез, пока доктор с помощью рентгена не выяснит, что этот человек полностью здоров. С той же целью необходимо тщательно обследовать, в том числе с применением рентгена, любого члена семьи, если у него наблюдается хронический кашель.

Туберкулез довольно распространен среди детей старшего возраста, но болезнь не принимает опасных форм. Это, однако, не повод для пренебрежительного отношения к заболеванию и небрежного его лечения. Туберкулиновые пробы показывают, что туберкулезом заражены до 50 % детей в возрасте 10 лет. Почти во всех случаях симптомы отсутствуют, и лишь при рентгеновских исследованиях определяется маленький рубец в легких или в лимфатических узлах, находящихся в корнях легких.

В редких случаях детский туберкулез переходит в активную форму, и тогда появляются такие его признаки, как повышенная температура, плохой аппетит, бледность, раздражительность, утомляемость, а иногда и кашель. (Мокроты почти нет, да и ту ребенок проглатывает.) Инфекция может корениться не только в легких и в лимфатических узлах в корнях легких; ее иногда обнаруживают в костях или в шейных лимфатических узлах. Туберкулез излечивается за 1–2 года, но для этого требуется тщательный уход. В результате остается лишь рубец на месте бывшего очага. С помощью современных препаратов и новых методов лечения можно ускорить выздоровление и избежать распространения инфекции.

Когда ребенок входит в период полового созревания, его организм становится более восприимчив к возбудителю туберкулеза, и болезнь принимает формы, характерные для взрослых людей. Это надо иметь в виду, когда вы замечаете, что подросток худеет, теряет аппетит, быстро устает, хотя кашель часто отсутствует.

689. Туберкулиновая проба. В течение нескольких недель после попадания туберкулезных бактерий, или палочек, в организм происходит его «сенсибилизация». Если теперь ввести в кожу зараженного ребенка туберкулин (культуру из мертвых бактерий туберкулеза), то на этом месте возникает покраснение, что свидетельствует о положительной реакции. Туберкулин вводят либо с помощью внутрикожной инъекции, либо (что менее болезненно) через царапины на коже, сделанные острием покрытого туберкулином инструмента. Если краснота не появляется, значит, в организме никогда не было бактерий туберкулеза. Красное пятно говорит о том, что в организме есть или были туберкулезные палочки, и он на них реагирует, причем эта реакция сохраняется на всю жизнь, даже если заболевание полностью излечено.

Туберкулиновые пробы проводят во время ежегодных диспансеризаций начиная с годовалого возраста. Внеочередную пробу организуют, если у ребенка возникают характерные для туберкулеза симптомы, например хронический кашель, или заболевание обнаружено у одного из членов семьи.

Если у ребенка положительная реакция на туберкулин (а это вполне вероятно, учитывая общее число детей с такой реакцией), не нужно раньше времени расстраиваться. В большинстве случаев обнаруженный в детстве туберкулез либо уже излечен, либо при надлежащем лечении со временем пройдет. С другой стороны, нужно соблюдать разумные меры предосторожности.

Первой из этих мер должно стать тщательное медицинское обследование. Оно должно включать в себя просвечивание легких с помощью рентгена, которое поможет определить наличие активной формы туберкулеза или рубцов; иногда аналогичным образом проверяют и другие органы. Проводят промывание желудка, чтобы проверить на туберкулезные палочки мокроту, проглоченную ребенком. В течение определенного времени периодически измеряют температуру тела и строят график. Если врач убеждается, что заболевание излечено, то ребенок может вести обычную жизнь. Тем не менее врач посоветует регулярно проводить флюорографию, по возможности предотвратить заражение ребенка корью или коклюшем, поскольку эти болезни возобновляют приостановленный туберкулезный процесс.

Современные методы медикаментозного лечения дают хорошие результаты и не имеют вредных побочных эффектов.

Кроме ребенка обследованию подвергают и остальных членов семьи, а также взрослых, с которыми он мог контактировать. Таким образом пытаются выявить источник заражения; одновременно проверяют, не оказались ли инфицированы другие дети. Сначала детям делают туберкулиновую пробу, а при положительной реакции — рентген. При назначении обследования врач не принимает во внимание степень здоровья членов семьи и их возможное недовольство навязанной процедурой. Зачастую вся семья оказывается вполне здоровой, и тогда напрашивается вывод, что ребенок был заражен где-то вне дома. Но бывают случаи, когда активная форма туберкулеза обнаруживается у взрослого, на которого падало меньше всего подозрений. Можно считать удачей, когда болезнь обнаружена на ранней стадии. Не менее удачен исход и для всех остальных членов семьи, избежавших опасности заражения. При активной форме туберкулеза у взрослого его следует изолировать от детей. Обычно его срочно переводят в санаторий, где у него намного возрастают шансы вылечиться и, напротив, уменьшаются шансы заразить окружающих.

Ревматизм

690. Разнообразные проявления ревматизма. Ревматизм поражает суставы, сердце и другие органы человеческого тела. Врачи считают это заболевание реакцией на стрептококковую инфекцию в горле. Если лечение начато с опозданием и проводится неправильно, приступ ревматизма может длиться неделями и месяцами. Более того, болезнь имеет тенденцию повторяться раз за разом, хотя ребенок уже излечился от ангин.

Иногда приступ протекает очень остро, с высокой температурой; иногда он тянется неделями, а температура поднимается чуть выше нормальной. Ревматический артрит поражает сустав за суставом; воспаленный сустав опухает, кожа вокруг него краснеет. При легких формах артрит проявляет себя лишь усиливающейся и затухающей болью то в одном, то в другом суставе. При поражении сердца ребенок слабеет, кожа становится бледной, он постоянно задыхается. Иногда выясняется, что порок сердца был вызван одним из прошлых приступов, протекавших так легко, что последствия не были вовремя замечены.

Из сказанного становится понятно, что ревматизм — многоликая болезнь. Разумеется, вы вызовите врача, заметив явные симптомы. Но не менее важно провести обследования, если симптомы не выражены, например если ребенок стал бледным, быстро устает, если у него время от времени слегка повышается температура и побаливают суставы.

Сейчас в распоряжении врачей есть лекарства, которые успешно справляются с ангиной — первоисточником ревматизма. Есть и лекарства, помогающие снять приступы ревматизма в суставах и на сердце. В результате удается избежать повреждений клапанов сердца, которые обычно происходили при первом приступе ревматизма. Еще более важно то, что можно уберечь детей от повторных приступов и предотвратить дальнейшее развитие пороков сердца. Абсолютно необходимо регулярно принимать лекарства, прописываемые врачом, для предотвращения стрептококковой инфекции.

691. Суставные боли. Несколько лет назад считались обычными жалобы детей на боль в суставах рук и ног, и никого это не волновало. С тех пор как было обнаружено, что ревматизм иногда протекает в довольно легких формах, врачи стали списывать на него неприятные ощущения в конечностях. Но у родительского страха глаза велики, отцы и матери во всех случаях подозревали ревматизм.

А ведь очень часто у детей к вечеру, когда они устают, ноги болят из-за плоскостопия и из-за слабых голеностопных суставов. Бывает, ребенок в возрасте от 2 до 5 лет просыпается в слезах от боли в области коленного сустава. Она случается по вечерам, но возобновляется ночью и мучит ребенка долгими неделями. После тщательного обследования выясняется, что ревматизм здесь ни при чем, а все дело в судорогах икроножных мышц.

Итак, вы видите, что причин суставных болей довольно много, и в каждом конкретном случае требуется специальное исследование, после чего решается вопрос о лечении.

692. Шумы в сердце. Слова «шумы в сердце» звучат для родителей едва ли не приговором. Однако очень часто за ними не стоит ничего серьезного. Вообще говоря, этот термин объединяет три разных понятия: приобретенные шумы, врожденные и функциональные. Последние — это не патология, а норма.

Большинство приобретенных шумов действительно объясняется ревматизмом, после которого на стенках сердечных клапанов остаются рубцы. Из-за этого нарушается нормальный ток крови. Когда врач слышит шумы, которых раньше не было, у него есть основания полагать, что продолжается **активная** стадия болезни. Ей сопутствуют другие признаки: повышение температуры, учащенный пульс, повышение числа лейкоцитов в крови и большая скорость осаждения эритроцитов (СОЭ). Больному прописывают лекарства, которые он должен принимать, пока не исчезнут все упомянутые симптомы — пусть даже на это уйдет несколько месяцев. Если же признаков активного течения ревматизма в последнее время не наблюдалось, шумы скорее всего вызваны рубцами, оставшимися после последней атаки.

В прежние годы с детьми, у которых были шумы в сердце, обращались почти как с инвалидами. Они не участвовали в подвижных играх, не занимались физкультурой, даже если у них не было новых атак. Сегодня подход совсем другой. Врачи рекомендуют детям, если атака полностью завершилась и вновь появившиеся и зажившие рубцы не влияют на работу сердца, постепенно возвращаться к нормальной жизни, включая выполнение посильных физических упражнений. Для этого есть две причины. Сердечная мышца, если она не воспалена, укрепляется благодаря физическим упражнениям. Но еще более важно поддерживать у ребенка уверенность в выздоровлении — не давать ему грустить, не позволять думать, будто его болезнь неизлечима, не развивать в нем комплекса неполноценности. В то же время необходимо регулярно проводить все предписанные медицинские мероприятия, чтобы не допустить новых стрептококковых инфекций.

Шумы, указывающие на **врожденные** пороки сердца, обнаруживаются обычно при рождении или в первые месяцы жизни (в крайнем случае в первые годы). Эти шумы обязаны своим происхождением не инфекции, а неправильному формированию сердца в утробный период. Причем важен не шум сам по себе, а то, как нарушения строения сердца влияют на его работу. При сильных пороках сердца у детей наблюдаются синюшный цвет кожи, одышка, медленный рост.

Ребенка с врожденным пороком сердца должны обследовать специалисты; в серьезных случаях показано оперативное вмешательство.

Если дети, имеющие врожденные пороки, могут двигаться, играть и у них при этом не развивается одышка, не синеет кожа, то для их эмоционального развития очень важно держаться с ними как с обычными детьми, а не как с инвалидами. Нужно, конечно, оберегать их от инфекций, но и здоровых детей желательно не подвергать возможному заражению.

Определенный род шумов в сердце не очень удачно назвали функциональными. Они не вызваны врожденными пороками и не являются результатом ревматизма сердца. Эти шумы встречаются у маленьких детей довольно часто и с приближением периода полового созревания проходят. Обычно доктор сообщает родителям о функциональных шумах, чтобы при обращении к другому врачу они могли рассказать об этом и он не принял их за порок сердца.

693. Хорея. При этой нервной болезни, известной также под названием «пляска святого Витта» и длящейся по нескольку месяцев, происходят непроизвольные сокращения мышц, вызывающие подергивание различных частей тела. Движения бывают и очень заметными, и почти невидными. При сокращении лицевых мышц создается ощущение, что ребенок строит гримасы. Подергивание мышц туловища делают шаткой походку. Иногда сжимаются и дрожат пальцы: почерк становится неразборчивым, вещи выпадают из рук. Нарушается координация движений, каждый мускул действует по-своему, и ни одно движение не похоже на другое.

Некоторые больные хореей дети подвержены также атакам ревматизма с поражением сердца и суставов. Это привело врачей к мысли, что хорея — одна из форм ревматизма. Однако у других больных признаков ревматизма не наблюдается. Отсюда был сделан вывод о существовании двух видов хореи — обычной и ревматической, или малой хореи.

Обычно дети страдают хореей с семилетнего возраста. К началу периода полового созревания приступы прекращаются. В том же возрасте у детей наблюдаются другие нервные состояния, например **тики** и **повышенная моторность**. Неудивительно, что их часто путают с хореей. Но при нервных тиках непроизвольные движения — подмаргивания, подергивания плечами, покашливание — постоянно повторяются и никогда не меняются (см. пункт 554). При хорее сокращения мышц нерегулярны и не похожи одно на другое. Повышенная моторность — это мышечная активность, ребенок все время вертится, качается на стуле, сучит ногами, вертит в руках предметы и т. п.

Во время приступов хореи ребенок постоянно находится на грани истерики. Он легко начинает плакать, смеяться, становится неуправляемым. Вы должны мириться с этим, поскольку он не в силах справиться с собой. Больные хореей дети должны находиться под постоянным наблюдением врача. Хорея со временем пройдет, но доктор должен следить за появлением других симптомов атаки ревматизма. Если они появятся, ребенка нужно лечить.

Нарушения мочеиспускания

694. Ночное недержание мочи (энурез). В основе этого недуга лежит ряд причин. В очень редких случаях он обусловлен органическими нарушениями. Тогда ребенок не в состоянии контролировать процесс мочеиспускания не только ночью, но и в дневное время. Но, как правило, болезнь имеет иную природу и вызвана различными нервными расстройствами.

После стрессов маленький ребенок ищет успокоение в подсознательном желании вернуться в младенческий возраст. Например, трехлетний малыш, уже полгода просыпающийся по утрам сухим, снова начинает мочиться в постель после переезда на дачу. Ему здесь все нравится, он счастлив, но в глубине души скучает по дому. Когда во время Второй мировой войны из Лондона эвакуировали в провинцию детей, оторвав их от родных, от дома, у многих, даже у подростков, появился энурез. Часто страдают ночным недержанием мочи воспитанники интернатов. Мочатся в постель дети, пережившие накануне сильное волнение, например, это случается после празднования дня рождения или похода в цирк.

Очень часто ребенок снова начинает мочиться в постель с появлением в доме новорожденного.

Разумеется, дети делают это не специально — ведь мочеиспускание происходит во сне. Над ними властвует подсознание, которое выражает себя в снах. Мочеиспускание часто происходит, когда ребенок видит себя во сне несчастным, бессильным что-либо сделать. Малышу, который скучает по дому или охвачен ревностью к младшему брату, может присниться, будто он потерялся и ищет маму, которая будет всецело заботиться о нем, будет угадывать его желание, как было с ним прежде.

В первые дни на новом месте, когда ребенка особенно тянет обратно домой, постарайтесь быть рядом, помогите ему пережить свое одиночество, дайте ему почувствовать, что и здесь его ждет много радостей. Если он подавлен появлением маленького брата или сестры, вы должны успокоить его, внушить ему, что он остался так же дорог вам (см. пункты 490–496). Не ругайте и не стыдите его за мокрые простыни; он и так сильно расстроен своей несостоятельностью. Ему будет легче, если вы продемонстрируете уверенность, что все будет хорошо и скоро он станет просыпаться сухим.

А как быть с ребенком, который мочится в 3, в 4 года и даже в 5 лет, тогда как большинство прекращает это делать между 2 и 3 годами? Ответ нужно искать в напряженных отношениях с матерью по поводу приучения к горшку в дневное время. Ребенок долго сопротивляется, а мать настаивает. Малыш вынужден подчиняться ей днем, но по ночам в подсознании он противодействует ей; все это усугубляется бессознательным чувством вины за то, что он такой непослушный. Постарайтесь днем обходиться без конфликтов и не ругайте его по поводу ночных происшествий. Будет лучше, если вы не будете сажать его на горшок поздно вечером, поскольку для него это будет напоминанием, что он еще маленький. Ему гораздо нужнее уверенность в себе и уверенность в нем родителей, что он становится взрослым и скоро научится оставаться сухим по ночам.

Играет свою роль и волнение. Например, любовное влечение девочки к отцу может захватить ее целиком, если он отвечает на него неумеренными ласками. Мальчик сильно возбуждается после ежевечерней возни с отцом (которая родит в нем смешанное чувство страха и наслаждения) или с сестрой (освобождающей в ребенке агрессию и подсознательную сексуальность).

695. У мальчиков энурез — частое явление. Психиатры, изучающие проблему ночного недержания мочи, полагают, что у мальчиков, составляющих 80 % детей, которые мочатся в постель, за этим недугом скрывается несколько причин. Мальчики чаще чувствуют свою беззащитность, их легко убедить в собственной несостоятельности. Они боятся соперничества со сверстниками, не могут противостоять обидчику. Такие мальчики полностью находятся под пятой матери. Несмотря на свою любовь, матери часто не могут проявить должного терпения, излишне вмешиваются в жизнь сына, а ребенок воспитан в такой строгости, что не решается противостоять вмешательству. Он позволяет себе лишь пассивное сопротивление, например, не спешит выполнить то или иное требование родителей. Это заставляет мать еще больше злиться. К сожалению, и отец не всегда оказывает ребенку должную моральную поддержку (см. пункты 467 и 483).

Меры, которые принимают родители, чтобы ребенок не мочился в постель, иногда дают противоположный результат. Попытки будить ребенка каждую ночь и вести в туалет (а страдающие энурезом дети, как правило, спят очень крепко) лишь убеждают его в том, что он еще маленький и не может за себя отвечать. Запреты пить перед сном заставляют его мучиться от жажды, которой на самом деле нет (кстати, и вы, и я чувствовали бы себя так же), и рождают не нужные споры с матерью, которые длятся иногда целый вечер. Ни в коем случае нельзя заставлять ребенка стирать грязные простыни и развешивать их для просушки: он будет в ужасе, что кто-то узнает о его унижении. Ему и так безумно стыдно, и он готов отдать многое, чтобы преодолеть недуг. Малыш сделал бы все, чтобы не расстраивать вас, но не умеет справляться со своим подсознанием, в глубинах которого кроются причины, вызывающие энурез.

Ребенку как раз нужно совсем другое. Вы должны убедить его, что он достаточно сильный и может себя контролировать во сне. Правда, на это нужно время и терпение. Целесообразно воспользоваться помощью детского психиатра, особенно если у ребенка это не единственная проблема. Если получить консультацию у врача почему-либо невозможно, у вас, в зависимости от обстоятельств, есть несколько приемов, которые вам помогут. Главное — заставить ребенка поверить в себя. Объясните ему, что у некоторых мальчиков есть те же проблемы, но со временем практически все учатся с ними справляться. Выразите полную уверенность, что и у него все получится.

На мой взгляд, лучше отказаться от таких методов воспитания, как ночные подъемы в туалет и ограничение в питье перед сном, — пользуйтесь не кнутом, а пряником.

Для 5—7-летних детей достаточно после каждой «сухой» ночи дарить конфету. Более старшим нужны премии повесомей — коньки, велосипед, спортивное снаряжение. Хотя это покажется непедагогичным, лучше не дожидаться, пока ребенок перестанет мочиться в постель, а подарить ему вещь, о которой он мечтал, прямо сейчас. Пусть он чувствует себя на равных с остальными мальчиками.

Отцу, который устранился от домашних дел, было бы полезно принимать более активное участие в воспитании сына. Еще лучше, если он придумает занятие, которое доставляло бы удовольствие и ему, и ребенку. Матери, которая постоянно дергает и торопит ребенка, будь то домашние дела или утреннее одевание (см. пункт 476), стоит крепче держать себя в руках. Возможно, станет полезной и беседа с учителем, во время которой можно уточнить некоторые обстоятельства.

696. Ночное недержание мочи у девочек. Картина энуреза у девочек несколько иная. Одни, как правило, по характеру ближе к мальчикам, этакие сорванцы: на равных соперничают с братьями, резко выступают против матери (в частности, считают, что лучше могли бы ухаживать за отцом, что их компания более приятна ему). В этих случаях надо помочь дочери осознать радость быть девочкой, снизить накал соперничества с братьями, показать, что они любят ее именно за то, что она девочка; отец должен объяснить ей, что он любит ее как дочь, но он также любит и жену. Большую помощь могут оказать и детские психиатры. Они не только устранят причины, вызывающие энурез, но и научат девочку испытывать удовольствие от принадлежности к своему полу.

697. Дневное недержание мочи. Этот недуг в старшем возрасте (скажем, после 3 лет) чаще всего является следствием психического заболевания. Обычно ребенок выделяет по нескольку капель мочи, но происходит это очень часто. Ребенок нуждается в тщательном наблюдении со стороны врача. Во **всех** случаях позднего дневного недержания мочи необходимо проводить ее анализ.

Бывают и более простые причины, которые кроются в воспитании. Но прежде уточним, что если ребенок мочится днем, то это происходит и по ночам, поэтому все, о чем говорилось в пунктах 694–696, можно повторить и здесь.

Нужно обратить более пристальное внимание на два фактора. Большинство детей, которые мочатся в штаны, как правило, относятся к копушам. В ребенке борются между собой две половины: одна знает, что мочевой пузырь переполнен, она заставляет ребенка судорожно двигаться, сжимать колени; другая половина поглощена игрой и более ни на что не обращает внимания. Вы не увидите ничего страшного в небольшом казусе с маленьким ребенком, который слишком увлекся своими забавами. Но если он медлит постоянно, это может быть признаком того, что его излишне опекают и все время дергают. У ребенка вырабатывается привычка как можно дольше откладывать выполнение просьбы родителей; он как бы хочет показать, что намерен действовать не по указке взрослых, а по своему усмотрению. Часто такое поведение принимают за лень, а на самом деле от ребенка требуется масса усилий — это похоже на вождение автомобиля на тормозах.

Даже обычные дети, не испытывающие проблем в общении с родителями и друзьями, непроизвольно мочатся в состоянии сильного испуга или возбуждения. Это случается не так уж редко и не является болезнью. Многие животные автоматически опустошают мочевой пузырь в момент опасности. Если ребенок описался в такой ситуации, успокойте его и скажите, что ничего стыдного он не совершил.

698. Частые мочеиспускания. Этот недуг может быть вызван различными обстоятельствами. Если ребенок стал вдруг часто проситься на горшок «по-маленькому», это может означать начало какого-то заболевания, например, воспалительного процесса в мочевыделительной системе или диабета. Ребенка должен осмотреть врач; кроме того, необходимо сделать анализ мочи.

Есть люди, которые отличаются от остальных только одним своим свойством: им необходимо часто посещать туалет. Их мочевой пузырь от рождения не в состоянии удерживать много жидкости. Но большинство детей (а равно и взрослых) испытывают частые позывы, когда у них напряжены нервы. У одних это случается временами, у других — постоянно. Например, атлеты перед ответственным стартом ходят в туалет через каждые 15 минут. Следовательно, задача родителей ребенка, испытывающего частые позывы, состоит в том, чтобы выяснить причину его нервозности. Ее можно найти и в отношениях между домашними, и в поведении ребенка в кругу приятелей, и в школе. Возможно и сочетание этих причин. Типичная картина — застенчивый школьник и суровый преподаватель. У встревоженного школьника происходит спазм мочевого пузыря, он чувствует сильный позыв и, набравшись храбрости, просится в туалет. Если педагог выразит при этом неудовольствие, ситуация станет только хуже. Попробуйте передать учителю записку от врача, где будет не только просьба отпускать ребенка, но и объяснение причин такой работы его мочевого пузыря. Если вам кажется, что педагог готов прислушиваться к просьбам родителей, попробуйте встретиться с ним лично.

699. Затрудненное мочеиспускание. Изредка дети, особенно мальчики, рождаются с таким узким мочеиспускательным каналом, что им приходится затрачивать много сил, чтобы протолкнуть по нему мочу. Она вытекает слабой струей или каплями. Нужно как можно раньше обратиться к врачу, чтобы расширить канал. Задержка мочи из-за перекрытия канала плохо влияет на состояние мочеточников и почек.

Иногда в жаркую погоду, когда ребенок сильно потеет, он может очень редко ходить в туалет — через 12 часов или еще реже. Моча становится концентрированной, темного цвета, и при мочеиспускании ребенок испытывает жжение. То же происходит у ребенка с высокой температурой. И в том и в другом случае необходимо предлагать ему пить достаточно жидкости. Это особенно важно для маленького ребенка, который еще не умеет сам просить.

У девочек болезненные ощущения при мочеиспускании могут быть вызваны воспалительными процессами во влагалище, которые распространились на мочеиспускательный канал. Девочка постоянно испытывает позывы, но либо не может, либо боится мочиться, опасаясь боли. Иногда она в силах выдавить лишь несколько капель. Необходимо обратиться к врачу и сделать анализ мочи. До посещения врача вы можете облегчить ее состояние с помощью теплых ванн с добавлением питьевой соды (один стакан на ванну). После этого, досуха промокнув область половых органов, смажьте кожу вокруг толстым слоем вазелина, борного вазелина или цинковой мази.

700. Раздражение кончика полового члена. Иногда вокруг отверстия на кончике пениса возникает раздражение. Воспаленные ткани опухают и перекрывают отверстие, из-за чего ребенку становится трудно мочиться. Это раздражение — обычная опрелость, вызываемая аммиаком. (Вы можете почувствовать его запах, подняв утром одеяло на кровати ребенка.) Аммиак не содержится в моче, а является продуктом ее распада под действием бактерий, скапливающихся на пеленках, пижаме и постельном белье. Обычно раздражение пениса аммиаком случается после года, когда мать перестает пользоваться стерильными пеленками. Поэтому, чтобы предотвратить заболевание, нужно тщательно кипятить постельное и нижнее белье и обрабатывать его антисептиком (см. пункт 319). Делать это нужно, пока не исчезнут малейшие следы раздражения. Само раздражение лучше всего снимать, смазывая воспаленный участок цинковой мазью. Данную процедуру лучше всего выполнять перед сном. Если ребенок страдает от переполненного мочевого пузыря, а боль не дает ему опорожнить его, подержите малыша в течение часа в теплой ванне. Если и это не поможет, вызовите врача.

701. Инфекционные заболевания мочевыводящих путей пиелит, пиелонефрит, цистит). Инфекции почек или мочевого пузыря могут вызывать очень серьезные заболевания с нестабильной высокой температурой. Однако случается и по-другому: заболевание обнаруживается у ребенка во время обычного обследования, хотя ни он, ни родители ни о чем не подозревали. Дети постарше могут жаловаться на жжение при мочеиспускании, но очень часто ничто не указывает на заболевание мочевой системы. Инфекциям чаще подвергаются девочки в возрасте до двух лет. При выявлении болезни требуется лечение, которое обычно бывает успешным.

Если у ребенка по неизвестным причинам поднимается температура, нужно сделать анализ мочи. Так же следует поступить, если температура долго не понижается при простуде или боли в горле — ведь микробы распространяются по всему организму, а попав в мочевую систему, вызывают ее воспаление с длительной высокой температурой.

Из-за большого количества гноя моча становится мутной, но если гноя немного, то определить его присутствие невооруженным глазом не удается. Таким образом, вы не можете точно сказать, затронуло ли воспаление мочевую систему или нет.

Если не удается как следует вылечить инфекцию или ребенок получил ее повторно, необходимо тщательно исследовать всю его мочевую систему. Чаще подвержены инфекции дети с пороками мочевыводящих путей. Если что-то на это указывает, нужно срочное лечение, пока болезнь не причинила большого вреда почкам. По этой же причине желательно повторить обследование мочевой системы через месяц или два после выздоровления, даже если ребенок выглядит вполне здоровым. Лечить воспалительный процесс приходится долго — месяц или больше. Повторными исследованиями мочи определяют, не появился ли в ней снова гной или микробы.

702. У девочек гной в моче может появиться по иной причине. Никогда нельзя исключать вероятность того, что гной в мочу попал из влагалища. Причем воспалительный процесс там иногда протекает вяло, без каких-либо признаков, в том числе выделений. Поэтому при обнаружении гноя в анализе мочи нельзя сделать однозначного заключения о его происхождении. Необходимо провести дополнительный анализ, собрав мочу особым образом. Раздвиньте половые губы, куском влажной ваты оботрите гениталии, потом промокните их полотенцем или сухой ватой, а вслед за тем дайте девочке помочиться. Если при анализе вновь будет обнаружен гной, то врач, чтобы быть абсолютно уверенным в результате, может вставить в мочевой пузырь катетер (тонкую резиновую трубочку) и взять образец мочи, вообще не контактировавшей с окружающей кожей.

Выделения из влагалища

703. Обращайте на выделения самое серьезное внимание. Скудные выделения из влагалища не так уж редки у девочек. В большинстве случаев они вызваны жизнедеятельностью безвредных микробов, живущих там, и вскоре прекращаются. Обильные густые выделения, раздражающие кожу, могут быть признаком серьезной инфекции и требуют срочного лечения. Если выделения продолжаются несколько дней, то это повод обратиться к врачу. Выделения, состоящие из гноя и крови, становятся следствием того, что маленькая девочка засунула во влагалище какой-то предмет. Инородное тело, оставаясь там, раздражает слизистую оболочку и становится причиной инфекции. Если ваши подозрения подтвердились, то попросите ее больше так не делать, но не ругайте. Вам также не следует пугать девочку, что она нанесла себе серьезный вред или могла нанести его. Ее поведение достаточно характерно для детей определенного возраста. В то же время, как говорилось в пункте 522, девочки бывают расстроены тем, что их половые органы устроены не так, как у мальчиков, и иногда приходят к мысли, что они сами стали причиной этого, поскольку трогали их и могли их «испортить». Если вы будете упрекать девочку, например, за попытки мастурбации, ее страхи усилятся.

Если визит к врачу вынужденно откладывается, а девочку мучит жжение в области половых органов, вы можете уменьшить неприятные ощущения, если будете дважды в день устраивать ей ванну, добавляя туда полстакана питьевой соды.

Боль в животе и расстройства пищеварения

О поносе рассказано также в пунктах 315–317, а о рвоте — в пунктах 305, 306 и 633.

704. При боли в животе вызывайте врача, а до его прихода не давайте слабительного. Если у ребенка разболелся живот и боль не утихает в течение часа, следует вызвать врача. Боль может быть вызвана множеством факторов, обычно ничего страшного в ней нет, но иногда она оказывается признаком серьезной болезни. Разобраться и установить истинную причину может только профессиональный врач; он же назначает лечение. Обычно люди приписывают неприятные ощущения либо некачественной пище, либо аппендициту. На самом деле и то и другое встречается довольно редко. Дети могут съесть непривычные для себя блюда или обычную пищу в чрезмерных количествах, и при этом вы не обнаружите ни малейших признаков расстройства желудка.

Не пытайтесь при появлении боли давать ребенку слабительное. В ряде случаев это даже опасно. Измерьте ребенку температуру, чтобы сообщить ее врачу. До прихода врача уложите ребенка в постель и ничего не давайте есть. Если его мучит жажда, предложите немного воды.

705. Наиболее частые причины боли в животе. В первые месяцы жизни живот у ребенка болит при **коликах** и **расстройстве пищеварения** (см. пункты 292, 293 и 307).

Довольно редко возникает так называемая **инвагинация,** при которой участок кишки внедряется в другой наподобие колен подзорной трубы. При этом возникает непроходимость кишечника. Два главных симптома инвагинации — рвота и периодические схваткообразные боли. В промежутках между приступами ребенок выглядит практически здоровым. Иногда бывает сильная рвота, иногда — боль. Рвота обычно более обильна, чем при срыгивании, и неоднократно повторяется. Приступы боли наступают внезапно, причем бывают очень сильными. Продолжаются они по нескольку минут. Спустя часы после начала заболевания (в это время у ребенка может быть нормальный или слегка жидкий стул) в стуле появляется слизь и кровь — по внешнему виду его называют дегтеобразным. Инвагинация чаще встречается у детей в возрасте от четырех месяцев до двух лет и требует срочного вмешательства врачей.

Не менее опасны и другие виды **кишечной непроходимости.** Например, участок кишки образует петлю, которая входит в отверстие в паху, образуя грыжу (см. пункт 709). При ущемлении грыжи наблюдаются рвота и приступы боли.

В годовалом возрасте у детей причинами болей в животе чаще всего бывают **простудные заболевания** с высокой температурой, **ангина** и **грипп**. Болезнетворные микробы из глотки распространяются на весь организм, включая желудочно-кишечный тракт. В начале инфекционного заболевания также возникают рвота и запор. Маленький ребенок жалуется, что у него «болит животик», хотя на самом деле испытывает позывы на рвоту. После этого его действительно начинает тошнить.

Многие желудочные и **кишечные инфекции** сопровождаются болями, рвотой, поносом или сочетанием этих симптомов. Зачастую, когда возбудитель болезни не известен, подобные расстройства пищеварения называют желудочным гриппом. Заболевание передается от одного члена семьи к другому, пока не переболеют все в доме. Иногда желудочный грипп оказывается дизентерией или паратифом, которые могут протекать с повышенной температурой или без нее.

Пищевые отравления становятся следствием употребления в пищу продуктов с большим количеством бактерий, вырабатывающих токсины. Продукты иногда имеют странный вкус, но часто ничем не отличаются от вполне доброкачественной пищи. Обычно источником заражения становятся пирожные с кремом или блюда из птицы. Если долго держать такие продукты при комнатной температуре, в них образуется благоприятная среда для развития микробов. Опасны с этой точки зрения и продукты домашнего консервирования.

Признаками отравления становятся рвота, понос, боли в животе. Иногда появляется озноб, повышается температура. В отличие от желудочного гриппа у всех, кто ел испорченные продукты, симптомы болезни развиваются одновременно. (Если вы помните, желудочным гриппом заболевают по очереди в течение нескольких дней.)

Иногда родители испытывают проблемы во время кормления ребенка, потому что у него болит живот. Взрослые думают, что ребенок симулирует, чтобы его не заставляли есть. Мне кажется, дети по-настоящему испытывают боль: нервное напряжение, испытываемое ими перед кормлением, вызывает болезненное судорожное сокращение мышц желудка. Никакое особое лечение в этих случаях не требуется, просто превратите кормление в удовольствие для ребенка (см. пункты 601–608).

Дети, которые обычно хорошо едят, тоже временами могут ощущать боль в животе и отсутствие аппетита, вызванные глубокими внутренними переживаниями. Представьте ребенка в конце лета — он все время думает только о том, что скоро придется идти в школу, и эти мысли лишают его аппетита и вызывают спазмы в желудке. То же происходит и с ребенком, испытывающим чувство вины за какую-нибудь проказу, о которой еще не знают родители. Любые переживания — от страха до радостного возбуждения — приводят не только к болям в животе, но и к приступам рвоты, запорам, поносам. В этих случаях источник неприятных ощущений находится в центре живота.

Дети, страдающие **глистами**, тоже иногда жалуются на боль, хотя чаще они ничего не испытывают.

Реже причиной болей в животе является метеоризм, или скопление газов; кишечные аллергии; воспаление брюшных лимфатических узлов; ревматизм; нарушение работы почек и др. Следовательно, если ребенок жалуется на боли в животе, необходимо тщательное обследование, причем характер боли не имеет значения.

706. Аппендицит. Позвольте мне для начала опровергнуть некоторые устоявшиеся представления об этой болезни. При аппендиците не обязательно повышается температура; не обязательна сильная боль; не обязательно источник боли располагается в правой нижней области живота, во всяком случае, в начале приступа; не обязательно приступ сопровождается рвотой; не обязательно анализ крови на лейкоциты указывает именно на воспаление аппендикса.

Аппендикс представляет собой небольшой отросток толстой кишки размером с дождевого червя. Он находится под центром правой нижней четверти брюшной стенки, но может располагаться ниже, а иногда его находят в центре живота или даже под самыми ребрами. Воспалительный процесс в аппендиксе протекает постепенно и напоминает созревание нарыва. Поэтому приступы боли, которые проходят через несколько минут, не связаны с аппендицитом. Главную опасность представляет разрыв воспаленного аппендикса и распространение инфекции на всю брюшную полость, которая вызывает перитонит. Иногда аппендицит развивается довольно быстро — от начала воспаления до разрыва аппендикса проходит менее суток. Поэтому, если боль не утихает в течение часа, необходимо вызвать врача, хотя в 90 % случаев диагноз аппендицита не подтверждается.

При типичной клинической картине боль в течение нескольких часов концентрируется в области пупка. Потом очаг боли перемещается правее и ниже. Часто, хотя и не всегда, боль сопровождается рвотой. Аппетит снижается, но не пропадает. Стул нормальный; могут случаться запоры или (реже) понос. Температура повышается до 37,5–38° С, хотя часто остается нормальной. Боль усиливается, когда ребенок поджимает правое колено к животу или распрямляет ногу. Боль ощущается сильнее и при ходьбе. Как вы видите, симптомов у аппендицита много, но они сильно различаются от случая к случаю. Отсюда следует необходимость осмотра больного врачом, который уточнит диагноз. При исследовании доктор старается обнаружить болезненную область с правой стороны живота. Для этого он аккуратно ощупывает всю поверхность брюшной стенки.

Обычно он не спрашивает, чувствует ли ребенок боль, а, напротив, старается, чтобы ребенок не видел его действий. Причина такого поведения объясняется просто: дети, особенно маленькие, в такой ситуации при любом вопросе обычно отвечают о боли утвердительно, даже если на самом деле это не так. Определив чувствительную область, врач подозревает аппендицит, но хочет подтвердить догадку с помощью анализа крови. Если число лейкоцитов повышено, значит, где-то происходит воспалительный процесс, хотя о его точном местоположении узнать нельзя.

Абсолютной уверенности в диагнозе аппендицита не бывает даже у очень опытных врачей. При сильном подозрении доктор предлагает удалить аппендикс, поскольку операция на здоровом органе менее опасна, чем задержка с хирургическим вмешательством при аппендиците.

707. Хронический и перемежающийся понос. У детей младшего возраста можно назвать некоторые заболевания, которые сопровождаются хроническим поносом. Когда-то их вообще не различали, да и сегодня они остаются малоизученными.

Муковисцидиоз. У этого недуга есть два основных симптома: жидкий стул с неприятным сильным запахом и кашель. Пока ребенка кормят жидкой пищей, стул у него остается нормальным. Но с включением в рацион твердых продуктов стул становится жидким и приобретает крайне неприятный запах. Как правило, такой ребенок мало весил при рождении, медленно прибавлял в весе, хотя не страдал плохим аппетитом. Неожиданно аппетит его снижается, и развивается бронхит. В легких случаях проблем с пищеварением не возникает, но бронхит все же раньше или позже появляется.

Муковисцидиоз поражает некоторые железы, в частности, поджелудочную железу, потовые железы и железы, вырабатывающие слизь в бронхах. (Пот при муковисцидиозе содержит много соли, и его анализ позволяет точно установить диагноз.) При остром течении болезнь опасна для детей грудного возраста и требует лечения. Когда дети становятся старше, опасность уменьшается. Проблемы с пищеварением решают с помощью диеты, богатой белками и витамином А. При бронхите показаны паровые ингаляции и антибиотики.

Целиакия характеризуется в конце первого года перемежающимся поносом, который на втором году становится хроническим. Жидкий стул имеет очень неприятный запах. Иногда понос сменяется запором. Аппетит снижается, и ребенок страдает от истощения. Кишечник неспособен перерабатывать жиры, особенно если в пище есть клейковина — белок, содержащийся в хлебе и каше.

На первом этапе лечения из рациона исключают продукты, богатые клейковиной: белый и черный хлеб, каши, макароны и пр. Если это не приносит успеха, можно перейти на обезжиренное молоко, творог и спелые бананы. Когда нормализуется стул и улучшится аппетит, осторожно, с месячными перерывами, начинайте добавлять в рацион один за другим новые продукты. Сначала в меню может появиться постное мясо, потом фруктовый сок, фрукты, овощи с малым содержанием крахмала. С самого начала очень важно давать ребенку мультивитаминные препараты. Заболевание длится долго, улучшения сменяются обострениями болезни даже при удачном лечении.

Другие нарушения пищеварения, обнаруженные в последние годы, касаются неспособности организма справляться с простыми сахарами. При подобных заболеваниях стул становится жидким, но не издает слишком неприятного запаха.

708. Гельминтозы надо лечить. Мать приходит в ужас, обнаружив в кале ребенка глисты. Однако расстраиваться не стоит — вашей вины в этом нет.

У ребенка чаще всего встречаются острицы — тонкие червячки длиной около сантиметра. Они обитают в нижних отделах кишечника, но по ночам выходят наружу и откладывают яйца между ягодицами. Там их и можно обнаружить. Кроме того, острицы находят в кале. Они вызывают зуд в области заднего прохода, отчего ребенок плохо спит. Ранее полагали, что глисты заставляли детей скрипеть зубами во сне. Теперь подобные представления считают ошибочными. Соберите кал с глистами, чтобы показать врачу. Есть эффективные методы борьбы с острицами, но лечение должно проводиться под медицинским контролем.

Аскариды внешним видом напоминают дождевых червей. Обычно о заражении аскаридами узнают, обнаружив их в кале ребенка. Пока их не очень много в кишечнике, болезнь протекает незаметно. Лечение должен назначать врач.

В южных областях США часто встречаются дети с нематодами. Заражение этими глистами ведет к истощению и анемии. В организм нематоды попадают после прогулок босиком по земле, зараженной глистами.

Грыжи и водянка яичка

709. Грыжи. Самой распространенной является пупочная грыжа, о которой рассказывалось в пункте 244.

Очень часто встречаются паховые грыжи. В мышцах брюшной стенки в области паха есть пара небольших отверстий, по которым у мальчиков в мошонку, к яичкам проходят нервы и кровеносные сосуды. Если отверстие оказывается больше, чем обычно, сквозь него из брюшной полости может выйти наружу фрагмент кишечника. Как правило, это случается в момент напряжения мышц живота, например при громком плаче. На животе образуется выпуклость, а если грыжа выходит в мошонку, то последняя увеличивается, пока выдавленная наружу петля не втянется обратно. Паховая грыжа, хотя реже, встречается и у девочек. Она выглядит как шишка в паховой области живота.

В большинстве случаев, если на несколько минут положить ребенка на постель, грыжа уходит. Она снова появляется, когда ребенок встает или напрягает мышцы живота.

Иногда грыжа ущемляется. Это означает, что петля из кишки застревает в отверстии. При этом кровеносные сосуды сдавливаются и нарушается кровообращение; кроме того, этот участок кишечника становится непроходимым для пищи. Возникает сильная боль и рвота. Ущемление грыжи требует срочного хирургического вмешательства.

Ущемление паховой грыжи чаще происходит в возрасте до 6 лет. Родители иногда даже не подозревают до этого о наличии грыжи у ребенка. Уставшая от детского плача мать начинает менять пеленки и замечает припухлость в паху. Не пытайтесь руками вправить грыжу обратно. Вызовите врача или доставьте ребенка в больницу, а до этого подложите ребенку подушку под поясницу, попытайтесь успокоить, дайте ему бутылочку и приложите к грыже пузырь со льдом. Бывает, что все это приводит к возвращению грыжи на место.

Если вы заподозрили у ребенка грыжу, то, разумеется, должны сообщить об этом врачу. В настоящее время грыжу эффективно излечивают с помощью хирургической операции. Она практически безопасна, и через несколько дней после нее ребенок встает с постели.

710. Водянка яичка. Водянку часто принимают за паховую грыжу, потому что оба заболевания приводят к увеличению размеров мошонки. Каждое яичко окружено слоем жидкости, находящейся в тонкой оболочке. Таким образом оно защищено от механических травм. Очень часто у новорожденных в оболочке содержится больше жидкости, чем обычно, поэтому мошонка выглядит непропорционально крупной. Мошонка может раздуться и позднее.

Водянка яичка никакой опасности для ребенка не представляет. С возрастом лишняя жидкость уходит без каких-либо мер с вашей стороны. Изредка мальчикам с хронической водянкой делают операцию, если большая мошонка доставляет неудобство при ходьбе. Не пытайтесь сами ставить диагноз, предоставьте возможность врачу определить, водянка это или грыжа.

Болезни и травмы глаз

711. Необходимы периодические осмотры у окулиста. Ребенка надо в любом возрасте показать врачу, если у него замечено косоглазие; если у него возникают какие бы то ни было проблемы с учебой; если у него болят или сильно устают глаза; если он страдает конъюнктивитами; если он жалуется на головные боли; если он, читая, держит книгу очень близко к глазам; если он склоняет голову набок, пытаясь что-то рассмотреть; если он не видит все строки глазной таблицы. Но даже учитывая, что у ребенка нет проблем с испытательной таблицей, нельзя утверждать, что с глазами у него все в порядке. Заметив, что малышу приходится постоянно напрягать зрение, также отведите его к окулисту. В любом случае полезно впервые посетить глазного врача в 4 года и затем посещать его раз в год.

Близорукость, наиболее частая проблема школьников, обычно развивается между 6 и 10 годами. Зрение может испортиться внезапно, поэтому следите за малейшими признаками близорукости (ребенок держит книжку у самого носа, не может разобрать записи на классной доске), пусть даже всего несколько месяцев назад он видел прекрасно.

Воспаление слизистой оболочки глаз (конъюнктивит) может быть вызвано инфекцией или аллергией. Часто причиной бывают микробы простудных заболеваний, в частности насморка, — в этих случаях заболевания протекают легко. Обратитесь к врачу, причем визит к нему особенно необходим, если у ребенка краснеют глаза и оттуда выделяется гной.

712. Попадание в глаза едких жидкостей. Если ребенку в глаза случайно попала едкая жидкость, быстро положите его на спину и капайте в глаза чистую воду из пипетки. Если пипетки нет под рукой, отжимайте ему прямо в глаз воду с помощью чистой тряпки.

713. Если в глаз попала соринка. Залетевшую в глаз соринку нужно удалить как можно быстрее. Лучше, чтобы это делал врач. Если вы самостоятельно не справились с соринкой за полчаса, то идти к врачу все равно придется, поскольку соринка может поранить роговицу и туда попадет инфекция. Если до врача неудобно добираться, попробуйте вытащить соринку сами. Для этого в вашем распоряжении есть три способа. Сначала за ресницы оттяните верхнее веко вперед и вниз. Это открывает дорогу слезам, которые вымоют соринку из глаза. Если это не поможет, наполните глазную ванночку или небольшую рюмку 2%-м стерильным теплым раствором борной кислоты (две чайные ложки борной кислоты на один стакан горячей воды). Пусть ребенок наклонит голову и опустит глаз в ванночку. Потом, плотно прижав ванночку к глазу, он должен выпрямить голову и несколько раз моргнуть. Есть и третий способ избавиться от соринки — попытаться самой обнаружить ее под верхним веком. Чтобы воспользоваться им, сделайте тампон из ваты, намотайте его на спичку или зубочистку и возьмите еще одну спичку или зубочистку. Попросите ребенка опустить взгляд и зафиксировать его — это помогает расслабить верхнее веко. Возьмите веко за ресницы и оттяните его как можно дальше вперед. Подложите под край века спичку и отпустите его. Теперь другой рукой возьмите тампончик. Если вы видите соринку, аккуратно снимите ее ватным тампоном. Не забудьте, что для этой операции вам потребуется сильный свет. Если вам не удается найти соринку и она продолжает тревожить ребенка, прекратите бесплодные попытки и быстро отправляйтесь к врачу.

714. Ячмень. Это инфекционное заболевание, поражающее волосяную луковицу ресницы, напоминает обычный прыщ. Ячмень вызывают гноеродные микробы, которые ребенок заносит руками, когда трет глаза. Ячмень созревает, и на его вершине образуется белая головка, которая со временем прорывается. Чтобы ускорить созревание ячменя и предотвратить распространение инфекции, доктор может прописать мазь. Взрослые считают, что им помогают горячие примочки. Это действительно ускоряет созревание, но ненамного, поэтому если ребенку это неприятно, оставьте его в покое. Ячмень часто вызывает цепную реакцию: после прорыва головки гной с бактериями распространяется по веку и попадает в другие волосяные луковички. Поэтому попросите ребенка не тереть глаза и не чесать веко, когда ячмень уже созрел и готов прорваться. Если ячмени возникают у ребенка один за другим, покажите его врачу и сделайте анализ мочи. Обычно частые ячмени свидетельствуют, что сопротивляемость организма инфекции понижена.

При появлении ячменя у матери она должна тщательно мыть руки всякий раз, когда передает какие-либо вещи ребенку. Это важно, поскольку инфекция распространяется очень легко. Если ячменем страдают отец или старший брат, то им лучше держаться подальше от малыша.

715. Безвредно для глаз ребенка... Ребенок может смотреть телепередачи, сидя у самого экрана телевизора, много читать, держать книжку перед самым носом (впрочем, если он держит книгу близко к глазам, проверьте, нет ли у него близорукости).

Судороги

716. Судороги ребенка шокируют окружающих, но на самом деле ничего особо страшного в них нет. Они быстро прекращаются, даже если вы для этого ничего не предпринимаете.

По возможности вызовите доктора, но можете оставить все как есть, поскольку к его приходу ребенок скорее всего успокоится и заснет.

При возникновении судорог постарайтесь уберечь ребенка от ушибов. Чтобы он не прикусил язык, не давайте ему сжать челюсти — вложите в рот кончик карандаша или какой-нибудь палочки.

Не пытайтесь положить малыша в прохладную воду — это ничего не дает.

Если судороги вызваны высокой температурой, сделайте малышу влажное обтирание, чтобы снизить ее. Для этого разденьте ребенка, смочите ладони водой и аккуратно растирайте одну руку 2 минуты. Последовательно сделайте то же с другой рукой, с обеими ногами, спинкой и грудью. Время от времени смачивайте свою ладонь. Обтирая ребенка, вы усиливаете приток крови к поверхности кожи, и она охлаждается за счет испаряющейся жидкости. Если судороги продолжаются, а температура поднялась выше 39,5° С, продолжайте обтирание. Пока вы пытаетесь сбить температуру, не накрывайте ребенка одеялом.

При судорогах ребенок часто теряет сознание, глаза у него закатываются, зубы крепко сжаты, тело дергается. Дыхание становится тяжелым, на губах выступает пена. Иногда самопроизвольно происходят мочеиспускание и дефекация.

Судороги возникают тогда, когда в мозг поступает одновременно несколько сигналов возбуждения, вызванных разными причинами в зависимости от возраста ребенка. У новорожденных основной причиной становится механическая травма мозга.

717. Судороги в возрасте от года до пяти часто возникают при высокой температуре в начале простудных заболеваний, ангины, гриппа. Высокая температура развивается так стремительно, что нервная система не успевает адаптироваться. Многих детей в таком состоянии иногда охватывает дрожь, хотя до конвульсий дело может не дойти. Итак, если в возрасте 2–3 лет у простудившегося ребенка возникают судороги, это еще не свидетельствует о серьезном заболевании. Также ничто не говорит о том, что они вскоре повторятся — после первых дней высокой температуры судороги редко повторяются.

718. Эпилепсия. Эта болезнь вызывает судороги у детей постарше. Эпилептические припадки происходят независимо от высокой температуры или какого-либо заболевания. Никто не знает их истинной причины. Припадки бывают двух видов. При сильных пароксизмах больной полностью теряет сознание и бьется в конвульсиях. Малые пароксизмы протекают так быстро, что больной не успевает упасть, он почти не теряет контроля над собой. Со стороны малый пароксизм выглядит так: больной либо резко вздрагивает, либо на несколько мгновений замирает.

Больного эпилепсией должен осмотреть врач, знакомый с этой болезнью. Хотя излечить ее нельзя, есть лекарства, которые помогают снизить частоту припадков и сделать их более легкими.

Бывают и другие причины судорог, но они редки по сравнению с описанными выше.

Оказание первой помощи

Порезы, кровотечения, ожоги

719. Мыло и вода необходимы для обработки ран. При царапинах и порезах надо промыть ранку намыленным куском ваты, предварительно смоченным чистой водой, затем смыть мыло большим количеством воды. Попросите доктора проверить, подходит ли для этой цели вода из колодца или водопровода. Если вода недостаточно чистая, держите под рукой бутылку с 3%-м раствором перекиси водорода.

Тщательное промывание раны принесет больше пользы, чем обработка антисептиками. Для обработки ран не следует применять йод. На промытую рану надо наложить повязку, чтобы в нее не попадала грязь.

При сильных порезах с открытыми ранами обратитесь к врачу. Вам понадобится опытный специалист при порезах (даже незначительных) кожи лица, поскольку остающиеся шрамы портят внешность. То же касается ран на кистях и запястьях, так как там могут быть повреждены нервы и сухожилия.

Обязательно сообщите врачу о ранах, загрязненных землей или навозом. Дело в том, что в навозе часто присутствуют микробы столбняка. Возможно, доктор сочтет необходимым сделать инъекцию противостолбнячной сыворотки. Укол делают и при глубоких порезах и колотых ранах.

Если ребенка укусила собака, кошка или дикое животное, нужно срочно обратиться к врачу. Важно не только обработать рану, но и попытаться выяснить, не больно ли животное бешенством. Если у животного обнаружено бешенство или о нем ничего не известно, врач назначит прививки против бешенства.

720. Повязки. Вид применяемой повязки зависит от размера и местоположения раны. Очень удобны готовые к употреблению повязки из небольшой полоски липкой ленты (лейкопластыря) с укрепленной на ней бактерицидной марлевой подушечкой. Ими можно закрывать незначительные по величине порезы на любом месте тела, кроме ладоней — к ним они не приклеиваются. Для крупных порезов и царапин используйте стерильный бинт. Чтобы он держался на коже, приклейте его по краям тонкими лентами лейкопластыря. (Помните: маленькие дети могут тут же сорвать повязки.) Чтобы от повязки была польза, она должна плотно прилегать к поврежденной коже.

При порезах на руках и ногах следите, чтобы липкая лента не была обернута кольцом вокруг конечности (когда ее концы перехлестываются), иначе может нарушиться кровообращение. Если вы заметите, что рука или нога опухают и становятся багрового цвета, значит, повязка наложена слишком туго — ее следует тут же ослабить. Можно обертывать повязкой пальцы, но она все равно не должна быть очень тугой. Полоски лейкопластыря, которыми вы укрепляете кусок бинта, отрезайте достаточно длинными.

Чтобы раны быстрее заживали и не инфицировались, не меняйте повязку слишком часто. Если она начала отклеиваться или запачкалась, лучше наложите новую поверх старой. Снимайте повязку очень аккуратно. Накладывать повязку надо **вдоль** раны (например, если порез на руке идет сверху вниз, то и повязка должна идти сверху вниз). В этом случае, снимая повязку, вы меньше рискуете раскрыть края раны. Если марлевая прокладка прилипла к ране, чтобы снять ее, намочите марлю 3%-м раствором перекиси водорода

В первые сутки рана может саднить. Это обычное явление, которому не стоит уделять слишком пристального внимания. Но если рана продолжает болеть, значит, в нее попала инфекция. Снимите повязку и посмотрите, что происходит под ней. Если кожа вокруг раны опухла и покраснела, надо показать ребенка врачу.

Содранные до крови колени промойте и некоторое время не закрывайте повязкой — пусть на царапинах образуются корочки. Иначе повязка прилипнет, и, когда вы будете менять ее, снова пойдет кровь.

Если ребенок порезался возле рта, не закрывайте ранку повязкой — на ней и под ней начнет скапливаться грязь от слюны и жидкой пищи.

721. Повязка на пальце. Чаще всего страдают от порезов пальцы, но именно на пальцы труднее всего накладывать повязки. Если вы можете обернуть вокруг пальца готовую повязку на липкой ленте и целиком закрыть ранку, то проблем не возникает. В противном случае оберните палец куском бинта и зафиксируйте его двумя тонкими полосками лейкопластыря.

После этого возьмите узкую полоску лейкопластыря длиной примерно 25 см, закрепите один конец на передней стороне пальца, далее ведите полоску к концу пальца, потом по тыльной стороне и закрепите второй конец полоски примерно на середине предплечья.

Когда вы накладываете лейкопластырь на тыльную сторону ладони и предплечье, держите руку ребенка слегка согнутой в запястье, иначе потом он не сможет работать пальцем. Другую полоску лейкопластыря оберните вокруг пальца примерно посередине повязки, чтобы лучше держалась продольная полоска.

722. Кровотечение. Любой порез сопровождается кровотечением. Оно обычно продолжается несколько минут и приносит определенную пользу: с кровью из раны вымываются попавшие туда микробы. Опасность представляют лишь сильные, упорные кровотечения, их необходимо остановить.

Кровотечения из руки или ноги прекращаются быстрее, если вы поднимите пораненную конечность повыше. Для этого положите ребенка, а под кровоточащую руку или ногу подложите пару подушек. Если кровь продолжает идти, прижмите к ране кусок стерильной марли и держите, пока не остановите кровь или пока вы не решите, что лучше наложить на рану повязку. Не опуская конечности, промойте рану и наложите повязку.

Если рана нанесена чистым предметом, например ножом, и из нее течет кровь, не пытайтесь промыть ее; очистите кожу вокруг раны с помощью смоченного водой или раствором перекиси водорода и намыленного куска ваты. Если же рана загрязнена, то ее надо промыть.

При наложении повязки на сильно кровоточащую рану сложите бинт в несколько слоев, чтобы у вас получилось что-то вроде подушечки. При закреплении повязки липкой лентой или при бинтовании раны старайтесь, чтобы повязка прилегала плотно — тогда кровь быстрее остановится. Такой вид повязки называется «давящей».

723. Сильное кровотечение. Если кровь течет из раны обильно, не пытайтесь накладывать повязку. Зажмите рану рукой, поднимите поврежденную конечность. Сделайте тампон из любого подручного материала: куска марли, носового платка, чистого куска одежды — своей или ребенка. Прижмите тампон к ране и держите, пока не подоспеет помощь или пока не прекратится кровотечение. Не убирайте тампон, даже когда он пропитается кровью, а наложите сверху еще один. Остановив кровотечение, наложите давящую повязку. Тампон из марли или других подручных средств должен быть достаточно толстым, чтобы после наложения повязки он хорошо прилегал к ране. Это особенно важно при ранах на бедре или животе. Если даже после наложения давящей повязки кровь не останавливается, продолжайте прижимать тампон рукой. Если у вас ничего не оказалось, чтобы сделать тампон, прижимайте края раны или даже саму рану (при очень сильном кровотечении) рукой.

Подавляющее большинство очень обильных кровотечений можно остановить, просто прижав рану. Не получив желаемого результата, наложите жгут. Необходимость в этом появляется очень редко, вам вряд ли удастся, не имея опыта, справиться с этим даже в случае крайней необходимости. Кстати, надо помнить, что не позже, чем через полчаса, жгут надо снять.

724. Носовое кровотечение. Есть несколько простых способов остановить кровь из носа. Иногда ребенку достаточно просто посидеть спокойно несколько минут. Чтобы он не глотал кровь, наклоните у сидящего ребенка голову; если он лежит, поверните его голову, направив нос вниз. Не позволяйте ему сморкаться или сжимать нос платком. Можно аккуратно держать платок у самых ноздрей, чтобы он впитывал кровь.

Приложив холод к любой части головы, вы заставите кровеносные сосуды сжаться, и кровотечение прекратится. Приложите что-нибудь холодное к шее, ко лбу или к верхней губе. Для этого подойдет намоченная холодной водой чистая ткань, пузырь со льдом или бутылочка из холодильника.

Если, несмотря на принимаемые меры, кровотечение продолжается более 10 минут, позвоните врачу и спросите у него совета. Можете воспользоваться каплями от насморка, которые вызывают спазм кровеносных сосудов. Сделайте из ваты фитилек, смочите его в лекарстве и введите неглубоко в ноздрю, поскольку обычно повреждаются сосуды, расположенные в передней части носа. Иногда можно остановить кровь, если аккуратно сжать пальцами кончик носа на 10 минут. Только делать это надо медленно и бережно.

Обычно у ребенка кровь из носа начинает идти после попытки сильно продуть его или после удара по нему; кровотечение может быть следствием простуды или другой инфекции. В тех случаях, когда у ребенка кровотечения из носа повторяются, а причину вам узнать не удается, обратитесь к врачу, поскольку это может быть симптомом общего заболевания. Если доктор ничего не обнаружит, поврежденный кровеносный сосуд можно прижечь. Место для прижигания определяют сразу после очередного кровотечения.

725. Ожоги. Методы лечения ожогов за последние годы сильно изменились, да и теперь их продолжают совершенствовать. Я бы рекомендовал вам заранее посоветоваться с врачом, чтобы вы были готовы в случае необходимости.

При ожоге не пытайтесь лечить его сами, не посоветовавшись с врачом. До его прихода вы можете оказать ребенку первую помощь. Если вам кажется, что ожог представляет угрозу для ребенка и лучше, не дожидаясь врача, ехать в больницу, так и сделайте.

В качестве первой помощи при небольших ожогах достаточно намазать обожженное место вазелином и наложить свободную чистую повязку. Вместо вазелина можно использовать растительное и даже сливочное масло.

Есть и другой способ уменьшить боль, хотя он не так эффективен. Накройте ожог чистой салфеткой, смоченной раствором питьевой соды (одна чайная ложка соды на стакан воды). По краям приклейте салфетку к коже полосками лейкопластыря. По мере высыхания поливайте салфетку остатками раствора. Таким образом обработайте пораженный участок, пока не сможете наложить вазелин или пока не придет врач.

Консультация врача особенно полезна, если на месте ожога образуются волдыри или раны. Пузыри очень легко лопаются, и в них может попасть инфекция.

Если врач опаздывает, обработайте ожог самостоятельно. При этом не пытайтесь прокалывать волдыри иголкой и обращайтесь с ними как можно аккуратнее. Лучше всего не трогать их, и вы снизите опасность заражения. Жидкость из небольших волдырей выходит сама, даже если их не повредить; они прорвутся через несколько дней, но под ними к тому времени уже образуется новая кожа. Если волдырь прорывается, обрежьте лохмотья мертвой кожи. Пользуйтесь для этого ножницами и пинцетом, которые нужно предварительно прокипятить в воде в течение 10 минут. Затем наложите повязку, смазанную вазелином. При инфицировании поврежденных волдырей — об этом можно судить по появлению гноя и покраснению окружающей кожи — обязательно проконсультируйтесь с врачом. Если это невозможно, срежьте мертвую кожу и наложите влажную повязку (см. пункт 727).

При обработке любых ожогов не пользуйтесь йодом и другими подобными антисептиками. От этого будет только хуже.

726. Солнечный ожог. Лучшее средство от солнечного ожога — не получать его. Сильный ожог болезнен, опасен для здоровья и портит все впечатление от летнего отдыха. Достаточно провести на пляже в солнечную погоду полчаса, чтобы вызвать ожог у человека со светлой кожей.

В первые дни на пляже или за городом лучше недополучить солнечных лучей, чем получить их слишком много. Опасность состоит и в том, что вы не сможете сразу определить на глаз или на ощупь, что кожа сгорела, — ожог проявит себя только через несколько часов. Поэтому в начале пребывания на солнце закрывайте от прямых лучей лицо, тело и ноги ребенка. Пусть он остается на солнышке не только то время, в

607

течение которого возится в воде. На голове малыша должна быть шляпа с полями, закрывающая лоб и нос, рубашка для защиты рук и легкие брюки, которые спрячут от солнца ноги, в первую очередь кожу под коленями, когда ребенок лежит на животе.

Лосьон или крем для загара с надписью на флакончике, обещающей прекрасный, ровный загар и защиту от ожогов, поможет, но особенно на него рассчитывать не стоит.

Если все-таки ребенок обгорел, надо постараться облегчить его боль. Для этого намажьте обожженные места вазелином или сметаной. При ожоге средней тяжести у пострадавшего может начаться озноб и повыситься температура; иногда он чувствует тошноту. В этом случае посоветуйтесь с врачом, поскольку солнечный ожог так же опасен, как и термический. Пока полностью не пройдет краснота, берегите пораженные участки кожи от солнечных лучей.

727. Влажные повязки при гнойных воспалениях кожи. Если у ребенка возник нарыв на кончиках пальцев в районе ногтей или стал нагнаиваться порез, а также при любых других гнойных воспалениях под кожей, необходимо обратиться к врачу. До тех пор ребенку надо поменьше двигаться, и будет лучше, если вы подержите его в постели, а конечность, на которой образовался нарыв, положите на подушку.

Если визит врача задерживается, вы можете принять некоторые меры, которые пойдут на пользу ребенку. Самым эффективным средством в подобной ситуации может стать влажная повязка. Она смягчит кожу, облегчит боль, а благодаря влаге нарыв быстрее созревает и лопается. Наконец, отверстие, через которое вытекает гной, закрывается не слишком быстро.

Прежде всего приготовьте раствор для повязки. Возьмите один стакан кипятка и положите туда столовую ложку английской или поваренной соли или сульфата магния.

Затем сделайте довольно толстую марлевую прокладку, положите ее на нарыв и смочите раствором соли. Смачивайте ее раствором через несколько часов, по мере высыхания.

Чтобы оставить одежду ребенка сухой и дольше сохранить влагу в повязке (это особенно важно ночью), оберните повязку куском водонепроницаемого материала, например, поместите обнаженную ладонь или ступню в полиэтиленовый пакет. Закрепите пакет на конечности с помощью липкой ленты. (Не затягивайте ленту слишком плотно, чтобы не нарушить кровообращение.)

Если у ребенка в связи с нарывом повысилась температура, если на больной руке или ноге появились красные полоски, если распухли лимфатические узлы под мышками или в паху, значит, инфекция начала распространяться и пришла пора принимать экстраординарные меры, поскольку может начаться заражение крови. Не мешкая отвезите ребенка в больницу, даже если вам для этого придется ехать всю ночь Чтобы помочь ему, необходимы мощные современные средства борьбы с инфекцией.

Растяжения связок, переломы, травмы головы

728. Растяжения связок устанавливает врач. Если ребенок получил растяжение в области лодыжки, уложите его примерно на полчаса и поместите больную ногу на подушку. Благодаря этому внутреннее кровотечение и отек будут минимальными. Если все же поврежденный сустав распух, проконсультируйтесь с доктором, поскольку, возможно, имеет место прелом или трещина в кости.

При растяжении коленных связок ребенка надо обязательно показать врачу, так как запущенная травма суставной сумки может впоследствии многие годы доставлять ребенку неприятности. Если, падая, ребенок оперся на запястье и оно болит как в покое, так и при попытках двигать им, то нельзя исключать перелом кости, пусть даже поврежденное место не опухло и кисть поворачивается в суставе.

Итак, любое растяжение связок, при котором сустав опухает и болезнен, должно стать поводом для визита к врачу. Дело не только в возможности перелома; доктор профессионально наложит шину или повязку, и поврежденная конечность будет меньше беспокоить ребенка.

Если боль продолжается и ребенок не может нормально пользоваться травмированной рукой или ногой, врач обычно предлагает сделать рентгеновский снимок обеих конечностей — сравнивая оба снимка, он может более точно определить характер повреждения.

729. Переломы. У взрослых кости скелета более хрупки, чем у детей, и при неловких движениях они часто ломаются. Для детей более характерно расщепление кости: примерно так происходит, когда вы сгибаете гибкий прутик. Кроме того, обычно кость ломается у самого конца (эпифиза), поскольку в этом месте происходит ее основной рост. Такого рода переломы часто бывают при травме запястья. К сожалению, переломы эпифиза не всегда легко диагностировать даже с помощью рентгена. Серьезный перелом обычно угадывается на глаз. Но во многих случаях конечность в месте перелома никак не деформирована. Например, сломанная лодыжка выглядит прямой, хотя ребенок чувствует боль, а травмированная область опухает. Через несколько часов появляется обширный синяк. Лишь доктор, да и то с помощью рентгена, может отличить перелом от сильного растяжения. То же касается перелома запястья. Неудачная попытка поймать мяч иногда заканчивается тем, что у ребенка отламывается кусочек от одной из костей фаланг пальца. Палец опухает, и позже на этом месте возникает синяк. При падении на спину возможен незначительный перелом позвонка. Снаружи ничего не заметно, но ребенок жалуется на боль при наклонах вперед. Боль также появляется на бегу и при прыжках. Короче, главными симптомами перелома можно считать продолжающуюся боль, отек и обширный синяк в поврежденном месте.

При подозрении на перелом необходимо создать щадящий режим для травмированной конечности. Главное — обеспечить неподвижность больного места. Если это можно сделать без дополнительных средств, оставьте ребенка в покойной позе дожидаться врача. Если необходимо отправиться с ним в больницу, сначала наложите шину.

Шина поможет как следует зафиксировать место перелома, если она будет достаточно длинной, т. е. далеко выступать за пределы поврежденной кости. Например, при травме лодыжки шина должна заканчиваться у колена; при переломе голени верхний ее конец должен находиться на уровне бедра; если повреждено бедро, шина начинается у ступни и заканчивается под мышкой. При сломанном запястье накладывают шину от пальцев до локтя; при переломе предплечья или плеча она должна доходить до подмышки. Шину лучше всего изготовить из подходящего куска доски. Для маленьких детей шину можно сделать из плотного картона. Накладывая шину, очень аккуратно передвигайте травмированную конечность, а до места предполагаемого перелома старайтесь вообще не дотрагиваться. Укрепите шину на конечности, привязав ее в 4–6 местах носовыми платками, ремнями или бинтами. Два крепления должны находиться чуть выше и чуть ниже перелома. По одному креплению должно находиться на самых концах шины. При травме спины лучше оставить ребенка на месте, если у него есть возможность принять удобную позу. Для транспортировки уложите его на носилки (в качестве носилок можно использовать снятую с петель дверь). Поднимая тело человека, повредившего позвоночник, следите, чтобы спина его была плоской или прогнутой вперед. В частности, перенося такого человека на матрасе или нежестких носилках, положите его на живот. То же касается травмы шейного отдела позвоночника: голову следует запрокинуть назад, но ни в коем случае не наклонять вперед. При переломе ключицы сделайте петлю из платка или полотенца, повесьте ее на шею и просуньте сквозь петлю травмированную руку, чтобы она была прижата к груди.

Если человек с серьезной травмой не может двигаться и вынужден находиться на холоде, укройте его одеялами или дополнительной одеждой. Кроме того, подстелите одеяло под него.

730. Травмы головы. Ребенок начинает ударяться головой сразу, как только научится переворачиваться и, соответственно, скатываться с кровати. Родители обычно чувствуют себя виноватыми, что не доглядели за малышом. Но если пытаться уберечь его от любой случайности, то вам придется вообще не сводить с него глаз. Кости его останутся целы, но характер его вы погубите.

Если после падения ребенок прекращает плакать в течение 15 минут, на щеках у него продолжает играть румянец, его не тошнит, то сотрясения головного мозга можно не бояться. Никаких изменений в его режиме не требуется.

Сильно ударившись головой, ребенок иногда чувствует тошноту, теряет аппетит, его кожа бледнеет. Он жалуется на головную боль, легко засыпает, хотя и добудиться его обычно нетрудно. При наличии подобных симптомов необходимо связаться с врачом, который, возможно, посоветует сделать рентгеновский снимок головы. Ребенка хотя бы на 2–3 дня желательно подержать в относительном покое, а при появлении новых симптомов оповещать врача. Ночью после ушиба пару раз будите малыша, чтобы удостовериться, что он не потерял сознания. Если на следующий день вам что-то покажется в его поведении необычным, также дайте знать врачу.

Если малыш сразу после падения и удара головой потерял сознание или это произошло позже, немедленно вызовите врача, чтобы тот осмотрел малыша. Руководствуйтесь тем же правилом, если ребенок, хотя и находится в сознании, жалуется на головную боль, тошноту, ухудшение зрения.

Шишка на голове при отсутствии других симптомов ничего страшного не представляет. Она появляется из-за разрыва кровеносного сосуда под кожей.

Проглатывание предметов

731. Инородные тела. В самом раннем возрасте дети глотают косточки от чернослива, монеты, английские булавки, бусинки, пуговицы — короче, практически все, что пролезает в горло. Все эти предметы благополучно минуют желудочно-кишечный тракт, хотя среди них встречаются и открытые английские булавки, и осколки стекла. Опасность могут представлять иголки и простые булавки.

Если ребенок проглотил гладкий предмет вроде косточки или пуговицы, не тревожьтесь. На всякий случай дайте ему кусочек хлеба, чтобы протолкнуть инородное тело. Однако понаблюдайте несколько дней за его стулом, чтобы удостовериться в выходе проглоченного предмета. Разумеется, если он почувствует боль в животе, тошноту или если инородное тело застрянет в пищеводе, немедленно вызовите врача. То же нужно сделать, если ребенок проглотит острый предмет, например иголку или булавку.

Никогда в подобных случаях не давайте слабительного. Польза не будет, а вред оно может принести.

732. Предметы в дыхательном горле. При вдохе кусочки пищи могут попасть ребенку в дыхательное горло. Он поперхнется и начнет кашлять. Посадите его прямо и несколько раз резко ударьте по верхней части спины. Если кашель не прекратится, а ребенок начнет синеть, как можно быстрее доставьте его в ближайшее медицинское учреждение.

Застрявшие в горле острые предметы, например рыбья кость, заставляют малыша давиться. Но это не так страшно, как закупорка инородным телом дыхательных путей. Вы, конечно, должны скорее добраться до врача, но в данном случае жизнь ребенка вне опасности. Очень часто при осмотре врач не находит застрявший предмет, хотя ребенок утверждает, что чувствует его. Скорее всего ребенок уже проглотил застрявшую кость, но при этом оцарапал горло и ощущает боль от царапины.

Искусственное дыхание

733. В каких случаях делают искусственное дыхание. У человека происходит остановка дыхания при удушении, при сильном ударе электрическим током, а также если он захлебнется в воде или надышится ядовитым газом. В этом случае необходимо тут же начать делать искусственное дыхание. Продолжайте производить искусственное дыхание, пока не восстановится самостоятельное дыхание или пока не подоспеет помощь. **Никогда не делайте искусственное дыхание человеку, который дышит самостоятельно.**

Если ребенок захлебнулся, прежде всего попытайтесь очистить от воды легкие. Для этого положите его животом к себе на колени, на ящик или иной подходящий предмет, чтобы ноги находились выше уровня головы.

Чтобы открыть дыхательные пути, поддерживая ребенка за шею, запрокиньте ему голову.

Удерживайте подбородок в вертикальном положении — тогда дыхательные пути останутся открытыми.

У ребенка лицо маленькое, поэтому вы можете вдувать воздух через нос и рот одновременно. (Когда вы делаете искусственное дыхание взрослому, то, зажав нос, выдыхаете воздух ему в рот.)

Не используйте всю силу своих легких — легкие малыша не смогут вместить весь объем вашего выдоха. Потом отнимите губы и дайте возможность выйти воздуху из его легких. В это время сами сделайте вдох. Снова выдохните воздух в рот и нос ребенка.

Во время каждого вашего выдоха легкие ребенка будут наполняться воздухом. Когда вы делаете искусственное дыхание взрослому, дышите в обычном для себя ритме. При искусственном дыхании ребенку ваше дыхание должно быть короче.

Инородные тела в носу и ушах

734. Инородные тела в носу и ушах. Маленькие дети часто запихивают мелкие бусинки, пуговицы, бумажные шарики себе в нос или в ухо. Важно, чтобы при попытках вытащить инородное тело вы не протолкнули его еще глубже. Мягкий предмет попробуйте вытащить пинцетом с тонкими губками.

Чтобы удалить инородное тело из носа, заставьте ребенка продуть его. (Маленьких детей об этом просить бесполезно: вместо резкого выдоха он может начать втягивать воздух в себя.) Через некоторое время, возможно, малыш чихнет, и инородное тело само выскочит. Если этого не произойдет, сходите к отоларингологу.

Через несколько дней после попадания инородного тела в нос оттуда появляются зловонные выделения, смешанные с кровью. Это может стать для вас знаком, если малыш вам сам ничего не сказал.

Ядовитые вещества

735. Едкие вещества в глазах и на коже. Едкие вещества с кожи надо смыть сильной струей воды. Об удалении едких жидкостей из глаз рассказано в пункте 712.

736. Отравления. Если ребенок проглотил ядовитое вещество, в первую очередь позвоните врачу.

Пока вы его ждете, попытайтесь узнать, что съел или выпил ребенок. Это необходимо, чтобы решить, нужно ли вызывать у него рвоту.

Нельзя вызывать рвоту, если в желудок попали следующие вещества: бензин; керосин; моющие жидкости; скипидар; полирующие жидкости; жидкости для уничтожения насекомых; нашатырный спирт; щелок; негашеная известь; хлорная известь; концентрированные кислоты (серная, азотная, соляная, карболовая).

Нефтепродукты наиболее ядовиты при попадании в дыхательные пути или в легкие, а при рвоте может случиться именно так. Кислоты и щелочи, выходя наружу из желудка, могут обжечь горло.

Не пытайтесь вызвать рвоту у ребенка, находящегося в коме или бьющегося в конвульсиях.

737. Искусственная рвота. Если врач в течение 10 минут не выходит с вами на связь, а проглоченное вещество не входит в список, приведенный в предыдущем пункте, постарайтесь, чтобы ребенка тут же вырвало.

Дайте ребенку залпом выпить молока или теплой воды, сколько он сможет. Положите его поперек кровати, чтобы голова свешивалась с ее края. На пол поставьте большой таз, куда вы будете собирать рвотные массы, чтобы впоследствии врач мог сделать их анализ.

Засуньте ребенку палец глубоко в рот, до основания языка, и пошевелите им несколько секунд, чтобы малыш начал давиться и у него возникли спазмы в желудке. Делайте все быстро и уверенно; при малейшем колебании ребенок прикусит вам палец, но он не сможет этого сделать, если будет давиться.

Если таким способом вызвать рвоту не удается, дайте малышу одну столовую ложку (три чайные ложки) сиропа из рвотного корня (для ребенка младше двух лет достаточно двух чайных ложек). Если через 15 мин не последует реакции, повторите. Больше двух раз сироп не предлагайте.

Постарайтесь еще раз связаться с врачом или отвезите ребенка в больницу, даже если вам удалось вызвать у него рвоту и он нормально выглядит. Действие некоторых веществ, например аспирина, начинается лишь несколько часов спустя.

738. Вредные вещества. Некоторые вещества не считаются ядовитыми, но могут представлять угрозу для ребенка. К ним относится, например, табак: одна съеденная сигарета опасна для годовалого ребенка. К ним можно причислить также железо, хинин, таблетки стрихнина, борную кислоту, аспирин.

Часто дети глотают вещества, которые не приносят сильного вреда (но врачу об этом сообщить необходимо): чернила, настойку йода и др.

Необычные ситуации

Путешествие с маленьким ребенком

Готовясь к путешествию с грудным ребенком, надо предусмотреть все, что касается его кормления. Вы можете выбрать тот способ приготовления молочной смеси, который в ваших условиях сочтете самым подходящим. Разумеется, принимая во внимание то, насколько долго вы будете лишены кухни и холодильника.

Посоветуйтесь со своим врачом: возможно, и он что-нибудь порекомендует. Позвоните в железнодорожную или авиационную компанию и узнайте, смогут ли они предоставить место в холодильнике.

739. Готовые смеси в одноразовых бутылочках. Если вы достанете такие смеси и доктор не будет возражать против них, вы избавитесь от хлопот: их не нужно хранить в холодильнике, а после использования можно выбросить и бутылочку, и соску — значит, проблема мытья посуды вас не будет беспокоить.

740. Самостоятельное приготовление смеси. Если ваше путешествие продлится менее суток и вы не сумели достать готовую смесь, приготовьте обычную смесь, которой кормите ребенка дома. Как следует охладив ее в домашнем холодильнике, положите бутылочки в сумку-ледник, с которой вы отправляетесь на пикники, или воспользуйтесь холодильником в самолете или поезде. Чтобы сэкономить место, всю суточную порцию слейте в большую литровую посуду. (Смесь в этом случае надо стерилизовать.) Перед кормлением перелейте необходимое количество смеси в бутылочку с помощью воронки. Если вы потом предполагаете повторно пользоваться бутылочкой, соской и воронкой, их надо вымыть с мылом и щеткой. В противном случае возьмите с собой чистые бутылочки и соски. Если в вашей сумке-леднике достаточно места, можете положить туда уже разлитую на порции смесь. Готовьте для сумки лед крупными кусками: чем меньше куски льда, тем быстрее они тают.

Лед в сумке дольше сохранится, если вы завернете ее в несколько слоев газетной бумаги, которая послужит теплоизолятором. Если вы берете с собой 1–2 бутылки, то, предварительно охладив, заверните и их в газету.

741. Приготовление бутылочек со смесью. Если вам не удалось купить готовую смесь, а ребенка вы кормите смесью на основе сгущенного молока, проще всего готовить порцию на одно кормление, используя маленькие консервные баночки, содержащие 180 мл сгущенного молока. В этом случае холодильник вам не понадобится. С собой возьмите столько баночек, сколько раз вы предполагаете кормить малыша за время путешествия. Возьмите также банку с сахаром или кукурузным сиропом. Дистиллированную воду для смеси можно купить в аптеке. Где бы вы ни купили такую воду, в ней не будет микробов, и ее химический состав будет точно известен. (В чистом виде пить ее не рекомендуется.) Вы можете сами накипятить дома достаточно воды и разлить ее в бутылки. (Постарайтесь не пользоваться водой из баков в вагонах поезда или из местного водопровода в пунктах вашего маршрута. Мало того, что такую воду надо непременно кипятить, она может различаться по составу и вызвать расстройство пищеварения ребенка.) Вам понадобятся в дороге воронка, мерная ложка, консервный нож, щетка для мытья бутылок, достаточное количество чистых бутылочек и сосок. Рассчитывайте на то, что не везде у вас будет возможность вымыть их и простерилизовать.

Перед кормлением положите в чистую бутылочку необходимое количество сахара или сиропа, влейте воду и сгущенное молоко из только что открытой консервной банки. Наденьте на бутылочку соску и перед употреблением взболтайте. Врач сообщит вам, в каких пропорциях смешивать ингредиенты. Например, если суточная норма смеси содержит 0,36 л сгущенного молока, 0,55 л воды, 3 столовые ложки сиропа, то на каждую из 5 бутылочек будет приходиться по 2 чайные ложки сиропа, по 110 мл воды и по 75 мл сгущенного молока.

Если вы привыкли кормить малыша теплой смесью, подогрейте бутылочку в воде из кипятильника, расположенного в вагоне. Подогреть бутылочку может официантка в вагоне-ресторане, проводница или стюардесса в самолете. Не откажет вам в помощи и буфетчица придорожной закусочной. Если вы будете путешествовать на машине, купите специальный подогреватель, который можно подключать к гнезду зажигалки для сигарет.

Поскольку вам вряд ли удастся в дороге прокипятить бутылочки и соски, вы должны, как только появится возможность, тщательно вымыть их (а вместе с ними и воронку) с мылом и щеткой. После этого все прополосните и вытрите насухо. Вы можете повторно использовать их, поскольку в перерывах между кормлениями они пусты, и микробы в них не развиваются.

742. Твердая пища. Твердую пищу надо перевозить в закупоренных коробках и консервных банках. Можете кормить ребенка прямо из них. Не старайтесь взять с собой все, к чему привык ваш ребенок (картошку, например). Принцип отбора продуктов должен быть следующий: ребенок не должен отказываться их есть, и они должны легко усваиваться. В дороге у детей редко бывает такой аппетит, как дома. Не заставляйте малыша есть после того, как он даст понять, что сыт, хотя он и съел меньше положенного. Возможно, он предпочитает есть поменьше, но почаще.

743. Пища для ребенка старше года. Нельзя поить ребенка водой из-под крана в вагоне. Лучше возьмите с собой бутылку питьевой воды. Кроме того, не предлагайте ему незнакомой для него еды. Покупая пищу в магазинах, избегайте пирожных с кремом, молочных пудингов, холодного мяса, рыбы и яиц, салатов со сметаной, в том числе сэндвичей с этими салатами. Именно на таких продуктах, если они неряшливо приготовлены или хранятся вне холодильника, быстро развиваются болезнетворные бактерии. Гораздо лучше подходят готовые горячие блюда, фрукты, которые вы сами почистите, молоко в закупоренной посуде. Разумеется, можно приготовить дома сэндвичи с арахисовой пастой, мармеладом, помидорами. Собираясь кормить ребенка в придорожных столовых, вагоне-ресторане или в самолете, возьмите с собой на всякий случай сумку с едой — может быть, малышу захочется перекусить или случится непредвиденная задержка. Прихватите пачку соленых крекеров (они, кстати, помогут, если ребенка укачает), сыр, сваренные вкрутую яйца, фрукты. Не забудьте термос с горячим молоком и банку с черносливовым пюре на случай запора.

744. Несколько полезных советов. Путешествуя с ребенком, обеспечьте себе и ему максимум удобств, которые только позволяют средства. Билет первого класса в поезде позволит вам получить больше услуг, а в отдельном купе ребенку будет где размяться.

Вам очень помогут **одноразовые пеленки** или пеленки со сменными прокладками.

Не забудьте любимые **игрушки** ребенка, которые он берет с собой в постель, — этим вы сэкономите силы и нервы. Хорошо бы взять несколько новых игрушек, которые должны надолго занять малыша: машинки или маленькие поезда, куклы с несколькими сменами одежды, альбомы для раскрашивания или вырезания, книжка с цветными картинками, сборные домики из картона, стопка бумаги, карандаши. Учтите, что ребенок примерно 3 лет с удовольствием упакует игрушки в свой маленький чемоданчик.

Надо взять и некоторые предметы гигиены, в частности два больших куска **клеенки**. Один надо подстилать, чтобы ребенок ночью не замочил матрас, а другим можно накрыть ковер в гостиничном номере, когда малыш там ест, или кровать, когда ему меняют пеленки. Клеенку можно постелить и на пол, чтобы ребенок мог там играть.

При долгой езде в автомобиле нужно время от времени останавливаться не только на завтрак, обед и ужин, но и пару раз в промежутках, чтобы ребенок мог перекусить и размяться. Выбирайте для этого чистое поле или городской парк; не следует останавливаться прямо на дороге, иначе вам придется следить за малышом, чтобы он не выскочил на проезжую часть.

Маленькому ребенку непременно понадобится его **ночной горшок** — в незнакомых условиях вам будет нелегко заставить его справлять свои потребности.

Место для ног перед задним сидением машины лучше заставить вещами и застелить покрывалом — тогда ребенку, который еще не умеет ходить, будет где поползать, а то и подремать. Если

620

дети хотят ехать стоя, не разрешайте вставать на сиденья — только на пол. На спинку переднего сиденья укрепите подушку, тогда ребенок не получит травмы при внезапном торможении.

Очень удобна **кроватка**, специально предназначенная для перевозки детей в автомобиле. Но подойдет и большая корзина, которую можно поставить и в купе поезда, и в самолете. Вы можете поворачивать в ней ребенка, не разбудив его. Да и матери удобнее держать ребенка там, а не на руках.

При путешествии в автомобиле примите за правило останавливаться на ночлег не позже 4 часов дня, иначе вы будете вместе с измученными детьми до темноты искать номер в мотеле. Многие водители ставят себе цель проехать определенное количество миль за день и отказываются останавливаться, даже если уже поздно. Но если вам удастся заставить такого отца еще до поездки дать торжественное обещание останавливаться в заданное время, у вас останется больше надежд, что он не посмеет нарушить свое слово.

Недоношенный ребенок

Ребенка, который при рождении весит меньше 2,25 кг, необходимо перевести в больницу, где есть специальное оборудование (инкубаторы) и где он будет находиться под контролем опытных специалистов.

Эта глава написана для редких случаев, когда недоношенный ребенок вынужденно — и недолго — находится дома перед помещением в больницу.

745. Держите младенца в тепле. Недоношенный ребенок, оказавшись на холодном воздухе, быстро теряет тепло: система терморегуляции его организма еще не работает, и он не может поддерживать постоянную температуру тела.

Как только малыш появится на свет, еще до того как ему обрежут пуповину, следует сразу же завернуть его в подогретую хлопчатобумажную простыню, а потом в мягкое акриловое или шерстяное одеяло и поместить в теплое место. Не перевязывайте и не обрезайте пуповину, пока она не прекратит пульсировать, т. е. пока в новорожденного не перейдет вся кровь из плаценты.

В помещении должно быть очень тепло. Круглые сутки поддерживайте в нем температуру на уровне 27° С. При прочих равных условиях легче нагреть маленькую комнату, если вы пользуетесь электрическим или керосиновым нагревателем.

Если ребенку придется провести несколько дней дома во время отопительного сезона, примите меры, чтобы увлажнить воздух в помещении (см. пункт 646).

Положите малыша в обычную детскую колыбель, но для этого подойдет деревянный ящик или даже картонная коробка. Если у вас нет матраса, застелите дно газетами, а на них положите свернутое одеяло. Подушку не кладите — она слишком мягкая.

Ниже мы предлагаем один из способов обустроить постель. Выложите ящик или коробку изнутри шерстяным или акриловым одеялом — детским или для взрослых, причем края его пусть свешиваются наружу. В нижней части положите клеенку. Она должна быть маленькой, чтобы ее можно было легко поменять, не перестилая всю постель, поэтому отрежьте кусок нужного размера или сложите большой кусок в несколько раз. Вместо простыни используйте свернутую до необходимого размера пеленку.

Ребенка неплотно заверните в одеяло и положите на спину. Другое одеяло набросьте сверху на стенки колыбели, чтобы оно не касалось тельца новорожденного и не закрывало голову. Край одеяла у головы должен опускаться до его шеи, чтобы из импровизированного инкубатора была видна лишь головка.

Ребенка из постели вынимать не надо. Лишь меняйте под ним специально сделанные пеленки, простынки и куски клеенки. Чем более незамысловато вы будете одевать младенца, тем проще будет менять испачканные вещи. Поэтому накрывайте его двумя небольшими одеялами из хлопка и акрила. Вместо пеленки подкладывайте ему под ягодицы кусок ваты, покрытой марлей. Запачканные пеленки выкидывайте.

746. Перевозка ребенка в больницу. Лучше, чтобы вопрос о том, как и когда везти ребенка в больницу, решил врач.

Если вам не удалось связаться с доктором, подождите, пока у вас не появится переносной инкубатор или пока в вашем распоряжении не будет машины с подогревом (даже если дело происходит летом). Лучше лишних пару дней подержать ребенка дома, чем застудить его.

747. Кормление недоношенного ребенка в отсутствие врачебной помощи. Кормление — самое трудное в уходе за недоношенным новорожденным. Оно грозит большой опасностью, потому что в первые несколько дней он легко может поперхнуться и задохнуться. Если есть хоть малейшая возможность доставить его в больницу в течение 5 дней после рождения, **не предпринимайте попыток накормить его самостоятельно.**

Оставляя ребенка дома, начинайте кормить его **не раньше, чем через 72 часа** после рождения, т. е. на четвертые сутки жизни. За это время он привыкнет нормально дышать. Если он дышит шумно, словно его дыхательные пути забиты слизью, или у него заметны другие проблемы с дыханием, подождите еще 1–2 дня, прежде чем кормить его.

Недоношенный ребенок ест помалу, он может легко захлебнуться молоком, но в то же время ему нужно много пищи, чтобы быстрее прибавлять в весе. Пока он весит меньше 2,4 кг, ему не хватает сил сосать молоко через соску, поэтому кормите его с помощью **пипетки.** Перед каждым использованием ее надо кипятить.

Лучше всего кормить малыша материнским молоком. Молоко из груди надо сцеживать каждые 3–4 часа (см. пункты 148–151). Перед кормлением отлейте необходимое количество из хранящейся в холодильнике бутылочки в чистую чашку.

Если до четвертого дня молоко у матери не появилось, придется использовать молочную смесь, пока мать сама не сможет кормить малыша.

Вы можете приготовить смесь такого состава:

сгущенное молоко — 180 мл;
вода — 360 мл;
кукурузный сироп — 2 столовые ложки.

Указания по приготовлению смесей приведены в пунктах 181–183, а способ разведения водой порошкового молока — в пункте 169.

Готовьте смесь ежедневно и разливайте ее в три бутылочки. Неиспользованную в течение суток смесь надо выливать. При кормлении подкладывайте под голову и спину ребенка небольшую подушку. В первые 2–3 дня закапывайте молоко в рот ребенку очень медленно, особенно если он весит меньше

1,8 кг. Лучше не давайте ему глотать сразу больше 2 капель. Не волнуйтесь, если кормление будет растягиваться на целый час. Постепенно он привыкнет и начнет есть быстрее.

Смесь давайте через каждые 3 часа: в 6 часов утра, в 9 часов, в полдень, в 15 часов, в 18 часов, в 21 час, в полночь и в 3 часа утра — всего восемь раз в сутки.

В первый день кормления, или на 4-й день жизни, давайте новорожденному каждый раз по 1 чайной ложке материнского молока или молочной смеси. На следующий день — по 2 чайные ложки, и так продолжайте, пока он не будет выпивать по 7 чайных ложек, что составляет примерно 30 мл смеси за одно кормление. Это должно произойти примерно на 10-й день жизни. К тому времени вам уже будет ясно, можно ли быстрее прибавлять порцию или нужно двигаться в том же темпе.

Возможно, малыш не начнет прибавлять в весе, пока суточная норма не достигнет 0,5 л, что составляет примерно 60 мл смеси за кормление.

Когда он станет весить 2,4 кг, можно дать ему грудь или начать кормить из бутылочки. Кроме того, перерывы между ночными кормлениями можно увеличить до 4 часов. С этого момента суточную дозу надо делить на семь равных частей.

748. Другие потребности ребенка. К десятому дню жизни ему нужны в полном объеме витамины D и C. Давайте ему по 0,6 мл смеси витаминов A, C и D.

Когда малышу исполнится месяц, возможно, надо будет давать ему препараты железа, чтобы предотвратить малокровие.

Большинство недоношенных детей развиваются нормально, насколько им позволяют их физические данные. Через некоторое время они начинают расти и прибавлять в весе очень быстро, стараясь как бы компенсировать первоначальную задержку. Разумеется, такие малыши все равно не могут полностью догнать своих сверстников — ведь ребенка, родившегося на 2 месяца раньше срока, в год следует считать всего десятимесячным.

749. Очень трудно преодолеть беспокойство. Когда недоношенный ребенок достигает веса 2,7 кг, он перестает нуждаться в сверхтщательном уходе и постоянном наблюдении; с ним можно обращаться, как с обычным ребенком. Но родителям бывает очень трудно преодолеть некий психологический барьер — ведь еще совсем недавно врачи предупреждали их против излишнего оптимизма, да и к самим медицинским работникам не сразу пришла уверенность в благополучном разрешении их трудного дела. Ребенок все это время находился в больнице, его, возможно, кормили через зонд. Родителям не позволяли находиться около него. Из роддома мать вернулась одна, и у них с мужем началась странная жизнь: в течение нескольких недель они понимали, что стали родителями, но почувствовать этого у них не было возможности. Мне доводилось слышать в подобных случаях: «Это не наш ребенок, а больничный».

Поэтому неудивительно, что когда наконец врач говорит: «Вы можете забирать младенца домой», — обоих родителей охватывает смятение, они чувствую себя не готовыми к подобному повороту. Вдруг обнаруживается, что не приобретено все необходимое из приданого (мать до преждевременных родов считала, что у нее масса времени, а после них было слишком много тревог, чтобы думать о вещах). Потом оказывается, что один или оба простужены. Придумываются сотни причин, чтобы отдалить решающий момент.

Когда ребенок оказывается дома, волнения, которые испытывают все неопытные родители — по поводу температуры в помещении и температуры тела ребенка, по поводу отрыжки и икоты, по поводу его дыхания и стула, по поводу приготовления смеси, расписания кормления, плача, колик, избалованности, — охватывают отца и мать с утроенной силой. Пройдут недели, пока они почувствуют достаточную уверенность в себе, и месяцы, пока они убедятся, что их ребенок здоров, крепок физически и умственно развит не хуже, нежели остальные дети.

750. Вмешательство близких и знакомых. Пока суть да дело, беда может прийти с другой стороны. Родственники и знакомые часто проявляют даже больше беспокойства, чем сами родители. Они выспрашивают все до последней мелочи, сопровождая каждый ответ взволнованными восклицаниями, вмешиваются во все проблемы, пока родители, наконец, не теряют терпение. Некоторых так и порывает рассказать якобы слышанные ими страшные истории о том, что недоношенные дети на всю жизнь остаются болезненными созданиями, подверженными любой инфекции. Даже если бы это было правдой, очень негуманно терзать этими рассказами родителей, у которых и так душа не на месте. И уж тем более жестоко распространять досужие байки, когда родители прилагают последние силы, чтобы преодолеть страх и беспокойство за своего малыша.

751. Кормление. Взяв ребенка из больницы, когда он весит около 2,5 кг, вам надо кормить его через 3 часа в дневное время и через 4 часа по ночам. Каждый раз он будет выпивать примерно по 75 мл смеси, хотя возможны отклонения в ту или другую сторону. Когда малыш поправится до 3 или 3,5 кг, интервал между кормлениями можно увеличить до 3 с половиной или даже 4 часов. При весе 3,5–4 кг интервал должен составлять 4 часа.

При весе между 3 и 4,5 кг большинство младенцев готово отказаться от одного из ночных кормлений. Вы определите это, когда он перестанет просыпаться к десятичасовому кормлению и будет продолжать спать до 11 часов вечера или даже до полуночи.

Я бы посоветовал матери ждать этого знака и извлечь из него некоторые преимущества: она может будить малыша для кормления перед тем, как самой отправиться спать. После этого он, возможно, проснется только в 4 или 5 часов утра. Это также говорит о том, что ребенок развивается нормально и все меньше отличается от детей, рожденных в свой срок. При отмене одного из кормлений смесь надо делить на меньшее количество бутылочек.

Не пытайтесь перекармливать младенца сначала молоком, а потом и твердой пищей. Я понимаю искушение матери дать малышу побольше — ведь он выглядит таким худеньким и хрупким. Вам кажется, что лишний глоток поможет ему быстрее поправиться, окрепнуть и получить силы для борьбы с микробами. Но вы должны понимать, что упитанность ребенка — это одно, а его сопротивляемость болезням — другое. В вашем ребенке, как и во всяком другом, природой заложен определенный аппетит, и насилие над ним приведет только к его ухудшению и замедлению роста.

Недоношенные дети как никто нуждаются в витаминах. Врач должен следить, чтобы у ребенка не развилось малокровие, поскольку он недополучил от матери железа в период внутриутробного развития. Твердую пищу можно в первый раз дать через 6—8 недель после появления малыша дома. Поскольку родителям безумно хочется, чтобы ребенок рос быстрее, им тем более необходимы такт и терпение, чтобы дать ему время привыкнуть к новой пище и полюбить ее. Увеличивайте порции только тогда, когда заметите, что ребенок ест с удовольствием. Иными совами, старайтесь избегать проблем с кормлением.

752. Поменьше ограничений. Недоношенного ребенка можно купать, когда он достигнет веса 2,5—3 кг, хотя я бы посоветовал матери не начинать этой процедуры, пока малыш весит меньше 3 кг. Как и любого ребенка, его можно выносить на свежий воздух. Попробуйте оставлять открытым окно в его комнате, когда его вес перейдет отметку 3,5 кг.

Разумеется, родителям незачем надевать марлевые повязки даже при первом появлении новорожденного дома после больницы. Напротив, ему будет полезно быстрее освоиться с микрофлорой, существующей в семье. Не стоит пускать к нему посторонних с признаками простуды, но в остальном лишние предосторожности вам не помогут, а скорее, навредят.

Резус-фактор

753. Резус-конфликты. Если в вашей семье возникли неприятности в связи с разными резус-факторами, врач поможет вам понять, какая опасность угрожает вам в случае беременности. Ниже мы приводим очень краткую справку по этой весьма сложной проблеме. Она пригодится для вашего общего развития.

У большинства людей особая характеристика крови — резус-фактор — имеет положительное значение; у гораздо меньшего числа резус-фактор отрицательный. Совершенно безопасны ситуации, когда у мужа и жены одинаковые резус-факторы, положительные или отрицательные, а также когда у жены резус-фактор положительный, а у мужа отрицательный.

Сложнее, если у мужа положительный резус-фактор, а у жены отрицательный. Такое сочетание встречается в одном из каждых восьми заключаемых в США браков. Дети могут унаследовать от отца его положительный резус-фактор. В период внутриутробного развития отдельные клетки крови плода через плаценту попадают в организм матери (чаще всего это происходит после начала родовых схваток). Организм матери в ответ начинает вырабатывать антитела, которые разрушают эти чужеродные клетки. Таким же образом организм реагирует на микробы разных болезней, например, кори; поэтому, когда микробы вторично попадают в наш организм, антитела уничтожают их. Но антитела материнского организма через плаценту попадают в систему кровообращения ребенка и начинают уничтожать кровяные тельца. Если этот процесс пойдет активно, у младенца вскоре после рождения развивается малокровие, а остатки разрушенных кровяных телец вызывают желтуху.

Во время первой беременности при наличии резус-конфликта антитела практически не образуются, но с каждой следующей беременностью риск возрастает. Антитела могут появиться и до беременности, если женщине случайно перельют кровь с положительным резус-фактором.

Принимая во внимание все вышесказанное, давайте подсчитаем: только в одном браке из восьми наблюдается неблагоприятное сочетание резус-факторов; в каждом из таких браков только один из двадцати младенцев серьезно страдает от резус-конфликта. Иначе говоря, это очень редкое исключение, а отнюдь не правило.

Близнецы

Однажды я через прессу обратился к матерям близнецов с просьбой рассказать, как они решают свои специфические проблемы, чтобы распространить их опыт. Я получил более двухсот писем. Как можно было предположить, по некоторым вопросам мнения были диаметрально противоположными; по другим они практически совпадали.

754. «На помощь!» Все матери близнецов едины во мнении, что трудностей, особенно в первое время, им пришлось пережить предостаточно. Но и награда за труд была огромна.

Добивайтесь любой помощи, какую только можете получить. Найдите постоянную помощницу, пусть для этого даже придется влезть в долги, или упросите свою мать или кого-нибудь из родственников пожить с вами пару месяцев. Если в доме не хватает места для нового человека, некоторые семьи в летнее время переоборудовали в спальню свой гараж. В крайнем случае подойдет и приходящая домработница — это все же лучше, чем ничего. За некоторую плату не откажутся подработать старшеклассницы и студентки; на 1–2 дня в неделю можно пригласить уборщицу или сиделку. Наконец, среди соседей наверняка найдутся те, у кого есть немного свободного времени. Даже трехлетняя дочка может снять с вас уйму работы.

Но самым главным помощником, конечно, должен стать отец близнецов. Он вместо вас может ночью кормить их (вы можете, меняясь друг с другом, либо через раз кормить малышей, либо одну ночь кормите вы, другую — он), купать их перед сном, готовить молочные смеси, заниматься делами по дому, на которые у вас не хватило времени днем. Еще большее значение имеет его моральная поддержка — проявляемое им терпение, сочувствие, любовь. Оказаться отцом близнецов — великий шанс для мужчины доказать свою преданность жене и широту своей души.

755. Стирка. Достижения бытовой техники для вас сейчас актуальны как никогда. Если хватает денег, непременно купите автоматическую стиральную машину и электрическую сушилку для белья. Эти приборы сэкономят по нескольку часов ежедневно, в вашем распоряжении окажутся дюжины чистых и сухих пеленок, простыней, рубашек, ночных сорочек, даже если на улице идет дождь и белье там не высушить. Детскую одежду надо менять ежедневно или через день — как матери удобнее. Чтобы простыни дольше оставались чистыми, подкладывайте под нижнюю часть тела ребенка кусок клеенки.

Потребность в пеленках тоже можно снизить, если менять их только перед каждым кормлением или после него.

756. Рационализация домашнего хозяйства. Мать близнецов может без особых усилий сократить объем работы по дому. Пройдитесь по комнатам и наметьте для себя те предметы мебели, без которых можно обойтись, или те, которые отнимают много сил при уборке. Потом вынесите все это в кладовку. Подберите для себя и остальных членов семьи наименее маркую одежду, которую легко стирать и не надо гладить. Используйте в готовке полуфабрикаты и продукты, не требующие кулинарной обработки. Замачивайте грязную посуду в мыльной воде, а потом лишь ополаскивайте ее и ставьте на сушку.

757. Специальное оборудование. Намного облегчают быт вещи, разработанные специально для близнецов. Многим матерям нравятся кроватки, разделенные посредине на две части — такую отец может сделать самостоятельно. Эта кроватка прекрасно послужит вам пару первых месяцев, пока малыши не вырастут и не станут слишком подвижными. Очень удобны кроватки с пружинами на ножках: они легко поднимаются и могут служить столиками для пеленания. Хорошо иметь дома дополнительную легкую кроватку на колесиках, чтобы увезти на ней раскричавшегося малыша в другую комнату и дать другому спокойно поспать. Если вы живете в двухэтажном доме, заведите запасную кроватку и комод — тогда вам не придется бегать за каждой мелочью для малыша вверх и вниз. Часть приданого возьмите во временное пользование или приобретите в магазинах подержанных вещей.

Если позволяет планировка, приобретите или арендуйте больничный столик на колесиках или даже чайный столик на колесиках. На них удобно держать стопки пеленок, простыней, распашонок и перевозить от кроватки к кроватке и из комнаты в комнату.

Двойные коляски для близнецов обычно не пролезают в двери. Кроме того, двум младенцам скоро становится в такой коляске тесно, и они мешают друг другу. С другой стороны, складная прогулочная коляска на двоих послужит вам долго. Есть коляски, где дети сидят спина к спине, и такую легко провезти даже сквозь узкую дверь.

758. Купание. Не снижая требований к гигиене, можно сократить число купаний. Протирайте лица младенцев смоченными в воде полотенцами. Ежедневного ухода требует кожа под пеленками. Смочите мягкую мочалку или губку, намыльте ее и протрите нижнюю часть тела. Затем дважды так же протрите эти места губкой, смоченной чистой водой, чтобы удалить следы мыла. Поскольку за состояние кожи теперь можно быть спокойной, общие ванны следует устраивать через день, дважды в неделю или даже раз в неделю. Вместо купания в тазу обтирайте все тело ребенка губкой, посадив его на столик, застеленный клеенкой. Очень трудно так провести купание обоих малышей, чтобы один из них или оба не раскричались. Но есть несколько выходов из этого затруднительного положения: попросите вашу помощницу начать кормить ребенка, вымытого первым; купайте детей по вечерам, когда можно рассчитывать на помощь мужа; купайте детей не вместе, а по очереди — в разные дни или в разные часы. Купая детей в ванне или в тазу, не меняйте воду для каждого из близнецов, чтобы сэкономить время и силы. Перед началом купания приготовьте все необходимое и держите под рукой.

759. Вам хватит молока, чтобы выкормить близнецов грудью. Из полученных мною писем я понял, что выкармливать грудью близнецов не труднее, чем одного младенца. (Это вновь доказывает, что возможности на секреции материнского молока не ограничены. Организм женщины вырабатывает столько молока, сколько нужно ребенку — или детям, когда она все делает правильно.) Если дети слишком слабы, чтобы самостоятельно сосать, или они продолжали оставаться в больнице, когда мать уже пришла домой, необходимо поддерживать секрецию молока с помощью сцеживания. Но как только близнецы будут переведены на грудное вскармливание, постарайтесь кормить их вместе. Для этого вам понадобится удобное кресло с подлокотниками. Для кормления выберите одно из трех возможных положений. Откиньтесь на спинку, а детей положите вдоль рук. Второе положение: мать сидит прямо, а дети лежат на подлокотниках, смягченных подушками; при этом их ножки находятся у нее за спиной, а головки она поддерживает руками около грудей. Третий способ: положите обоих себе на колени головами в разные стороны. Правда, один будет лежать на другом, но, думаю, никто не обидится.

760. Приготовление и хранение молочной смеси. Близнецы, как правило, рождаются маленькими, поэтому их надо кормить через каждые 3 часа. В сутки потребуется восемь дополнительных бутылочек. Вам понадобится и дополнительный стерилизатор. Если в холодильнике мало места, смесь лучше стерилизовать и хранить в холодильнике в двухлитровых бутылках. Тогда перед кормлением вам нужно будет отливать необходимую дозу в 2 чистые бутылочки, которые можно стерилизовать кипячением или подержать их 15 минут в духовке, нагретой до 120° С. Соски только кипятят.

Некоторые матери готовы молиться на одноразовые пластиковые бутылочки. Их можно закупать партиями, они стерильны, компактны, в них легко подогреть смесь. Вам остается только простерилизовать соски.

761. Расписание кормления. Многие матери близнецов считают более удобным жесткое расписание и предпочитают кормить обоих малышей сразу или одного за другим. Иначе кормление превращается в непрерывный процесс, не прекращающийся ни днем, ни ночью. (Некоторые матери нашли оригинальное решение — кормление «по требованию». Они дожидаются, пока не проснется один из малышей, кормят его, а потом сами будят и кормят второго.) Близнецы довольно быстро привыкают к регулярным кормлениям — на это у вас уйдет всего несколько дней. Если ребенок просыпается преждевременно и начинает капризничать, покачайте его немного в надежде, что он заснет. Слыша продолжающийся крик, пойдите на компромисс и покормить его раньше срока. Но каждый следующий день проявляйте все больше твердости, чтобы пищеварение ребенка приспособилось к расписанию. Дождаться времени кормления ребенку поможет пустышка. В редких случаях, когда малыш капризничает и никак не желает есть по расписанию, вам, возможно, придется кормить его «по требованию» — так вы меньше потратите нервов, чем если будете часами выслушивать его крики.

Близнецы обычно рождаются маленькими и слабыми, поэтому нужно выбрать расписание с трехчасовыми перерывами, во всяком случае, в дневное время. Придерживайтесь такого расписания, пока малыши не наберут вес 2,7–3 кг. Если один из близнецов менее крупный, то его надо кормить через 3 часа, а другого — через 4. Но ночью обоих держите на расписании с четырехчасовыми интервалами.

762. Как давать бутылочку. Есть несколько способов кормить близнецов из бутылочки. Проще всего, если рядом с вами находится помощница — каждая из вас берет по младенцу, и вы кормите их одновременно. Некоторые матери пытаются приучить более терпеливого младенца подождать с полчаса, пока она не управится с первым. Но большинство матерей не способны кормить одного, когда другой рядом заходится плачем от голода. Решение может быть следующим: вы садитесь на кровать или диван, по бокам кладете близнецов, так чтобы их ножки были у вас за спиной и в обеих руках держите по бутылочке. Есть и другой способ: вы кормите одного, а для второго ставите бутылочку на наклонную подставку. В следующее кормление вы меняете малышей местами.

Однако многие находят в этом способе существенный недостаток — соска иногда выскакивает изо рта малыша, и он начинает плакать; кроме того, велика опасность, что ребенок поперхнется. Матери приходится бросать одного младенца и кидаться на помощь второму. Но тогда начинает кричать первый. Возможно, лучше для обоих подготовить подставки, а самой находиться рядом и быть готовой помочь тому, у кого возникнут сложности.

При нерегулярных кормлениях в первые недели очень важно записывать в тетрадь, сколько и когда выпил каждый младенец. Туда же заносите сведения о прибавках в весе, о датах, когда вы их купаете. Вы не сможете удержать все в памяти, и дело кончится тем, что вы дважды покормите одного, а другого оставите с пустым желудком. Кроме блокнота или тетради, для этой цели можно использовать картонные циферблаты со стрелками, которые удобно повесить над кроватками.

Близнецы ничем не отличаются от других младенцев и тоже подчас страдают от воздушного пузыря в желудке. Но может случиться, что одному из двоих это вовсе не мешает — поэтому не тратьте на него силы и время.

763. Включение в рацион твердой пищи. Пока близнецы не привыкнут к твердой пище, мать должна одного кормить с ложечки, а другому дать бутылочку. В следующее кормление роли малышей меняются. Можно отчасти сэкономить время, распределив весь дневной рацион твердых продуктов на два кормления вместо трех. Попробуйте также в одно из кормлений добавить твердые продукты — кашу или фруктовое пюре — в бутылочку со смесью. (Вам для этого понадобится соска с увеличенным отверстием). Тогда у вас появится больше времени, чтобы в следующее кормление учить ребятишек брать пищу с ложки. Когда у них появятся первые навыки, усаживайте обоих в кровати так, чтобы у них была опора под спинами, и кормите одновременно. Для этой цели подойдет и специальный столик на двоих, за которым дети располагаются полулежа, пока не научатся сидеть как следует. Матери находят его очень удобным. Пока один разжевывает и глотает, мать дает ложку второму. Возможно, с точки зрения гигиены это выглядит не совсем уместно, но зато такой способ очень практичен.

Близнецов целесообразно раньше приучать есть руками, давая им сухарики, хлеб, печенье, кусочки овощей и мяса и предоставляя их самим себе. По той же причине дайте им возможность самостоятельно пользоваться ложкой уже с годовалого возраста.

764. Манеж. Это средство ухода вам очень пригодится, поскольку физически невозможно уследить за двумя ползающими по всему дому младенцами. Кроме того, близнецы, получая удовольствие от компании друг друга, согласятся оставаться в нем дольше, чем одинокий ребенок, которому в манеже скоро становится скучно. (Во время путешествия манеж можно использовать и как двуспальную кровать для малышей.) Выпускайте их в манеж уже с 2–3 месяцев, пока они не почувствовали прелести безграничной свободы. Делать это надо днем, когда малыши не спят. Не оставляйте в манеже твердых игрушек с острыми краями, потому что дети бьют ими друг друга, не понимая, что делают больно. Позже, когда им надоест быть вдвоем, по одному выпускайте их наружу. Не беспокойтесь, что оставшийся в манеже будет завидовать, — оба почувствуют разнообразие.

После года близнецам желательно выделить для игр отдельную комнату. Дверной проем в ней надо перегородить так, чтобы вы могли их видеть, а они не могли выбраться наружу. В комнате не должно быть вещей, о которые дети могут ушибиться или нанести травмы друг другу. Учтите, что близнецы очень изобретательны и горазды на шалости, особенно оказываясь вдвоем. В то же время в компании им значительно интереснее и любой игрой они занимаются много дольше, чем ребенок, проводящий время в одиночестве.

765. Одежда и игрушки — одинаковые или разные? Некоторые матери отмечают, что во время похода в магазин находят всего один сорт вещей, подходящих обоим детям по всем

634

параметрам: по внешнему виду, по носкости, по цене — поэтому им трудно одевать близнецов по-разному. Кроме того, дети сами не хотят отличаться друг от друга. Другие матери, напротив, утверждают, что не хотят покупать одинаковую одежду, потому что близнецы не желают быть похожими как две капли воды. Наконец, менее зажиточные матери вынуждены покупать подержанные вещи, поэтому их дети с самого начала одеваются каждый по-своему и очень довольны, сохраняя индивидуальность.

То же касается игрушек. Часть родителей с первых шагов покупают близнецам одинаковые игрушки, поскольку боятся, что иначе дети будут соперничать между собой. Но есть и иное мнение: надо покупать близнецам разные игрушки (за исключением, например, трехколесных велосипедов), чтобы те с малых лет учились делиться друг с другом.

Я полагаю, что на вкусы детей огромное влияние оказывают сами родители. Если мать считает разумным, чтобы дети не выглядели зеркальным отражением, если она предлагает им делиться своими игрушками, близнецы слушают ее и поступают, как она говорит. Если же маме лестно видеть рядом с собой двух совершенно одинаковых крошек или она боится, что любое различие разбудит вражду между детьми, то иногда добивается совершенно противоположного результата: близнецы начинают ревновать друг друга и соперничать друг с другом. Тот же принцип действует и в отношении единственного ребенка в семье: если родители проявляют твердость, ребенок растет послушным, если они колеблются, ребенок начинает капризничать.

Предоставляя каждому из близнецов свой шкафчик для одежды, одевая их по-разному или делая на одинаковых нарядах особые метки, вы развиваете индивидуальность. Идеально было бы одевать детей в одежду одного покроя, но разного цвета, чтобы сохранить их преимущества как близнецов и как индивидуальностей. Когда один одет в зеленое, а другой в желтое, то посторонние не будут их путать.

766. Как развивать индивидуальность. Постепенно мы подошли к философской проблеме: насколько нужно подчеркивать схожесть близнецов и насколько взывать к их индивидуальности. Особенно остро этот вопрос стоит перед родителями однояйцевых близнецов. Для посторонних людей близнецы, практически неотличимые друг от друга, — удивительное явление природы. Пораженные сходством, они не могут удержаться, чтобы не задать родителям какой-нибудь вопрос вроде: «А кто из них умнее?» или «Кого из двоих вы больше любите?» Польщенным родителям трудно удержаться и не замечать этого подчас назойливого любопытства. В нем не было бы беды, но у детей может возникнуть и закрепиться чувство, что не они сами вызывают интерес, а лишь их внешнее сходство и одинаковое платье. У трехгодовалых малышей некоторое кокетство выглядит забавно. Но когда тридцатилетние женщины стараются всеми силами сохранять подобный имидж, всюду появляясь вместе одинаково одетые, они попадают в столь сильную взаимную зависимость, что не в состоянии самостоятельно шага сделать, полюбить и выйти замуж. Это уже не забавно, а очень грустно.

Но я вовсе не призываю родителей в страхе перед подобным будущим выбросить все одинаковые предметы одежды и испытывать стыд, когда на их детей обращают внимание. И для самих близнецов, и для их отца с матерью поразительная похожесть должна приносить радость.

У близнецов, скажу больше, с самого раннего детства развиты такие черты, как независимость от родителей, способность к совместным играм, большая любовь друг к другу, взаимная щедрость.

Нельзя лишь **намеренно** подчеркивать их идентичность: не давайте им похожие имена (иногда трудно угадать, как обратиться к одному из близнецов, даже если их зовут совсем по-разному); обращайтесь к ним по именам, а не называйте общим словом вроде «двойняшки»; пусть лишь часть суток они будут одеты одинаково; знакомьте их с другими детьми, пока они не замкнулись в обществе друг друга; поощряйте попытки каждого завести своих друзей; предложите соседям позвать к себе в гости одного из близнецов (в это время другой весь вечер проведет с родителями).

Случается, что во время учебы в школе один из близнецов попадает в зависимость к другому, более способному. В такой ситуации лучше развести их по разным классам или даже по разным школам. Но глупо и жестоко разлучать их, когда в этом нет насущной необходимости.

767. Не бойтесь обвинений в фаворитизме. Некоторые мнительные родители беспокоятся, как бы не проявить чуть больше внимания одному из детей, например, потому, что он слабее другого, или по иной причине. Такое утрированное понимание равноправия вряд ли следует приветствовать. Как бы вы ни старались, ваше поведение будет показным, неискренним. Любому ребенку хочется, чтобы его любили за его личные качества. Он будет вполне удовлетворен, зная, что для него есть место в сердцах родителей, и его не будет терзать ревность за оказанные брату или сестре иные знаки любви. Но малыш в конце концов заметит ваши неуклюжие старания уравнять отношения со всеми детьми. Ваше подчеркнуто одинаковое выражение чувств ко всем заставит его стеной становиться на защиту своих прав, и в этом он проявит не меньше страсти и изобретательности, чем самый ушлый адвокат. Поэтому старайтесь избегать таких выражений: «Сегодня я сначала одену Джорджа, зато завтра первым будет Том» или: «Сегодня очередь Питера сидеть возле папы».

768. Свой собственный язык. Близнецы часто начинают общаться между собой на придуманном ими языке взглядов, знаков, жестов, особых звуков, необычно звучащих слов. Они так к этому привыкают, что задерживаются в развитии родной речи и часто отстают в школе. Родители вынуждены притворяться, что не понимают просьб малышей, пока те не обратятся к ним «по-человечески».

Разведенные родители

769. Можно ли обойтись без развода? Родители, которые намерены развестись, часто спрашивают врача, как им лучше поступить: разъехаться, чтобы избежать ссор, или остаться вместе несмотря на существующие трения. Однозначный ответ дать невозможно. Очень многое зависит от причин разрыва и от того, способны ли взрослые преодолеть возникающие между ними разногласия.

Обычно при ссорах в семье каждый считает виноватой противную сторону. А при взгляде со стороны становится ясно, что ни муж, ни жена не являются по сути злодеями — просто им не хватает взаимопонимания. В ряде случаев каждому из супругов хочется постоянно получать знаки любви и заботы — в этом они уподобляются избалованному ребенку, но они не стараются отвечать тем же своей половине. В других случаях лидер в семье не догадывается, в какой степени подавляет своего супруга, а починенный член семьи подчас не представляет, как он ждет, чтобы им управляли. Во многих случаях неверность одного из супругов объясняется отнюдь не глубоким чувством к новой пассии, а бегством от скрытых страхов или неосознанным желанием вызвать ревность своей половины. Если муж, жена или они оба искренне заинтересованы в сохранении брака, хороший психолог наверняка поможет разобраться в проблемах, возникших в семье, и укажет путь их разрешения.

770. Ребенок не должен испытывать неприязнь ни к одному из родителей. Развод родителей, без сомнения, неблагоприятно отразится на ребенке, но глубина нанесенной травмы во многом зависит от поведения взрослых в этой ситуации. Приняв окончательное решение расстаться, вы должны сообщить о нем ребенку. Дети, и так расстроенные тяжелой атмосферой в семье, еще хуже переносят ее, если чувствуют, что от них что-то скрывают. Очень важно внушить ребенку две вещи: во-первых, несмотря на развод, он по-прежнему принадлежит обоим родителям и будет постоянно видеться с тем, кто живет в другом месте; во-вторых, он не должен считать, что кто-то виноват в случившемся, а кто-то выступает жертвой. Эти правила должны неукоснительно выполняться обоими родителями. Конечно, легко объяснимо желание человека обелить себя в своих глазах и в глазах ребенка, представив бывшего супруга настоящим монстром. Но подумайте, как страшно ребенку узнать, что один из его родителей оказался недостойным человеком. Ему нужны оба родителя не меньше, чем ребенку, живущему в нормальной семье. Даже если вам удалось перетянуть ребенка на свою сторону, ваша победа может оказаться пирровой. Когда он достигнет периода полового созревания и его чувства к близким изменятся, он без видимых причин обвинит в распаде семьи именно того из родителей, с которым жил последние годы, и отдаст свою привязанность и любовь другому, с которым оказался разлучен. Другими словами, у обоих родителей больше шансов сохранить любовь своего отпрыска, если не заставлять его выбирать между ними.

Какими же словами объяснить ребенку причины вашего развода? Это зависит от его возраста и от его желания знать подробности. Малышу мать должна сказать: «Мы с папой часто ругаемся и ссоримся, примерно как ты с Питером Дженкинсом. Поэтому мы решили, что будет лучше, если мы теперь станем жить врозь. Но папа все равно останется твоим папой, а я останусь твоей мамой». Это объяснение будет понятно ребенку, который уже представляет себе, что такое ссоры. Ребенку постарше, возможно, этого будет мало, и он захочет узнать причины ваших ссор. Надо попробовать объяснить ему, но избегать при этом обвинений в отношении другой стороны.

В любой семье время от времени происходят споры и ссоры между супругами, и этого не надо стыдиться. Некоторые родители не только стараются скрыть свои разногласия от ребенка, но и зачастую пребывают в наивной уверенности, что тот ничего не замечает. Конечно, не стоит выяснять отношения в присутствии детей, но будет ошибкой думать, что они не в курсе трений в семье. Если ребенок случайно застанет вас в момент разговора на повышенных тонах, лучше честно признаться, что вы в чем-то не согласны с супругом, чем замолкнуть и хмуро глядеть друг на друга. Атмосфера в доме станет чище, если все будут согласны, что жизни без споров не бывает, что родители подчас придерживаются полярных мнений, хотя продолжают любить и уважать друг друга, что споры еще не означают конца света.

771. Интересы детей — прежде всего. В зависимости от обстоятельств можно по-разному организовать встречи детей с обоими родителями, находящимися в разводе. Если ваш бывший муж живет неподалеку и ребенок остался с вами, лучше всего устраивать их встречи по выходным или отправить ребенка к отцу на каникулы. Визиты к родителю должны быть регулярными, раз в неделю или раз в год, чтобы ребенок заранее ждал их и готовился к ним. Понятно, что со стороны отца недопустимо переносить или откладывать встречи с ребенком.

Ситуация, когда ребенок живет по полгода то там, то здесь, никуда не годится. Страдает его учеба, он надолго разлучается с одним из родителей. Его жизнь как бы раскалывается пополам.

Вы окажетесь не правы, если начнете обсуждать с ребенком происшедшее или ругать бывшего супруга, когда малыш собирается в гости к другому родителю. Подобные разговоры лишь расстраивают его и мешают получить удовольствие от предстоящей встречи. В конце концов внушаемая ему неприязнь к отсутствующему родителю обратится на вас.

Если вы не в состоянии договориться о порядке встреч или ребенок возражает против визитов к одному из родителей, вам лучше посоветоваться с детским психологом (см. пункт 577), как лучше защитить интересы ребенка, а не враждовать словно кошка с собакой, чтобы потешить свое самолюбие.

Работающая мать

772. Работать или посвятить себя воспитанию детей? Многие женщины вынуждены работать, потому что только таким способом могут добыть средства на жизнь. Как правило, дети у них вырастают не хуже других, поскольку тем или иным способом работающим женщинам удается обеспечить для них неплохой уход. Однако некоторые дети бывают плохо воспитаны, не умеют вести себя со сверстниками. На мой взгляд, государство сэкономило бы средства, если бы платило достойное содержание всем матерям, воспитывающим маленьких детей, а не заставляло их выходить на работу и бросать детей на произвол судьбы. Ведь ничего нет более ценного для страны, чем достойные граждане. А растят и воспитывают будущих граждан их матери. Спрашивается, есть ли смысл матерям зарабатывать деньги шитьем одежды на фабриках или печатанием на машинках в конторах, чтобы потом платить эти деньги няням и воспитательницам за работу, которую лучше них никто не сделает?

Женщины со специальным образованием, имеющие престижную профессию, выходят после рождения ребенка на работу, чтобы подтвердить свой высокий общественный статус. Они хорошо обеспечены материально и способны создать своим детям все условия для нормального развития. Я бы не стал возражать против того, чтобы такие матери работали, потому что от службы они получают удовлетворение, растет их уверенность в себе. Вынужденная сидеть дома женщина испытывает душевный дискомфорт, и это сказывается на малыше.

А как быть женщинам, которые могли бы посвятить себя целиком семье, но предпочли бы работать, чтобы внести свою лепту в доход семьи или не погрязнуть в быту? В ряде случаев на этот вопрос сразу не ответишь.

Стоя перед проблемой выбора, надо принять во внимание одно соображение: чем меньше ребенок, тем больше он нуждается в постоянной опеке близкого существа. Подобную миссию может выполнить только мать. Она не перестанет ухаживать за ребенком, он ей не надоест, она не станет к нему безразличной. Поняв, насколько важно ее присутствие в доме, рядом с маленьким ребенком, все прочие резоны, в том числе мысль о дополнительных деньгах или о самоутверждении в глазах окружающих, возможно, покажутся мелкими и несущественными.

773. Что ребенку нужно. Потребности ребенка меняются с возрастом. На первом году он как никогда нуждается в **материнском** уходе. Младенец не умеет сам есть, его нужно кормить, причем очень часто и такой пищей, которая не имеет ничего общего с пищей взрослых. Ухаживая за ним, вам приходится много времени посвящать стирке. В больших городах ребенка нужно вывозить в коляске на свежий воздух — а это тоже время, и немалое. Но главное даже не в этом. Ребенок будет нормально развиваться только в атмосфере любви, если он чувствует, что для кого-то является самым желанным, самым удивительным. Он должен все время ощущать ваш взгляд, ваши ласки. Возитесь, говорите с ним, улыбайтесь ему, постоянно будьте в поле его зрения, когда он не спит.

Приходящая няня на эту роль не вполне годится. От нее трудно требовать неусыпного внимания и искренней страсти. Свои обязанности она выполняет подчас формально, не вкладывая души. Кроме того, посторонний человек скорее занесет в семью простудные и желудочно-кишечные инфекции.

774. До трех лет с ребенком следует заниматься индивидуально. За младенцем нужен персональный уход. Если мать вынуждена уходить из дома, за малышом должен кто-то присматривать или брать к себе: родственники, соседи или подруги матери. Главное — это должен быть человек, заслуживающий полного доверия. Прежде чем взять в дом новую домработницу или няню, вы должны все узнать о ней. Есть возможность отдать ребенка на дневное время в частные ясли, под опеку женщины, которая выбрала уход за детьми своей профессией. Однако удостоверьтесь, что она взялась за дело, движимая любовью к детям, а не желанием лишнего заработка. Адреса таких яслей вы можете узнать в специальном агентстве или в органах опеки. Сотрудники этих учреждений регулярно проверяют работу воспитательниц, которых они рекомендуют. Рассматривая кандидатуры, старайтесь остановить свой выбор на умной и доброй женщине, которая берет к себе не больше 2–3 малышей.

Между годом и тремя уход за детьми уже не потребует от вас огромных физических затрат, зато вам понадобится много понимания и такта. В этом возрасте малышу необходимо общение с другими детьми. Он уже становится личностью с собственными мыслями, со своим характером. Ему надо давать возможность проявлять независимость, не надо слишком давить на него своим авторитетом. В противном случае он станет упрямым и капризным. Если же воспитательница окажется слишком мягкой, она просто не справится с ним. Излишняя опека не позволит малышу как следует развиваться. Кроме того, ребенок вступает в возраст, когда он ощущает себя в безопасности лишь среди немногих знакомых лиц и теряется в присутствии нового человека. Это наименее благоприятный момент для матери, которая до сих пор неотлучно находилась при ребенке, чтобы оставить его и пойти работать; если мать работает, нельзя в это время менять няню. В детских яслях вряд ли найдется достаточно воспитательниц и нянечек, способных уделить внимание каждому ребенку, а недостаток внимания к каждому воспитаннику задерживает их физическое, духовное и социальное развитие.

Итак, если вы решились оставить дом ради работы, когда ребенку исполнился год, то ему так же, как раньше, нужен индивидуальный уход. Но теперь для этого следует найти няню, которая понимала бы ребенка, умела общаться с ним и была бы готова провести с вашим малышом несколько месяцев.

О том, как приучить ребенка к новому человеку, рассказывается в пункте 501.

775. В три года ребенка можно отдать в детский сад. Детский сад или детский сад с обучением (см. пункт 542), укомплектованный опытным персоналом, поможет вам решить проблемы с работой, когда ребенку будет 2 или 3 года. Если вам по средствам содержать ребенка в первоклассном детском саду и вы можете отдать его на неполный день, то впервые отправить туда ребенка можно уже в 2 года. Дополнительные аргументы в пользу такого шага — высокий уровень самостоятельности ребенка, трудности с обеспечением индивидуального ухода и отсутствие у малыша компании сверстников. Если ребенок застенчив, сильно зависит от родителей или мать вынуждена проводить на службе целый день, подождите отдавать ребенка в сад до 2 с половиной или даже 3 лет (а до этого времени постарайтесь научить его общаться с другими детьми).

Семьям, живущим в больших городах, легче выбрать подходящее детское учреждение: в их распоряжении есть многочисленные агентства, детские клиники, органы опеки и надзора. И тем не менее даже лучшие детские сады не в состоянии в полной мере удовлетворить работающую мать. Во-первых, детей приходится забирать в определенное время, поэтому она не сможет задержаться на работе, даже если ее присутствие там будет необходимо. Во-вторых, остается нерешенным вопрос, кто будет ухаживать за ребенком, если он заболеет.

В любом случае, независимо от возраста ребенка, матери следует найти такое место работы, чтобы у нее оставалась свободной часть дня и она могла бы проводить ее со своим малышом.

В возрасте между 3 и 6 годами ребенок еще очень нуждается в заинтересованном внимании со стороны взрослых. Находясь в детском саду без мамы, он хочет, чтобы с ним постоянно находилась воспитательница. Такого идеала невозможно достичь, но стремиться к нему нужно, поэтому в группах не должно быть больше 8–10 детей. Правда, повзрослев, малыш легче привыкает к новым людям, быстрее начинает доверять им, чем в двухлетнем возрасте. Возвращаясь домой в полдень или во второй половине дня, он хочет, чтобы там его встретил дорогой ему человек.

776. Школьник после занятий тоже требует присмотра. После 6 лет, а уж тем более после 8, ребенок стремится к независимости от родителей. Ему теперь интереснее общество приятелей или посторонних взрослых, например учителей. Он часами занят своими делами, не обращаясь за помощью и поддержкой к родителям. Но ему необходимо знать, что после школы его где-то ждут, хотя он и не спешит туда. Это может быть даже соседка по дому, которая присмотрит за ребенком в отсутствие занятой на работе матери. Ребенку полезно также посещать школьные кружки или группы продленного дня.

777. Не балуйте малыша. Работающая мать обычно старается побаловать ребенка. Этому есть два простых объяснения: она проводит с ним меньше времени и сильнее скучает, а кроме того, ее гложет чувство вины, что она не уделяет ему все свое время. Она приносит ему много подарков, бросается выполнять любое его желание, несмотря на свою усталость, оставляет безнаказанными его выходки. Видя, что мать во всем потакает ему, ребенок требует все больше и больше. Не надо ограничивать себя в проявлении добрых чувств к ребенку, если это идет от сердца, но вы должны дать ему понять, что силы ваши не беспредельны и вы не можете все время идти навстречу его желаниям, забывая про себя, что у вас не всегда есть лишние деньги на подарки и лакомства для него. Убедите малыша, что он должен слушаться вас и быть с вами вежливым. Другими словами, старайтесь, чтобы ваше поведение не изменилось после того, как вы пошли работать. Он не только будет лучше относиться к вам, но и сам получит больше удовольствия от общения с вами.

778. Какой должна быть няня или гувернантка. Составить список черт характера, которые необходимы претендентке на роль няни вашего ребенка, не так трудно. Но когда вам придется выбирать кандидатуру из реальных лиц, придется решать, какие качества поставить на первое место и какими можно пренебречь.

Самое главное — как она относится к детям. Няня должна любить, хорошо понимать детей, должна демонстрировать чуткость и уверенность в себе. Она должна заставить ребенка слушаться, но без окрика и тем более физического насилия. Другими словами, выполняя свои функции, она должна получать удовольствие. Будет разумным с вашей стороны взять на собеседование с будущей няней своего ребенка. Вы намного больше узнаете о ней всего по нескольким ее поступкам, чем по всем сказанным ею словам. Старайтесь не иметь дело со злыми, недоброжелательными, нудными, властными женщинами. Не стоит брать в дом человека, который кичится своей осведомленностью в теориях воспитания.

Одной из распространенных ошибок родителей я считаю то, что они в первую очередь уповают на опыт соискательницы места. Понятно их желание оставить ребенка на попечение человека, знающего, как поступить, если у ребенка возникнут колики или он начнет задыхаться. Но болезни и несчастные случаи составляют всего лишь малую часть жизни. Ежедневное общение — вот что надо принимать во внимание. Опыт полезен, когда он накладывается на доброту и порядочность. Плохому человеку никакой опыт не поможет стать хорошим.

Во всяком случае, чистоплотность и внимательность следует поставить выше опыта. Нельзя поручать готовить ребенку молочную смесь тому, кто не приучен к гигиене. С другой стороны, есть много людей, неопрятных в обыденной обстановке, но проявляющих максимум аккуратности, когда требуют обстоятельства. Если выбирать между властной женщиной и небрежной, я бы предпочел последнюю.

Некоторые родители полагают, что на ребенка плохо влияет необразованность няни. Однако я считаю, что на этот недостаток можно спокойно закрыть глаза, особенно если женщине придется иметь дело с совсем маленьким ребенком. Если малыш приучится говорить «ага» и «не-а» вместо «да» и «нет», он позже овладеет правильным литературным языком, если на нем говорят в семье.

Часто в семье возникают сложности, если бабушка или няня выбирают себе в любимчики самого младшего члена семьи (это особенно часто случается, если ребенок появился, когда няня уже работала в вашем доме). Она даже иногда называет его **своим** ребенком. Не обращайте особого внимания на такие высказывания, если они делаются в шутливом тоне, а реально няня с той же нежностью относится и к остальным детям. Но если старшие дети хотя бы в малой степени будут подвергаться дискриминации, няню надо серьезно предупредить, а при продолжении подобного поведения лучше ее уволить. Вы нанесете ребенку серьезный вред, оставив его на попечении человека, который лишает его чувства покоя и безопасности в собственной семье.

Следует сказать буквально несколько слов о молодых людях в роли нянек. Они подчас прекрасно справляются со своими обязанностями, и их присутствие в доме особенно ценно, если ребенок растет без отца. Но обычно мужчины более открыто, чем женщины, выражают свою сексуальность. Игры юноши с маленькой девочкой (или двумя девочками) могут исподволь приобрести сексуальный характер. Подобные случаи менее вероятны в семьях с детьми старше 7 или 8 лет — в этом возрасте девочки гораздо стыдливее.

Мать-одиночка

779. Когда отец далеко. Иногда жизнь складывается так, что отцу не удается присутствовать при рождении ребенка, он не видит, как тот растет. Но это не значит, что он не участвует в воспитании малыша или что малыш вырастет неполноценным. Вовсе нет. Отец с нетерпением ждет любых новостей, ему как воздух нужны фотокарточки, на которых запечатлен каждый этап развития малыша. Когда мама пишет ему о ребенке, она обычно упоминает только о том, что ей кажется важным: ребенок здоров; хорошо прибавляет в весе; у него появились два зуба; доктор говорит, что он развивается нормально; он очень умненький. Отцу и это, конечно, интересно, но гораздо больше он хотел бы узнать подробности — то, что маме представляется обыденным. Напишите, как громко он отрыгивает воздух из животика и каким важным при этом выглядит. Перечислите все поступки, которые малыш успевает совершить за какие-то 10 минут: как он тискает в руках иллюстрированный журнал, как подкладывает его под себя, как пробует на вкус обложку, как морщится его личико от горького вкуса типографской краски, как он разглядывает картинку, будто увидел что-то знакомое, как он рвет страницу и посыпает обрывки себе на голову, как уползает, таща с собой оставшиеся страницы и, оказавшись возле радиоприемника, со всего размаха бьет по нему журналом. Вы сами не подозреваете, сколько всего об этом можно написать и сколько раз улыбнется отец, читая ваши строки. Попробуйте вспомнить забавные замечания ребенка и перенесите их слово в слово на бумагу. Даже самый знаменитый писатель не напишет так остроумно и смешно, как это получается у маленького ребенка.

Почаще фотографируйте малыша и посылайте отцу карточки. Из самолюбия мать не всегда оставляет в альбоме фотокарточки, где она или ребенок выглядят не очень парадно. Но отцу, находящемуся вдали от семьи, не так уж важно увидеть только улыбающиеся лица своих близких — это все равно, что предлагать голодному человеку на обед одни конфеты. В каждом письме посылайте по нескольку фотографий, а не копите их долго, пока не соберется толстая пачка.

Есть еще один момент в «заочном» воспитании. Он не такой забавный, но не менее важный. Отцу (как и матери) важно чувствовать, что он нужен и что от него ждут помощи. Если жена, стараясь избавить мужа от лишних волнений, рассказывает в письмах, как все замечательно, как она умело и просто решает все проблемы, как она прекрасно руководит всей жизнью семьи, тот начинает ощущать себя лишним. Не лучшее будет у него настроение, если мать лишь поделится своими переживаниями по поводу здоровья и воспитания ребенка, — ведь он сам не в состоянии ничего изменить. Тем не менее всегда есть проблемы, в решении которых отец может принять самое деятельное участие. Стоит ли потратить деньги и вывезти ребенка за город на лето? Не отправить ли малыша осенью в детский сад? Разрешать ли ему лазить по деревьям, если он рвет штаны и царапает коленки? В раздумьях над этими проблемами отец, даже находясь вдалеке, ощутит себя дома. Возможно, его точка зрения будет отличаться от маминой, но заинтересованность в его мнении поможет ему почувствовать себя ближе к семье.

Маме иногда кажется, что она и так все делает правильно и что мнение далекого папы только запутает ситуацию. Но, к счастью (а может быть, к несчастью), воспитание ребенка — это дело обоих родителей. Если во время своего длительного отсутствия отец решит, что мать многое делает не так и что ему по возвращении все придется исправлять, это надолго отравит счастливую атмосферу в семье. Иногда матери лучше умерить свои амбиции и признать, что в каких-то решениях и поступках она не права.

780. Как заменить ребенку отца. Отсутствие отца или его смерть обязательно скажутся на ребенке, и матери нелегко будет заменить его. Но, хорошо постаравшись, можно и в одиночку вырастить нормального, воспитанного ребенка.

Очень важен моральный дух матери. Временами она чувствует себя одинокой и несчастной и, сама того не желая, переносит свое настроение на малыша. Это естественно, и он не обижается. Но мать должна не замыкаться в своем горе, а вести нормальную жизнь, поддерживать отношения с друзьями, развлекаться, интересоваться жизнью за стенами дома. Разумеется, очень нелегко одной ухаживать за ребенком и воспитывать его. Поэтому не стесняйтесь обращаться за помощью, например к друзьям, чтобы те взяли как-нибудь малыша на ночь (если, конечно, он спокойно засыпает в незнакомом месте). Веселая, общительная мать для ребенка гораздо важнее, чем самый совершенный уход. Ничего хорошего не получится, если вы целиком посвятите себя малышу.

Маленькие и большие дети, мальчики и девочки, оставшись без отца, не должны бояться и избегать мужчин. Для ребенка в возрасте года или двух достаточно почаще упоминать, что есть на свете этакие создания, которых называют мужчинами, которые говорят низкими голосами и одеваются иначе, чем мама. Добрая улыбка продавцов в булочной или просто их фраза: «Ну здравствуй, дружок!» — благотворно действуют на ребенка, даже если они не принадлежат к знакомым матери. Еще важнее общение с мужчинами для детей старше 3 лет. Как мальчикам, так и девочкам необходимо присутствие рядом мужчины или старшего мальчика. Компенсировать отсутствие отца могут дедушки, дяди, двоюродные братья, учителя, спортивные тренеры — главное, чтобы им доставляло удовольствие быть с ребенком и их общение проходило регулярно. Любой ребенок с 3 лет создает свой собственный образ отца, перед которым он готов преклоняться и которого готов всем сердцем любить. При этом он иногда совсем его не помнит или вообще не знает. Другие мужчины, с которыми встречается ребенок, непроизвольно вносят в этот образ свою лепту, наполняют его своими чертами и делают его еще более значимым для малыша. Мама поступит правильно, если будет гостеприимна со своими родственниками мужского пола, позволит сыну или дочери ходить в походы с инструктором-мужчиной, выберет для ребенка школу, где среди учителей много мужчин, посоветует ему заниматься в кружках и спортивных секциях, которыми руководят мужчины.

Сыну матери-одиночки особенно важно уже к двухлетнему возрасту иметь возможность постоянно играть с мальчиками. Дело в том, что мать, замкнутая в узком семейном кругу, бессознательно испытывает искушение сделать сына своим духовным напарником, заинтересовать его тем, что ей близко: красивой одеждой, меблировкой и украшением дома. Она диктует ему свои взгляды на жизнь и внушает свое отношение к людям. Мать хочет, чтобы он читал книги, которые ей нравятся, получал удовольствие от любимых ею развлечений. Если ей удастся показать мальчику свой мир в более привлекательном свете, чем мир мужских интересов, в котором ему приходится жить, став взрослым, он вырастет с преобладанием в характере черт, больше свойственных женщинам. Мать принесет ребенку больше пользы, если во время досуга будет больше времени посвящать занятиям, которые нравятся сыну, будет разделять его интересы, а не ломать его вкусы в угоду своим. Очень хорошо приглашать в дом приятелей сына, брать их собой на зрелищные мероприятия или на экскурсии.

Инвалиды детства

781. Не акцентируйте внимания на дефектах ребенка. Дети-инвалиды нуждаются в лечении, которое может устранить их врожденные дефекты. Но еще больше им необходимо, чтобы к ним относились как к обычным детям, не подчеркивали их уродство, будь то умственная отсталость, косоглазие, эпилепсия, глухота, маленький рост, деформация какой-либо части тела или некрасивое родимое пятно. Разумеется, об этом легче говорить, чем следовать этому на деле. Любой дефект у ребенка в большей или меньшей мере угнетает родителей. Ниже мы опишем некоторые типичные реакции взрослых.

782. Ребенок не так сильно реагирует на свой дефект, как на отношение к себе. Мальчик родился с двумя пальцами на левой руке. В 2,5 года он чувствовал себя вполне счастливо и научился действовать левой рукой почти так же успешно, как правой. Его шестилетняя сестра горячо любила малыша, гордилась его ловкостью, всегда брала его с собой и, казалось, вовсе не волновалась по поводу его изуродованной руки. Зато мать очень переживала из-за отсутствия у ребенка пальцев. Ей становилось не по себе при виде того, как какой-то ребенок на улице, случайно взглянув на левую руку ее мальчика, уже не мог оторвать от нее взгляд. Ей казалось, что лучше оставлять его дома, где он не становился объектом досужего любопытства и откровенной жалости. С извинениями она отказывалась брать его с собой, отправляясь за покупками, хотя малыш и просился с ней. Так чье же отношение принесет больше пользы ребенку — матери или сестры? Чтобы ответить на этот вопрос, надо сначала найти ответ на другой: заставляет ли ребенка его дефект чувствовать себя неполноценным? Вообще говоря, нет.

Конечно, все мы испытываем неловкость и непроизвольно фокусируем свое внимание на явных недостатках в облике какого-либо человека. Объекту нашего бестактного интереса тоже становится неудобно. Но любой, кто часто сталкивался с инвалидами, например безрукими и безногими, знает, что большинство из них — это веселые и общительные люди, поскольку увечье волнует их в самой малой степени. С другой стороны, есть люди болезненно мнительные, и даже среди своих знакомых вы найдете какую-нибудь женщину, которая чувствует себя несчастной из-за своих выпученных глаз, хотя ни о чем подобном в действительности и речи нет.

Иными словами, на самочувствие инвалида влияет не то, насколько серьезен сам изъян а то, насколько он стесняется и стыдится его.

Человека (не обязательно инвалида) могут сделать счастливым его родители, если они любят его, радуются ему, если они не ворчат, не командуют им, если не показывают своего раздражения по поводу поведения ребенка, если с раннего возраста дают ему возможность получать удовольствие от общения со сверстниками. Когда родители мрачны, стыдятся внешнего вида своего ребенка, жалеют, что он получился таким, когда они слишком опекают его, удерживают от общения с другими людьми, он вырастет замкнутым, подозрительным, сконцентрированным на своем пороке. Надо стараться не обращать внимания на некрасивое родимое пятно или на деформированное ухо словно в этом нет ничего особенного, надо вести себя с ним как с обычным ребенком, отпускать его гулять, не волноваться, что кто-то своим пристальным взглядом или неловким замечанием травмирует психику ребенка, стараться, чтобы инвалид не обращал внимания на свой дефект, и он будет считать себя таким же, как все.

Что же до взглядов и показывания пальцем, то ребенку все равно придется привыкнуть к своей особой внешности, и чем раньше это произойдет, тем лучше. Если малыша будут прятать дома, лишь воскресными днями выпуская погулять, то один неосторожно брошенный взгляд причинит больше боли, чем ежедневные бесцеремонные рассматривания.

783. Не надо жалеть ребенка-инвалида. У шестилетнего мальчика родимое пятно закрывало половину лица. Его мать сильно переживала по этому поводу и испытывала к нему постоянную жалость. К старшим дочерям она была строга, зато младшему разрешалось все: его освободили от всех обязанностей по дому, ему прощалась грубость со взрослыми, никто не бранил его за то, что он понукал сестрами. В результате его не любили ни сестры, ни другие дети.

По-человечески понятно, почему родители инвалида испытывают к нему жалость и стараются требовать от него меньше, чем он может дать. Но жалость подобна наркотику. Поначалу она кажется неприятной, но быстро затягивает, ребенок к ней привыкает, становится зависимым от нее. Разумеется, ребенок с дефектом нуждается в понимании и зачастую в особом обращении. Нельзя требовать от умственно отсталого ребенка действий, выходящих за уровень его развития, а ребенка, страдающего сухорукостью, бессмысленно ругать за плохой почерк. Тем не менее независимо от своего порока малыш должен быть вежлив и наравне с другими выполнять домашние дела. Любому человеку лестно, когда на него полагаются, считают его способным сделать что-то для других. То же относится и к инвалиду, он очень рад, когда к нему подходят с общими для всех мерками.

784. Не выделяйте больного ребенка среди остальных членов семьи. У четырехлетнего мальчика было обнаружено отставание в физическом и умственном развитии. Родители ходили с ним от доктора к доктору, из клиники в клинику. Всюду они слышали одни и те же слова: заболевание ребенка не поддается лечению, хотя можно многое сделать, чтобы он вырос счастливым и мог приносить пользу. Родителям, естественно, хотелось большего, и дело закончилось тем, что они нашли-таки знахаря, который за огромные деньги обещал им волшебное средство. В результате мальчик так и не выздоровел, а другие дети не получили необходимого им со стороны родителей внимания. Тем не менее сами родители были счастливы без малейшей пользы тратить время, силы и деньги.

Более чем понятны попытки родителей вылечить ребенка-инвалида. Ими руководят не только гуманные соображения. В глубине души их гнетет чувство собственной вины — даже если врачи объясняют случившееся с их ребенком ошибкой природы. Всех нас воспитывали так, чтобы мы чувствовали себя виноватыми и за содеянное, и за то, чего мы не сделали, хотя должны были сделать. После появления в семье ребенка-инвалида, чувство вины растет с каждым днем.

Это чувство не поддается доводам разума и часто заставляет родителей, особенно подверженных угрызениям совести, даже в безнадежных случаях совершать довольно нелепые действия. Люди как бы сами налагают на себя наказание за несуществующие грехи, хотя, как правило, и не осознают этого.

Если же здравый смысл возобладает, то родителям скорее удастся найти лучший выход из положения: они смогут приложить свои силы, чтобы помочь больному ребенку, и в то же время не оставят без внимания остальных детей.

785. Любите ребенка со всеми его недостатками. Десятилетний мальчик не отличался могучим сложением. Он не только отставал в росте от сверстников, но был ниже своей восьмилетней сестры. Родителям это представлялось настоящей трагедией. Они искали для сына все новых врачей, но те не видели каких-либо отклонений в его организме; по их мнению, малый рост был врожденной чертой ребенка. Отец с матерью не могли никак успокоиться и свою тревогу выражали самыми разными способами. Например, они уговаривали сына больше есть, надеясь, что усиленное питание поможет ему скорее вырасти. Когда речь почему-либо заходила о том, что он ниже других мальчиков или сестры, родители убеждали ребенка, что он гораздо умнее своих рослых приятелей.

Среди мальчиков дух соперничества особенно силен, и положение не вышедшего ростом в любом случае оказывается невыгодным. Но есть два фактора, которые помогают ребенку преодолеть его проблемы: уверенность в себе и спокойное отношение родителей к его субтильной комплекции.

Когда его уговаривают побольше есть, он понимает, что родители встревожены; тревога передается ребенку, и его аппетит снижается. Попытки родителей указать на другие качества, дающие ему превосходство над сверстниками, не могут заставить его не думать о своем маленьком росте и лишь глубже загоняют занозу соперничества. Здравый смысл иногда подсказывает родителям, что малорослому ребенку или малышу, страдающему излишней застенчивостью или, например, близорукостью, нужно объяснить, насколько его недостаток незаметен в глазах окружающих. Уверенный тон поможет вам убедить его в этом. Однако если вы будете скованы, если ваши слова прозвучат неискренне, это только убедит ребенка в его неполноценности.

786. Братья и сестры больного малыша берут пример с родителей. Семилетний мальчик с рождения страдал детским церебральным параличом. В умственном отношении он ничем не отличался от сверстников. Однако речь его была непонятна окружающим, его голова и конечности все время совершали странные движения, которыми он не мог управлять.

Мать проявила здравый смысл и относилась к нему так же, как и к его здоровому младшему брату. Единственным исключением были посещения специальной клиники, где больному делали массаж и учили специальным упражнениям, которые помогают добиться координации движений и улучшить речь. Младший брат и соседские дети испытывали к мальчику искреннюю симпатию за его дружелюбие и легкий нрав. Он участвовал во всех их играх, хотя дети вынуждены были делать ему некоторые скидки. Его отправили в обычную школу, находящуюся по соседству. Разумеется, болезнь многое не позволяла ему, но благодаря гибкой программе обучения, когда дети сами разрабатывают различные учебные проекты и совместно их осуществляют, острый ум и готовность к сотрудничеству сделали мальчика очень популярной фигурой в классе. Но отец придерживался несколько иного взгляда на будущее сына. Ему казалось, что ребенка нужно отдать в специальную школу, где он находился бы среди детей с таким же заболеванием. Отец также опасался, что, когда младший сын подрастет, он начнет стесняться брата.

Если родители не обращают внимания на физические недостатки ребенка, если они не делают различий между ним и остальными детьми, то братья и сестры больного тоже никак не выделяют его из своей среды. Их даже не обижают замечания других детей. Если же родители относятся к инвалиду по-особому, то и для остальных детей в семье он будет инвалидом.

787. Перемены в чувствах родителей. Впервые узнав, что их ребенок родился с серьезным дефектом, родители испытывают шок и отчаяние. («Почему это случилось именно с нами?») Затем приходит чувство вины, о котором говорилось в пункте 784. («Что мы сделали не так и что должны были сделать?») Врач пытается объяснить, что никакой вины родителей нет, и они никак не могли предотвратить случившегося. Но пройдет много времени, пока родители поймут это до конца.

Позже возникают новые проблемы: родственники и знакомые начинают пичкать несчастных родителей байками о каких-то чудодейственных средствах и методах лечения, якобы существующих в самых разных уголках света. Более того, они настаивают на том, чтобы родители обратились к целителям, и выглядят глубоко оскорбленными, когда их советам никто не следует. Разумеется, такими советчиками движут самые благородные мотивы, но ничего, кроме горя, они родителям больного ребенка не несут.

Потом родители уже не могут думать ни о чем, кроме дефекта своего ребенка и способов вылечить его. Это настолько занимает их, что они перестают видеть в ребенке личность, не в состоянии радоваться тому хорошему, что в нем есть. Наконец родители постепенно возвращают себе душевное равновесие, и больной ребенок в их глазах становится добрым и славным человеческим существом, испытывающим в жизни определенные трудности. Их начинают раздражать сетования родственников и знакомых, которые способны говорить только о постигшем ребенка несчастье.

Родителям надо быстрее пройти все эти болезненные ступени, опираясь на опыт сотен тысяч людей, которые испытали в жизни то же самое и смогли все преодолеть.

788. Родителям нужна помощь. Уход за инвалидом требует больше сил и больше нервов. Чтобы выполнить все необходимое наилучшим образом, нужен холодный рассудок, чего трудно ожидать от убитых горем людей, да к тому же имеющих минимальный опыт в этом деле. Все это приводит меня к убеждению, что родители ребенка-инвалида нуждаются в помощи и чутком руководстве и имеют право на эту помощь. Речь идет не только о чисто медицинских советах. Мне кажется, очень важно обсудить, как вести себя с ребенком дома, разобраться в проблемах, которые встают перед остальными членами семьи, взвесить все «за» и «против», выбирая между обычной местной школой и специализированным учреждением, расположенным подчас довольно далеко от дома, подумать о том, как облегчить горе и отчаяние родителей. Все эти вопросы потребуют долгих бесед с опытным психологом в течение не одного года.

Такие специалисты работают в организациях по оказанию социальной помощи, в клиниках, где лечат детей-калек, глухих и слепых, а также умственно отсталых. В сельских районах подобные функции возложены на работников окружных органов здравоохранения. В больших городах работают специальные агентства. Чтобы получить соответствующую информацию, следует обратиться в управление здравоохранением, расположенное в столице штата. В городах узнать адрес агентства можно в местном благотворительном фонде.

В последние годы родители детей-инвалидов стали объединяться в группы и даже в общенациональные общества. Подобные объединения преследуют несколько целей, каждая из которых заслуживает внимания. Члены ассоциаций делятся своими специфическими проблемами и способами их решения, организуют встречи и беседы со специалистами, используют все свое влияние, чтобы создать больным детям самые благоприятные условия существования, организуют фонды для финансирования научных исследований и поисков методов лечения болезней. В США созданы общенациональные общества родителей детей, больных церебральным параличом, мышечной дистрофией, эпилепсией муковисцидиозом, а также отстающих в умственном развитии.

789. Где лучше жить, где дать ребенку образование, где его лечить. Ребенка с несущественным дефектом, который не мешает ему учиться среди здоровых детей, можно отдать в местную школу. Среди подобных физических недостатков следует назвать, например, хромоту, излечиваемые болезни сердца, которые не мешают ребенку хотя бы в ограниченной степени проявлять двигательную активность, крупные родимые пятна. Ему так или иначе придется жить среди обычных людей, и лучше не откладывая ввести его в их мир, чтобы ребенку легче было считать себя одним из них.

790. Найдите возможность учить ребенка в обычной школе. Прежде считалось, что детей с дефектами, ограничивающими их возможность учиться в обычных школах, например плохим зрением и слухом, лучше отдавать в дневные специализированные школы. Если поблизости таких школ нет, поместите ребенка-инвалида в школу-интернат. За несколько последних лет многие поняли, что при всей важности образования для детей-инвалидов, еще большее значение имеют его адаптация в обществе и полноценное ощущение жизни. Следует принимать во внимание, насколько более общительным станет больной ребенок, все время находясь среди здоровых детей, насколько более полное представление о мире и о себе самом он получит, если будет расти с сознанием, что не так уж отличается от других детей, и, наконец, насколько больше уверенности будет в нем, если свое внеклассное время он будет проводить в кругу семьи. Хотя и так понятно, что по возможности ребенку лучше находиться дома. Чем меньше возраст ребенка (во всяком случае, пока ему не исполнилось 6–8 лет), тем больше он нуждается в уходе, а также любви, понимании, поддержке со стороны близких. Семью не заменит даже самый лучший интернат. Именно поэтому в США инвалидам позволили посещать обычные школы, дали возможность учиться в классах со здоровыми сверстниками. Правда, для этого приходится увеличивать бюджеты школ, комплектовать их штат специально подготовленными педагогами. Предполагается, что при одном варианте обучения часть времени больные дети проводят в специализированных классах, а осталь-

ное время — в обычных классах вместе со здоровыми ученика-
ми. Другой вариант предусматривает специальную подготовку
педагогов, которые так преподают учебный материал, чтобы его
мог усвоить ребенок с тем или иным дефектом.

791. Дети с частичной потерей слуха. Такого ребенка необходимо научить читать по губам, исправить некоторые недостатки речи и, если возможно, снабдить слуховым аппаратом.
Подготовленный таким образом ребенок может учиться в обычной школе.

**792. Глухие дети прежде всего должны научиться общаться
с одноклассниками.** Для этого требуется длительная тренировка
в специальных школах для глухих. В больших городах, есть
дневные школы для глухих, и детей желательно отдавать туда
пораньше, уже в 2–3 года, пока их характер не устоялся, а
желание учиться велико. Столь маленькие дети после школы
должны находиться дома, где их в полной мере будут окружать
любовь и забота близких и где будут удовлетворены их специфические нужды. Если поблизости нет специальной школы
и у родителей нет возможности переехать в другую местность,
то лучше подождать, пока ребенок не достигнет 4 лет, и уж тогда отдать его в интернат.

Существуют противоречивые мнения, стоит ли глухих детей
ради обучения чтению по губам и устной речи ограничивать в
использовании пальцевой азбуки. Родители, которые хотели
бы, чтобы их ребенок понимал людей с нормальным слухом,
мог говорить и меньше выделялся в компании, предпочитает не
видеть, как ребенок пользуется для общения пальцами.

Однако с помощью чтения по губам даже самые способные
глухонемые дети не могут полно и правильно понять говоря-
щего — о многом им приходится догадываться. Многие дети
даже после интенсивного обучения не в состоянии как следует
читать по губам. Обучение глухонемых детей устной речи идет
очень медленно, и не всегда педагогам сопутствует удача. Сегодня установлено: запрещая детям пользоваться пальцевой
азбукой, чтобы заставить их читать по губам, вы тормозите
весь процесс обучения. Иначе говоря, лучше поощрять глухонемых детей пользоваться **всеми** способами общения — пальцевой азбукой, чтением по губам и устной речью.

793. Слепые дети. Незрячий ребенок получает очень многое, обучаясь в обычной школе (или в детском саду), — правда, ему нужны дополнительные указания для выполнения того или иного задания. Удивительно и трогательно видеть трех- или четырехлетнего ребенка, который на равных со зрячими сверстниками участвует в работе класса. Неопытный учитель, так же как родители, поначалу беспокоится за него, старается уделять ему слишком много внимания. Но постепенно он понимаёт, что особая опека ребенку не нужна, и приходит на помощь ему только в крайних случаях. Разумеется, без некоторых послаблений ребенку-инвалиду обойтись невозможно. Другие дети легко принимают слепого в свою компанию. Они готовы моментально прийти ему на помощь, причем делают это очень тактично и бережно. Информацию о специальных школах для слепых можно получить в местных органах образования или в отделениях национального общества слепых.

794. Больные полиомиелитом и детским церебральным параличом. Для этих детей нужны не специальные классы, а сложное оборудование и квалифицированный персонал для лечения и тренировки мышц.

795. Постоянный медицинский контроль. Родителей детей-инвалидов, разумеется, консультируют врачи. Если предложения по лечению чем-то их не удовлетворяют, то они вправе обратиться к другому специалисту и узнать его мнение. Иногда родители, вполне довольные советом врача, обращаются еще к одному: «на всякий случай». Но вопреки ожиданиям они совершенно запутываются в различных методах лечения и в специальной терминологии. После всех консультаций у них возникает больше сомнений, чем раньше.

Найдя хорошего доктора, который понимает проблемы ребенка и которому вы доверяете, в дальнейшем руководствуйтесь принципом, что от добра добра не ищут. Врач, который в течение долгого времени работал с ребенком и постоянно контактирует со всеми членами семьи, скорее даст приемлемый совет, чем врач, впервые пришедший по вызову. Кроме того, ребенку-инвалиду психологически трудно каждый раз привыкать к новому доктору. Прочитав о новых успехах медицины в лечении недуга, которым страдает ваш ребенок, расскажите об этом своему лечащему врачу, а не бросайтесь сломя голову искать автора новой методики. Ваш доктор выяснит, насколько новое лечение поможет вашему ребенку, и тогда ваше сообщение принесет пользу всем.

796. Умственно отсталые дети. Все случаи задержки умственного развития детей можно разделить на три группы: органические, эндокринные и «врожденные». Причинами органической умственной отсталости могут быть повреждения в мозгу ребенка, вызванные, например, кислородным голоданием во время родов или таким заболеванием, как энцефалит. Умственная отсталость наблюдается и при нарушениях функции желез внутренней секреции, в частности, щитовидной. Если эндокринное заболевание вовремя диагностировать, то при правильном лечении последствия задержки умственного развития ребенка можно свести к минимуму.

Большинство случаев умственной отсталости относится к «врожденным», т. е. вызванным не болезнью или травмой, а также не действиями или бездействием родителей. Просто интеллект ребенка оказывается ниже среднего, как ниже или выше среднего бывает его рост. Интеллект продолжает развиваться, но медленнее, чем у других детей. Если, например, у четырехлетнего ребенка уровень интеллекта соответствует уровню среднего трехлетнего ребенка, то в 16 лет он будет отставать в развитии уже на 4 года, т. е. соответствовать двенадцатилетнему ребенку. Для характеристики умственного развития принят особый коэффициент, равный отношению возрастов детей с одинаковым интеллектом. В нашем случае он равен 75 % ($^3/_4 = ^{12}/_{16} = ^{75}/_{100}$). Хотя умственно отсталому ребенку в чем-то можно помочь, вылечить его недуг полностью нельзя, так же, как нельзя изменить голубые глаза или большой размер ноги.

797. Учитывая развитие ребенка, вы позволите ему проявить максимум способностей. Проблемы поведения умственно отсталых детей вызваны не недостатком интеллекта, а ошибками воспитания. Например, обнаружив, что ребенок совершает странные или дурные поступки, родители начинают сердиться на него и лишают его своего расположения, в результате чего малыш в своей семье чувствует себя брошенным и одиноким. Родители могут решить, что они сами виноваты в случившемся, и будут стараться «вылечить» ребенка всеми доступными способами, несмотря на то, что это не принесет пользы, а ребенку доставит лишние страдания. Если потом их вдруг «осенит», что все бесполезно и ничего исправить нельзя, они иногда прекращают покупать малышу игрушки, не дают бывать в компании сверстников, не заботятся о его достойном образовании, хотя в образовании нуждаются **все** дети, чтобы развить свои способности. Но самая большая опасность грозит ребенку, если родители не захотят заметить, что его умственное развитие идет медленно, и будут доказывать себе и остальным, что их малыш абсолютно такой же, как все. Они начнут насильно прививать ему навыки и манеры, к которым он еще не готов, станут сердиться, когда он откажется пользоваться горшком, отдадут его в школу, до которой он еще не дорос, и будут подолгу просиживать с ним за выполнением домашних заданий, с которыми он не справляется. Постоянный нажим сделает ребенка упрямым и капризным, а часто оказываясь в ситуациях, из которых он не в состоянии найти выход, малыш окончательно потеряет веру в себя.

Грустно признавать, но ребенок с замедленным умственным развитием лучше чувствует себя в семье, где родители получили посредственное образование и в своей жизни довольствуются малым. Ему намного труднее иметь образованных родителей, стремящихся сделать из своего отпрыска мировую звезду. Здесь обращают внимание не столько на самого ребенка, сколько на отметки, которые он приносит из школы, здесь озабочены не тем, чтобы он был счастлив, а тем, чтобы он поступил в институт и приобрел престижную профессию.

Есть много полезных и достойных видов деятельности, где люди с невысоким интеллектом могут прекрасно себя проявить. И каждый человек вправе выбрать для себя дело жизни, в котором наилучшим образом раскроются его способности и которое будет соответствовать уровню его развития.

Умственно отсталым детям надо позволить свободно развиваться. Не торопите события, приучая такого ребенка правильно есть или ходить на горшок, — его привычки и приобретаемые навыки должны соответствовать его интеллектуальному уровню, а не возрасту. Позволяйте ему копаться в песке, лазить по деревьям, фантазировать тогда, когда он захочет. Покупайте ему игрушки, о которых он просит, дайте ему играть с детьми, к которым он проявляет интерес, даже если они на год или два младше его. Не посылайте его в школу, прежде чем он сможет чувствовать себя там полноправным членом коллектива, способным самостоятельно выполнять все задания учителя. И помните, что ребенок нуждается в любви, ему очень нужно, чтобы вы ценили все привлекательные черты его характера.

Специалисты, работающие с группами умственно отсталых детей, прекрасно знают, насколько дружелюбны и отзывчивы многие из них — особенно те, кто нормально себя чувствует дома. И когда такие дети заняты играми или выполнением школьных заданий, которые им по силам, они проявляют не меньше желания справиться и не меньший интерес в достижении успеха, что и их обычные сверстники. «Тупость» проявляется только тогда, когда они оказываются в непривычной обстановке, а вовсе не из-за низкого коэффициента интеллектуального развития. Многие из нас почувствовали бы себя глупыми, попав на лекцию по теории относительности.

За детьми с незначительными задержками умственного развития можно ухаживать дома. Это место, где ребенок чувствует себя наиболее спокойно, и этим не отличается от других детей. Если у вас появится возможность, отправьте его в детский сад. Там воспитательница сама решит, в какой группе малышу будет лучше: со сверстниками или с младшими детьми.

798. Как вести себя с умственно отсталым ребенком дома. Родители, узнав, что их ребенок отстает в умственном развитии, пытаются выяснить у врача, какие ему нужны особые игрушки или специальные средства обучения. Им хочется также знать, как они должны вести себя с малышом. Подобный интерес объясняется распространенными представлениями, что умственно отсталые дети во многом отличаются от обычных. На самом деле это не так. Просто их интересы и способности соответствуют не календарному возрасту, а уровню интеллектуального развития. Они с удовольствием играют с младшими детьми, предпочитают игрушки, предназначенные для более раннего возраста. В 5 или 6 лет они не могут научиться завязывать шнурки на ботинках или заучивать буквы. Но интерес к этим занятиям возникает у них позже, когда их интеллектуальный уровень достигнет уровня пятилетнего ребенка.

Матери ребенка с нормальным интеллектом не приходит в голову обращаться к врачу или читать специальные книги, чтобы выяснить, чем интересуется ее малыш. Она просто наблюдает, как он пользуется своими игрушками или игрушками соседского ребенка, и легко определяет, какая новая игрушка ему бы понравилась. Она сама видит, что он хочет узнать, и исподволь старается ему помочь.

То же самое относится и к отстающим в развитии детям. Понаблюдайте за малышом и выясните, что вызывает его интерес, а потом выберите ему игрушки для дома и улицы. Постарайтесь найти для него приятелей, играя с которыми он получит удовольствие. Старайтесь учить его разным вещам, почувствовав, что он откликается на ваши усилия.

799. Куда и когда посылать ребенка учиться. Заподозрив, что ваш ребенок отстает от сверстников в интеллектуальном развитии, постарайтесь получить консультацию у частного психиатра или в детской психиатрической клинике (см. пункт 577). Желательно обследовать ребенка до 5—6 лет, пока он не пошел в школу. Не следует отдавать его в класс, с программой которого он не справится. Чувствуя, что он не успевает за одноклассниками, малыш каждый день будет получать новый удар по своему самолюбию и терять уверенность в себе. Особенно травмирует ребенка необходимость остаться на второй год. Если его отставание от сверстников незначительно, а гибкая учебная программа позволяет каждому трудиться в меру способностей, он вполне может двигаться вперед вместе со сверстниками. Но если он заметно отстает в интеллекте или класс учится по программе, предусматривающей одинаковый подход ко всем ученикам, то лучше подождать со школой, пока уровень умственного развития ребенка не будет соответствовать требованиям, предъявляемым к первоклассникам. Возможно, придется ждать год или больше. Отложите на год учебу на подготовительном отделении, чтобы не разочаровать ребенка, когда окажется, что он еще не готов идти вместе со всеми в первый класс. Однако если на подготовительном отделении обучение ведется по гибкой программе, пусть он проведет там 2 года вместо одного.

В крупных школах обычно создают специальный класс, где учатся дети с задержкой умственного развития. В него набирают детей 6, 7 и 8 лет, но обучение чтению и письму начинается не сразу, а лишь тогда, когда все к этому готовы.

Если родители, заранее посоветовавшись с психологом, выяснили, что их ребенку следует учиться в специальном классе, им, возможно, стоит переехать на другое место жительства, где по соседству есть школы с классами для умственно отсталых детей.

Если получить консультацию психолога не представляется возможным, подробно поговорите с учителем или директором школы, сообщив им все факты. Не чувствуя уверенности, что ваш ребенок готов идти учиться, воспользуйтесь мудрым в данном случае принципом: лучше опоздать, чем поторопиться.

800. В школе-интернате ребенку учиться легче. Если позже выяснится, что ни в обычном, ни в специальном классе дневной школы учеба ребенку не дается, вы можете перевести его в государственную или частную школу-интернат. При этом учтите, что заявок на прием в такие школы гораздо больше, чем мест в них, потому иногда приходится ждать годы, пока вашего ребенка туда возьмут. Я бы посоветовал заранее подать заявку — отказаться никогда не поздно.

801. Серьезные случаи отставания в развитии. Считается, что ребенок, который в полтора-два года еще не умеет сидеть, очень серьезно отстает в развитии. За ним долго придется ухаживать, как за младенцем. Поскольку его отношения с окружающим миром очень ограничены, он мало что получает от семьи, да и родители при всем желании не в состоянии помочь ему. Универсальный совет, как поступать в таких случаях, дать невозможно. Все зависит от степени умственной отсталости ребенка, от его темперамента, от того, как ведут себя в его присутствии братья и сестры. Кроме того, важно, сможет ли он, став старше, находить себе хороших товарищей по играм, есть ли в школе классы, где учат слабоумных детей, есть ли возможность отправить его в школу-интернат. Прежде всего будущее ребенка зависит от того, насколько его мать готова ухаживать за ним, хватит ли у нее на это духовных и физических сил. На многие из поставленных здесь вопросов можно будет ответить, лишь когда ребенку исполнится несколько лет.

Некоторые женщины прекрасно ухаживают за слабоумным ребенком, и способы, которые они для этого находят, позволяют им не доводить себя до изнеможения. Они радуются, когда ребенок хоть как-то отвечает на их заботы, их не пугают трудности, они не замыкаются полностью на больном ребенке. Благотворно сказывается на развитии умственно отсталого ребенка участие других членов семьи в уходе за ним. В таких условиях ребенок может оставаться дома как угодно долго.

Другие женщины, так же преданно любящие своего умственно отсталого ребенка, не находят в себе сил и терпения ухаживать за ним, удовлетворять его особые нужды и потребности. Чем дальше, тем более раздражительными они становятся. Это сказывается отрицательно на отношениях с мужем и другими детьми, которые начинают тяготиться присутствием дома больного брата или сестры. В подобных случаях надо обратиться за содействием в государственную или благотворительную организацию.

Есть, наконец, еще одна категория женщин, которые посвящают себя больному ребенку со всем пылом своей души. У таких матерей чувство долга перед детьми настолько сильно, что им не хватает душевных сил на мужа и на остальных детей, не говоря уже о них самих. В перспективе такой ход событий принесет большой вред и семье в целом, и больному ребенку. Нужно помочь матери разумно ограничивать свои старания и убедить ее не замыкаться только на больном (см. пункт 788).

802. Болезнь Дауна вызывает особый тип органической умственной отсталости и нарушения в развитии тела. Больных легко определить по специфическому разрезу глаз — они у них раскосые, как у лиц монголоидной расы. У болезни Дауна есть и другие характерные признаки: маленький рост и сильное отставание в умственном развитии, которое лишь в редких случаях достигает сколько-нибудь заметного уровня; кроме того, больные отличаются очень добродушным характером.

В основе заболевания лежит аномалия хромосом, возникающая на самой ранней стадии развития эмбриона. Риск родить больного ребенка увеличивается при поздней беременности. Это заболевание не передается по наследству, но если рождается больной ребенок, исследования набора хромосом у него и у матери поможет специалисту в прогнозе будущих беременностей. Исследование хромосом имеет особое значение для молодых женщин.

Как и при других формах умственной отсталости, будущее ребенка зависит от того, насколько быстро он развивается, от условий в семье, от наличия поблизости детских учреждений со специальными группами для слабоумных детей, от способности матери справляться не только с уходом за больным ребенком, но и с другими своими обязанностями. В некоторых семьях за больными детьми организован нормальный уход, и они не тяготят ни родителей, ни других детей. Но бывает иначе: когда больной ребенок подрастает, выясняется, что атмосфера в семье станет лучше, если поместить его в государственный или частный интернат. Предусмотрев такой ход событий, лучше заранее послать просьбу в одно из подобных учреждений, обычно от подачи заявки до ее удовлетворения проходит несколько лет, ведь число мест в интернатах ограничено. Позже вы всегда можете отозвать свою просьбу. Прежде чем прийти к окончательному решению, следует обсудить ситуацию с близкими, взвесив все за и против.

Многие врачи рекомендуют состоятельным родителям отдать ребенка сразу после рождения в частный детский дом. Это легче сделать, пока родители не привязались к ребенку, который в любом случае не станет полноценным, зато они смогут целиком посвятить себя воспитанию своих здоровых детей. Но не для всех семей приемлем такой выход из положения. Если родители колеблются, им стоит посоветоваться со специалистами из службы помощи семье или с психиатром. Кроме того, содержание ребенка требует значительных средств, а немногочисленные государственные детские учреждения принимают больных только в возрасте 5 лет и старше.

Приемный ребенок

803. У приемных родителей должно быть горячее желание усыновить ребенка. Бездетная супружеская пара может решиться на усыновление, если оба очень любят детей и чувствуют, что не могут жить без них. И родные, и приемные дети одинаково нуждаются в любви и заботе со стороны отца и матери. Любовь должна быть глубокой и навсегда. Приемный ребенок более чутко воспринимает холодность одного или обоих родителей, поскольку он не чувствует себя защищенным. Обычно он знает, что его собственные родители по какой-то причине отказались от него, и теперь боится повторения беды. Нетрудно понять, почему не следует усыновлять ребенка, если этого хочет только один из родителей или они оба руководствуются меркантильными соображениями, например, им нужен помощник на ферме или они боятся одинокой старости. Бывает, что женщина боится потерять мужа и думает, что приемный ребенок удержит его в семье. Подобные мотивы усыновления не принесут пользы ни ребенку, ни родителям. Приемный ребенок, испытывающий дефицит родительской любви, часто демонстрирует не лучшее поведение.

Одиноким людям не следует брать приемного ребенка. Во-первых, как мальчику, так и девочке для нормального развития необходимо влияние обоих родителей; во-вторых, одинокий человек настолько увлекается ребенком, что это обоим не пойдет на пользу.

Супруги не должны слишком долго тянуть с усыновлением. В позднем возрасте этого лучше не делать. Затянувшиеся мечты о девчушке с золотыми локонами, наполняющей дом звонкой песенкой, могут привести к тому, что появление реального ребенка со всеми его достоинствами и недостатками станет для пожилых людей горьким разочарованием. Но как решить, когда лучше усыновить ребенка? Дело не только в возрасте, поэтому перед принятием решения вам следует обсудить ваши намерения с работниками органов опеки.

Иногда желание усыновить малыша посещает родителей, у которых уже есть свой ребенок. Видя, что ему одиноко в семье, мать и отец хотят подарить ему брата или сестричку. В этом случае еще более важна беседа с психиатром или работником органов опеки. Приемный ребенок чувствует себя посторонним в доме, где есть родной ребенок. Если же родители будут подчеркнуто внимательны к новому члену семьи, их собственный ребенок начнет ревновать. В любом случае вы сильно рискуете.

Опасность кроется и в попытке «заменить» своего умершего ребенка приемным. Если в семье есть еще дети, усыновленный малыш окажется в заведомо проигрышном положении. Но даже если других детей нет, целью усыновления должна быть только любовь к детям вообще. Очень хорошо, если усыновленный малыш будет похож на потерянного вами, но на этом сравнения должны быть закончены. Жестоко и несправедливо заставлять любое человеческое существо исполнять роль другого. Малыш обречен на поражение в попытках стать призраком ушедшего ребенка. В результате родители будут разочарованы, а ребенок несчастен. Ни в коем случае не напоминайте вслух о том, каким был ваш ребенок, даже в мыслях не сравнивайте их. Пусть приемный малыш будет жить в согласии со своей собственной природой. (Об этом нужно помнить и родителям, у которых родился второй ребенок после смерти их первенца.)

804. Оформляйте усыновление только через официальные органы. Пожалуй, главное в сложном процессе усыновления — это пользоваться услугами только специально уполномоченных лиц. Вы сильно рискуете, обращаясь непосредственно к родителям, которые желают отдать своего ребенка, или к неопытным или недобросовестным посредникам. Таким образом вы не сможете защитить себя от попыток прежних родителей вернуть своего ребенка обратно, стоит им переменить решение. Даже если закон будет на вашей стороне, сама судебная процедура способна отравить вашу отцовскую и материнскую радость и сделать несчастным ребенка. Официальное учреждение станет непреодолимой стеной между настоящими и приемными родителями, одни не будут знать даже имен других, не смогут вмешиваться в жизнь друг друга — и все это в интересах ребенка. Работники органов опеки помогут матери принять лучшее для нее решение: стоит ли ей отказываться от ребенка или лучше оставить его у себя. Они внимательно изучат образ жизни семьи приемных родителей и отговорят их, если сочтут их решение взять ребенка опрометчивым. Кроме того, в период испытательного срока они будут проводить проверки, насколько в новой семье соблюдаются права всех заинтересованных сторон.

Приемных родителей всегда интересует вопрос, детей какого возраста лучше брать к себе в семью. Чем раньше, тем лучше. Вы начинаете воспитание как бы с чистого листа и можете пройти с малышом все стадии развития так же, как это было бы с родным ребенком. Тем не менее известно множество счастливых семей, в которой усыновляли детей, давно вышедших из младенческого возраста.

Не меньше беспокоят усыновителей проблемы дурной наследственности и ее влияние на будущее ребенка. Однако чем больше мы узнаем о развитии человеческой личности, в том числе об умственном развитии, тем больше убеждаемся в превалирующем значении среды, в которой воспитывается ребенок, любви, которую он получает в детстве, чувства принадлежности к семье. До сих пор не получено доказательств, что общественные пороки, такие как преступность, передаются по наследству.

805. Пусть ребенок знает о своем происхождении. Нужно ли рассказывать ребенку, что он взят из другой семьи? Авторитетные в этой области авторы считают, что ребенок должен об этом знать. Раньше или позже он все равно узнает правду о своем происхождении, как бы тщательно вы ни хранили свою тайну. Это открытие всегда становится очень тяжелым моментом для ребенка постарше и даже для взрослого, если оно приходит неожиданно и внезапно. Он будет ощущать горечь долгие годы. Когда надо сказать правду ребенку, если его усыновили на первом году жизни? Не нужно специально дожидаться некоего удобного момента. Просто это вообще не надо держать в секрете. Спокойно, хотя по возможности осторожно, касайтесь этой проблемы в разговорах между собой, в беседах с ребенком и с его знакомыми. Все это создаст такую атмосферу, что малыш не будет бояться задавать вопросы о своем происхождении, когда у него появится интерес к подобным проблемам. Узнавая каждый раз понемногу, он постепенно узнает, что такое усыновление.

Те родители, которые пытаются все сохранить в тайне, полагаю, делают ошибку. Но не меньше ошибаются другие, которые уделяют своей проблеме слишком много внимания. Приемные родители, когда берутся за дело, испытывают гипертрофированное чувство ответственности, словно им необходимо оправдать надежды людей, доверивших им чужого ребенка. Поэтому они пускаются в слишком дотошные объяснения того факта, что ребенок ими усыновлен, и малыш начинает думать:

«Значит, в усыновлении есть что-то нехорошее». Однако если бы к своим обязанностям они относились так же естественно и спокойно, как они относятся, например, к цвету волос ребенка, им бы не пришло в голову делать из этого секрета или постоянно напоминать малышу, что он им не родной. Лучше бы им убедить себя, что, если уж их выбрали, значит, они чертовски хорошие родители и ребенку просто повезло, что он к ним попал.

Предположим, трехлетний ребенок слышит, как мать объясняет своей новой знакомой, что его усыновили, когда он был маленьким. «Мамочка, а что значит: усыновили?» — спрашивает он. У матери есть, например, такой вариант ответа: «Я очень давно хотела иметь маленького мальчика, которого я бы любила и за которым ухаживала бы. Поэтому я поехала в одно место, где было много малышей, и сказала работавшей там тете: «Я хочу мальчика с темными волосами и карими глазками». Она принесла мне ребенка, и это был ты. Я сказала ей: «Это именно тот ребенок, о котором я мечтала, и я хочу взять его к себе навсегда». Вот так я тебя усыновила». В качестве первого шага такое объяснение вполне приемлемо, поскольку акцент здесь сделан на положительный аспект факта усыновления: мама получила то, что хотела. Рассказ наверняка понравится ребенку, и он будет часто просить вас повторить его.

Позже, между 3 и 4 годами, малыш, как и его сверстники, начинает интересоваться, как появляются на свет дети. Эту проблему мы рассматривали в пункте 532. Вам следует отвечать честно, но просто, не вдаваясь в лишние подробности, чтобы трехлетний ребенок понял ваше объяснение. Однако если вы станете говорить, что маленький ребенок сначала существует у матери в животе, малыш уловит противоречие с прежним рассказом о некоем месте, где было много детей, из которых мама выбрала его. Возможно, через некоторое время он спросит: «А я был в твоем животе?» На это приемная мать спокойно может ответить, что он был в животе другой женщины до того, как его усыновили. Поначалу он будет озадачен, но постепенно вникнет в ситуацию.

Со временем появятся другие, более трудные вопросы, в частности, о том, почему настоящая мама его бросила. Если вы скажете, что настоящая мать не хотела оставлять его у себя, ребенок перестанет доверять вообще всем матерям. Не пытайтесь сами ничего выдумывать — малыша все равно будет волновать этот вопрос, и неизвестно, как он повернется в его сознании. Лучшим — и самым близким к истине — будет ответ: «Я не знаю, почему это произошло, но уверена, она тебя любила». Некоторое время ребенка будет мучить эта дилемма, и вам стоит напомнить ему, обняв и прижав к себе, что, несмотря на прошлое, он навсегда стал вашим.

806. Ребенок должен быть уверен в своем будущем. Приемного ребенка часто охватывает тайный страх, что, если вы передумаете или он будет плохо себя вести, вы его бросите так же, как бросила настоящая мать. Вы всегда должны помнить об этом и должны поклясться ему, что **никогда**, ни при каких обстоятельствах вам даже в голову не придет совершить что-либо подобное. Одна бездумно или в гневе высказанная угроза навечно разрушит его веру в вас. Когда бы в голову ребенка ни закрались сомнения, вы должны быть готовы самым горячим образом убедить его, что он будет с вами всегда. В то же время мне бы хотелось предостеречь приемных родителей от излишнего энтузиазма в изъяснениях вашей преданности ребенку. Ему нужно, чтобы его любили, любили искренне. Не сами слова, а выражение, с которым они сказаны, играет основную роль.